ISBN 978-1-334-65364-3
PIBN 10639707

This book is a reproduction of an important historical work. Forgotten Books uses
state-of-the-art technology to digitally reconstruct the work, preserving the original format
whilst repairing imperfections present in the aged copy. In rare cases, an imperfection in
the original, such as a blemish or missing page, may be replicated in our edition. We do,
however, repair the vast majority of imperfections successfully; any imperfections that
remain are intentionally left to preserve the state of such historical works.

English
Français
Deutsche
Italiano
Español
Português

www.forgottenbooks.com

Mythology Photography **Fiction**
Fishing Christianity **Art** Cooking
Essays Buddhism Freemasonry
Medicine **Biology** Music **Ancient
Egypt** Evolution Carpentry Physics
Dance Geology **Mathematics** Fitness
Shakespeare **Folklore** Yoga Marketing
Confidence Immortality Biographies
Poetry **Psychology** Witchcraft
Electronics Chemistry History **Law**
Accounting **Philosophy** Anthropology
Alchemy Drama Quantum Mechanics
Atheism Sexual Health **Ancient History**
Entrepreneurship Languages Sport
Paleontology Needlework Islam
Metaphysics Investment Archaeology
Parenting Statistics Criminology
Motivational

ALTNORDISCHE

SAGA-BIBLIOTHEK

HERAUSGEGEBEN

VON

GUSTAF CEDERSCHIÖLD
HUGO GERING UND EUGEN MOGK

HEFT 4

LAXDŒLA SAGA

HALLE A. S.
MAX NIEMEYER
1896

LAXDŒLA SAGA

76202

HERAUSGEGEBEN

VON

KR. KÅLUND

HALLE A. S.

MAX NIEMEYER

1896

Inhaltsverzeichnis.

Inhaltsverzeichnis.

Inhaltsverzeichnis.

a*

Inhaltsverzeichnis.

Einleitung.

§ 1. Inhalt der saga.

Die Laxdœla saga gehört zu den sogenannten Íslendinga sǫgur — ungefähr dreissig erzählungen, die mit isländischen begebenheiten um die wende des ersten jahrtausends n. Chr. sich beschäftigen — und ist unter diesen eine der umfangreichsten. Wie sie vorliegt, umspannt sie einen zeitraum von ungefähr 150 jahren (9.—11. jahrh.) und hat den charakter einer familiengeschichte, indem sie durch 7—8 generationen hauptsächlich von einem geschlechte handelt, das nach seiner heimat, dem Laxárdalr im westlichen Island, der zugleich der hauptschauplatz der begebenheiten ist, den namen Laxdœlir führte.

Als eine einleitung in die eigentliche saga kann man die ersten 27 capitel betrachten. Es wird uns hier erzählt wie das geschlecht des häuptlings Ketill flatnefr aus Norwegen auswandert und, nachdem einzelne mitglieder sich vorübergehend auf den nordschottischen inseln aufgehalten haben, in Island sich niederlässt. Von Unnr, einer tochter des Ketill, stammt Hǫskuldr Dala-Kollsson, dessen vater ursprünglich den ganzen Laxárdalr — das von dem flusse Laxá durchströmte tal — besass. Der bericht über das leben des Hǫskuldr ist schon verhältnismässig ausführlich, auch behandelt die saga in einzelnen episoden bereits vorfälle, die seine verwandten und nachbarn angehen und in den lauf der begebenheiten eingreifen, so z. b. Hǫskulds streitigkeiten mit seinem in Norwegen geborenen halbbruder Hrútr Herjólfsson, und sein verhältnis zu dem wolhabenden, aber kleinmütigen Þórðr goddi und zu Víga-Hrappr, der noch nach seinem tode durch spukerei

lästig wird. Die güter dieser beiden männer fallen auf ver-
schiedene weise dem Óláfr pái zu, dem berühmtesten sohne
des Hǫskuldr, bei dem die saga mit vorliebe verweilt. Óláfr,
dem Hǫskuldr von einer auf einem norwegischen markte ge-
kauften sklavin, Melkorka, geboren, erweist sich als tochter-
sohn des irischen königs Mýrkjartan und wird nach einem
besuche am norwegischen hofe und bei seinem königlichen
grossvater in der heimat als solcher allgemein anerkannt.

Ein sohn des Óláfr ist Kjartan, der eigentliche held der
Laxdœla saga, dessen lebensgeschichte den hauptinhalt der-
selben bildet (cap. 28—49). Er liebt die stolze und leiden-
schaftliche Guðrún Ósvífrsdóttir, die in jugendlichem alter
schon zweimal verheiratet gewesen ist, und findet bei ihr
gegenliebe; doch tritt er eine reise nach Norwegen an, ohne
dass eine förmliche verlobung zustande gekommen ist. Sein
vetter und pflegebruder Bolli Þorleiksson (wie Kjartan ein
enkel des Hǫskuldr) begleitet ihn, kehrt aber früher als Kjartan
heim und vermählt sich mit Guðrún. Als Kjartan später Hrefna
Ásgeirsdóttir heimführt und Guðrún mit erkünstelter gering-
schätzung behandelt, reizt diese wie die Brynhild der helden-
sage aus eifersucht und gekränktem stolz ihren mann und
ihre brüder an, den noch immer geliebten zu töten.

Den schluss der saga bildet die erzählung der ereignisse,
welche diese bluttat zu folgen hat. Kjartans ermordung muss
Bolli mit dem leben büssen; er selber aber wird erst nach
langen jahren durch seinen gleichnamigen, erst nach dem tode
des vaters geborenen sohn Bolli Bollason gerächt. Guðrún
hat während dieser zeit in dem mächtigen Snorri goði einen
treuen freund und beschützer; er ist es auch, der ihre vierte
ehe mit dem historisch wol bekannten häuptling Þorkell
Eyjólfsson zustande bringt, worauf er seine eigene tochter
Þórdís mit Bolli verheiratet und endlich einen vergleich zwischen
den brüdern Kjartans (den Óláfssynir) und den söhnen des
älteren Bolli (Bolli und Þorleikr) vermittelt. Bolli Bollason
unternimmt darauf eine reise ins ausland, die ihn bis nach
Konstantinopel führt, wo er im dienste des griechischen kaisers
zu hohen ehren gelangt. Während seiner abwesenheit ist sein
stiefvater Þorkell bei einem schiffbruche ertrunken, und bald
nach Bollis heimkehr stirbt auch Snorri goði. Guðrún be-

schliesst hochbetagt als einsiedlerin ihr leben. Mit dem be-
richte über den tod des Gellir, des sohnes des Þorkell und
der Guðrún, schliesst die ursprüngliche saga, der jedoch schon
verhältnismässig früh eine willkürlich erdichtete fortsetzung
angehängt worden ist, welche man nach ihrem inhalte den
Bolla þáttr zu nennen pflegt. Er berichtet von einigen aben-
teuern, die Bolli Bollason infolge einer rechtssache, die er sich
gezwungen sah zu übernehmen, im nördlichen Island bestanden
haben soll.

§ 2. Alter der saga. Handschriften.

Die Laxdœla saga in ihrer jetzigen gestalt lässt sich durch
die erhaltenen handschriften bis gegen 1300 zurückverfolgen,
und da diese handschriften schon damals zwei von einander
unabhängige klassen (y und z) bildeten, so muss die gemein-
same grundlage spätestens gegen ende des 13. jahrhunderts
entstanden sein. Andere gründe machen es jedoch wahr-
scheinlich, dass die saga, wie wir sie besitzen, bereits um
1230 aufgezeichnet worden ist. Hierfür sprechen namentlich
die genealogien im c. 31, welche (§ 5) mit Þorvaldr Snorrason
í Vatnsfirði († 1228) enden, und c. 78, 6, wo Ketill Hermundar-
son († 1220) als ehemaliger abt des klosters zu Helgafell be-
zeichnet und ein von seiner schwester Þórvǫr abstammendes
geschlecht (das Skógverjakyn) erwähnt wird; eine anspielung
auf die im jahre 1184 erfolgte stiftung jenes klosters findet
sich c. 66, 3. Ebendaselbst (c. 78, 7) scheint auch ein mit
Ketill ungefähr gleichzeitiger priester, Sighvatr Brandsson, als
bereits der vergangenheit angehörig genannt zu werden (er
þar bjó lengi). Anderwärts werden verschiedene personen, die
gegen ende des 12. jahrhunderts lebten, angeführt, z. b. der
erzbischof Eysteinn (c. 50, 4) und Ari sterki (c. 78, 9), welche
beide im jahre 1188 starben. Der terminus ad quem lässt
sich jedoch nicht genau feststellen. Zwar werden die gottes-
urteile (skírslur), die in Norwegen 1247 verboten wurden,
c. 18, 20 noch als gesetzliches beweismittel erwähnt, aber es
lässt sich nicht entscheiden, wie schnell diese geistliche reform
ausserhalb des mutterlandes allgemein durchgeführt ward.
Immerhin aber machen es sowol innere umstände als die

handschriftliche überlieferung wahrscheinlich, dass die saga in
der ersten hälfte des 13. jahrhunderts verfasst ist; um 1250
wird sie auch bereits in anderen quellen citiert.

Als haupthandschrift ist der zur klasse *y* gehörige cod.
Arnam. 132 fol. (die sogenannte Mǫðruvallabók, M) zu be-
trachten, eine membrane aus der ersten hälfte des 14. jahr-
hunderts, da er die älteste einen vollständigen text enthaltende
handschrift ist. Dieselbe klasse ist ferner durch eine für
Árni Magnússon ausgeführte und von ihm revidierte abschrift
der verlorenen membrane Vatnshyrna (V), die um 1400 ge-
schrieben war, vertreten; endlich sind auch noch einige perga-
mentblätter der vorlage von V, die um 1300 zu setzen sind,
erhalten. Zu den eigentümlichkeiten der klasse *y* gehört u. a.,
dass die ihr angehörigen handschriften sämtlich schon den
Bolla þáttr enthielten.

Die zweite handschriftenklasse (*z*) wird durch das älteste
membranblatt der Laxdœla saga (vom ende des 13. jhs.) re-
präsentiert, ferner durch ein vorzügliches fragment aus der
zeit um 1300, zwei pergamentfetzen vom schlusse des 14. jhs.
und eine junge membrane (C) vom jahre 1498, die jedoch
nur den schluss der eigentlichen saga (c. 55, 2 — 78, 23) ent-
hält. Hierzu kommen dann noch verschiedene, mehr oder
weniger ungenaue papierhandschriften des 17. jhs., in denen
die saga vollständig überliefert ist. Die handschriften der *z*-
klasse, die einander sehr nahe stehen, haben nie den Bolla
þáttr enthalten und geben schon hierdurch die gewähr grösserer
altertümlichkeit. Im übrigen unterscheiden sie sich von *y* —
von einer einzelnen hauptabweichung abgesehen — durch
eine reihe eigentümlicher ausdrücke und wendungen. Zweifel-
los hat die *z*-klasse auch was stil und sprache betrifft, vor *y*
den vorzug verdient, sodass, wenn alte und gute handschriften
von ihr vollständig erhalten wären, diese der ausgabe hätten
zu grunde gelegt werden müssen; in den jüngeren hand-
schriften hat jedoch die sprache an klassicität verloren und
die form nicht ihre vollständige ursprünglichkeit bewahrt. Da
aber beide klassen, wie die vergleichung ergiebt, einander
gegenseitig nicht im mindesten beeinflusst haben, so leistet die
z-gruppe, in verbindung mit V, eine vorzügliche hilfe, um den
text der handschrift M zu berichtigen, wie dies von mir in

meiner kritischen ausgabe (Kopenh. 1889—91) ausführlich
nachgewiesen ist. Dieser kritisch berichtigte text ist auch in
der vorliegenden ausgabe zum abdruck gelangt.

§ 3. Entstehung der saga.

Unsere saga ist insofern als eine historische zu betrachten,
als die in ihr auftretenden personen meist tatsächlich existiert
haben und die begebenheiten, von denen sie berichtet, zum
grössten teile auf einer durch die tradition bewirkten un-
bewussten umformung des geschichtlichen stoffes beruhen.
Seine letzte, uns vorliegende gestalt empfing dieser stoff jedoch
sicherlich durch einen mann, der nicht — wie Ari — lediglich
von historischen interessen geleitet ward, sondern das ihm
überlieferte material künstlerisch gruppierte, erweiterte und
umbildete. Diese frei gestaltende tätigkeit ist namentlich in
den späteren partien der saga bemerkbar, wo das interesse
des autors auf Kjartan, Bolli Þorleiksson und Guðrún sich
concentriert, die erzählung ein zusammenhängendes ganze bildet
und dem schicksal ein bestimmender einfluss auf den gang
der handlung eingeräumt wird, indem die katastrophe mehr
und mehr bestimmt durch weissagungen und träume sich an-
kündigt. In dem letzten drittel der saga hat sogar das will-
kürliche schalten des verfassers die chronologie vollständig
zerstört, der aus vorliebe für den jüngeren Bolli, welcher jetzt
der held der saga wird, sich die gewaltsamsten eingriffe in
den bericht erlaubt hat. Die unordnung beginnt mit der
schilderung der begebenheiten, die die ermordung des älteren
Bolli (Þorleiksson) zur folge hat. Dieser mord geschah nach
den isländischen Annalen im jahre 1007; nach derselben quelle
starb Gellir, der sohn der Guðrún und des Þorkell Eyjólfsson,
1073 in einem alter von 65 jahren; er muss demnach um 1008
geboren sein, und hierzu stimmt der bericht der Heimskringla
(Saga Ólafs helga c. 138), dass er im winter 1025—26 als
geissel bei könig Ólafr helgi sich in Norwegen aufgehalten
habe und im folgenden sommer als überbringer einer könig-
lichen botschaft an das isländische allthing abgeschickt worden
sei, während sein vater (als dessen begleiter er nach der
Laxdœla die reise ins ausland unternommen haben soll) weder

in diesem noch in dem nächstvorhergehenden jahre in Nor-
wegen gewesen ist. Sichere daten sind ferner die geburt des
Þorkell Eyjólfsson (979) und dessen tod (1026), der tod des
Þorsteinn Kuggason (1027) — eines verwandten des Þorkell
Eyjólfsson, dem auch dessen letzte reise galt (vgl. § 1) —
und des Snorri goði (1031). Ohne dies zu berücksichtigen
und jeder vernünftigen zeitrechnung zum trotz, verfolgt der
verfasser nur das eine ziel, platz für die begebenheiten zu
schaffen, die den Bolli Bollason verherrlichen sollen, der
augenscheinlich in der echten überlieferung keine hervor-
ragende rolle gespielt hat, aber in dem berichte der saga,
der hier auch durchgehend ein jüngeres gepräge hat als die
vorhergehenden abschnitte, geflissentlich in den vordergrund
gerückt wird. Höchst wahrscheinlich ist er, der erst nach
dem tode seines vaters geboren ward, wider die historische
wahrheit von dem verfasser der saga zu dessen rächer ge-
macht worden: deswegen musste die rache hinausgeschoben
werden, bis Bolli 12 jahre alt ist und damit nach isländischem
rechte als mündig angesehen werden kann — was eine ver-
spätung von mindestens 8 jahren ergiebt. Hierdurch entstehen
eine reihe unlösbarer chronologischer widersprüche, die wiederum
andere willkürlichkeiten nach sich ziehen. So ist z. b. die
vermählung der Guðrún mit Þorkell Eyjólfsson, die nach der
saga die vollzogene rache zur voraussetzung hat, sicherlich
viel zu spät angesetzt, und folglich wird ihr sohn Gellir bei
seinem auftreten in der geschichte (die reise nach Norwegen)
zu jung.

Am schlusse der saga (cap. 78) findet sich ein ausführ-
liches geschlechtsregister der nachkommen des Bolli Bollason,
und es liegt nahe anzunehmen, dass ein besonderes verhältnis
zu mitgliedern dieser familie die bearbeitung des bis dahin
vielleicht nur mündlich überlieferten stoffes veranlasst hat.
Dadurch würde sich auch die bevorzugung des Bolli erklären.
Alles was von diesem berichtet wird scheint mehr oder
weniger verdächtig. Dass er an der vaterrache höchst wahr-
scheinlich ganz unschuldig war, ist bereits erwähnt. Ebenso
ist es sicherlich unwahr, dass er bei der verheiratung der
mutter bereits einen so bedeutenden einfluss ausübte, wie die
saga behauptet, die hier wie überall seinen durchaus nicht

unbedeutenden älteren bruder durch ihn in den schatten stellen
lässt. Im alter von 18 jahren bereits verheiratet, tritt er, als
es um die eintreibung der vaterbusse sich handelt, wiederum
als der einsichtigere auf, weiss sich auf der reise ins ausland,
die er mit dem bruder unternimmt, wieder in den vordergrund
zu drängen, — indem der verfasser so eifrig bemüht ist ihn
den bruder übertreffen zu lassen, dass er ihn unbewusst als
prachtliebend und grossprahlerisch schildert, — wird von dem
norwegischen könige durch übertriebenes lob ausgezeichnet
und schliesslich noch von dem autor nach Konstantinopel ge-
führt, um durch die langjährigen dienste bei dem griechischen
kaiser neuen ruhm zu ernten — eine mitteilung, die höchst
wahrscheinlich ebenfalls auf erfindung beruht.

Diese offenbar willkürliche umgestaltung eines teiles der
saga, vorgenommen um eine ursprünglich kaum sehr hervor-
ragende figur in ein glänzendes licht zu rücken, hat dann
wahrscheinlich in etwas späterer zeit auch die hinzudichtung
des sogenannten Bolla þáttr (c. 79—88) veranlasst. Da
diese erzählung sowol in M als in V sich findet, mithin schon
der gemeinsamen um 1300 entstandenen vorlage beider hand-
schriften angehört haben muss, so ist sie höchstens 60 jahre
jünger als die eigentliche Laxdœla. Nichtsdestoweniger be-
steht zwischen dieser und dem anhange ein himmelweiter
unterschied. Der verfasser der ursprünglichen saga ist ein
geübter erzähler gewesen, der mit dem sagastil völlig vertraut
war, so dass auch das von ihm hinzugedichtete nicht erheb-
lich gegen das übrige absticht. Dem autor der Bolla þáttr
fehlen dagegen die einfachsten geschichtlichen voraussetzungen.
Die neben dem helden auftretenden personen gehören nämlich
— soweit sie aus anderen quellen bekannt sind — sämtlich
einer älteren periode an und müssen zu der zeit, in welcher
Bolli Bollason seine reise in das nordviertel unternommen
haben soll, ohne ausnahme bereits tot gewesen sein. Ferner
ist den trägern der handlung ein durchaus unklassisches,
bäuerisches gepräge verliehen, die verwickelungen werden
durch unbedeutende und uninteressante begebenheiten herbei-
geführt, die schilderung der charaktere ist ohne tiefe, der
humor karrikiert oder abgeschmackt und die ganze erfindung
überaus dürftig.

Abgesehen von den willkürlichkeiten, welche die tenden-
ziöse verherrlichung des Bolli Bollason veranlasst hat, stimmen
die faktischen angaben der Laxdœla saga im übrigen leidlich
mit dem überein, was wir aus anderen berichten wissen; doch
schenkt der verfasser den chronologischen verhältnissen und
der politischen geschichte nur geringe aufmerksamkeit und
erlaubt sich hier und da ungenauigkeiten. Namentlich wird
seine unsicherheit bemerkbar, wenn es sich um ausländische
verhältnisse handelt. Sowol Hǫskuldr als sein halbbruder
Hrútr, wie auch Hǫskulds sohn Óláfr pái und dessen sohn
Kjartan werden in das gefolge (hirð) des norwegischen königs
aufgenommen — ein motiv, das schon wegen seiner häufigen
wiederholung bedenklich erscheint. Hǫskuldr soll nach der
saga im dienste des königs Hákon Aðalsteinsfóstri gewesen
sein, aber sein aufenthalt in Norwegen scheint zu einer zeit
stattgefunden zu haben, wo Hákon noch gar nicht regiert hat.
Was Hrútr anbetrifft, lässt sich die saga eine verwechslung
zu schulden kommen, indem sie in die zeit, wo Hrútr als
junger mensch in Norwegen sich aufhielt, begebenheiten ver-
legt, die aus der Njála bekannt, aber während eines späteren
besuches des Hrútr am norwegischen hofe, von dem die Lax-
dœla nichts weiss, sich ereigneten. — Alles was mit der ge-
burt des Óláfr pái und seiner reise zu seinem grossvater, dem
irischen könige Mýrkjartan zusammenhängt, hat ein sehr
romantisches gepräge; auch lässt sich für die besuche, die er
auf dieser reise dem könige Haraldr gráfeldr abstattet, in der
regierungszeit dieses fürsten kaum ein geeigneter zeitpunkt
finden. Dagegen liegt kein geeigneter grund vor, den besuch
Kjartans bei dem könige Óláfr Tryggvason und seine bei
dieser gelegenheit erfolgte taufe zu bezweifeln, doch scheint
sein aufenthalt in Norwegen weit kürzer gewesen zu sein, als
die Laxdœla angiebt, und der plan Óláfs, ihn mit seiner
schwester Ingibjǫrg zu verheiraten, beruht sicher auf erfindung.
Ferner muss hervorgehoben werden, dass die saga nicht selten
in den genealogischen angaben von der Landnámabók ab-
weicht, auch wo es sich um die nächsten angehörigen der
hauptpersonen handelt. Zu diesen irrtümern, die wol weniger
der fehlerhaften tradition als der nachlässigkeit des autors
zuzuschreiben sind, kommen andere ungenauigkeiten ver-

schiedener art, die wahrscheinlich die unzulängliche durcharbeitung des stoffes veranlasst hat.

§ 4. Verfasser, composition, stil.

Wie bei den Íslendinga sǫgur überhaupt, so wird es auch bei der Laxdœla saga nutzlos sein, nach dem namen des verfassers zu forschen. Dagegen lassen sich aus der darstellung über seine persönlichkeit doch einige aufschlüsse gewinnen. Der autor, der in der ersten hälfte des 13. jahrhunderts lebte, ist auf dem hauptschauplatze der erzählung, den landschaften am Hvammsfjǫrðr im westlichen Island, höchst wahrscheinlich selbst zu hause gewesen, wie aus verschiedenen angaben über die lage von örtlichkeiten und den eingehenderen localbeschreibungen sich ergiebt, und er fühlt sich eng an diese gegend geknüpft, für deren kirchlichen mittelpunkt, das kloster zu Helgafell, er grosse ehrfurcht an den tag legt (vgl. die prophezeiung c. 56, 3). Sowol dieser umstand als auch die pietät, mit der er mehrfach über kirchliche einrichtungen sich äussert, scheinen darauf hinzudeuten, dass er ein geistlicher gewesen ist. Dazu stimmt auch, dass der verfasser von einem verhältnismässig friedfertigen temperament gewesen zu sein scheint. Die kampfschilderungen werden nicht mit besonderer vorliebe ausgemalt, und von den hauptpersonen zeichnen sich viele, besonders die familienväter, durch ein besonnenes, beinahe sanftmütiges, auftreten aus (so Hǫskuldr, Óláfr pái, Gestr; auch die weise mässigung des Ósvífr wird, sogar ziemlich unbefugt, hervorgehoben). In seiner charakterschilderung, die — wie in den besseren Íslendinga sǫgur überhaupt — ganz vorzüglich ist, verweilt er mit vorliebe bei den weiblichen gestalten, oder diese gelingen ihm jedesfalls am besten, während es ihm schwerer fällt, die jugendlichen helden, z. b. den Kjartan und Bolli Þorleiksson, ins rechte licht zu stellen; die vorzüglichkeit der helden wird — was übrigens kaum eine specielle eigentümlichkeit dieser saga ist — bei weitem mehr behauptet, als durch handlungen bewiesen, und die mittel, durch welche ihre überlegenheit dargetan werden soll, können bisweilen die vorstellung von prahlerischer selbstzufriedenheit erwecken. — Die saga enthält

eine ganze reihe sehr verschiedenartiger weiblicher charaktere,
die sämtlich klar aufgefasst, consequent durchgeführt und an-
schaulich geschildert sind. Ueber alle erhebt sich die weib-
liche hauptperson der saga, Guðrún. Diese mächtige persön-
lichkeit, ein schönes, kluges und imponierendes weib von
starker, aber durch den verstand gezügelter leidenschaftlich-
keit und rücksichtslosem egoismus, die in ihren alten tagen
ihrem enkel anvertraut, dass sie den mann, dessen tod sie
verschuldete, mehr als alle anderen geliebt habe, erscheint
uns wie eine gestalt des heroischen zeitalters, und nicht ohne
grund hat man darauf hingewiesen, dass sie eine starke
familienähnlichkeit mit den heldinnen der eddischen Vǫlsungen-
lieder besitzt, vor allem mit Brynhild, die wie sie den tod des
geliebten herbeiführt, da sie es nicht ertragen kann, dass er
einer anderen angehört, aber in anderer beziehung auch mit
ihrer namensschwester, der tochter des Gjúki. Zu der scene
(c. 33), in welcher ihr der reihe nach ihre träume ausgelegt
werden, ohne dass dieser umstand ihr späteres verhalten be-
einflusst, bietet die altnordische dichtung (Grípisspǫ, Vǫlsunga
saga) mehrfache parallelen. Uebrigens verdient es hervor-
gehoben zu werden, dass die erste und zweite ehe der Guðrún
mit den ersten beiden ehebündnissen der Hallgerðr Hǫskulds-
dóttir in der Njála eine unläugbare ähnlichkeit haben.

Mit überraschender wahrheit sind aber auch die weib-
lichen nebenfiguren gezeichnet, von denen einzelne merkwürdig
moderne züge tragen, so z. b. Hrefna, die frau des Kjartan,
deren naive, schalkhaft-gefühlvolle, leicht bewegliche natur als
typus eines jungen mädchens aus einer weit späteren zeit
gelten könnte. Das nämliche lässt sich auch von der spröden
coquetterie sagen, die Þorgerðr Egilsdóttir während der
werbung des Óláfr pái an den tag legt. Nachdem sie ver-
heiratet ist, weiss dann der verfasser mit grosser consequenz
eine neue seite ihres charakters zur darstellung zu bringen,
eine gewisse halsstarrigkeit, die mit mangel an voraussicht
gepaart ist. Die älteste tochter der Þorgerðr, Þuríðr, scheint
den eigensinn ihrer mutter geerbt zu haben, und eigentümlich
ist es, dass ihre heftigkeit auch in der Heiðarvíga saga, die
von der Laxdœla schwerlich beeinflusst ist, ausdrücklich
hervorgehoben wird. Mit grosser kunst gelingt es auch dem

autor, eines der weiblichen originale der saga, die emanci-
pierte Auðr, die ihren mann Þórðr unerwidert liebt, uns leib-
haftig vor die augen zu stellen, indem er sie, als sie die nach-
richt von ihrer verstossung erhält, einen spottvers improvisieren
lässt, in dem sie vergeblich ihre gefühle zu verbergen sucht.
Diese ihr widerfahrene schande sucht sie später zu rächen,
indem sie bewaffnet ihren jetzt mit Guðrún (in deren zweiter
ehe) verheirateten mann überfällt, zu dessen ehre jedoch ge-
sagt werden muss, dass er, obschon gefährlich verwundet, die
verfolgung der Auðr verbietet, weil er sein unrecht erkennt.
Noch andere eigentümliche frauengestalten wären zu nennen,
z. b. die *landnámskona* Unnr djúpúðga, die wie eine patriarchin
kindeskinder und untergebene leitet und ihre herschaft erst
im augenblicke des todes aufgiebt.

Was den Bolla þáttr betrifft, der sicherlich im nördlichen
Island verfasst ist, was auch die orientierenden angaben über
die lage der örtlichkeiten bestätigen, so zeigt er eine be-
sondere lokalkenntnis im Svarfaðardalr, obgleich es an und
für sich ungereimt ist, dass Bolli Bollason zweimal durch
dieses entlegene tal seinen weg nimmt. Charakteristisch für
diesen späteren anhang ist eine den älteren sagas durchaus
fremde neigung, die bewohner eines landviertels vor den übrigen
landsleuten auszuzeichnen, wie dies im Bolla þáttr, der die
mannhaftigkeit der Norðlendingar überall hervorhebt, geschieht.

Sowol die schilderung der charaktere als auch der inhalt
und die erzählungsweise, sowie der umstand, dass das gefühl
stärker als sonst in der sagalitteratur zum ausdruck kommt,
macht die Laxdœla saga zu einer moderne leser ganz be-
sonders ansprechenden lektüre. Als geschichtliche quelle ist sie
dagegen nur mit grösster vorsicht zu benutzen, da ihren angaben
im einzelnen nicht unbedingt zu trauen ist; es sind daher
überall die berichte der unabhängigen quellen zur kontrolle
heranzuziehen. Ein besonderes interesse erhält die Laxdœla
durch ihre zahlreichen mitteilungen über sitten und gebräuche,
bewaffnung, kleidertracht, hausgerät usw., also alles das, was
in das capitel der altertümer gehört. Doch ist es natürlich,
hier wie auch anderwärts schwierig zu unterscheiden, wie weit
es der verfasser verstanden hat, von den zuständen und ver-
hältnissen seiner eigenen zeit zu abstrahieren.

§ 5. Die ausgabe.

Der text der vorliegenden ausgabe stimmt fast ganz mit demjenigen überein, den ich in meiner kritischen und mit vollständigem variantenapparat ausgestatteten ausgabe (Kopenh. 1889—91) gegeben habe; nur vereinzelte, zum teil schon in der Kopenhagener ausgabe angedeutete berichtigungen sind auf grund jenes apparates hier vorgenommen. Auf diese grössere ausgabe, in der über die handschriftliche überlieferung der saga und die übrigen fragen, die in den vorstehenden paragraphen erörtert sind, eingehender gehandelt ist, muss ich den leser, der gründlicher orientiert sein will, verweisen. In der vorrede der Kopenhagener ausgabe findet man ferner eine genaue inhaltsangabe der einzelnen capitel, der auch die nötigen chronologischen erläuterungen beigegeben sind. Eine zeittafel aufzustellen ist hier wie dort unterlassen, weil, wie oben ausgeführt, vielfach die angaben der saga mit der historischen zeitrechnung nicht in einklang zu bringen sind. Es steht in dieser beziehung mit unserer saga noch schlimmer als mit den meisten übrigen, die ja sämtlich bestimmte angaben von jahreszahlen überhaupt nicht kennen, sondern sich darauf beschränken, gelegentlich anzugeben, wieviel jahre zwischen zwei begebenheiten verflossen waren oder welches alter eine person an einem bestimmten zeitpunkte erreicht hatte, oder welches bekannte ereignis der ausländischen geschichte gleichzeitig mit dem erzählten vorgange eintraf. Einige orientierung über die chronologie findet man jedoch sowol in § 3 dieser einleitung als auch in den fussnoten; weitere belehrung ist aus dem bekannten werke P. A. Munchs (Det norske folks historie, Christ. 1852 ff.) und Guðbr. Vig-fússons abhandlung Um tímatal í Íslendinga sögum (in: Safn til sögu Íslands og íslenzkra bókmenta, I, Kopenh. 1856) zu schöpfen. Ueber die composition der saga vergleiche man A. U. Bååth, Studier öfver kompositionen i några isländska ättsagor (Lund 1885). Ausführlicheres über isländische locali-täten findet sich in Kr. Kålund, Bidrag til en hist.-topogr. beskrivelse af Island I—II, Kopenh. 1877—82.

Herrn professor H. Gering, der mein manuscript durch-gesehen hat, bin ich zu grossem danke verpflichtet, nicht nur wegen verschiedener bereicherungen des commentars, sondern besonders auch wegen der sprachlichen revision, der er meine deutsche darstellung in den fussnoten und in der einleitung unterzogen hat. Er und professor G. Cederschiöld haben mich auch bei der correctur in dankenswerter weise unterstützt.

Zu dem isländischen text der saga bitte ich noch folgende nachträge zu berücksichtigen.

c. 40, 43. *veðrátta.* Die membrane M hat *veðrat,* was als *veðrátt,* aber auch als ein schreibfehler (statt *veðrátta*) aufgefasst werden kann.

c. 64, 1. *koma munu vér.* In meiner Kopenhagener ausgabe steht durch einen druckfehler: *komu munu vér.*

c. 70, 3. *enn efniligsti maðr.* Eine genauere untersuchung — veranlasst durch G. Cederschiölds aufsatz *Om komparationen af fornisländska adjektiv på* -legr (-ligr) *och adverb på* -lega (-liga) im Arkiv f. nord. fil. IX, 95 ff. — hat ergeben, dass in M *efniligsti maðr* gelesen werden muss; diese zwei wörter sind jedoch durch spätere correctur in *efniligasti* (wie in der Kopenhagener ausgabe geschrieben ist) geändert.

c. 70, 4 und c. 72, 6. *Vel var þk.* und *G. var ok allvel.* Aus den in der membrane so geschriebenen nomina propria ist der casus nicht zu ersehen. Die jüngere isl. sprache construiert unpersönlich mit dativ, die ältere sprache persönlich mit nominativ; also muss in beiden genannten fällen nominativ des personennamen durchgeführt werden.

Da für die Altnordische sagabibliothek eine gleichmässige orthographie durchgeführt werden soll, sind auch im Bolla þáttr *œ* und *æ* unterschieden, obschon beide laute bereits um 1250 (also vor der abfassung dieses anhangs) im isländischen in *œ* zusammengeflossen waren.

Was den namen *Unnr* betrifft, so ist zu beachten, dass dieser nicht nur in der Landnámabók (wie in der fussnote zu c. 1, 2 bemerkt ist), sondern auch in den jüngeren handschriften der Laxdœla *Auðr* geschrieben wird. In einem aus diesen handschriften aufgenommenen satze (c. 6, 9) ist diese form auch in den vorliegenden text hineingeraten: sie muss also hier in *Unnr* geändert werden.

Der name *Aldís* (c. 50, 3) ist vielleicht *Áldís* (d. i. *Álfdís*) zu schreiben.

Die fussnoten geben in ihrem lexikalischen teile nur das, was in dem Altnordischen glossar von Th. Möbius (Lpz. 1866) sich nicht findet, und richten sich im übrigen, soweit möglich, nach dem von den herausgebern der Sagabibliothek entworfenen plane. Eine lateinische übersetzung der saga findet man in der älteren ausgabe (Havniæ 1826), eine (gekürzte) dänische in N. M. Petersens „Historiske fortællinger om Islændernes færd hjemme og ude", bd. 3 (Kopenh. 1863) s. 101—312.

Kopenhagen, im november 1895.

Kr. Kålund.

Laxdœla saga.

Ketill flatnefr und sein geschlecht.

I, 1. Ketill flatnefr hét maðr, son Bjarnar bunu, hann Ld. I. var hersir ríkr í Nóregi ok kynstórr. Hann bjó í Raumsdal í Raumsdœlafylki; þat er milli Sunnmœrar ok Norðmœrar. Ketill flatnefr átti Yngvildi, dóttur Ketils veðrs, ágæts manns. **2.** Þeira

Cap. I. 1. *Ketill flatnefr — son Bjarnar bunu.* *Buna*, „wasserstrahl" (?). Der bericht der Laxdœla saga über die auswanderung Ketils und seiner söhne weicht von den übrigen altnordischen quellen (besonders Eyrbyrgja saga und Landnámabók) ab, nach welchen Ketill dadurch, dass er gegen sein versprechen die Hebriden nicht dem norwegischen könige unterwarf, sondern selber die herscherwürde usurpierte, sich die feindschaft des königs Haraldr schönhaar zuzog, und ist kaum der ursprüngliche. Doch muss zugegeben werden, dass überhaupt die angaben der sagalitteratur über die verwandtschaftlichen beziehungen des Ketill flatnefr auf den brittischen inseln sich als unzuverlässig erweisen, wo sie sich durch fremde quellen (die irischen annalen) kontrollieren lassen. Vgl. Eyrbyggja saga c. 1—3, 5; Landnámabók I, c. 10—11, II, c. 11; Fornmanna sögur I, 242, 245—46.

2. *hersir*, „gauvorsteher" ist die gewöhnliche übersetzung. Doch ist die beschaffenheit der würde unsicher, und jetzt (G. Storm, Norsk hist. tidskrift 2 r. IV, 131) ist man geneigt anzunehmen, dass der hersir in der regel einer ganzen landschaft (*fylki*) vorgestanden habe. Ueber die spätere stellung dieser häuptlinge vgl. Egilssaga (Sagabibliothek) c. 1, ß.

3. *Raumsdœlafylki; þat er milli Sunnmœrar ok Norðmœrar.* Norðmœri, Raumsdœlafylki und Sunnmœri sind küstenlandschaften im westlichen Norwegen, von welchen *N.*, die nördlichste, auf beiden seiten des Drontheimsfjord liegt.

4. *veðrs*, der beiname ist doch wohl identisch mit dem m. *veðr*, „widder" (kaum mit dem n. *veðr*, „wetter"), obwohl jenes gewöhnlich den genetiv *veðrar* bildet. Ketill veðr war *hersir* in Hringaríki (norwegische landschaft nördlich von Christiania), Landnámabók I, c. 11.

Ld. I. bǫrn váru fimm. Hét einn Bjǫrn enn austrœni, annarr Helgi bjólan. Þórunn hyrna hét dóttir Ketils, er átti Helgi enn magri, son Eyvindar austmanns ok Rafǫrtu dóttur Kjarvals Írakonungs. Unnr en djúpúðga var enn dóttir Ketils, er átti Óláfr hvíti 5 Ingjaldsson, Fróðasonar ens frœkna, er Svertlingar drápu. Jórunn manvitsbrekka hét enn dóttir Ketils. Hon var móðir Ketils ens fiskna, er nam land í Kirkjubœ. Hans son var Ásbjǫrn, faðir Þorsteins, fǫður Surts, fǫður Sighvats lǫgsǫgumanns.

---

1. *Bjǫrn enn austrœni*, B. der „östliche". Nach der gewöhnlichen darstellung (vgl. Eyrb. c. 5) hat B. diesen beinamen (= der norwegische) erhalten, weil er, später als sein übriges geschlecht von Norwegen auswandernd, sich diesem nicht anschloss und nur kurze zeit auf den brittischen inseln verweilte.

2. *bjólan*, beiname von unsicherer bedeutung; das wort wird für keltisch angesehen.

2—3. *Helgi enn magri—Rafǫrtu.* Siehe c. 3, 9.

3. *Kjarvals Írakonungs.* K. Í. ist identisch mit dem im jahre 888 verstorbenen könige Cearbhall zu Ossory in Munster.

4. *Unnr en djúpúðga.* Der beiname *djúpúðigr* bedeutet „verständig"; die daneben vorkommende form *djúpauðigr* würde „grundreich" bedeuten, sie beruht aber wohl auf späterer entstellung. U. wird in Landnámabók *Auðr* genannt.

4. 5. *Óláfr hvíti Ingjaldsson.* Nur durch verwechslung lässt die saga hier diesen Óláfr (könig in Dublin) von dem dänischen könig *Fróði enn frœkni* abstammen. Sonst wird der stammbaum seines vaters Ingjaldr durch *Helgi—Óláfr—Guðrǫðr* bis zu dem norwegischen könige *Hálfdan hvítbeinn* hinauf geführt. Vgl. Islendingabóc c. 12 (Sagabibl. an-

hang II), Landnámabók II, c. 15. Doch sind mit der identifikation des königs Óláfr jedesfalls schwierigkeiten verbunden. (Vgl. G. Storm, Norsk hist. tidskrift 2 r. II, 313 ff.)

5. *Svertlingar*, „das geschlecht des *Svertingr* (oder *Svartr*)". Nach einer in mehreren formen — u. a. bei Saxo — erscheinenden altdänischen sage war *Svertingr* ein von dem könig *Fróði* besiegter häuptling, welcher an diesem rache nahm, indem er mit seinen söhnen ihn überfiel und tötete.

6. *manvitsbrekka*, „verstandsweib". (?)

7. *Ketils ens fiskna.* Der beiname ist hier *fiskinn*, „in fischerei glücklich". In anderen quellen führt K. den beinamen *enn fíflski*; *fíflskr*, „thöricht", soll er, weil er zum christentum sich bekannte, von seinen heidnischen landsleuten genannt sein. Vgl. Landn. IV, c. 11.

Kirkjubœr, gehöft am l. ufer der Skaptá im sö. Island. Die landschaft, in der dieser ort liegt, führte im altertum den namen Skógahverfi, während der name Síða, mit dem man heute diesen bezirk bezeichnet, früher eine ausgedehntere bedeutung hatte. (Kålund II, 312 ff.)

8. 9. *Sighvats lǫgsǫgumanns.* Sighvatr Surtsson war isländischer gesetzsprecher 1076—83.

Ketill und seine söhne verlassen Norwegen.

II, 1. Á ofanverðum dǫgum Ketils hófz ríki Haralds Ld. II.
konungs ens hárfagra, svá at engi fylkiskonungr þreifz í
landinu né annat stórmenni, nema hann réði einn nafnbótum
þeira. **2.** En er Ketill fregn þetta, at Haraldr konungr hafði
honum slíkan kost ætlat sem ǫðrum ríkismǫnnum at hafa frændr 5
óbœtta, en gǫrr þó at leigumanni sjálfr, — síðan stefnir hann
þing við frændr sína ok hóf svá mál sitt:
3. „Kunnig hafa yðr verit skipti vár Haralds konungs, ok
þarf eigi þau at inna, því at oss berr meiri nauðsyn til at ráða
um vandkvæði þau, er vér eigum fyrir hǫndum. **4.** Sann- 10
spurðan hefi ek fjándskap Haralds konungs til vár; sýniz mér
svá, at vér munim eigi þaðan trausts bíða; líz mér svá sem
oss sé tveir kostir gǫrvir, at flýja land eða vera drepnir hverr
í sínu rúmi. **5.** Em ek ok þess fúsari at hafa slíkan dauð-
daga sem frændr mínir; en eigi vil ek yðr leiða í svá mikit 15
vandkvæði með einræði mínu, því at mér er kunnigt skaplyndi
frænda minna ok vina, at þér vilið eigi við oss skiljaz, þótt
mannraun sé í nǫkkur at fylgja mér."
6. Bjǫrn, son Ketils, svarar: „skjótt mun ek birta minn
vilja. Ek vil gera at dœmum gǫfugra manna ok flýja land 20
þetta; þykkjumz ek ekki af því vaxa, þótt ek bíða heiman
þræla Haralds konungs, ok elti þeir oss af eignum várum, eða
þiggja af þeim dauða með ǫllu".
7. At þessu var gǫrr góðr rómr, ok þótti þetta drengiliga
talat. Þetta ráð var bundit, at þeir mundu af landi fara, því 25

---

2. *fylkiskonungr*. Ursprünglich
zerfiel Norwegen in ungefähr 30
fylki; in einigen dieser landschaften
hatte sich vor der zeit des gesamt-
königstums eine königswürde aus-
gebildet, doch von ziemlich be-
schränkter und unbestimmter art.
6. *at leigumanni*, „zum pachtbauern":
Die norwegischen grossbauern fühl-
ten sich nicht mehr als freisassen,
nachdem könig Haraldr schönhaar
ihnen steuer auferlegt hatte. Vgl.
Egilssaga (Sagabibl.) c. 4, 13; c. 6, 6.
8. *skipti vár Haralds konungs*,

„unsere, (die meinigen und) des
königs Haraldr streitigkeiten" — so
mit einer im altnordischen oft wieder-
kehrenden konstruktion, indem das
erste glied der apposition (*sjálfs
min*) und die konjunktion (*ok*) weg-
gelassen wird.
9. *þarf*. Unpersönlich konstruiert.
þau, diese früheren händel.
16. *einræði*, „eigensinn".
18. *í*, regiert *at fylgja*.
21. *bíða heiman*, „zu hause ab-
warten"; *heiman* eigentl. „von hause
aus".

1*

Ld. II. at synir Ketils fýstu þessa mjǫk, en engi mælti í móti.
III.   **8.** Bjǫrn ok Helgi vildu til Íslands fara, því at þeir þóttuz
þaðan mart fýsiligt fregnt hafa; sǫgðu þar landskosti góða, ok
þurfti ekki fé at kaupa; kǫlluðu vera hvalrétt mikinn ok lax-
5 veiðar, en fiskastǫð ǫllum missarum.   **9.** Ketill svarar: „í þá veiðistǫð kem ek aldregi á gamals
aldri“. Sagði Ketill þá sína ætlan, at hann var fúsari vestr
um haf; kvaz þar virðaz mannlífi gott. Váru honum þar víða
lǫnd kunnig, því at hann hafði þar víða herjat.

Die söhne Ketils Bjǫrn und Helgi wandern nach Island aus.

10   **III, 1.** Eptir þetta hafði Ketill boð ágætt. Þá gipti hann
Þórunni hyrnu, dóttur sína, Helga enum magra, sem fyrr var
ritat. **2.** Eptir þat býr Ketill ferð sína ór landi vestr um haf.
Unnr dóttir hans fór með honum ok margir aðrir frændr hans.
    3. Synir Ketils heldu þat sama sumar til Íslands ok Helgi
15 magri, mágr þeira. **4.** Bjǫrn Ketilsson kom skipi sínu vestr

---

4. *þurfti ekki fé at kaupa*, „man
hatte nicht nötig (land) für geld zu
kaufen“. Formaliter berechtigt wäre
auch die übersetzung „man hatte
nicht nötig vieh zu kaufen“.

hvalrétt(r), „das antreiben von
verendeten walfischen am ufer“.

5. *fiskastǫð*, „fischstelle“, d. h. für
fischerei geeignete stelle, = *veiði-
stǫð* (z. 6).

7. 8. *fúsari vestr um haf*. Ein
verbum (*at fara* oder ein ähnliches)
ist ausgelassen; *v. u. h.*, d. h. nach
den brittischen inseln.

8. *mannlífi*, „lebensunterhalt“.

11. *Þórunni hyrnu*. Þ. h. hat
wahrscheinlich erst auf einer der britt-
tischen inseln Helgi „den hageren“
geheiratet, da dieser, welcher dort
geboren sein wird, kaum jemals
sich in Norwegen aufgehalten hat.

13. *Unnr*. U. kann kaum bei
dieser gelegenheit ihren vater Ketill
begleitet haben, da man annehmen

muss, dass sie zu dieser zeit schon
etwa 20 jahre auf den brittischen
inseln als verheiratete frau gelebt
hatte.

14. *Synir Ketils*. Die söhne Ketils
Bjǫrn und Helgi sind kaum gleich-
zeitig nach Island aufgebrochen.
Dass Bjǫrn nach der gewöhnlichen
darstellung erst weit später als seine
verwandten von Norwegen aus-
wanderte, ist schon früher (c. I, 1—2)
bemerkt. Gewöhnlich wird, nach
der Berechnung G. Vigfússons in
„Tímatal í Íslendinga sögum“ —
Safn til sögu Íslands I — nach-
folgende chronologie aufgestellt:
Ketill und Helgi bjólan wandern
aus c. 870, Bjǫrn 884; Bjǫrn fährt
von den brittischen inseln nach
Island 886, Helgi bjólan c. 889,
Helgi magri c. 890.

15 fg. *vestr í Breiðafjǫrd*. B.
ist der nördlichste der zwei grossen
meerbusen (B. und Faxafjǫrðr), an

í Breiðafjǫrð ok sigldi inn eptir firðinum ok nær enu syðra **Ld. III.**
landinu, þar til er fjǫrðr skarz inn í landit; en fjall hátt stóð
á nesinu fyrir innan fjǫrðinn. En ey lá skamt frá landinu.
Bjǫrn segir, at þeir mundu eiga þar dvǫl nǫkkura. 5. Bjǫrn
gekk á land upp með nǫkkura menn ok reikaði fram með 5
sjónum; var þar skamt í milli fjalls ok fjǫru. Honum þótti
þar byggiligt. Þar fann Bjǫrn reknar ǫndvegissúlur sínar í
einni vík; þótti þeim þá á vísat um bústaðinn.

6. Síðan tók Bjǫrn sér þar land allt á millum Stafár ok
Hraunfjarðar ok bjó þar, er síðan heitir í Bjarnarhǫfn. Hann 10
var kallaðr Bjǫrn enn austrœni. Hans kona var Gjaflaug, dóttir
Kjallaks ens gamla. 7. Þeira synir váru þeir Óttarr ok Kjallakr.
Hans son var Þorgrímr, faðir Víga-Styrs ok Vermundar, en
dóttir Kjallaks hét Helga; hana átti Vestarr á Eyri, son Þórólfs
blǫðruskalla, er nam Eyri. Þeira son var Þorlákr, faðir Stein- 15
þórs á Eyri.

8. Helgi bjólan kom skipi sínu fyrir sunnan land ok nam

---

der westküste Islands. Er wird
gegen süden von der Snæfellsnes-
halbinsel begrenzt. In einer der
vielen buchten die sich in die nord-
küste der halbinsel einschneiden
(im Kolgrafafjǫrðr), landete Bjǫrn
und baute hier den hof *Bjarnarhǫfn*.

2. *fjall hátt*, die isolierte berg-
gruppe Bjarnarhafnarfjall (Kål. I,
430 fg.).

3. *ey*, wahrscheinlich die insel
Landey n. von Bjarnarhǫfn, die jedoch
nur zur flutzeit ganz von wasser um-
geben ist.

6. *í milli fjalls ok fjǫru*, häufig
gebrauchte allit. formel.

7. *ǫndvegissúlur*, „die das ǫndvegi
(d. h. hochsitz) begrenzenden
(inneren) pfeiler". Siehe Grund-
riss der germanischen philologie
II², s. 233.

9. *Stafá*, ein kleiner fluss im o.
von Bjarnarhǫfn.

10. *Hraunfjarðar.* H-fjǫrðr ist
eine östliche verzweigung des Kol-
grafafjǫrðr.

13. *Hans son*, d. h. der sohn Kjal-
laks.

Víga-Styrs, d. i. „Kampf"-S.
Der mann ist aus mehreren sagen,
besonders Eyrbyggja saga und Heið-
arvíga saga bekannt.

14. *Helga; hana átti Vestarr á
Eyri.* Dies ist falsch; vielmehr war
nach der Landnámabók (II, c. 9)
Helga mit Asgeirr, einem sohne des
Vestarr verheiratet.

Eyrr ist der jetzt *Hallbjarnareyri*
genannte hof an der westküste des
Kolgrafafjǫrðr.

15. *blǫðruskalla*, „blasenkopf".
Ueber ansiedelung und descendenz
des Bjǫrn Ketilsson vgl. Landnáma-
bók II, c. 11.

17. *fyrir sunnan land*, d. h. an
die südküste des landes.

Ld. III. Kjalarnes allt á milli Kollafjarðar ok Hvalfjarðar ok bjó at
IV.   Esjubergi til elli.

9. Helgi enn magri kom skipi sínu fyrir norðan land
ok nam Eyjafjǫrð allan á milli Sigluness ok Reynisness ok
5 bjó í Kristnesi. Frá þeim Helga ok Þórunni er komit Eyfirð-
ingakyn.

Ketill flatnefr wandert nach Schottland aus. Seine tochter Unnr wird oberhaupt des geschlechts.

IV, 1. Ketill flatnefr kom skipi sínu við Skotland ok fekk
góðar viðtǫkur af tígnum mǫnnum, því at hann var frægr maðr
ok stórættaðr, ok buðu honum þann ráðakost þar, sem hann
10 vildi hafa. **2.** Ketill staðfestiz þar ok annat frændlið hans,
nema Þorsteinn, dótturson hans. Hann lagðiz þegar í hernað

---

1. *Kjalarnes*, halbinsel im süd-
westlichen Island, von den zwei
z. 1 genannten verzweigungen des
Faxafjǫrð (§ 4, fussnote) begrenzt.
2. *Esjuberg*, gehöft am Kollafjǫrð
(nö. von Reykjavík). Ueber die
ansiedelung des Helgi bjólan siehe
Landnámabók I, c. 11.
3. *fyrir norðan land*, siehe § 8,
fussnote. Eyjafjǫrð(r) bezeichnet hier
nicht den meerbusen im nördl. Island
(an dessen ende der bekannte han-
delsplatz Akureyri liegt), sondern
die ihn umgebende landschaft.
4. *Siglunes, Reynisnes*, zwei kleine
vorgebirge, das erste an der kleinen
bucht Siglufjǫrð im westen des
Eyjafjǫrð, das zweite (gegenwärtig
Gjögratá genannt) im osten des-
selben belegen.
5. *Kristnes* liegt s. von Akureyri,
am l. ufer der Eyjafjarðará.
6. 7. *Eyfirðingakyn*, „das ge-
schlecht der leute aus dem Eyja-
fjǫrð". Ueber Helgi magri siehe
Landnámabók III, c. 12. Dort findet
man auch die erklärung seines bei-
namens. Er wurde „hager" genannt,
weil seine pflegeeltern ihn als kind

hatten hungern lassen, als er von
seinen eltern auf zwei jahre auf den
Hebriden zurückgelassen war. Sein
vater *Eyvindr austmaðr* stammte in
der tat durch seinen mütterlichen
grossvater von dem c. 1, 2 fälschlich
erwähnten dänischen könig Fróði ab.
Er war in Gautland in Schweden
geboren, fuhr aber als seekrieger
(*víkingr*) nach den brittischen
inseln, wo er in Irland heiratete,
sich ansiedelte und — wegen der
lage seiner früheren heimat — seinen
beinamen (*austmaðr*) erhielt.
9. *ráðakost*(r), „lage, (stellung)".
11. *Þorsteinn*. Dieser mann, c. 6, 10
Þ. *rauðr* genannt, ein sohn des Óláfr
hvíti und der Unnr, kann kaum dem
Ketill von Norwegen aus gefolgt
sein. Wahrscheinlich ist Þ. identisch
mit „Oistin", dem historisch be-
kannten sohn des Óláfr, der auf
gleiche weise umkam, wie Þ. nach
dem berichte der sagas. „Oistin" ward
aber um 875 getötet, und seine
mutter muss sich dann viele jahre
auf den Orkneyjar und Færeyjar
aufgehalten haben, bevor sie nach
Island auswanderte. Nach der dar-

ok herjaði víða um Skotland ok fekk jafnan sigr. Síðan gerði
hann sætt við Skota ok eignaðiz hálft Skotland ok varð
konungr yfir. Hann átti Þuríði Eyvindardóttur, systur Helga
ens magra. 3. Skotar heldu eigi lengi sættina, því at þeir
sviku hann í trygð. Svá segir Ari Þorgilsson enn fróði um 5
líflát Þorsteins.

4. Unnr djúpúðga var á Katanesi, er Þorsteinn fell, son
hennar. Ok er hon frá þat, at Þorsteinn var látinn, en faðir
hennar andaðr, þá þóttiz hon þar enga uppreist fá mundu.
5. Eptir þat lætr hon gera knǫrr í skógi á laun. Ok er skipit 10
var algǫrt, þá bjó hon skipit ok hafði auð fjár. Hon hafði í
brott með sér allt frændlið sitt, þat er á lífi var, ok þykkjaz
menn varla dœmi til finna, at cinn kvennmaðr hafi komiz í
brott ór þvílíkum ófriði með jafnmiklu fé ok fǫruneyti. Má
af því marka, at hon var mikit afbragð annarra kvenna. 15
6. Unnr hafði ok með sér marga þá menn, er mikils váru
verðir ok stórættaðir. 7. Maðr er nefndr Kollr, er cinna var
mest verðr af fǫruneyti Unnar; kom mest til þess ætt hans,
hann var hersir at nafni. 8. Sá maðr var ok í ferð með
Unni, er Hǫrðr hét. Hann var enn stórættaðr maðr ok mikils 20
verðr.

9. Unnr heldr skipinu í Orkneyjar, þegar er hon var
búin. Þar dvalðiz hon lítla hríð. Þar gipti hon Gró, dóttur
Þorsteins rauðs. Hon var móðir Greilaðar, er Þorfinnr jarl átti,
son Torf-Einars jarls, sonar Rǫgnvalds Mœrajarls. 10. Þeira 25

---

stellung der sagas dagegen fällt der
tod Þ.s um 890. Ueber die in der
Laxd. nachfolgende darstellung vgl.
Landnámabók II, c. 15.

5. *Ari Þorgilsson*, vgl. über ihn die
einl. zur Íslendingabóc (Sagabibl. I).
Die oben citirte notiz bezieht sich
auf eine verlorene schrift des A., die
wahrsch. in der Landn. benutzt ist.

7. *Katanes*, Caithness in Schottland.

17. *Kollr*, s. zu c. 7, 9. Landnámabók
(II, c. 16) nennt ihn enkel eines *hersir*.

18. *mest verðr*, „der tüchtigste,
der bedeutendste".

20. *Hǫrðr*. Vgl. Landnámabók
II, c. 17.

24. *Greilǫð*, so die haupthand-
schrift der Laxdœla saga, gewöhn-
lich *Grelǫð*.

25. *Mœrajarl*, d. h. jarl der land-
schaft (Norð-) Mœri in Norwegen.
Wie in einigen landschaften Nor-
wegens eine königswürde, scheint
in anderen eine jarlswürde sich vor
der zeit des gesamtkönigstums als
obergewalt ausgebildet zu haben.
Unter der regierung des königs
Haraldr hárfagri treten die jarlar
als königliche beamte auf, und
der könig soll nach eroberung des
ganzen reiches beabsichtigt haben,
jedem *fylki* einen *jarl* als seinen

Ld. IV. son var Hlǫðvir, faðir Sigurðar jarls, fǫður Þorfinns jarls, ok
V. er þaðan komit kyn allra Orkneyinga jarla.

11. Eptir þat helt Unnr skipi sínu til Færeyja ok átti
þar enn nǫkkura dvǫl. Þar gipti hon aðra dóttur Þorsteins;
5 sú hét Olof. Þaðan er komit kyn et ágæzta í því landi, er
þeir kalla Gǫtuskeggja.

Unnr wandert nach Island aus.

V, 1. Nú býz Unnr í brott ór Færeyjum ok lýsir því
fyrir skipverjum sínum, at hon ætlar til Íslands. Hon hefir
með sér Óláf feilan, son Þorsteins rauðs, ok systr hans, þær
10 er ógiptar váru. **2.** Eptir þat lætr hon í haf ok verðr vel
reiðfara ok kemr skipi sínu fyrir sunnan land á Vikrarskeið.
Þar brjóta þau skipit í spón. Menn allir helduz ok fé.

3. Síðan fór hon á fund Helga bróður síns með tuttugu
menn. Ok er hon kom þar, gekk hann á mót henni ok bauð
15 henni til sín við tíunda mann. Hon svarar reiðuliga ok kvaz
eigi vitat hafa, at hann væri slíkt lítilmenni, ok ferr í brott;
ætlar hon nú at sœkja heim Bjǫrn bróður sinn í Breiðafjǫrð.
4. Ok er hann spyrr til ferða hennar, þá ferr hann í mót

statthalter zu geben; von bestand
war jedoch die jarlswürde nur in
Drontheim (residenz *Hlaðir*) und
(eine zeitlang) in *Mœri*. Stamm-
vater der Mœra-jarlar war Rǫgn-
valdr, der die würde von könig
Haraldr empfing, nachdem dieser
die kleinkönige der betreffenden
landschaften (*Norðmœri* und *Raums-
dalr*) besiegt hatte. Von ihm
stammen die Orkney-jarlar (siehe
unten) und (nach norwegischer tra-
dition) die herzöge der Normandie.
2. *Orkneyinga(r)*, „Bewohner der
Orkneyjar". Seit der zeit des Har-
aldr hárfagri wurden die Orkney-
inseln als ein erbliches lehen der
norwegischen krone von einem jarl
regiert. Als der erste in der reihe
dieser fürsten kann *Torf-Einarr*
gelten, der die norwegische her-

schaft über die inseln sicherte;
seinen beinamen soll er deswegen
erhalten haben, weil er den be-
wohnern den gebrauch des torfs
lehrte. Vgl. Landnámabók IV, c. 8.
Ausführlich berichtet über diese
kriegerischen fürsten eine eigene
saga (Orkneyinga saga — auch in
die Flateyjarbók eingeschaltet).

6. *Gǫtuskeggja(r)*, „leute von dem
hofe *Gata* (jetzt Nordregöte auf der
færöischen insel Strömö).

9. *feilan*. Beinahme von un-
sicherer bedeutung, wahrscheinlich
keltisch.

11. *Vikrarskeið*. Dieser ortsname
ist nicht erhalten, wahrscheinlich ist
das gegenwärtige *Skeið* am r. ufer
des flusses Ǫlfusá im südlichen
Island gemeint.

henni með fjǫlmenni ok fagnar henni vel ok bauð henni til Ld. V.
sín með ǫllu liði sínu, því at hann kunni veglyndi systur
sinnar. Þat líkaði henni allvel, ok þakkaði honum stórmensku
sína. 5. Hon var þar um vetrinn, ok var henni veitt et
stórmannligsta, því at efni váru gnóg, en fé eigi sparat.   5
     6. Ok um várit fór hon yfir Breiðafjǫrð ok kom at nesi
nǫkkuru, ok átu þar dagverð. Þat er síðan kallat Dǫgurð-
arnes ok gengr þar af Meðalfellsstrǫnd. 7. Síðan helt hon
skipi sínu inn eptir Hvammsfirði ok kom þá at nesi einu ok
átti þar dvǫl nǫkkura. Þar tapaði Unnr kambi sínum. Þar 10
heitir síðan Kambsnes. 8. Eptir þat fór hon um alla Breiða-
fjarðardali ok nam sér lǫnd svá víða, sem hon vildi.
     9. Síðan helt Unnr skipi sínu í fjarðarbotninn; váru þar
reknar á land ǫndvegissúlur hennar. Þótti henni þá auðvitat,
hvar hon skyldi bústað taka. Hon lætr bœ reisa, þar er síðan 15
heitir í Hvammi, ok bygði þar.
     10. Þat sama vár, er Unnr setti bú saman í Hvammi,
fekk Kollr Þorgerðar, dóttur Þorsteins rauðs. Þat boð kostaði
Unnr; lætr hon Þorgerði heiman fylgja Laxárdal allan, ok setti
hann þar bú saman fyrir sunnan Laxá. 11. Var Kollr enn 20
mesti tilkvæmðarmaðr. Þeira son var Hǫskuldr.

---

2. *veglyndi*, „neigung auf grossem
fusse zu leben".

7. *átu*, pl., als subjekt ist *þau*
(Unnr und ihre begleiter) zu er-
gänzen.

7—9. *Dǫgurðarnes — Meðalfells-*
strǫnd — Hvammsfjǫrðr. Der
Hvammsfjǫrðr ist eine einbuchtung
des Breiðifjǫrðr (c. 3, 4) mit öst-
licher, dann nach norden abbiegender
richtung; die nordküste des Hvamms-
fjǫrðr ist die Meðalfellsstrǫnd (jetzt
Fellsströnd), die westlichste spitze
derselben ist Dǫgurðarnes.

11. *Kambsnes*, landspitze an der
ostküste des Hvammsfjǫrðr.
fór hon um, „sie bereiste".

11. 12. *Breiðafjarðardali(r)*, „die
täler des B.". Der name wird be-
sonders von den tälern gebraucht,
die, vom Hvammsfjǫrðr ausgehend,

sich in das land hineinziehen; zu
ihnen gehört auch der *Laxárdalr*,
der hauptschauplatz unserer saga.

16. *í Hvammi*, eigentl. „in dem
kleinen tal". Wegen ihrer appella-
tivischen bedeutung werden die
meisten namen isländischer höfe
nicht im nominativ gebraucht, son-
dern von präpositionen regiert. —
Der hof H. bildet den mittelpunkt
einer kleinen landschaft an innersten
(nördlichsten) teil des nach dem hofe
benannten Hvammsfjǫrðr.

19. 20. *Laxárdal, Laxá.* Der hier
erwähnte fluss *Laxá* durchströmt
den nach ihm benannten *Laxárdalr*,
ein tal, das in nordöstlicher richtung
vom Hvammsfjǫrðr ausgeht; der fluss
hat also einen südwestlichen lauf.

21. *Hǫskuldr*, eigentl. *Hǫs-kollr*,
„graukopf", also ein compositum.

Unnr verteilt land.

VI, 1. Eptir þat gefr Unnr fleirum mǫnnum af landnámi
sínu. Herði gaf hon Hǫrðadal allan út til Skrámuhlaupsár.
Hann bjó á Hǫrðabólstað ok var mikill merkismaðr ok kynsæll.
2. Hans son var Ásbjǫrn auðgi, er bjó í Ǫrnúlfsdal á Ásbjarnar-
5 stǫðum; hann átti Þorbjǫrgu, dóttur Miðfjarðar-Skeggja. **3.** Þeira
dóttir var Ingibjǫrg, er átti Illugi enn svarti; þeira synir váru
þeir Hermundr ok Gunnlaugr ormstunga. Þat er kallat Gils-
bekkingakyn.
4. Unnr mælti við sína menn: „nú skulu þér taka ǫmbun
10 verka yðvarra; skortir oss nú ok eigi fǫng til at gjalda yðr
starf yðvart ok góðvilja. **5.** En yðr er þat kunnigt, at ek
hefi frelsi gefit þeim manni, er Erpr heitir, syni Melduns jarls;
fór þat fjarri um svá stórættaðan mann, at ek vilda, at hann
bæri þræls nafn".
15 **6.** Síðan gaf Unnr honum Sauðafellslǫnd á millum Tunguár
ok Miðár. Hans bǫrn váru þau Ormr ok Ásgeirr, Gunnbjǫrn
ok Halldís, er átti Dala-Álfr.
7. Sǫkkólfi gaf hon Sǫkkólfsdal, ok bjó hann þar til elli.
8. Hundi hét lausingi hennar; hann var skozkr at ætt; honum
20 gaf hon Hundadal. **9.** Vífill hét þræll Auðar enn fjórði, hon
gaf honum Vífilsdal.

---

2. *Hǫrðadal(r)*, nun *Hörðudalr*,
thal an der südseite des Hvamms-
fjǫrðr.

5. *Miðfjarðar-Skeggja.* Der häupt-
ling *Skeggi* wurde nach seinem
heimatort *Miðfjǫrðr* in dem nörd-
lichen Island so benannt. Vgl.
Landnámabók III, c. 1. Skeggi, der
auch in vielen sagas erwähnt wird,
ist besonders durch die Þórðar saga
hreðu bekannt.

7. *Gunnlaugr ormstunga*, der be-
kannte dichter (983—1009), dessen
leben die nach ihm benannte saga
schildert.

7. 8. *Gilsbekkingakyn*, „das ge-
schlecht der leute von *Gilsbakki*";
G. ist ein hof in dem südwestlichen
Island (Borgarfjǫrðr).

12. *Erpr—Melduns jarls. Meldun*,
keltischer name. Ueber M. und E.
siehe Landnámabók II, c. 16—17.

15. *Sauðafellslǫnd*, „die zu dem
hofe *Sauðafell* gehörigen ländereien";
S. liegt südöstlich vom Hvamms-
fjǫrðr.

17. *Dala-Álfr*, auch *Álfr í Dǫlum*,
ist nach seiner heimat *Dalir* oder
Breiðafjarðardalir (c. 5, 8) benannt.
Vgl. Landnámabók II, c. 18.

18—20. *Sǫkkólfsdal(r) — Hunda-
dal(r)*, täler südöstl. von Hvamms-
fjǫrðr.

20. *Vífilsdal(r)*, eine südliche ver-
zweigung des Hǫrðadalr (c. 6, 1).
Sǫkkólfr — Hundi — Vífill, siehe
Landnámabók II, c. 17.

10. Ósk hét en fjórða dóttir Þorsteins rauðs; hon var
móðir Þorsteins surts ens spaka, er fann sumarauka. **11.** Þór-
hildr hét en fimta dóttir Þorsteins. Hon var móðir Álfs í
Dǫlum; telr mart manna kyn sitt til hans. **12.** Hans dóttir
var Þorgerðr, kona Ara Mássonar á Reykjanesi, Atlasonar, 5
Úlfssonar ens skjálga, ok Bjargar Eyvindardóttur, systur Helga
ens magra. Þaðan eru komnir Reyknesingar. **13.** Vígdís hét
en sétta dóttir Þorsteins rauðs. Þaðan eru komnir Hǫfðamenn
í Eyjafirði.

Unnr setzt ihren enkel Óláfr feilan zum erben ein.

VII, 1. Óláfr feilan var yngstr barna Þorsteins; hann var 10
mikill maðr ok sterkr, fríðr sýnum ok atgervimaðr enn mesti.
2. Hann mat Unnr um fram alla menn ok lýsti því fyrir
mǫnnum, at hon ætlaði Óláfi allar eignir eptir sinn dag í
Hvammi. **3.** Unnr gerðiz þá mjǫk ellimóð. Hon kallar til
sín Óláf feilan ok mælti: 15

„Þat hefir mér komit í hug, frændi, at þú munir staðfesta
ráð þitt ok kvænaz."

4. Óláfr tók því vel ok kvez hennar forsjá hlíta mundu
um þat mál.

5. Unnr mælti: „svá hefi ek helzt ætlat, at boð þitt muni 20
vera at áliðnu sumri þessu, því at þá er auðveldast at afla
allra tilfanga, því at þat er nær minni ætlan, at vinir várir
muni þá mjǫk fjǫlmenna hingat; því at ek ætla þessa veizlu
síðast at búa".

6. Óláfr svarar: „þetta er vel mælt, en þeirar einnar konu 25
ætla ek at fá, at sú ræni þik hvárki fé né ráðum".

---

2. *Þorsteins surts.* Siehe Islend.
bóc IV, 2.

2. *sumarauka*, „ zulage zum
sommer", eine jedes siebente (oder
sechste) jahr wiederkehrende schalt-
woche, durch deren einführung
Þorsteinn surtr den isländischen
kalender verbesserte.

5. *Reykjanes*, halbinsel an der
nordküste des Breiðifjǫrðr.

7. *Reyknesingar*, „die leute von

Reykjanes". Ueber dieses geschlecht
vgl. Landnámabók II, c. 22.

8. *Hǫfðamenn*, „die leute von
Hǫfði", einem hofe an der ostküste
des Eyjafjǫrðr im nördlichen Island.
Vgl. Landnámabók II, c. 18 (schluss);
III, c. 17.

24. *síðast*, „zuletzt", d. h. als das
letzte (gastmahl).

26. *ráðum*, „die autorität".

Ld. VII. 7. Þat sama haust fekk Óláfr feilan Alfdísar. Þeira boð var í Hvammi. Unnr hafði mikinn fékostnað fyrir veizlunni, því at hon lét víða bjóða tígnum mǫnnum ór ǫðrum sveitum. 8. Hon bauð Birni bróður sínum ok Helga bróður sínum bjólan; 5 kómu þeir fjǫlmennir. 9. Þar kom Dala-Kollr mágr hennar ok Hǫrðr ór Hǫrðadal ok mart annat stórmenni. 10. Boðit var allfjǫlment, ok kom þó hvergi nær svá mart manna, sem Unnr hafði boðit, fyrir því at Eyfirðingar áttu farveg langan.

11. Elli sótti þá fast at Unni, svá at hon reis ekki upp 10 fyrir miðjan dag, en hon lagðiz snemma niðr. 12. Engum manni leyfði hon at sœkja ráð at sér, þess á milli er hon fór at sofa á kveldit ok hins, er hon var klædd; reiðuliga svarar hon, ef nǫkkurr spurði at mætti hennar.

13. Þann dag svaf Unnr í lengra lagi, en þó var hon á 15 fótum, er boðsmenn kómu, ok gekk á mót þeim ok fagnaði frændum sínum ok vinum með sœmð; kvað þá ástsamliga gǫrt hafa, er þeir hǫfðu sótt þangat langan veg — „nefni ek til þess Bjǫrn ok Helga, ok ǫllum vil ek yðr þǫkk kunna, er hér eruð komnir".

20 14. Síðan gekk Unnr inn í skála ok sveit mikil með henni. Ok er skálinn var alskipaðr, fannz mǫnnum mikit um, hversu veizla sú var skǫrulig.

15. Þá mælti Unnr: „Bjǫrn kveð ek at þessu, bróður minn, ok Helga ok aðra frændr mína ok vini; bólstað þenna 25 með slíkum búnaði, sem nú megu þér sjá, sel ek í hendr Óláfi frænda mínum til eignar ok forráða".

16. Eptir þat stóð Unnr upp ok kvaz ganga mundu til

---

1. *Álfdísar.* Sie wird in der Land-námabók — wo ihre abstammung (II, c. 19) mitgeteilt wird — *Konáls-dóttir en bareyska* genannt.

5. *Dala-Kollr.* So wird K. genannt, weil er in den Breiðafjarðar-dalir wohnte. Vgl. über ihn und sein geschlecht Landnámabók II, c. 16 und 18.

13. *at mætti hennar,* „nach ihrem befinden"; *mætti*, dat. von *máttr.*

14. *í lengra lagi,* „ziemlich lange".

14. 15. *vera á fótum,* „aufgestanden sein".

17. *langan veg,* acc. sg. als mass-angabe.

20. *skála.* *Skáli* ist hier wahr-scheinlich = *veizluskáli,* d. i. ein speziell für gastmähler eingerichtetes gebäude. Siehe Grundriss II², s. 234.

23. *Bjǫrn kveð ek at þessu.* „B. rufe ich hierbei zum zeugen an" (*kveðja* ist jurist. term. techn.).

25. *búnaði,* „hausrat".

megu þér, umbildung von *meguð ér.*

þeirar skemmu, sem hon var vǫn at sofa í, bað, at þat skyldi Ld. VII.
hverr hafa at skemtan, sem þá væri næst skapi, en mungát
skyldi skemta alþýðunni. 17. Svá segja menn, at Unnr hafi
bæði verit há ok þreklig. Hon gekk hart utar eptir skálanum;
funduz mǫnnum orð um, at konan var enn virðulig. 18. Drukku 5
menn um kveldit, þangat til at mǫnnum þótti mál at sofa.
19. En um daginn eptir gekk Óláfr feilan til svefnstofu
Unnar frændkonu sinnar; ok er hann kom í stofuna, sat Unnr
upp við hœgindin. Hon var þá ǫnduð. Gekk Óláfr eptir þat
í skála ok sagði tíðendi þessi. 20. Þótti mǫnnum mikils um 10
vert, hversu Unnr hafði haldit virðingu sinni til dauðadags.
Var nú drukkit allt saman, brullaup Óláfs ok erfi Unnar.
21. Ok enn síðasta dag boðsins var Unnr flutt til haugs
þess, er henni var búinn. Hon var lǫgð í skip í hauginum,
ok mikit fé var í haug lagt með henni; var eptir þat aptr 15
kastaðr haugrinn.
22. Óláfr feilan tók þá við búi í Hvammi ok allri fjár-
varðveizlu at ráði þeira frænda sinna, er hann hǫfðu heim
sótt. 23. En er veizluna þrýtr, gefr Óláfr stórmannligar gjafir
þeim mǫnnum, er þar váru mest virðir, áðr á brott fóru. 20
24. Óláfr gerðiz ríkr maðr ok hǫfðingi mikill. Hann bjó í

---

1. *skemmu. Skemma* bezeichnet
gewöhnlich ein kleineres isoliertes
gebäude, welches häufig — besonders
ausserhalb Islands — als schlafzimmer
verwendet wurde; doch hat eine
membrane die variante *stofu,* und
es geht aus z. 15 hervor, dass
skemma hier mit *svefnstofa* identisch
ist, also wahrscheinlich einen teil
des gebäudecomplexes ausmachte,
den die isländischen wohnhäuser
bildeten. Vergl. Grundriss II²,
s. 230.
2. *sem þá væri næst skapi,* was
„(ihm) jetzt am liebsten wäre".
4. *þreklig,* „von kräftigem körper-
bau".
utar eptir skálanum, „das gast-
mahlshaus entlang, in der richtung
von innen nach aussen".

14. *lǫgð í skip í hauginum.* Ueber
diese bestattung siehe Grundriss II²,
s. 211—12, 226—28. Uebrigens be-
richtet die Landnámabók (II, c. 19)
von der bestattung der Unnr (Auðr)
abweichend, dass sie „var grafin í
flæðarmáli (im bereiche der flut)
sem hon hafði fyrir sagt, þvíat hon
vildi eigi liggja í óvígðri moldu, er
hon var skírð".
19. *gjafir.* Austausch von gaben
wurde als zeichen der gastfreiheit
und der freundschaft als unbedingt
notwendig betrachtet; daher be-
kamen alle angesehenen gäste beim
abschied eine gabe. Sowohl die
unterlassung dieses brauches als die
zurückweisung der gabe wurden
als zeichen der unfreundschaft an-
gesehen.

Ld. VII. Hvammi til elli. **25.** Bǫrn þeira Óláfs ok Álfdísar váru Þórðr
gellir, er átti Hróðnýju, dóttur Miðfjarðar-Skeggja — þeira
synir váru þeir Eyjólfr grái, Þórarinn fylsenni, Þorkell kuggi —;
dóttir Óláfs feilans var Þóra, er átti Þorsteinn þorskabítr, son
5 Þórólfs Mostrarskeggs — þeira synir váru Bǫrkr enn digri ok
Þorgrímr, faðir Snorra goða —; Helga hét ǫnnur dóttir Óláfs,
hana átti Gunnarr Hlífarson — þeira dóttir var Jófríðr, er átti
Þóroddr, son Tungu-Odds, en síðan Þorsteinn Egilsson; Þórunn
hét enn dóttir hans, hana átti Hersteinn, son Þorkels Blund-
10 Ketilssonar —; Þórdís hét en þriðja dóttir Óláfs, hana átti
Þórarinn Ragabróðir lǫgsǫgumaðr.

---

1. 2. *Þórðr gellir*, ein bekannter
häuptling, der wiederholt in der
Íslend. bóc erwähnt wird; *gellir*,
„der brüller" — vgl. Hœnsa-Þóris
saga, c. 13. Dass es eine hesondere
saga über Þ. g. gegeben hat, bezeugt
Landnámabók II, c. 16.

3. *Eyjólfr grái.* *Grár* kann auch
„böse" bedeuten, und freilich hat
sich E. durch die verfolgung und
ermordung des geächteten edlen
Gísli — wie in der Gísla saga Súrs-
sonar erzählt wird — einen schlechten
ruf erworben. Vgl. Eyrbyggja saga
c. 13.

fylsenni, die bedeutung ist un-
sicher (füllenstirn?).

kuggi, beiname von unsicherer
bedeutung; vgl. *kuggr*, „handels-
schiff". Die beiden letztgenannten
söhne Þ. g.s sind geschichtlich wenig
hervortretend.

4—6. *Þorsteinn þorskabítr —
Snorra goða.* Ueber dieses ge-
schlecht erzählt ausführlich die Eyr-
byggja saga c. 2 ff. Þorskabítr, „der
die dorsche beisst", wahrscheinlich
mit der bedeutung „eifriger fischer",
vgl. Eyrb. c. 11; *Mostrarskegg*, so
nach der insel *Mostr* im südwest-
lichen Norwegen benannt, *-skegg*
wird in Eyrb. als „bart" aufgefasst,

wahrscheinlich doch ursprünglich
gleich *-skeggi*, „mann".

7—9. *Gunnarr Hlífarson — Her-
steinn.* *Tungu-Oddr* (nach seinem
heimatsort *Tunga* in der landschaft
Borgarfjǫrðr so genannt) war ein
mächtiger häuptling im südwestl.
Island. Die Hœnsa-Þóris saga er-
zählt, wie er ein gegner des krie-
gerischen *Gunnarr Hlífarson* (aus
Skógarstrǫnd) wurde, weil dieser
seine tochter *þórunn* (Hœnsa Þ. s.:
Þuríðr) mit Tungu-Odds feinde
Hersteinn verlobte. Trotzdem
musste Tungu-Oddr es sich ge-
fallen lassen, dass sein sohn *Þóroddr*
die *Jófríðr*, eine zweite tochter G.s,
heiratete; als Þ. nach kurzer ehe im
auslande starb, heiratete J. den
Þorsteinn, einen sohn des berühmten
Egill Skallagrímson. Vergl. Egils
saga c. 71, 18. Hier wie in der
Íslend. bóc wird *Hersteinn* als
enkel des Blund-Ketill aufgeführt;
die Landnámabók und Hœnsa-
Þóris saga bezeichnen ihn da-
gegen (wahrscheinlich irrtümlich)
als dessen sohn. Vgl. zu Egilss.
c. 39, 5. *Blund-* ist eigentlich bei-
name, *Blund-K.* = K. blundr, „K.
schlaf" (d. i. „der schläfrige").

11. *Ragabróðir*, „bruder des
Ragi"; hier ist der mannesname R.

Hǫskuldr Dala-Kollsson und seine mutter Þorgerðr.

26. Í þann tíma, er Óláfr bjó í Hvammi, tekr Dala-Kollr Ld. VII. mágr hans sótt ok andaðiz. **27.** Hǫskuldr son Kolls var á ungum aldri, er faðir hans andaðiz. Hann var fyrr fullkominn at hyggju en vetra tǫlu. **28.** Hǫskuldr var vænn maðr ok gerviligr. Hann tók við allri fǫðurleifð sinni ok búi; er sá 5 bœr við hann kendr, er Kollr hafði búit á; hann var kallaðr síðan á Hǫskuldsstǫðum. **29.** Brátt varð Hǫskuldr vinsæll í búi sínu, því at margar stoðar runnu undir, bæði frændr ok vinir, er Kollr faðir hans hafði sér aflat. **30.** En Þorgerðr Þorsteinsdóttir, móðir Hǫskulds, var þá 10 enn ung kona ok en vænsta. Hon nam eigi ynði á Íslandi eptir dauða Kolls; lýsir hon því fyrir Hǫskuldi syni sínum, at hon vill fara utan með fjárhlut þann, sem hon hlaut. **31.** Hǫskuldr kvaz þat mikit þykkja, ef þau skulu skilja, en kvaz þó eigi mundu þetta gera at móti henni heldr en annat. Síðan 15 kaupir Hǫskuldr skip hálft til handa móður sinni, er uppi stóð í Dǫgurðarnesi. **32.** Réz Þorgerðr þar til skips með miklum fjárhlut. En eptir þat siglir Þorgerðr á haf, ok verðr skip þat vel reiðfara ok kemr við Nóreg. **33.** Þorgerðr átti í Nóregi mikit ætterni ok marga gǫfga frændr. Þeir fǫgnuðu henni vel 20 ok buðu henni alla kosti, þá sem hon vildi með þeim þiggja. **34.** Hon Þorgerðr tók því vel, segir at þat er hennar ætlan at staðfestaz þar í landi.

---

als bestandteil eines beinamens verwendet. Þ. R. war gesetzsprecher 950—69. Vgl. Egilssaga c. 29, 9.

3. 4. *hann var — vetra tǫlu*, „er hatte bereits (männlichen) verstand, als er dem alter (*vetra tala*) nach noch ein jüngling war“, seine geistige entwickelung war früher vollendet als seine körperliche.

7. *á Hǫskuldsstǫðum*. H. liegt im Laxárdalr südlich von der Laxá; vgl. c. 5, 10.

8. *stoðar*. So die membrane; der gewöhnliche plural von *stoð* ist *stoðir*.

15. *at móti henni*, „gegen ihren willen“.

16. *kaupir H. skip hálft*, „H. kauft die hälfte eines schiffes“. Wohlhabende Isländer, die eine reise ins ausland beabsichtigten, kauften sich gewöhnlich einen anteil an einem nach Norwegen abgehenden schiffe.

uppi stóð, „oben (d. h. auf dem lande) stand“. Die schiffe wurden nach beendigter fahrt ans land gezogen und standen in dieser weise den ganzen winter, durch rollen (*hlunnar*) gestützt, gewöhnlich in einem zu diesem zwecke eingerichteten schuppen (*naust*).

17. *í Dǫgurðarnesi*. Siehe c. 5, 6.

19. *kemr við*, „gelangt nach“.

35. Þorgerðr var eigi lengi ekkja, áðr maðr varð til at biðja hennar. Sá er nefndr Herjólfr; hann var lendr maðr at virðingu, auðigr ok mikils virðr. **36.** Herjólfr var mikill maðr ok sterkr; ekki var hann fríðr maðr sýnum ok þó enn skǫru-
5 ligsti í yfirbragði; allra manna var hann bezt vígr. **37.** Ok er at þessum málum var setit, átti Þorgerðr svǫr at veita, er hon var ekkja; ok með frænda sinna ráði veikz hon eigi undan þessum ráðahag, ok giptiz Þorgerðr Herjólfi ok ferr heim til bús með honum; takaz með þeim góðar ástir. **38.** Sýnir Þor-
10 gerðr þat brátt af sér, at hon er enn mesti skǫrungr; þykkir ok ráðahagr Herjólfs nú miklu betri en áðr ok virðuligri, er hann hefir fengit slíkrar konu, sem Þorgerðr var.

Hrútr Herjólfsson wird geboren; Þorgerðr kehrt nach Island zurück.

VIII, 1. Þau Herjólfr ok Þorgerðr hǫfðu eigi lengi ásamt verit, áðr þeim varð sonar auðit. Sá sveinn var vatni ausinn,
15 ok nafn gefit, ok var kallaðr Hrútr. **2.** Hann var snemmindis mikill ok sterkr, er hann óx upp; var hann ok hverjum manni betr í vexti, hár ok herðibreiðr, miðmjór ok limaðr vel með hǫndum ok fótum. **3.** Hrútr var allra manna fríðastr sýnum, eptir því sem verit hǫfðu þeir Þorsteinn móðurfaðir hans eða
20 Ketill flatnefr; enn mesti var hann atgervimaðr fyrir allra hluta sakir.

4. Herjólfr tók sótt ok andaðiz; þat þótti mǫnnum mikill skaði. **5.** Eptir þat fýstiz Þorgerðr til Íslands ok vildi vitja Hǫskulds sonar síns, því at hon unni honum um alla menn
25 fram, en Hrútr var eptir með frændum sínum vel settr. **6.** Þor-
gerðr bjó ferð sína til Íslands ok sœkir heim Hǫskuld son

---

3. *mikils virðr*, „sehr angesehen".

6. *átti Þ. svǫr at veita*, „Þ. hatte das recht antwort zu geben", d. h. sie konnte als wittwe selbständig eine ehe schliessen (vgl. jedoch zu c. 19, 11) — im gegensatz zu den unverheirateten mädchen, die bei der wahl des gatten rechtlich ohne allen einfluss waren. Siehe Grundriss II² s. 217 f.

14. *vatni ausinn*. Die besprengung des neugebornen kindes mit wasser,

womit die namengebung verbunden war, war schon eine heidnische sitte; s. zu Egilss. c 31, 1.

15. *Hrútr*. Sowohl *Hrútr* als sein halbbruder *Hǫskuldr* (§ 27 f.) spielen auch in Njáls saga (c. 1 ff.) eine rolle; die erzählung übergeht aber dort ihre jugend, behandelt andere begebenheiten, oder die darstellung ist etwas verschieden. Vgl. c. 19, 2 fg.

19. *Þorsteinn móðurfaðir hans*, d. i. *Þ. rauðr*.

sinn í Laxárdal. Hann tók sœmiliga við móður sinni; átti hon Ld.VIII.
auð fjár ok var með Hǫskuldi til dauðadags. 7. Fám vetrum IX.
síðar tók Þorgerðr banasótt ok andaðiz [ok var hon í haug
sett, en] Hǫskuldr tók fé allt, en Hrútr bróðir hans átti hálft.

Hǫskulds heirat und kinder.

IX, 1. Í þenna tíma réð Nóregi Hákon Aðalsteinsfóstri. 5
Hǫskuldr var hirðmaðr hans; hann var jafnan sinn vetr hvárt
með Hákoni konungi eða at búi sínu; var hann nafnfrægr
maðr bæði í Nóregi ok á Íslandi. 2. Bjǫrn hét maðr; hann
bjó í Bjarnarfirði ok nam þar land; við hann er kendr fjǫrðrinn.
Sá fjǫrðr skerz í land norðr frá Steingrímsfirði, ok gengr þar 10
fram háls í milli. 3. Bjǫrn var stórættaðr maðr ok auðigr at
fé. Ljúfa hét kona hans. Þeira dóttir var Jórunn; hon var
væn kona ok ofláti mikill; hon var ok skǫrungr mikill í vits-
munum. Sá þótti þá kostr beztr í ǫllum Vestfjǫrðum. 4. Af
þessi konu hefir Hǫskuldr frétt ok þat með, at Bjǫrn var beztr 15

---

3. 4. [*ok — sett*]. Die ursprüng-
lichkeit dieses satzes kann nach den
handschriftlichen verhältnissen zwei-
felhaft sein.

4. *átti hálft*, d. h. sollte von rechts
wegen den halben nachlass der mutter
erben.

5. *Hákon Aðalsteinsfóstri*. Dieser
norwegische könig (so benannt, weil
er von dem angelsächsischen könige
Æðelstan erzogen war), der jüngste
sohn des Haraldr hárfagri, regierte,
nachdem er seinen halbbruder Ei-
ríkr — blóðøx genannt — vertrieben
hatte, 935 — 961.

7. *nafnfrægr*, „berühmt".

9. 10. *Bjarnarfirði — Stein-
grímsfirði*. Der *Bjarnarfjǫrðr* und
der etwas südlichere *Steingríms-
fjǫrðr* schneiden sich beide — als
verzweigungen des grossen meer-
busens *Húnaflói* — in westlicher
richtung in die grosse nordwestliche
halbinsel Islands (die jetzige Stranda
sýsla) hinein.

9. *við hann er kendr*, „nach ihm
ist benannt".

10. *norðr frá*, „nördlich von".

11. *háls*, hier = bergrücken; *gengr
þar fram h. í milli*, d. h. ein b.
scheidet die zwei meerbusen.

12. *Jórunn*. Ueber die frau des
Hǫskuldr enthalten die texte der
Landnámabók einander wider-
sprechende angaben. Gewöhnlich
wird sie *Hallfríðr* genannt; die
haupthandschrift bezeichnet sie als
tochter des Þorbjǫrn aus Haukadalr.
Vergl. Landnámabók II, capp. 17. 18.
22. 25.

14. *Vestfjǫrðum*. *Vestfirðir* wird
die nordwestliche, an buchten (*firðir*)
besonders reiche halbinsel Islands
genannt; doch kann der name auch
das ganze westviertel Islands be-
zeichnen.

15. *ok þat með*, „und das zugleich
(erfuhr er)".

beztr, „der beste", d. h. der reichste
und angesehenste.

Ld. IX. bóndi á ǫllum Strǫndum. **5.** Hǫskuldr reið heiman með tíunda
mann ok sœkir heim Bjǫrn bónda í Bjarnarfjǫrð. Hǫskuldr
fekk þar góðar viðtǫkur, því at Bjǫrn kunni góð skil á honum.
6. Síðan vekr Hǫskuldr bónorð, en Bjǫrn svarar því vel
5 ok kvaz þat hyggja, at dóttir hans mundi eigi vera betr gipt,
en veik þó til hennar ráða. **7.** En er þetta mál var við
Jórunni rœtt, þá svarar hon á þessa leið:
„Þann einn spurdaga hǫfum vér til þín, Hǫskuldr! at vér
viljum þessu vel svara, því at vér hyggjum, at fyrir þeiri konu
10 sé vel sét, er þér er gipt; en þó mun faðir minn mestu af
ráða, því at ek mun því samþykkjaz hér um, sem hann vill.“
8. En hvárt sem at þessum málum var setit lengr eða
skemr, þá varð þat af ráðit, at Jórunn var fǫstnuð Hǫskuldi
með miklu fé; skyldi brullaup þat vera á Hǫskuldsstǫðum.
15 **9.** Ríðr Hǫskuldr nú í brott við svá búit ok heim til bús síns
ok er nú heima, til þess er boð þetta skyldi vera. **10.** Sœkir
Bjǫrn norðan til boðsins með fríðu fǫruneyti. Hǫskuldr hefir
ok marga fyrirboðsmenn, bæði vini sína ok frændr, ok er
veizla þessi en skǫruligsta. **11.** En er veizluna þraut, þá ferr
20 hverr heim til sinna heimkynna með góðri vináttu ok sœmi-
ligum gjǫfum. **12.** Jórunn Bjarnardóttir sitr eptir á Hǫskulds-
stǫðum ok tekr við bús umsýslu með Hǫskuldi. **13.** Var þat
brátt auðsætt á hennar hǫgum, at hon mundi vera vitr ok vel
at sér ok margs vel kunnandi, ok heldr skapstór jafnan. Vel
25 var um samfarar þeira Hǫskulds ok ekki mart hversdagliga.
14. Hǫskuldr geriz nú hǫfðingi mikill; hann var ríkr ok
kappsamr, ok skortir eigi fé; þótti hann í engan stað minni

---

1. *Strǫndum.* *Strandir* nennt man
die ausgedehnte nordostküste der
Vestfirðir-halbinsel.

1. 2. *með tíunda mann*, „selb-
zehnt“, = *við t. m.*

6. *veik þó til hennar ráða,* „stellte
dennoch (die sache) ihrer ent-
scheidung anheim“.

10. *sét.* *Sjá fyrir,* „für etwas
sorgen“.

10. 11. *mestu af ráða,* „am meisten
hierüber bestimmen“, d. h. das ent-
scheidende wort zu sprechen haben.

19. *þraut,* unpers., „als es mit
dem gastmahl zu ende war“.

23. *hǫgum,* „benehmen“.

24. *margs vel kunnandi,* „im be-
sitze vieler nützlicher kenntnisse“.
Vgl. Hóv. 54.

25. *ekki mart hversdagliga,* „nicht
vieles (d. h. sie wechselten nicht
viele worte) für gewöhnlich“.

27. *skortir,* unpers., mit *fé* als
objekt.

í engan stað, „in keiner hin-
sicht“.

fyrir sér en Kollr faðir hans. **15.** Hǫskuldr ok Jórnnn hǫfðu
eigi lengi ásamt verit, áðr þeim varð barna auðit. **16.** Son
þeira var nefndr Þorleikr; hann var elztr barna þeira; annarr
hét Bárðr. Dóttir þeira hét Hallgerðr, er síðan var kǫlluð
langbrók; ǫnnur dóttir þeira hét Þuríðr. Ǫll váru bǫrn Hǫs- 5
kulds efnilig.

17. Þorleikr var mikill maðr ok sterkr ok enn sýniligsti,
fálátr ok óþýðr; þótti mǫnnum sá svipr á um hans skaplyndi,
sem hann mundi verða engi jafnaðarmaðr. **18.** Hǫskuldr sagði
þat jafnan, at hann mundi mjǫk líkjaz í ætt þeira Strandamanna. 10

19. Bárðr Hǫskuldsson var ok skǫruligr maðr sýnum ok
vel viti borinn ok sterkr; þat bragð hafði hann á sér, sem
hann mundi líkari verða fǫðurfrændum sínum. **20.** Bárðr var
hœgr maðr í uppvexti sínum ok vinsæll maðr. Hǫskuldr unni
honum mest allra barna sinna; stóð nú ráðahagr Hǫskulds með 15
miklum blóma ok virðingu.

21. Þenna tíma gipti Hǫskuldr Gró systur sína Véleifi
gamla. Þeira son var Hólmgǫngu-Bersi.

Víga-Hrappr.

X, 1. Hrappr hét maðr, er bjó í Laxárdal fyrir norðan
ána gegnt Hǫskuldsstǫðum. Sá bœr hét síðan á Hrappsstǫðum; 20
þar er nú auðn. **2.** Hrappr var Sumarliðason ok kallaðr

---

5. *langbrók,* „lange hosen tragend".
Die ursache des beinnamens ist un-
bekannt. *Hallgerðr l.,* eine der
hauptpersonen der Njáls saga,
ist ein dämonischer charakter; sie
heiratet dreimal und verursacht
jedesmal den tod ihres gatten.

7. *enn sýniligsti,* „von sehr an-
sehnlichem aeusseren".

8. *óþýðr,* „ungesellig".

9. *jafnaðarmaðr,* „friedfertiger
mensch".

10. *líkjaz í ætt þeira Stranda-
manna,* „dem geschlecht der leute
von Strandir (welchem seine mutter
entsprossen war) nacharten".

17. *Gró;* vgl. Landnámabók II, c. 18.
Es ist in isländischen sagas un-
gewöhnlich, dass eine person so
erwähnt wird, ohne zuvor dem leser
vorgestellt zu sein. Im anfang der
Laxd. geschieht dies jedoch wieder-
holt (vgl. Þorsteinn rauðr c. 4 und 6,
Álfdís c. 7, Þorsteinn surtr und Hall-
steinn c. 10, Ingjaldr c. 11) und kann
vielleicht darauf hindeuten, dass der
verfasser sich hier excerpierend
verhält.

18. *Hólmgǫngu - Bersi,* „zwei-
kampf-B.", ein aus der Kormáks
saga bekannter mann, zugleich *skáld.*
(vgl. c. 18).

21. *auðn,* „unbebautes land".

2*

Ld. X. Víga-Hrappr; hann var skozkr at fǫðurrætt, en móðurkyn hans
var allt í Suðreyjum, ok þar var hann fœðingi. **3.** Mikill
maðr var hann ok sterkr; ekki vildi hann láta sinn hlut, þó
at mannamunr væri nǫkkurr; ok fyrir þat er hann var ódæll,
5 sem ritat var, en vildi ekki bœta þat, er hann misgerði, þá
flýði hann vestan um haf ok keypti sér þá jǫrð, er hann bjó á.
4. Kona hans hét Vígdís ok var Hallsteins dóttir; son
þeira hét Sumarliði. Bróðir hennar hét Þorsteinn surtr, er þá
bjó í Þórsnesi, sem fyrr var ritat; var þar Sumarliði at fóstri
10 ok var enn efniligsti maðr. **5.** Þorsteinn hafði verit kvángaðr;
kona hans var þá ǫnduð. Dœtr átti hann tvær; hét ǫnnur
Guðríðr, en ǫnnur Ósk. **6.** Þorkell trefill átti Guðríði, er bjó
í Svignaskarði; hann var hǫfðingi mikill ok vitringr; hann var
Rauðabjarnarson. **7.** En Ósk, dóttir Þorsteins, var gefin breið-
15 firzkum manni; sá hét Þórarinn. Hann var hraustr maðr ok

---

1. *Víga-Hrappr*, „totschlags-H."
Dieser zusatz ward häufig dem namen
gewalttätiger männer angefügt; vgl.
Víga-Styrr, Víga-Kolr, Víga-Skúta,
Víga-Glúmr usw. Eigentümlich aber
ist es, dass der name *Víga-Hrappr*
mehrmals in den isländischen sagas
(Laxd. c. 63, 35, Njáls saga c. 87—9.¹)
personen von zweifelhaftem cha-
rakter beigelegt wird.

2. *Suðreyjar*, die Hebriden.

3. *láta sinn hlut*, „nachgeben".

4. *mannamunr*, „unterschied der
männer"; *þo m. væri*, „auch dem
mächtigeren gegenüber".

6. *vestan*, d. h. nach Island. Diese
in Norwegen übliche bezeichnung
ward hergebrachter weise auch von
den aus Norwegen ausgewanderten
Isländern gebraucht.

7 fg. Die hier gegebenen perso-
nalien weichen von der Landnáma-
bók mehrfach ab. Hallsteinn (vgl.
unten c. 34, 13) ist der häuptling H.
goði (sohn des Þórólfr mostrarskegg).
Seine tochter Vígdís ist sonst un-
bekannt; Sumarliði (vergl. unten

c. 17, 9) wird nur noch in Land-
námabók II, c. 17 erwähnt. Guðríðr,
die tochter Þorsteins surts, nennt
Landnámabók (II, c. 23) Þórdís; Ósk
ist nach derselben quelle an Steinn
mjǫksiglandi verheiratet (Þórarinn
dagegen heisst der sohn Þor-
steins).

9. *í Þórsnesi, sem fyrr var ritat*
Der verfasser irrt sich. Der wohn-
ort Þorsteins surts ist früher nicht
angegeben (vgl. c. 6, 10). *Þórsnes*
ist eine halbinsel an der südseite
des Breiðifjǫrðr.

12. *trefill*, „faser", beiname.

13. *Svignaskarð*, hof im südwest-
lichen Island (in der landschaft
Borgarfjǫrðr).

vitringr, „verständiger mann".

14. *Rauðabjarnarson*. *Rauðabjǫrn*
ist eigentlich der name Bjǫrn mit
dem worte *rauði*, „sumpfeisenstein"
(als beiname verwendet), zusammen-
gesetzt; B. wird dadurch als eisen-
schmied bezeichnet.

14. 15. *breiðfirzkum*, „aus den land-
schaften rings um den Breiðifjǫrðr".

vinsæll ok var með Þorsteini mági sínum, því at Þorsteinn var **Ld. X.**
þá hniginn ok þurfti umsýslu þeira mjǫk. **XI.**

8. Hrappr var flestum mǫnnum ekki skapfeldr; var hann
ágangssamr við nábúa sína; veik hann á þat stundum fyrir
þeim, at þeim mundi þungbýlt verða í nánd honum, ef þeir 5
heldi nǫkkurn annan fyrir betra mann en hann. **9.** En bœndr
allir tóku eitt ráð, at þeir fóru til Hǫskulds ok sǫgðu honum
sín vandræði.

Hǫskuldr bað sér segja, ef Hrappr gerir þeim nǫkkut
mein, — „því at hvárki skal han ræna mik mǫnnum né fé." 10

Þórðr goddi und seine frau Vígdís.

XI, 1. Þórðr goddi hét maðr, er bjó í Laxárdal fyrir
norðan á, sá bœr heitir síðan á Goddastǫðum. Hann var
auðmaðr mikill; engi átti hann bǫrn; keypt hafði hann jǫrð
þá, er hann bjó á. **2.** Hann var nábúi Hrapps ok fekk opt
þungt af honum. Hǫskuldr sá um með honum, svá at hann 15
helt bústað sínum. **3.** Vígdís hét kona hans ok var Ingjalds
dóttir, Óláfssonar feilans. Bróðurdóttir var hon Þórðar gellis,
en systurdóttir Þórólfs rauðnefs frá Sauðafelli. **4.** Þórólfr var
hetja mikil ok átti góða kosti. Frændr hans gengu þangat
jafnan til trausts. Vígdís var meir gefin til fjár en brautar- 20
gengis. **5.** Þórðr átti þræl þann, er út kom með honum; sá hét
Ásgautr. Hann var mikill maðr ok gerviligr; en þótt hann
væri þræll kallaðr, þá máttu fáir taka hann til jafnaðarmanns
við sik, þótt frjálsir héti; ok vel kunni hann at þjóna sínum 25

---

4. *veik hann á þat*, „er be-
rührte".

6. *betra*, „vorzüglicher".

11. *goddi*, beinsme von un-
bekannter bedeutung.

16. 17. *Ingjalds dóttir.* Diese an-
gabe ist unrichtig: nach der Land-
námabók (II, c. 19) war Vígdís eine
tochter des Óláfr feilan, folglich eine
schwester des Ingjaldr.

18. *rauðnefr*, „rotnasig". *Þórólfr*
r. ist sonst nicht bekannt.

19. *átti góða kosti*, „war wohl-
habend".

19. 20. *gengu — til trausts*, „suchten
hilfe".

20. 21. *meir gefin til fjár en braut-
argengis*, „mehr um des geldes
willen verheiratet als um (in ihrem
manne) eine stütze zu bekommen".
Vgl. Grundriss II², s. 218.

24. 25. *taka hann til jafnaðar-
manns við sik*, „sich ihm an die
seite stellen". Vgl. über den *mann-
jafnaðr* Grundriss II², 250—51.

Ld. XI.
XII. yfirmanni. Fleiri átti Þórðr þræla, þó at þessi sé einn nefndr.

6. Þorbjǫrn hét maðr; hann bjó í Laxárdal et næsta Þórði upp frá bœ hans ok var kallaðr skrjúpr; auðigr var hann
5 at fé; mest var þat í gulli ok silfri; mikill maðr var hann vexti ok rammr at afli; engi var hann veifiskati við alþýðu manns.

Hǫskuldr reist nach Norwegen.

7. Hǫskuldi Dala-Kollssyni þótti þat ávant um rausn sína, at honum þótti hœr sinn húsaðr verr, en hann vildi. **8.** Síðan kaupir hann skip at hjaltneskum manni. Þat skip stóð uppi
10 í Blǫnduósi. Þat skip býr hann ok lýsir því, at hann ætlar utan, en Jórunn varðveitir bú ok bǫrn þeira. **9.** Nú láta þeir í haf, ok gefr þeim vel, ok tóku Nóreg heldr sunnarliga; kómu við Hǫrðaland, þar sem kaupstaðrinn í Bjǫrgvin er síðan. **10.** Hann setr upp skip sitt ok átti þar mikinn frænda afla,
15 þótt eigi sé hér nefndr. Þá sat Hákon konungr í Víkinni. **11.** Hǫskuldr fór ekki a fund Hákonar konungs, því at frændr hans tóku þar við honum báðum hǫndum. Var kyrt allan þann vetr.

Hǫskuldr kauft die sklavin Melkorka.

XII, 1. Þat varð til tíðenda um sumarit ǫndvert, at
20 konungr fór í stefnuleiðangr austr í Brenneyjar ok gerði frið

---

4. *upp frá*, „oberhalb", d. h. tiefer im tale, weiter von der talmündung, näher dem central-hochlande.

skrjúpr, „hinfüllig" (?), beiname. Þorbjǫrn sk. sowohl als sein sohn Lambi (siehe c. 22 ff.) sind sonst nicht bekannt.

6 *engi veifiskati við alþýðu manns*, „kein verschwender (d. h. ziemlich karg) dem gemeinen mann gegenüber".

9. *hjaltneskum*, „gebürtig von den Shetlandsinseln" (Hjaltland).

10. *í Blǫnduósi*, „an der mündung des flusses *Blanda*" (im nördl. Island).

13. *Hǫrðaland*, landschaft im westlichen Norwegen.

Bjǫrgvin, die stadt Bergen in Norwegen.

15. *sé*, mit weggelassenem subj.: *þeir* (d. i. *frændr*).

Víkinni. *Víkin* (d. i. die bucht) werden die landschaften im südlichen Norwegen rings um den Christianiafjord, besonders die an der ostseite belegenen, genannt.

17. *báðum hǫndum*, „mit beiden händen", d. h. sehr freundschaftlich.

20. *fór í stefnuleiðangr*, „unternahm einen zug mit dem kriegsheer, nach der angesetzten zusammenkunft (*stefna*)". Ueber den *leiðangr* vgl. zu Egilssaga 9, 1.

Brenneyjar, eine an der damaligen

fyrir land sitt, eptir því sem lǫg stóðu til, et þriðja hvert Ld. XII.
sumar. 2. Sá fundr skyldi vera lagðr hǫfðingja í milli at
setja þeim málum, er konungar áttu um at dœma. 3. Þat
þótti skemtanarfǫr at sœkja þann fund, því at þangat kómu
menn nær af ǫllum lǫndum, þeim er vér hǫfum tíðendi af. 5
4. Hǫskuldr setti fram skip sitt; vildi hann ok sœkja fund
þenna, því at hann hafði eigi fundit konung á þeim vetri.
Þangat var ok kaupstefnu at sœkja. 5. Fundr þessi var all-
fjǫlmennr; þar var skemtan mikil, drykkjur ok leikar ok alls-
kyns gleði; ekki varð þar til stórtíðenda. Marga hitti Hǫs- 10
kuldr þar frændr sína, þá sem í Danmǫrku váru.
  6. Ok einn dag, er Hǫskuldr gekk at skemta sér með
nǫkkura menn, sá hann tjald eitt skrautligt fjarri ǫðrum búðum.
7. Hǫskuldr gekk þangat ok í tjaldit, ok sat þar maðr fyrir
í guðvefjarklæðum ok hafði gerzkan hatt á hǫfði. 8. Hǫs- 15
kuldr spurði þann mann at nafni; hann nefndiz Gilli, — „en þá
kannaz margir við, ef heyra kenningarnafn mitt: ek em kallaðr
Gilli enn gerzki‘. Hǫskuldr kvaz opt hafa heyrt hans getit; kallaði
hann þeira manna auðgastan, sem verit hǫfðu í kaupmannalǫgum.
  9. Þá mælti Hǫskuldr: „þú munt hafa þá hluti at selja 20
oss, er vér viljum kaupa“.
  10. Gilli spyrr, hvat þeir vilja kaupa fǫrunautar.
  Hǫskuldr segir, at hann vill kaupa ambátt nǫkkura, —
„ef þú hefir at selja“.

---

reichsgrenze zwischen den drei
skandinavischen königreichen ge-
legene inselgruppe, die zu Däne-
mark gehörte. Eine dieser inseln
(vor der mündung des flusses Gütaelf,
nahe bei Gotenburg, liegend) führt
noch heute den namen Brennö.
Austr í B.: Da die B. zu der öst-
lichen hälfte der skandinavischen
halbinsel gehören, wird die richtung
von Norwegen nach den B. als
östlich bezeichnet, obwol diese
B. ziemlich genau südlich von
Víkin liegen.
  s. 22, z. 20. *gerði frið,* „erneuerte
den frieden“.
  1. *eptir því sem lǫg stóðu til,*

„der beschaffenheit des gesetzes
gemäss“, d. h infolge der vertrags-
mässigen bestimmungen (nämlich
dass der friede jeden dritten sommer
erneuert werden sollte).
  3. *setja þeim málum,* „diese
sachen abmachen“.
  15. *guðvefjar-.* Von *guðvefr,* wörtl.
„gottesgewebe“, wahrscheinlich ein
feines wollenzeug.
  gerzkan, „russischen“, (aus „*Garða-*
ríki“).
  18. *kallaði,* sc. *Hǫskuldr.*
  19. *í kaupmannalǫgum,* „in der
verbindung der kaufleute“: *vera í k.,*
= *vera kaupmaðr.*

11. Gilli svarar: „þar þykkiz þér leita mér meinfanga um
þetta, er þér falið þá hluti, er þér ætlið mik eigi til hafa; en
þat er þó eigi ráðit, hvárt svá berr til“.

12. Hǫskuldr sá, at um þvera húðina var fortjald. Þá
5 lypti Gilli tjaldinu, ok sá Hǫskuldr, at tólf konur sátu fyrir
innan tjaldit. **13.** Þá mælti Gilli, at Hǫskuldr skyldi þangat
ganga ok líta á, ef hann vildi nǫkkura kaupa af þessum
konum. Hǫskuldr gerir svá. Þær sátu allar saman um þvera
búðina. **14.** Hǫskuldr hyggr at vandliga at konum þessum.
10 Hann sá, at kona sat út við tjaldskǫrina; sú var illa klædd.
Hǫskuldi leiz konan fríð sýnum, ef nǫkkut mátti á sjá.

15. Þá mælti Hǫskuldr: „hversu dýr skal sjá kona, ef ek
vil kaupa?“

Gilli svarar: „þú skalt reiða fyrir hana þrjár merkr silfrs“.

15   **16.** „Svá virði ek“, segir Hǫskuldr, „sem þú munir þessa
ambátt gera heldr dýrlagða, því at þetta er þriggja verð“.

17. Þá svarar Gilli: „rétt segir þú þat, at ek met hana
dýrra en aðrar; kjós nú einhverja af þessum ellifu ok gjalt
þar fyrir mǫrk silfrs, en þessi sé eptir í minni eign“.

20   **18.** Hǫskuldr segir: „vita mun ek fyrst, hversu mikit silfr
er í sjóð þeim, er ek hefi á belti mér“, — biðr Gilla taka
vágina, en hann leitar at sjóðnum.

19. Þá mælti Gilli: „þetta mál skal fara óvélt af minni
hendi, því at á er ljóðr mikill um ráð konunnar; vil ek, at
25 þú vitir þat, Hǫskuldr, áðr vit sláim kaupi þessu“.

20. Hǫskuldr spyrr, hvat þat væri.

Gilli svarar: „kona þessi er ómála; hefi ek marga
vega leitat mála við hana, ok hefi ek aldri fengit orð

---

1. *leita mér meinfanga*, „mich in
verlegenheit zu setzen suchen“,
meinfang, „verlegenheit“.

3. *ráðit*, „abgemacht“.

4. *fortjald*, „vorhang“, = tjald
(z. 5 — 6).

11. *ef nǫkkut mátti á sjá* (un-
persönlich), „so weit man sehen
konnte“ (eigentlich: insofern etwas
sichtlich war).

14. *reiða*, „auszahlen“, eigentlich
„schwingen“.

þrjár merkr silfrs, ca. 108 rm.
(1 mark silber = ¹/₄ kilogramm silber
= 36 rm.), — entsprechen aber tat-
sächlich etwa 1080 rm., da der kauf-
wert um das jahr 1000 ungefähr zehn
mal grösser war als jetzt.

16. *dýrlagða*, „kostbar“, von *dýr-
lagðr*, „teuer angeschlagen“.
þriggja, scil. *ambátta*.

23. *óvélt*, „ohne falsch“.

24. *ljóðr*, „fehler“.

27. 28. *marga vega leitat mála*

af henni; er þat at vísu mín ætlan, at þessi kona kunni eigi Ld.XII
at mæla".

21. Þá segir Hǫskuldr: „lát fram reizluna ok sjám, hvat
vegi sjóðr sá, er ek hefi hér".

Gilli gerir svá; reiða nú silfrit, ok váru þat þrjár merkr 5
vegnar.

22. Þá mælti Hǫskuldr: „svá hefir nú til tekiz, at þetta
mun verða kaup okkar; tak þú fé þetta til þín, en ek mun
taka við konu þessi; kalla ek, at þú hafir drengiliga af þessu
máli haft, því at vísu vildir þú mik eigi falsa í þessu". Síðan 10
gekk Hǫskuldr heim til búðar sinnar.

23. Þat sama kveld rekði Hǫskuldr hjá henni. En um
morguninn eptir, er menn fóru í klæði sín, mælti Hǫskuldr:
„lítt sér stórlæti á klæðabúnaði þeim, er Gilli enn anðgi hefir
þér fengit; er þat ok satt, at honum var meiri raun at klæða 15
tólf en mér eina".

24. Síðan lauk Hǫskuldr upp kistu eina ok tók upp góð
kvennmannsklæði ok seldi henni; var þat ok allra manna mál,
at henni semði góð klæði.

25. En er hǫfðingjar hǫfðu þar mælt þeim málum, sem 20
þá stóðu lǫg til, var slitit fundi þessum. **26.** Síðan gekk
Hǫskuldr á fund Hákonar konungs ok kvaddi hann virðuliga,
sem skapligt var.

Konungr sá við honum ok mælti: „tekit mundu vér hafa
kveðju þinni, Hǫskuldr, þóttu hefðir nǫkkuru fyrr oss fagnat, 25
ok svá skal enn vera".

---

við hana, „auf mancherlei weise ver-
sucht, sie zum sprechen zu bewegen".
3. reizluna, „den besemer".
5. reiða, scil. þeir.
6. vegnar, „an silbergewicht";
mǫrk vegin im gegensatz zu mǫrk
talin, d. h. ausgemünztes (und zu
leichtes) silber — in Island nicht
gangbar.
8. okkar, gen. pl. von vit; ge-
wöhnlicher und wahrscheinlich ur-
sprünglicher ist in dieser verbindung
okkart (pron. poss.).

14. stórlæti, „freigebigkeit"; hier
objekt des satzes.
15. raun, „beschwerde".
16. enn mér eina, „als mir eine
(zu kleiden)".
18. kvennmannsklœði. In der be-
deutung „kleidung" wird klœði
immer im plur. gebraucht.
19. at henni semði (impf. conj.),
„dass ihr (gut) standen".
24. sá við honum, „betrachtete
ihn".

Hǫskuldr kehrt nach Island zurück.

Ld.
XIII.
XIII, 1. Eptir þetta tók konungr með allri blíðu Hǫskuldi ok bað hann ganga á sitt skip, — „ok ver með oss, meðan þú vill í Nóregi vera“.

2. Hǫskuldr svarar: „hafið þǫkk fyrir boð yðvart, en nú
5 á ek þetta sumar mart at starfa; hefir þat mjǫk til haldit, er ek hefi svá lengi dvalit at sœkja yðvarn fund, at ek ætlaða at afla mér húsaviðar“.

3. Konungr bað hann halda skipinu til Víkrinnar. Hǫskuldr dvalðiz með konungi um hríð. Konungr fekk honum
10 húsavið ok lét ferma skipit.

4. Þá mælti konungr til Hǫskulds: „eigi skal dvelja þik hér með oss lengr, en þér líkar, en þó þykkir oss vandfengit manns í rúm þitt“.

5. Síðan leiddi konungr Hǫskuld til skips ok mælti: „at
15 sómamanni befi ek þik reyndan, ok nær er þat minni ætlan, at þú siglir nú et síðasta sinn af Nóregi, svá at ek sjá hér yfirmaðr“.

6. Konungr dró gullhring af hendi sér, þann er vá mǫrk, ok gaf Hǫskuldi, ok sverð gaf hann honum annan grip, þat
20 er til kom hálf mǫrk gulls.

7. Hǫskuldr þakkaði konungi gjafirnar ok þann allan sóma, er hann hafði fram lagit. Síðan stígr Hǫskuldr á skip sitt ok siglir til hafs. **8.** Þeim byrjaði vel ok kómu at fyrir sunnan land; sigldu síðan vestr fyrir Reykjanes ok svá fyrir
25 Snæfellsnes ok inn í Breiðafjǫrð.

---

12. 13. *vandfengit manns í rúm þitt,* „schwierig einen (andern) mann an deiner stelle zu bekommen“.
14. 15. *at sómamanni,* „als ehrenmann“.
16. *et síðasta sinn.* Es scheint hier angedeutet zu werden, dass dieser besuch gegen ende der regierung des königs Hákon stattfand; chronologische schwierigkeiten machen jedoch diese annahme unwahrscheinlich.
18. *vá mǫrk,* „eine mark wog“. Da der ring ein goldener war, und

da gold damals ca. achtmal teurer als silber war, würde dessen wert tatsächlich auf ca. 2880 rm. sich belaufen. Vgl. c. 12, 15.
20. *er til kom hálf mǫrk gulls,* „das eine halbe mark gold (ca. 1440 rm.) wert war“.
22. *fram lagit,* „vorgelegt“, d. h. (ihm) bewiesen.
24. *Reykjanes,* die südwestlichste halbinsel Islands.
25. *Snæfellsnes,* halbinsel, die den Faxafjǫrðr von dem nördlicheren meerbusen Breiðifjǫrðr trennt.

9. Hǫskuldr lendi í Laxárósi; lætr þar bera farm af skipi **Ld.** sínu, en setja upp skipit fyrir innan Laxá ok gerir þar hróf **XIII.** at, ok sér þar toptina, sem hann lét gera hrófit. 10. Þar tjaldaði hann búðir, ok er þat kallaðr Búðardalr. Síðan lét Hǫskuldr flytja heim viðinn, ok var þat hœgt, því at eigi var 5 lǫng leið. 11. Ríðr Hǫskuldr eptir þat heim við nǫkkura menn ok fær viðtǫkur góðar, sem ván er; þar hafði ok fé vel haldiz síðan. 12. Jórunn spurði, hver kona sú væri, er í fǫr var með honum. 10

Hǫskuldr svarar: „svá mun þér þykkja, sem ek svara þér skætingu; ek veit eigi nafn hennar".

13. Jórunn mælti: „þat mun tveimr skipta, at sá kvittr mun loginn, er fyrir mik er kominn, eða þú munt hafa talat við hana jafnmart sem spurt hafa hana at nafni". 15

14. Hǫskuldr kvaz þess eigi þræta mundu ok segir henni et sanna, ok bað þá þessi konu virkða ok kvað þat nær sínu skapi, at hon væri heima þar at vistafari.

15. Jórunn mælti: „eigi mun ek deila við frillu þína, þá er þú hefir flutt af Nóregi, þótt hon kynni eigi góðar návistir, en 20 nú þykki mér þat allra sýnst, ef hon er bæði dauf ok mállaus".

16. Hǫskuldr svaf hjá húsfreyju sinni hverja nótt, síðan hann kom heim, en hann var fár við frilluna.

Ǫllum mǫnnum var auðsætt stórmenskumót á henni ok svá þat, at hon var engi afglapi. 25

Melkorka gebiert den Óláfr pái.

17. Ok á ofanverðum vetri þeim fœddi frilla Hǫskulds sveinbarn. Síðan var Hǫskuldr þangat kallaðr, ok var honum

---

1. *í Laxárósi,* „in der mündung der Laxá (im Laxárdalr)".

2. *fyrir innan,* „nördlich von". *hróf,* „schiffsschuppen", = *naust.*

3. *sér,* unpersönl.: „man sieht".

7. 8. *hafði ok fé vel haldiz síðan,* „auch war das gut mittlerweile wohl aufgehoben gewesen".

12. *skœting,* „neckerei".

13. *tveimr skipta,* „eins von beiden

sein"; wörtl. „zwischen zwei dingen wechseln".

15. *jafnmart sem,* „so viel wie", d. h. mehr als.

20. *kynni eigi góðar návistir,* „sich nicht gut zu betragen verstünde".

21. *allra sýnst,* „ganz und gar selbstverständlich".

24. *stórmenskumót,* „vornehmes wesen".

Ld. XIII. sýnt barnit; sýndiz honum sem ǫðrum, at hann þóttiz eigi sét hafa vænna barn né stórmannligra.

18. Hǫskuldr var at spurðr, hvat sveinninn skyldi heita. Hann bað sveininn kalla Óláf, því at þá hafði Óláfr feilan 5 andaz lítlu áðr, móðurbróðir hans.

19. Óláfr var afbragð flestra barna. Hǫskuldr lagði ást mikla við sveininn. 20. Um sumarit eptir mælti Jórunn, at frillan mundi upp taka verknað nǫkkurn eða fara í brott ella. Hǫskuldr bað hana vinna þeim hjónum ok gæta þar við sveins 10 síns. 21. En þá er sveinninn var tvævetr, þá var hann almæltr ok rann einn saman sem fjogurra vetra gǫmul bǫrn.

22. Þat var til tíðenda einn morgun, er Hǫskuldr var genginn út at sjá um bœ sinn; veðr var gott, skein sól ok var lítt á lopt komin; hann heyrði manna mál. 23. Hann gekk 15 þangat til, sem lœkr fell fyrir túnbrekkunni; sá hann þar tvá menn ok kendi; var þar Óláfr son hans ok móðir hans; fær hann þá skilit, at hon var eigi mállaus, því at hon talaði þá mart við sveininn.

24. Síðan gekk Hǫskuldr at þeim ok spyrr hana at nafni 20 ok kvað henni ekki mundu stoða at dyljaz lengr.

Hon kvað svá vera skyldu; setjaz þau niðr á túnbrekkuna.

25. Síðan mælti hon: „ef þú vill nafn mitt vita, þá heiti ek Melkorka".

Hǫskuldr bað hana þá segja lengra ætt sína.

25   26. Hon svarar: „Mýrkjartan heitir faðir minn; hann er konungr á Írlandi. Ek var þaðan hertekin fimtán vetra gǫmul".

Hǫskuldr kvað hana hølzti lengi hafa þagat yfir svá góðri ætt.

27. Síðan gekk Hǫskuldr inn ok sagði Jórunni, hvat til 30 nýlundu hafði gerz í ferð hans.

Jórunn kvaz eigi vita, hvat hon segði satt; kvað sér ekki um kynjamenn alla, ok skilja þau þessa rœðu.

---

9. *vinna*, „aufwarten".

15. *fyrir túnbrekkunni*, „unterhalb der halde des den hof umgebenden grasfeldes".

25. *Mýrkjartan*, isländische umbildung des keltischen Muircertach, bekannt als name teils eines ir-

ländischen oberkönigs 926 — 943, teils mehrerer kleinkönige, von welchen einer 963 getötet ward. Ueber Melkorka vgl. Landn. II, c. 18.

27. *hølzti*, „gar zu", = *heizti*.

31. 32. *sér ekki um* (scil. *vera*), „dass sie nicht gefallen daran finde".

28. Var Jórunn hvergi betr við hana en áðr, en Hǫskuldr **Ld.**
nǫkkuru fleiri. Ok lítlu síðar, er Jórunn gekk at sofa, togaði **XIII.**
Melkorka af henni ok lagði skóklæðin á gólfit. **29.** Jórunn **XIV.**
tók sokkana ok keyrði um hǫfuð henni. Melkorka reiddiz
ok setti hnefann á nasar henni, svá at blóð varð laust. Hǫs- 5
kuldr kom at ok skilði þær. **30.** Eptir þat lét hann Melkorku
í brott fara ok fekk henni þar bústað uppi í Laxárdal. Þar
heitir síðan á Melkorkustǫðum — þar er nú auðn — þat er
fyrir sunnan Laxá. **31.** Setr Melkorka þar bú saman; fær
Hǫskuldr þar til bús allt þat, er hafa þurfti, ok fór Óláfr son 10
þeira með henni. **32.** Brátt sér þat á Óláfi, er hann óx upp,
at hann mundi verða mikit afbragð annarra manna fyrir
vænleiks sakir ok kurteisi.

Hallr, der bruder des Ingjaldr Sauðeyjargoði, wird von Þórólfr getötet.

XIV, 1. Ingjaldr hét maðr; hann bjó í Sauðeyjum; þær
liggja á Breiðafirði; hann var kallaðr Sauðeyjargoði; hann var 15
auðigr maðr ok mikill fyrir sér. **2.** Hallr hét bróðir hans;
hann var mikill maðr ok efniligr. Hann var félítill maðr;
engi var hann nytjungr kallaðr af flestum mǫnnum. **3.** Ekki
váru þeir brœðr samþykkir optast; þótti Ingjaldi Hallr lítt vilja
sik semja í sið dugandi manna, en Halli þótti Ingjaldr lítt 20
vilja sitt ráð hefja til þroska.
    4. Veiðistǫð sú liggr á Breiðafirði, er Bjarneyjar heita.
Þær eyjar eru margar saman ok váru mjǫk gagnauðgar. Í
þann tíma sóttu menn þangat mjǫk til veiðifangs; var ok þar

---

3. *skóklæðin*, „das schuhwerk“.
4. *sokkana*, „die strümpfe“.
5. *nasar*, „nase“; von *nǫs*, „nasenloch“.
10. *hafa þurfti*, unpers.
11. *sér þat*, unpers.
14. *í Sauðeyjum*, inselgruppe — mit einer bewohnten insel — im nordwestlichen Island.
15. *Sauðeyjargoði*, beiname, der stellung (*goði*) und wohnort angibt; doch wäre *Sauðeyja-* (gen. plur.) für *Sauðeyjar-* (gen. sing.) zu er-

warten. Ingjaldr S. ist sonst unbekannt.
18. *nytjungr*, „brauchbarer mensch“.
19. *samþykkir*, „einig“.
21. *sitt ráð hefja til þroska*, „seine verhältnisse zum gedeihen zu bringen“, d. h. ihm zu einer besseren lage zu verhelfen.
22. *veiðistǫð*, siehe c. 2, 8.
Bjarneyjar, bewohnte inselgruppe, ungefähr mitten im Breiðifjǫrðr.
23. *gagnauðgar*, „einträglich“.

fjǫlment mjǫk ǫllum missarum. **5.** Mikit þótti spǫkum mǫnnum
undir því, at menn ætti gott saman í útverjum; var þat þá
mælt, at mǫnnum yrði ógæfra um veiðifang, ef missáttir yrði;
gáfu ok flestir menn at því góðan gaum. **6.** Þat er sagt
5 eitthvert sumar, at Hallr, bróðir Ingjalds Sauðeyjargoða, kom
í Bjarneyjar ok ætlaði til fangs. **7.** Hann tók sér skipan með
þeim manni, er Þórólfr hét. Hann var breiðfirzkr maðr, ok
hann var náliga lausingi einn félauss, ok þó fráligr maðr.
Hallr er þar um hríð, ok þykkiz hann mjǫk fyrir ǫðrum
10 mǫnnum.

8. Þat var eitt kveld, at þeir koma at landi, Hallr ok
Þórólfr, ok skyldu skipta fengi sínu; vildi Hallr bæði kjósa
ok deila, því at hann þóttiz þar meiri maðr fyrir sér. **9.** Þór-
ólfr vildi eigi láta sinn hlut ok var allstórorðr; skiptuz þeir
15 nǫkkurum orðum við, ok þótti sinn veg hvárum. Þrífr þá Hallr
upp hǫggjárn, er lá hjá honum, ok vill fœra í hǫfuð Þórólfi.
10. Nú hlaupa menn í milli þeira ok stǫðva Hall, ˙en hann
var enn óðasti ok gat þó engu á leið kómit at því sinni; ok
ekki varð fengi þeira skipt.
20 **11.** Réz nú Þórólfr á brott um kveldit, en Hallr tók einn
upp fang þat, er þeir áttu báðir, því at þá kendi at ríkis-
munar. Fær nú Hallr sér mann í stað Þórólfs á skipit; heldr
nú til fangs sem áðr. **12.** Þórólfr unir illa við sinn hlut;
þykkiz hann mjǫk svívirðr vera í þeira skiptum; er hann þar
25 þó í eyjunum ok hefir þat at vísu í hug sér at rétta þenna
krók, er honum var svá nauðuliga beygðr. **13.** Hallr uggir

---

2. *undir*, siehe Möbius' Glossar s. v.
ætti gott saman, „sich gut ver-
trugen".
í útverjum, „auf den entlegenen
fischgründen".
3. *at — ógæfra*, „dass sie weniger
erfolg hätten".
6. *tók — skipan*, „verschaffte sich
einen platz auf einem schiffe".
8. *lausingi*, „landstreicher"; auch
leysingi.
9. 10. *fyrir ǫðrum mǫnnum*, „vor-
nehmer als andere leute".
12. *fengi*, „fang"; = *fengr*.
12. 13. *bæði kjósa ok deila*, „so-

wohl den fang verteilen (dieser
wurde in haufen entsprechend der
zahl der teilnehmer geteilt) als
(unter diesen haufen) wählen".
Kann auch sprichwörtlich gebraucht
werden.
14. *láta sinn hlut*, „zu kurz
kommen".
16. *hǫggjárn*, „haueisen".
21. 22. *þá kendi at* (adv.) *ríkis-
munar* (gen. sing.), „hieran merkte
man nun den machtunterschied (dass
Hallr ein mächtigerer mann als Þór-
ólfr war)".
25. 26. *rétta þenna krók, er honum*

ekki at sér ok hugsar þat, at engir menn muni þora at halda **Ld.**
til jafns við hann þar í átthaga hans. **XIV.**

14. Þat var einn góðan veðrdag, at Hallr reri, ok váru
þeir þrír á skipi; bítr vel á um daginn; róa þeir heim at
kveldi ok eru mjǫk kátir. **15.** Þórólfr hefir njósn af athǫfn 5
Halls um daginn ok er staddr í vǫrum um kveldit, þá er þeir
Hallr koma at landi. **16.** Hallr reri í hálsi fram. Hann
hleypr fyrir borð ok ætlar at taka við skipinu. Ok er hann
hleypr á land, þá er Þórólfr þar nær staddr ok hǫggr til hans
þegar; kom hǫggit á hálsinn við herðarnar ok fýkr af hǫfuðit. 10
Þórólfr snýr á brott eptir þat, en þeir félagar Halls styrma
yfir honum.

17. Spyrjaz nú þessi tíðendi um eyjarnar, víg Halls, ok
þykkja þat mikil tíðendi, því at maðr var kynstórr, þótt hann
hefði engi auðnumaðr verit. 15

18. Þórólfr leitar nú á brott ór eyjunum, því at hann
veit þar engra þeira manna ván, er skjóli muni skjóta yfir
hann eptir þetta stórvirki. **19.** Hann átti þar ok enga frændr,
þá er hann mætti sér trausts af vænta, en þeir menn sátu nær,
er vís ván var, at um líf hans mundu sitja, ok hǫfðu mikit 20
vald, svá sem var Ingjaldr Sauðeyjargoði, bróðir Halls.

20. Þórólfr fekk sér flutning inn til meginlands. Hann
ferr mjǫk hulðu hǫfði. Er ekki af sagt hans ferð, áðr hann
kemr einn dag at kveldi á Goddastaði. **21.** Vígdís, kona
Þórðar godda, var nǫkkut skyld Þórólfi, ok sneri hann því 25
þangat til bœjar; spurn hafði Þórólfr af því áðr, hversu þar
var háttat, at Vígdís var meiri skǫrungr í skapi en Þórðr
bóndi hennar. **22.** Ok þegar um kveldit, er Þórólfr var þar
kominn, gengr hann til fundar við Vígdísi ok segir henni til
sinna vandræða ok biðr hana ásjá. 30

23. Vígdís svarar á þá leið hans máli: „ekki dyljumz ek

---

var svá nauðuliga beygðr, „diesen
haken, der ihm zum verdrusse ge-
krümmt war, gerade zu machen“, d. h.
durch rache genugtuung zu suchen.
2. *átthagi*, „heimat“. Die *Sauð-
eyjar* und Bjarneyjar gehören zu
demselben distrikte.

11. *styrma*, „tummeln sich“, „sind
eifrig beschäftigt“.

14. *kynstórr*, „von vornehmer
geburt“.

23. *af*, präp., von welcher der
dat. *ferð* abhängig ist.

Ld. við skuldleika okkra; þykki mér ok þann veg at eins verk
XIV. þetta, er þú hefir unnit, at ek kalla þik ekki at verra dreng,
en þó sýniz mér svá, sem þeir menn muni veðsetja bæði sik
ok fé sitt, er þér veita ásjá, svá stórir menn sem hér munu
5 veita eptirsjár. 24. En Þórðr bóndi minn", segir hon, „er
ekki garpmenni mikit, en órráð vár kvenna verða jafnan með
lítilli forsjá, ef nǫkkurs þarf við; en þó nenni ek eigi með ǫllu
at víkjaz undan við þik, alls þú hefir þó hér til nǫkkurrar
ásjá ætlat".

10 　　25. Eptir þat leiðir Vígdís hann í útibúr eitt ok biðr
hann þar bíða sín; setr hon þar lás fyrir.
　　26. Síðan gekk hon til Þórðar ok mælti: „hér er kominn
maðr til gistingar, sá er Þórólfr heitir, en hann er skyldr mér
nǫkkut; þœttiz hann þurfa hér lengri dvǫl, ef þú vildir, at svá
15 væri".
　　27. Þórði kvaz ekki vera um manna setur, bað hann
hvílaz þar um daginn eptir, ef honum væri ekki á hǫndum,
en verða í brottu sem skjótast elligar.
　　28. Vígdís svarar: „veitt hefi ek honum áðr gisting, ok
20 mun ek þau orð eigi aptr taka, þótt hann eigi sér eigi jafna
vini alla".
　　29. Eptir þat sagði hon Þórði vígit Halls ok svá þat, at
Þórólfr hafði vegit hann, er þá var þar kominn. 30. Þórðr
varð styggr við þetta, kvaz þat víst vita, at Ingjaldr mundi
25 mikit fé taka af honum fyrir þessa bjǫrg, er nú var veitt
honum, — „er hér hafa hurðir verit loknar eptir þessum manni".
　　31. Vígdís svarar: „eigi skal Ingjaldr fé taka af þér fyrir
einnar nætr bjǫrg, því at hann skal hér vera í allan vetr".
　　32. Þórðr mælti: „þann veg máttu mér mest upp tefla,

---

1. *at eins*, „lediglich".
2. *ekki at verra dreng*, „nicht
deswegen einen schlechteren mann".
5. *veita eptirsjár* (acc. pl.), eigentl.
„nachspürung halten", d. h. die sache
verfolgen.
6. 7. *órráð — forsjá*, „die be-
schlüsse, die wir frauen fassen, sind
oft nicht reiflich überlegt".
7. *ef nǫkkurs þarf við*, „wenn
es um etwas (d. h. um eine be-
deutende sache) sich handelt".

16. *Þórði*, so (statt *Þórðr*), in-
folge des in *kvaz* enthaltenen
sér.

17. *ef — hǫndum*, „falls er in
keine händel verwickelt wäre".

20. 21. *þótt — vini alla*, „wenn
er auch nicht an allen (leuten) gleich
gute freunde hat".

29. *upp tefla ehm*, „jemand arm
machen, ruinieren", (eigentl. durch
brettspiel).

ok at móti er þat mínu skapi, at slíkr óhappamaðr sé hér." Ld.
En þó var Þórólfr þar um vetrinn. XIV.
XV.

33. Þetta spurði Ingjaldr, er eptir bróður sinn átti at
mæla. Hann býr ferð sína í Dali inn at áliðnum vetri; setti
fram ferju, er hann átti. Þeir váru tólf saman. **34.** Þeir sigla 5
vestan útnyrðing hvassan ok lenda í Laxárósi um kveldit;
setja upp ferjuna, en fara á Goddastaði um kveldit ok koma
ekki á óvart. Er þar tekit vel við þeim.

35. Ingjaldr brá Þórði á mál ok sagði honum erendi sitt,
at hann kvez þar hafa spurt til Þórólfs bróðurbana síns. 10
Þórðr kvað þat engu gegna.

36. Ingjaldr bað hann eigi þræta, — „ok skulum vit
eiga kaup saman, at þú sel manninn fram ok lát mik eigi
þurfa þraut til, en ek hefi hér þrjár merkr silfrs, er þú skalt
eignaz; upp mun ek ok gefa þér sakir þær, er þú hefir gǫrt 15
á hendr þér í bjǫrgum við Þórólf."

37. Þórði þótti féit fagrt, en var heitit uppgjǫf um sakir
þær, er hann hafði áðr kvítt mest, at hann mundi féskurð af
hljóta.

38. Þórðr mælti þá: „nú mun ek sveipa af fyrir mǫnnum 20
um tal okkart, en þetta mun þó verða kaup okkart."

Þeir sváfu, til þess er á leið nóttina ok var stund til dags.

Þórólfr, der von Ingjaldr verfolgte mörder des Hallr, wird von Vígdís á
Goddastǫðum beschützt.

XV, 1. Síðan stóðu þeir Ingjaldr upp ok klædduz. Vígdís
spurði Þórð, hvat í tali hefði verit með þeim Ingjaldi um 25

---

4. *Dali*, = *Breiðafjarðardali*, zu
denen auch der *Laxdrdalr* ge-
hört.

6. *útnyrðing hvassan* (acc. ohne
praep.), „mit einem starken nord-
westwind". Die ausdrücke *útnorðr*,
landnorðr, útsuðr, landsuðr, „nord-
west, nordost, südwest, südost"
waren schon in Norwegen gebildet
und stimmen eigentlich nur zu der
geographischen lage dieses landes;
vgl. zu Egilss. c. 21, 8.

17. *uppgjǫf*, „verzichtleistung auf

eine rechtlich zu beanspruchende
geldbusse".

18. *féskurð*, „verlust", eigentl.
„beschneidung (verkürzung) des ver-
mögens".

20. 21. *sveipa af fyrir mǫnnum
um tal okkart*, „den leuten gegen-
über den inhalt unseres gespräches
verhehlen" (?). *sveipa*, „wickeln,
wischen"; *sveipa af um eht*, wahr-
scheinlich „leicht über etwas hinweg-
gehen". Vgl. Rietz, Svenskt dial. lex

22. *stund*, „eine (beträchtliche)
weile".

Ld. XV. kveldit. 2. Hann kvað þá mart talat hafa, en þat samit, at uppi skyldi vera rannsókn, en þau ór málinu, ef Þórólfr hittiz eigi þar — „lét ek nú Ásgaut þræl minn fylgja manninum á brott“.

5 3. Vígdísi kvaz ekki vera um lygi, kvað sér ok leitt vera, at Ingjaldr snakaði um hús hennar, en bað hann þó þessu ráða. 4. Síðan rannsakaði Ingjaldr þar ok hitti eigi þar manninn. Í þann tíma kom Ásgautr aptr, ok spurði Vígdís, hvar hann skilðiz við Þórólf.

10 5. Ásgautr svarar: „ek fylgða honum til sauðahúsa várra, sem Þórðr mælti fyrir“.

6. Vígdís mælti: „mun nǫkkut meir á gǫtu Ingjalds en þetta, þá er hann ferr til skips? ok eigi skal til bætta, hvárt þeir hafa eigi þessa ráðagerð saman borit í gær kveld; vil ek,
15 at þú farir þegar ok fylgir honum í brott sem tíðast. 7. Skaltu fylgja honum til Sauðafells á fund Þórólfs. Með því at þú gerir svá sem ek býð þér, skaltu nǫkkut eptir taka; frelsi mun ek þér gefa ok fé þat, at þú sér fœrr, hvert er þú vill“.

8. Ásgautr játtaði því ok fór til sauðahússins ok hitti
20 þar Þórólf. Hann bað þá fara á brott sem tíðast. 9. Í þenna tíma ríðr Ingjaldr af Goddastǫðum, því at hann ætlaði at heimta þá verð fyrir silfrit. 10. Ok er hann var kominn ofan frá bœnum, þá sjá þeir tvá menn fara í móti sér, ok var þar Ásgautr ok Þórólfr. Þetta var snemma um morgin, svá at
25 lítt var lýst af degi. 11. Þeir Ásgautr ok Þórólfr váru komnir í svá mikinn klofa, at Ingjaldr var á aðra hǫnd, en Laxá á aðra hǫnd. 12. Áin var ákafliga mikil; váru hǫfuðísar at báðum megin, en gengin upp eptir miðju, ok var áin allill at sœkja.

30 13. Þórólfr mælti við Ásgaut: „nú þykki mér, sem vit munim eiga tvá kosti fyrir hǫndum. 14. Sá er kostr annarr at bíða þeira hér við ána ok verjaz, eptir því sem okkr endiz hreysti til ok drengskapr, en þó er þess meiri ván, at þeir

---

5. *Vígdísi kvaz.* Vgl. zu c. 14, 27.

6. *snakaði um,* „umherstöberte in“.

17. *eptir taka,* „zur belohnung empfangen“.

22. *verð fyrir silfrit,* „ersatz für

das silber“ (nämlich durch die ergreifung des Þórólfr).

26. *klofa,* „klemme“; *klofi,* wörtl. „winkel“.

28. *gengin upp,* „aufgebrochen“ d. h. frei von eis.

Ingjaldr sœki líf okkart skjótt; sá er annarr kostr at ráða til **Ld. XV.**
árinnar, ok mun þat þykkja þó enn með nǫkkurri hættu."

15. Ásgautr biðr hann ráða, kvaz nú ekki munu við hann
skiljaz, — „hvert ráð sem þú vill upp taka hér um".

16. Þórólfr svarar: „til árinnar munu vit leita", ok svá 5
gera þeir; búa sik sem léttligast. Eptir þat ganga þeir ofan
fyrir hǫfuðísinn ok leggjaz til sunds.

17. Ok með því at menn váru hraustir ok þeim varð
lengra lífs auðit, þá komaz þeir yfir ána ok upp á hǫfuðísinn
ǫðrum megin. **18.** Þat er mjǫk jafnskjótt, er þeir eru komnir 10
yfir ána, at Ingjaldr kemr at ǫðrum megin at ánni ok fǫru-
nautar hans.

19. Þá tekr Ingjaldr til orða ok mælti til fǫrunauta sinna:
„hvat er nú til ráðs? skal ráða til árinnar eða eigi?"

20. Þeir sǫgðu, at hann mundi ráða, sǫgðuz ok hans 15
forsjá mundu hlíta at; þó sýndiz þeim áin óyfirfœrilig.

Ingjaldr kvað svá vera, — „ok munu vér frá hverfa ánni".

21. En er þeir Þórólfr sjá þetta, at þeir Ingjaldr ráða eigi
til árinnar, þá vinda þeir fyrst klæði sín ok búa sik til gǫngu
ok ganga þann dag allan; koma at kveldi til Sauðafells 20
22. Þar var vel við þeim tekit, því at þar var allra manna
gisting. **23.** Ok þegar um kveldit gengr Ásgautr á fund
Þórólfs rauðnefs ok sagði honum alla vǫxtu, sem á váru um
þeira erendi, at Vígdís frændkona hans hafði þenna mann sent
honum til halds ok trausts, er þar var kominn; sagði honum 25
allt, hvé farit hafði með þeim Þórði godda. **24.** Þar með berr
hann fram jartegnir þær, er Vígdís hafði sent til Þórólfs.

25. Þórólfr svarar á þá leið: „ekki mun ek dyljaz við
jartegnir þessar; mun ek at vísu taka við þessum manni at
orðsending hennar; þykki mér Vígdísi þetta mál drengiliga 30
hafa farit; er þat mikill harmr, er þvílík kona skal hafa svá
óskǫruligt gjaforð; skaltu, Ásgautr, dveljaz hér þvílíka hríð
sem þér líkar".

26. Ásgautr kvaz ekki lengi þar mundu dveljaz.

Þórólfr tekr nú við nafna sínum, ok geriz hann hans 35
fylgðarmaðr, en þeir Ásgautr skiljaz góðir vinir, ok ferr
Ásgautr heimleiðis.

---

16. *óyfirfœrilig*, „unpassierbar".

Ld. XV.
XVI.

27. Nú er at segja frá Ingjaldi, at hann snýr heim á Goddastaði, þá er þeir Þórólfr hǫfðu skiliz. 28. Þar váru þá komnir menn af næstum bœjum at orðsending Vígdísar; váru þar eigi færi karlar fyrir en tuttugu. 29. En er þeir Ingjaldr
5 koma á bœinn, þá kallar hann Þórð til sín ok mælti við hann: „óðrengiliga hefir þér farit til vár, Þórðr“, segir hann, „því at vér hǫfum þat fyrir satt, at þú hafir manninum á brott skotit“.
30. Þórðr kvað hann eigi satt hafa á hǫndum sér um
10 þetta mál: kemr nú upp ǫll þeira ráðagerð, Ingjalds ok Þórðar.
31. Vill Ingjaldr nú hafa fé sitt, þat er hann hafði fengit Þórði í hendr. 32. Vígdís var þá nær stǫdd tali þeira ok segir þeim farit hafa, sem makligt var; biðr Þórð ekki halda á fé þessu,
15 „því at þú, Þórðr, „segir hon, „hefir þessa fjár ódrengi-iga aflat“.
Þórðr kvað hana þessu ráða mundu vilja.
1 33. Eptir þetta gengr Vígdís inn ok til erkr þeirar, er Þórðr átti, ok finnr þar í niðri digran fésjóð. 34. Hon tekr
20 upp sjóðinn ok gengr út með ok þar til, er Ingjaldr var, ok biðr hann taka við fénu. 35. Ingjaldr verðr við þetta létt-brúnn ok réttir hǫndina at móti fésjóðnum. Vígdís hefr upp fésjóðinn ok rekr á nasar honum, svá at þegar fell blóð á jǫrð. 36. Þar með velr hon honum mǫrg hæðilig orð, ok þat
25 með, at hann skal þetta fé aldregi fá síðan; biðr hann á brott fara. 37. Ingjaldr sér sinn kost þann enn bezta at verða á brottu sem fyrst, ok gerir hann svá ok léttir eigi ferð sinni, fyrr en hann kemr heim, ok unir illa við sína ferð.

Vígdís scheidet sich von ihrem manne Þórðr goddi; dieser adoptiert den Óláfr pái.

30 **XVI, 1.** Í þenna tíma kemr Ásgautr heim. Vígdís fagnar honum vel ok frétti, hversu góðar viðtǫkur þeir hefði at Sauða-

---

6. *hefir þér farit til vár,* „bist du gegen uns verfahren“.

9. 10. *hann eigi — þetta mál,* „dass er in dieser angelegenheit ihm gegenüber nicht im rechte sei“.

18. *erkr,* genet. von *ǫrk,* „kiste“.

21. 22. *léttbrúnn,* „vergnügt“, wörtl. „mit in die höhe gezogenen augenbrauen (*létta* „hochheben“), d. h. mit geglätteter stirn“; vgl. *hefja upp brún við eht* (opp. *láta síga brýnn*).

22. *hefr,* von *hefja.*

felli. Hann lætr vel yfir ok segir henni álykðarorð þau, er Ld.
Þórólfr hafði mælt. 2. Henni hugnaðiz þat vel; XVI.
„hefir þú nú, Ásgautr“, segir hon, „vel farit með þínu
efni ok trúliga; skaltu nú ok vita skjótliga, til hvers þú hefir
unnit. 3. Ek gef þér frelsi, svá at þú skalt frá þessum degi 5
frjáls maðr heita; hér með skaltu taka við fé því, er Þórðr
tók til hǫfuðs Þórólfi frænda mínum; er nú féit betr niðr komit.“
   4. Ásgautr þakkaði henni þessa gjǫf með fǫgrum orðum.
Þetta sumar eptir tekr Ásgautr sér fari í Dǫgurðarnesi, ok
lætr skip þat í haf. Þeir fá veðr stór ok ekki langa útivist; 10
taka þeir Nóreg. 5. Síðan ferr Ásgautr til Danmerkr ok
staðfestiz þar, ok þótti hraustr drengr. Ok endir þar sǫgu frá
honum.
   6. En eptir ráðagerð þeira Þórðar godda ok Ingjalds
Sauðeyjargoða, þá er þeir vildu ráða bana Þórólfi, frænda 15
Vígdísar, lét hon þar fjándskap í móti koma ok sagði skilit
við Þórð godda, ok fór hon til frænda sinna ok sagði þeim
þetta. 7. Þórðr gellir tók ekki vel á þessu — því at hann var
fyrirmaðr þeira —, ok var þó kyrt. Vígdís hafði eigi meira fé
á brott af Goddastǫðum en gripi sína. 8. Þeir Hvammverjar 20
létu fara orð um, at þeir ætluðu sér helming fjár þess, er
Þórðr goddi hafði at varðveita. 9. Hann verðr við þetta
klǫkkr mjǫk ok ríðr þegar á fund Hǫskulds ok segir honum
til vandræða sinna.
   10. Hǫskuldr mælti: „skotit hefir þér þá skelk í bringu, 25
er þú hefir eigi átt at etja við svá mikit ofrefli“. 11. Þá
bauð Þórðr Hǫskuldi fé til liðveizlu ok kvaz eigi mundu smátt
á sjá.

---

1. *álykðarorð*, „endgiltiger be-
scheid“.
16. 17. *sagði skilit við*. Siehe
Grundriss II², s. 222.
18. *tók ekki vel á þessu*, „äusserte
sein missvergutigen hiertiber“.
19. *fyrirmaðr*, „vormanu“, d. h.
oberhaupt der familie.
20. *gripi sína*, „ihre schmuck-
sachen“.
Hvammverjar, „das geschlecht
der leute von Hvammr“, d. h. die

durch Þórðr gellir repräsentierten
nachkommen der Unnr.
21. *helmingr*, „hälfte“. Wahr-
scheinlich hat zwischen Þórðr goddi
und Vígdis das sogen. *helmingar-
félag* bestanden, in welchem falle
jeder der beiden gatten auf die
hälfte des gemeinsamen vermögens
anspruch hatte.
23. *klǫkkr*, „niedergeschlagen“.
27. 28. *smátt á sjá*, „karg sein“;
á ist adv.

12. Hǫskuldr segir: „reynt er þat, at þú vill, at engi maðr njóti fjár þíns, svá at þú sættiz á þat".

13. Þórðr svarar: „eigi skal nú þat þú. því at ek vil gjarna, at þú takir handsǫlum á ǫllu fénu. Síðan vil ek bjóða

5 Óláfi syni þínum til fóstrs ok gefa honum allt fé eptir minn dag, því at ek á engan erfingja hér á landi, ok hygg ek, at þá sé betr komit féit, heldr en frændr Vígdísar skelli hrǫmmum yfir". **14.** Þessu játtaði Hǫskuldr ok lætr binda fastmælum. Þetta líkaði Melkorku þungt; þótti fóstrit oflágt.

10 **15.** Hǫskuldr kvað hana eigi sjá kunna, — „er Þórðr gamall maðr ok barnlauss, ok ætla ek Óláfi allt fé eptir hans dag, en þú mátt hitta hann ávalt, er þú vilt".

16. Síðan tók Þórðr við Óláfi, sjau vetra gǫmlum, ok leggr við hann mikla ást. Þetta spyrja þeir menn, er mál áttu

15 við Þórð godda, ok þótti nú fjárheimtan komin fastligar en áðr. **17.** Hǫskuldr sendi Þórði gelli góðar gjafir ok bað hann eigi styggjaz við þetta, því at þeir máttu engi fé heimta af Þórði fyrir laga sakir; kvað Vígdísi engar sakir hafa fundit Þórði, þær er sannar væri ok til brautgangs mætti metaz, —

20 **18.** „ok var Þórðr eigi at verr mentr, þótt hann leitaði sér nǫkkurs ráðs at koma þeim manni af sér, er settr var á fé hans ok svá var sǫkum horfinn sem hrísla eini."

19. En er þessi orð kómu til Þórðar frá Hǫskuldi ok þar með stórar fégjafir, þá sefaðiz Þórðr gellir ok kvaz þat

25 hyggja, at þat fé væri vel komit, er Hǫskuldr varðveitti, ok

---

2. *njóti fjár þíns*, „von deinem gute nutzen oder vorteil habe".

svá at þú sættiz á þat, „so dass du deine einwilligung dazu giebst".

7. 8. *skelli hrǫmmum yfir*, „die tatzen darauf legen", es an sich reissen.

8. *fastmœlum*, „durch feste abmachungen".

18. *fyrir laga sakir*, „auf gesetzlichem wege".

19. *brautgangs*, „der scheidung".

20. *at verr mentr*, „deswegen ein schlechterer (unedlerer) mann".

22. *sǫkum horfinn sem hrísla eini*,

„(so) mit rechtssachen (anklagen) belastet wie ein wacholderstrauch mit nadeln". Die stelle kann kaum anders übersetzt werden; aber dann muss entweder *einir*, das sonst „wachholder s t r a u c h" bedeutet, hier die bedeutung „wachholder-n a d e l n" haben (vergl. Tamm, Etymologisk svensk ordbok s. v. *en*), oder ein wort für „nadeln" ausgelassen sein. Eine entstellung ist schwerlich anzunehmen, da die stelle übereinstimmend in den drei hier bewahrten, selbständigen handschriften vorliegt.

tók við gjǫfum; ok var þetta kyrt síðan ok um nǫkkuru færa en áðr. **20.** Óláfr vex upp með Þórði godda ok geriz mikill maðr ok sterkr. Svá var hann vænn maðr, at eigi fekkz hans jafningi. **21.** Þá er hann var tólf vetra gamall, reið hann til þings, ok þótti mǫnnum þat mikit erendi ór ǫðrum sveitum at 5 undraz, hversu hann var ágætliga skapaðr. Þar eptir helt Óláfr sik at vápnabúnaði ok klæðum; var hann því auðkendr frá ǫllum mǫnnum. **22.** Miklu var ráð Þórðar godda betra, síðan Óláfr kom til hans; Hǫskuldr gaf honum kenningarnafn ok kallaði þá. Þat nafn festiz við hann. 10

Víga-Hrappr stirbt und geht um.

XVII, 1. Þat er sagt fra Hrapp, at hann gerðiz úrigr viðreignar; veitti nú nábúum sínum svá mikinn ágang, at þeir máttu varla halda hlut sínum fyrir honum. **2.** Hrappr gat ekki fang á Þórði fengit, síðan Óláfr færðiz á fœtr. Hrappr hafði skaplyndi et sama, en orkan þvarr, því at elli sótti á 15 hendr honum, svá at hann lagðiz í rekkju af. **3.** Þá kallaði Hrappr til sín Vígdísi konu sína ok mælti: „ekki hefi ek verit kvellisjúkr", segir hann, „er ok þat líkast at þessi sótt skili várar samvistur; en þá at ek em andaðr, þá vil ek mér láta grǫf grafa í eldhúsdurum, ok skal mik niðr 20 setja standanda þar í durunum. Má ek þá enn vendiligar sjá yfir hýbýli mín". **4.** Eptir þetta deyr Hrappr. Svá var með ǫllu farit, sem hann hafði fyrir sagt, því at hon treystiz eigi ǫðru. **5.** En svá illr sem hann var viðreignar, þá er hann lifði, þá jók nú 25 miklu við, er hann var dauðr, því at hann gekk mjǫk aptr. Svá segja menn, at hann deyddi flest hjón sín í aptrgǫngunni. **6.** Hann gerði mikinn ómaka þeim flestum, er í nánd bjuggu, var eyddr bœrinn á Hrappsstǫðum. Vígdís kona Hrapps réz

---

1. *um nǫkkuru fœra*, „etwas kühler"; *um* hier adv.

5. *mikit erendi* „ein bedeutendes erlebnis".

6. *undraz*, „bewundern".

11. *úrigr*, „gewaltsam".

18. *kvellisjúkr*, „kränklich".

20. *eldhúsdurum*. *Eldhús* be-

deutet hier gewiss „küche" und *eldhúsdyrr* den innerhalb des gehöftes belegenen eingang zu diesem raume. Siehe den plan im Grundriss II², s. 252.

25. 26. *þá jók nú miklu við*, „so nahm das nun sehr zu", „ward noch schlimmer".

28. *ómaka*, „beschwerde".

vestr til Þorsteins surts, bróður síns; tók hann við henni ok
fé hennar. **7.** Nú var enn sem fyrr, at menn fóru á fund
Hoskulds ok sogðu honum til þeira vandræða, er Hrappr gerir
monnum, ok biðja hann nokkut ór ráða. **8.** Hoskuldr kvað
5 svá vera skyldu, ferr með nokkura menn á Hrappsstaði ok
lætr grafa upp Hrapp ok fœra hann í brott, þar er sízt væri
fjárgangr í nánd eða mannaferðir. Eptir þetta nemaz af heldr
aptrgongur Hrapps.
     9. Sumarliði son Hrapps tók fé eptir hann, ok var bæði
10 mikit ok frítt. Sumarliði gerði bú á Hrappsstoðum um várit
eptir; ok er hann hafði þar lítla hríð búit, þá tók hann œrsl
ok dó lítlu síðar. **10.** Nú á Vígdís móðir hans at taka þar
ein fé þetta allt. Hon vill eigi fara til landsins á Hrapps-
stoðum; tekr nú Þorsteinn surtr fé þetta undir sik til varð-
15 veizlu. Þorsteinn var þá hniginn nokkut ok þó enn hraustasti
ok vel hress.

     Þorsteinn surtr ertrinkt.   Hrappsstaðir fällt dem Þorkell trefill zu.

     XVIII, 1. Í þann tíma hófuz þeir upp til mannvirðingar
í Þórsnesi frændr Þorsteins, Borkr enn digri ok Þorgrímr bróðir
hans. Brátt fannz þat á, at þeir brœðr vildu þá vera þar

---

7. *fjárgangr*, „viehweide".

8. *aptrgongur Hrapps.* Ueber
die wiederholte *aptrganga* H.'s siehe
c. 18, 9 und c. 24, 24. Der ge-
spensterglaube war bei den Isländern
sehr verbreitet und wird in vielen
sagas berührt, z. b. Eyrbyggja saga
(c. 34 und 63), Grettis saga (c. 35),
Hávarðar saga (c. 2 — 3), sowie in
zahlreichen sagenhaften sogur. Es
waren gewöhnlich unheimliche und
boshafte menschen, die das grab
nicht fesseln konnte. Als gespenster
treten sie nicht geisterhaft auf,
sondern bewahren durchaus ihre
materielle leibesgestalt. Die nach-
lebenden müssen mit ihnen gefähr-
liche kämpfe bestehen und mit
ihnen wie mit lebendigen gegnern
ringen. Wenn das grab solcher

leute geöffnet wird, findet man die
leiche unverwest; das verbrennen
derselben und die vernichtung der
asche ist das wirksamste mittel gegen
die wiederholung der spukerei.

9. *eptir hann*, „nach seinem tode";
eptir regiert in dieser verbindung
den accusativ.

18. *frœndr Þorsteins, Borkr enn
digri ok Þorgrímr.* Hallsteinn, der
vater des Þorsteinn surtr, und sein
bedeutend jüngerer bruder Þorsteinn
þorskabítr, der vater des Borkr und
Þorgrímr, waren söhne des land-
námsmaðr Þórólfr Mostrarskegg,
(siehe c. 7, 25 und c. 10, 4), überdies
aber stammten beide parteien von
Þorsteinn rauðr ab (siehe c. 6, 10
und c. 7, 25).

mestir menn ok mest metnir. 2. Ok er Þorsteinn finnr þat, Ld.
XVIII. þá vill hann eigi við þá bægjaz; lýsir því fyrir mǫnnum, at hann ætlar at skipta um bústaði ok ætlaði at fara bygðum á Hrappsstaði í Laxárdal.

3. Þorsteinn surtr bjó ferð sína af várþingi, en smali var 5 rekinn eptir strǫndinni. Þorsteinn skipaði ferju ok gekk þar á með tǫlfta mann; var þar Þórarinn á, mágr hans, ok Ósk Þorsteinsdóttir; ok Hildr hét dóttir Þórarins, er enn fór með þeim, ok var hon þrévetr. 4. Þorsteinn tók útsynning hvassan; sigla þeir inn at straumum í þann straum, er hét Kolkistu- 10 straumr; sá er í mesta lagi þeira strauma, er á Breiðafirði eru.

5. Þeim tekz siglingin ógreitt; heldr þat mest til þess, at þá var komit útfall sjávar, en byrrinn ekki vinveittr, því at skúraveðr var á, ok var hvast veðrit, þá er rauf, en vindlítit þess í milli. 6. Þórarinn stýrði ok hafði aktaumana um herðar 15 sér, því at þrǫngt var á skipinu; var hirzlum mest hlaðit, ok varð hár farmrinn, en lǫndin váru nær; gekk skipit lítit, því at straumrinn gerðiz óðr at móti.

7. Síðan sigla þeir á sker upp ok brutu ekki at. Þorsteinn bað fella seglit sem skjótast, bað menn taka forka ok ráða 20 af skipinu. 8. Þessa ráðs var freistat ok dugði eigi, því at svá var djúpt á bæði borð, at forkarnir kendu eigi niðr, ok

---

3. um, praep., regiert bústaði.

5. af várþingi. Das betreffende frühlingsthing ist das Þórsness-þing, das bei einer bucht im no. der halbinsel Þórsnes abgehalten wurde. Von dieser stelle aus (dem jetzigen Þingvellir in der Helgafellssveit, wo Þorsteinn wahrscheinlich seinen hof gehabt hat) brach er auf.

10. at straumum. Die hier genannten straumar sind die schmalen, bei ebbe und flut durch starke strömungen ziemlich gefährlichen meerengen, welche die zahlreichen inseln in der mündung des Hvammsfjǫrðr scheiden; wahrscheinlich einer der südlichsten dieser ströme (jetzt Kollköstungur) ist der z. 10. 11 genannte Kolkistustraumr.

13. vinveittr, „günstig"; eigentlich „freundschaftlich".

13. 14. skúraveðr, „wetter mit häufigen regenschauern".

14. þá er rauf, „wenn das wetter sich aufklärte"; von rjúfa.

15. aktaumana, „die brassen". Die aktaumar waren zwei tauo, die an den enden der segelstange befestigt waren, und womit diese gedreht wurde.

16. hirzlum, „mit kisten"; von hirzla.

17. lǫndin, „die küsten".

19. brutu ekki at, scil. skipit, „das schiff blieb trotzdem unbeschädigt".

20. 21. ráða af skipinu, „das schiff flott machen"; af adv.

22. kendu eigi niðr, „erreichten nicht den grund".

Ld.
XVIII.

varð þar at bíða atfalls; fjarar nú undan skipinu. 9. Þeir sá
sel í strauminum um daginn, meira miklu en aðra. Hann fór
í hring um skipit um daginn ok var ekki fitjaskammr. Svá
sýndiz þeim ǫllum, sem manns augu væri í honum. Þorsteinn
5 bað þá skjóta selinn; þeir leita við, ok kom fyrir ekki.
10. Síðan fell sjór at. Ok er nær hafði, at skipit mundi
fljóta, þá rekr á hvassviðri mikit, ok hvelfir skipinu, ok drukna
nú menn allir þeir, er þar váru á skipinu, nema einn maðr.
Þann rak á land með viðum; sá hét Guðmundr. Þar heita
10 síðan Guðmundareyjar.
11. Guðríðr átti at taka arf eptir Þorstein surt fǫður sinn,
er átti Þorkell trefill.
12. Þessi tíðendi spyrjaz víða, druknun Þorsteins surts
ok þeira manna, er þar bǫfðu látiz. Þorkell sendir þegar orð
15 þessum manni, Guðmundi, er þar hafði á land komit. 13. Ok
er hann kemr á fund Þorkels, þá slær Þorkell við hann kaupi
á laun, at hann skyldi svá greina frásǫgn um líflát manna,
sem hann segði fyrir. Því játti Guðmundr. 14. Heimtir nú
Þorkell af honum frásǫgn um atburð þenna, svá at margir
20 menn váru hjá. Þá segir Guðmundr svá, kvað Þorstein hafa
fyrst druknat, þá Þórarin mág hans — þá átti Hildr at taka
féit, því at hon var dóttir Þórarins —, 15. þá kvað hann
meyna drukna, því at þar næst var Ósk hennar arfi, móðir
hennar, ok léz hon þeira síðast; bar þá féit allt undir

---

1. *atfall,* „flut“.

3. *fitjaskammr,*   „mit kurzen
schwimmfüssen versehen“ (von *fit*);
ok — f., d. h. er war sehr gross.

4. *manns augu.* Man nahm an,
dass trotz aller verwandlungen die
augen des menschen immer un-
verändert blieben (vgl. Vǫls. saga
c. 29). Der verf. unserer saga nahm
zweifellos an, dass der grosse see-
hund der spukende Víga-Hrappr
gewesen sei.

5. *kom fyrir ekki,* „es nützte
nichts“.

6. *er nær hafði,* „als es nahe
daran war“.

7. *hvassviðri,* „sturm“.

9. *Þann rak,* „er trieb“. Der
ausdruck ist unpersönlich, mit dem
pron. demonstr. *sá* als objekt statt
des gewöhnlichen *hann.*

10. *Guðmundareyjar,* inselgruppe
in der nähe des *Kollkǫstungur*
(s. oben zu § 4).

12. *er,* verweist auf *Guðríðr.*

16. 17. *slær Þ. við hann kaupi á
laun,* „Þ. schliesst mit ihm heimlich
den handel (die übereinkunft)“.

17. *greina frásǫgn,* „den bericht
formulieren“.

21. 22. *þá átti — Þórarins* ist
als ein erklärender zusatz des ver-
fassers zu betrachten.

Þorkel trefil, því at Guðríðr kona hans átti fé at taka eptir systur sína.

16. Nú reiðiz þessi frásǫgn af Þorkatli ok hans mǫnnum, en Guðmundr hafði áðr nǫkkut ǫðruvísa sagt. Nú þótti þeim frændum Þórarins nǫkkut ifanlig sjá saga, ok kǫlluðuz eigi 5 mundu trúnað á leggja raunarlaust, ok tǫlðu þeir sér fé hálft við Þorkel; en Þorkell þykkiz einn eiga ok bað gera til skírslu at sið þeira. 17. Þat var þá skírsla í þat mund, at ganga skyldi undir jarðarmen þat er torfa var ristin ór velli; skyldu endarnir torfunnar vera fastir í vellinum, en sá maðr, er skírsl- 10 una skyldi fram flytja, skyldi þar ganga undir.

18. Þorkell trefill grunar nǫkkut, hvárt þannig mun farit hafa um líflát manna, sem þeir Guðmundr hǫfðu sagt et síðara sinni. 19. Ekki þóttuz heiðnir menn minna eiga í ábyrgð, þá er slíka hluti skyldi fremja, en nú þykkjaz eiga kristnir 15 menn, þá er skírslur eru gǫrvar. Þá varð sá skírr, er undir jarðarmen gekk, ef torfan fell eigi á hann. 20. Þorkell gerði

3. *reiðiz*, „wird verbreitet".

4. *ǫðruvísa*, = *ǫðruvís*.

5. *ifanlig*, „zweifelhaft"; von *ifan* = *if*.

6. *raunarlaust*, „ohne prüfung".
tǫlðu þeir sér, „sie berechneten sich", d. h. sie forderten.

7. 8. *skírslu at sið þeira*, „reinigungsbeweis nach der sitte der zeit"; *skírsla*, „reinigung", wird besouders von einem durch ein gottesurteil geführten beweise gebraucht.

9. *undir jarðarmen þat — ristin ór velli*, „unter dem erdstreifen, wo (d. h. der dadurch gebildet war, dass) mau ein schmales stück rasen von dem boden abgelöst hatte". In bezug auf das im nachfolgenden beschriebene verfahren ist zu bemerken: der rasenstreifen wurde durch einen in die erde gepflanzten spiess, eine stange oder dergl. getragen; dass er, trotzdem dass die enden in ihrer natürlichen verbindung mit dem boden blieben, in manneshöhe

gehoben werden konnte, lässt darauf schliessen, dass man eine beliebige erdmasse fortschaffte und so eine vertiefung bildete. Die betreffende ceremonie *at ganga undir jarðarmen*, die übrigens namentlich beim abschliessen der blutsbrüderschaft angewendet wurde, aber auch als form für abbitte einem gegner gegenüber vorkommt, wird in mehreren sagas (Fóstbrœðra saga, Gísla saga Súrssonar, Vatnsdœla saga) ausführlich beschrieben. Vgl. Gruudriss II², s. 217 und das dort citierte werk von M. Pappenheim; Zeitschr. für deutsche phil. 21, 157 fg.

12. *Þorkell trefill grunar nǫkkut*. Vorausgesetzt, dass der ausdruck nicht ironisch ist, ist wahrscheinlich anzunehmen, dass Guðmundr in seinem gespräch mit Þ. nicht direkt der von diesem (als hypothese?) aufgestellten reihenfolge der ertrunkenen widersprochen hat.

17 fg. *gerði ráð* usw. Þorkell,

Ld.
XVIII.
XIX.

ráð við tvá menn, at þeir skyldu sik láta á skilja um einn-
hvern hlut ok vera þar nær staddir, þá er skírslan væri frǫmð,
ok koma við torfuna svá mjǫk, at allir sæi, at þeir feldi hana.
21. Eptir þetta rœðr sá til, er skírsluna skyldi af hǫndum
5 inna, ok jafnskjótt sem hann var kominn undir jarðarmenit,
hlaupaz þessir menn at mót með vápnum, sem til þess váru
settir; mœtaz þeir hjá torfubugnum ok liggja þar fallnir, ok
fellr ofan jarðarmenit, sem ván var. **22.** Síðan hlaupa menn
í millum þeira ok skilja þá; var þat auðvelt, því at þeir borðuz
10 með engum háska. **23.** Þorkell trefill leitaði orðróms um skírsl-
una; mæltu nú allir hans menn, at vel mundi blýtt hafa, ef
engir hefði spilt. Síðan tók Þorkell lausafé allt, en lǫndin
leggjaz upp á Hrappsstǫðum.

Streit der brüder Hǫskuldr und Hrútr.

XIX, 1. Nú er frá Hǫskuldi at segja, at ráð hans er
15 virðuligt; var hann hǫfðingi mikill. Hann varðveitti mikit fé,
er átti Hrútr Herjólfsson, bróðir hans. Margir menn mæltu
þat, at nǫkkut mundu ganga skorbíldar í fé Hǫskulds, ef hann
skyldi vandliga út gjalda móðurarf hans.
2. Hrútr er hirðmaðr Haralds konungs Gunnhildarsonar

der selber die berechtigung seiner
ansprüche bezweifelte, fürchtete in-
folgedessen, dass die rasenprobe zu
seinen ungunsten ausfallen, der
rasenstreifen also einstürzen werde.
Er richtet es daher so ein, dass der
streifen während der feierlichen
handlung, wie durch einen zufall,
wirklich umgestossen wird, um
dann behaupten zu können, dass
der erfolg für ihn entschieden haben
würde, wenn nicht jenes missgeschick
sich ereignet hätte.
1. *sik láta á skilja*, „uneinig
werden". Die konstruktion ist
eigentlich unpersönlich (*þá skilr á*,
„sie sind uneinig").
2. *frǫmð*, = *framin*; von *fremja*.
4. *rœðr sá til*, „schickt sich an"
(unter den rasenstreifen zu gehen).
Hiernach hat also Þorkell nicht

selber den reinigungsbeweis geführt,
sondern durch einen seiner leute
sich vertreten lassen, was immer-
hin auffallend ist.
7. *torfubugr*, „der gekrümmte
rasenstreifen" (= *jarðarmen*).
12. 13. *lǫndin leggjaz upp á H.*,
„die zu H. gehörigen ländereien
werden nicht benutzt" (weil man
sich immer noch vor der spukerei
des Hrappr fürchtete).
17. *at mundu ganga skorbíldar í
fé H.s*, „dass die markbeile (die beile,
mit denen man die zum fällen be-
stimmten bäume bezeichnete) in das
vermögen H.'s kommen würden",
d. h. dass eine starke verminderung
seines gutes eintreten werde.
19. *Hrútr er hirðmaðr Haralds
konungs*. Auch nach der Njáls saga
tritt Hrútr in den dienst des königs

ok hafði af honum mikla virðing; helt þat mest til þess, at **Ld.**
hann gafz bezt í ǫllum mannraunum, en Gunnhildr dróttning **XIX.**
lagði svá miklar mætur á hann, at hon helt engi hans jafn-
ingja innan hirðar, hvárki í orðum né ǫðrum hlutum. **3.** En
þó at mannjafnaðr væri hafðr ok til ágætis manna talat, þá 5
var þat ǫllum mǫnnum auðsætt, at Gunnhildi þótti hyggjuleysi
til ganga eða ǫfund, ef nǫkkurum manni var til Hrúts jafnat.
4. Með því at Hrútr átti at vitja til Íslands fjárhlutar mikils
ok gǫfugra frænda, þá fýsiz hann at vitja þess; býr nú ferð
sína til Íslands. Konungr gaf honum skip at skilnaði ok 10
kallaðiz hann reynt hafa at góðum dreng. **5.** Gunnhildr leiddi
Hrút til skips ok mælti:

„ekki skal þetta lágt mæla, at ek hefi þik reyndan at
miklum ágætismanni, því at þú hefir atgervi jafnfram enum
beztum mǫnnum hér í landi, en þú hefir vitsmuni langt um fram". 15

6. Síðan gaf hon honum gullhring ok bað hann vel fara;
brá síðan skikkjunni at hǫfði sér ok gekk snúðigt heim til
bœjar; en Hrútr stígr á skip ok siglir í haf.

7. Honum byrjaði vel, ok tók Breiðafjǫrð. Hann siglir
inn at eyjum; síðan siglir hann inn Breiðasund ok lendir við 20

Haraldr und wird günstling der
königin Gunnhildr, aber dies ge-
schieht erst während eines besuches
in Norwegen, nachdem er lange zeit
in Island gelebt hat. Der charakter
des Hrútr und das verhältnis
zwischen den brüdern wird über-
haupt in diesen beiden sagas ab-
weichend geschildert. — Der hier
genannte könig Haraldr Gunn-
hildarsonr (mit dem beinamen grá-
feldr), enkel des königs Haraldr
hárfagri, war während der regierung
des königs Hákon Aðalsteinsfóstri
mit seiner mutter und seinen brüdern
von Norwegen vertrieben gewesen;
die mutter Gunnhildr, wittwe des
königs Eiríkr blóðøx, wird in den
sagas als eine kluge, aber grausame
und sittenlose person geschildert.
Haraldr gráfeldr trat die regierung

961 an; sein todesjahr (969?) ist
unsicher.

4. hvárki í orðum né ǫðrum
hlutum, „weder in beredsamkeit
noch in anderen eigenschaften".

5. mannjafnaðr, siehe c. 11, 5.

til ágætis manna, „über die vor-
züglichkeit von leuten".

6. hyggjuleysi, „unverstand".

11. hann, obj. zu reynt.

14. atgervi, „tüchtigkeit".

15. vitsmuni, „verstand".

17. 18. til bœjar. Bœr kann so-
wohl „hof" als „stadt" bedeuten,
hier wohl wahrscheinlich das letzte.

19. tók, scil. hann.

20. at eyjum .. Breiðasund. Die
eyjar sind die c. 18, 4 (fussnote) er-
wähnten inseln, die den äusseren
teil des Hvammsfjǫrðr füllen; das B.
ist die haupteinfahrt zwischen diesen.

Ld.
XIX. Kambsnes ok bar bryggjur á land. Skipkváman spurðiz ok svá þat, at Hrútr Herjólfsson var stýrimaðr. **8.** Ekki fagnar Hǫskuldr þessum tíðendum, ok eigi fór hann á fund hans. Hrútr setr upp skip sitt ok býr um. Þar gerði hann bœ, er
5 síðan heitir á Kambsnesi.
     9. Síðan reið Hrútr á fund Hǫskulds ok heimtir móðurarf sinn. Hǫskuldr kvaz ekki fé eiga at gjalda, kvað eigi móður sína hafa farit félausa af Íslandi, þá er hon kom til móts við Herjólf. **10.** Hrúti líkar illa ok reið í brott við svá búit.
10 Allir frændr Hrúts gera sœmiliga til hans aðrir en Hǫskuldr. **11.** Hrútr bjó þrjá vetr á Kambsnesi ok heimtir jafnan fé at Hǫskuldi á þingum eða ǫðrum lǫgfundum ok var vel talaðr; kǫlluðu þat flestir, at Hrútr hefði rétt at mæla, en Hǫskuldr flutti þat, at Þorgerðr var eigi at hans ráði gipt Herjólfi, en
15 léz vera lǫgráðandi móður sinnar, ok skilja við þat.
     12. Þat sama haust eptir fór Hǫskuldr at heimboði til Þórðar godda. Þetta spyrr Hrútr ok reið hann á Hǫskulds-staði við tólfta mann. Hann rak á brott naut tuttugu; jafn-mǫrg lét hann eptir. Síðan sendi hann mann til Hǫskulds
20 ok bað segja, hvert eptir fé var at leita. **13.** Húskarlar Hǫs-kulds hlupu þegar til vápna, ok váru gǫr orð þeim, er næstir váru, ok urðu þeir fimtán saman; reið hverr þeira, svá sem mátti hvatast. Þeir Hrútr sá eigi fyrr eptirreiðina, en þeir áttu skamt til garðs á Kambsnesi. **14.** Stíga þeir Hrútr þegar af

---

2. *stýrimaðr*, „schiffsherr", eigentl. „steuermann".

4. *býr um*, „trifft die nötigen sicherheitsveranstaltungen".

5. *á Kambsnesi*. Der von Hrútr aufgeführte hof ist somit auf der c. 5, 7 und c. 19, 7 erwähnten halb-insel belegen gewesen und nach dieser benannt; doch ist es möglich, dass eine variante zu dieser stelle *á Kambsnesi þar sem síðan hét á Bólstað* eine genauere angabe be-wahrt hat.

12. *lǫgfundum*, „öffentliche (ge-setzlich befohlene) versammlungen";

15. *lǫgráðandi*, „vormund". Ob-gleich Þorgerðr als wittwe etwas freier gestellt war, forderte doch das gesetz zu ihrer wiederverheira-tung die einwilligung ihres nächsten männlichen verwandten; vergleiche V. Finsen, Fremstillingen af den islandske familieret efter Grágás (Annaler for nord. oldkyndighed og hist. 1849—50). Hiemit stimmt nicht ganz die in den sagas (vgl. Laxd. c. 7, 37, c. 43, 8) öfter vor-kommende äusserung, dass wittwen als solche das recht hatten in heirats-fragen selbst die entscheidung zu treffen.

20. *hvert eptir fé var at leita*, „wo das vieh zu suchen war".

baki ok binda hesta sína ok ganga fram á mel nǫkkurn, ok Ld.
sagði Hrútr, at þeir mundu þar við taka, kvaz þat hyggja, XIX.
þótt seint gengi fjárheimtan við Hǫskuld, at eigi skyldi þat
spyrjaz, at hann rynni fyrir þrælum hans. 15. Fǫrunautar
Hrúts sǫgðu, at liðsmunr mundi vera. Hrútr kvaz þat ekki 5
hirða, kvað þá því verrum fǫrum fara skyldu, sem þeir væri fleiri.
16. Þeir Laxdœlir hljópu nú af hestum sínum ok bjugguz
nú við. Hrútr bað þá ekki meta muninn ok hleypr í móti
þeim. 17. Hann hafði hjálm á hǫfði, en sverð brugðit í hendi,
en skjǫld í annarri; hann var vígr allra manna bezt. Svá var 10
Hrútr þá óðr, at fáir gátu fylgt honum. 18. Bǫrðuz vel hvárir-
tveggju um hríð; en brátt fundu þeir Laxdœlir þat, at þeir áttu
þar eigi við sinn maka, sem Hrútr var, því at þá drap hann
tvá menn í einu athlaupi. 19. Síðan báðu Laxdœlir sér griða.
Hrútr kvað þá víst hafa skyldu grið. Húskarlar Hǫskulds 15
váru þá allir sárir, þeir er upp stóðu, en fjórir váru drepnir.
20. Hrútr fór heim ok var nǫkkut sárr, en fǫrunautar hans
lítt eða ekki, því at hann hafði sik mest frammi haft. Er þat
kallaðr Orrostudalr, síðan þeir bǫrðuz þar. Síðan lét Hrútr af
hǫggva féit. 20

21. Þat er sagt frá Hǫskuldi, at hann kippir mǫnnum at
sér, er hann spyrr ránit, ok reið hann heim. Þat var mjǫk
jafnskjótt, at húskarlar hans koma heim; þeir sǫgðu sínar
ferðir ekki sléttar. 22. Hǫskuldr verðr við þetta óðr ok kvaz
ætla at taka eigi optar af honum rán ok manntjón. Safnar 25
hann mǫnnum þann dag allan at sér. 23. Síðan gekk Jórunn
húsfreyja til tals við hann ok spyrr at um ráðagerð hans.
Hann segir: „lítla ráðagerð hefi ek stofnat, en gjarna

---

2. *við taka*, „sich verteidigen";
wörtlich „in empfang nehmen" (die
feinde).

6. *þá því verrum fǫrum fara
skyldu*, „dass es ihnen um so viel
schlimmer ergehen sollte".

7. *Laxdœlir*, „die leute aus dem
Laxárdalr, d. h. Hǫskuldr und seine
männer.

7. 8. *bjugguz nú við*, „machten
sich (zum kampf) bereit".

8. *meta muninn*, „sich um den
unterschied (zwischen der stärke
der gegner und ihrer eigenen) be-
kümmern".

18. *sik mest frammi haft*, „(unter
den seinigen) der vorderste ge-
wesen", d. i. am tapfersten ge-
kämpft.

19. *Orrostudalr*, wörtlich „kampf-
tal". Die localität lässt sich nicht
mit sicherheit nachweisen.

vilda ek, at annat væri optar at tala en um dráp húskarla
minna“.

24. Jórunn svarar: „þessi ætlun er ferlig, ef þú ætlar at
drepa slíkan mann, sem bróðir þinn er, en sumir menn kalla,
5 at eigi sé sakleysi í, þótt Hrútr hefði fyrr þetta fé heimt; hefir
hann þat nú sýnt, at hann vill eigi vera hornungr lengr þess
er hann átti, eptir því sem hann átti kyn til. **25.** Nú mun
hann hafa eigi fyrr þetta ráð upp tekit at etja kappi við þik,
en hann mun vita sér nøkkurs trausts ván af enum meirum
10 mønnum, því at mér er sagt, at farit muni hafa orðsendingar
í hljóði milli þeira Þórðar gellis ok Hrúts; mundi mér slíkir
hlutir þykkja ísjáverðir; mun Þórði þykkja gott at veita at
slíkum hlutum, er svá brýn eru málaefni. **26.** Veiztu ok þat,
Høskuldr, síðan er mál þeira Þórðar godda ok Vígdísar urðu,
15 at ekki verðr slík blíða á með ykkr Þórði gelli sem áðr, þóttu
kœmir í fyrstu af þér með fégjǫfum fjándskap þeira frænda;
hygg ek ok þat, Høskuldr“, segir hon, „at þeim þykkir þú þar
raunmjǫk sitja yfir sínum hlut ok son þinn Óláfr. **27.** Nú
þœtti oss hitt ráðligra, at þú byðir Hrúti bróður þínum sœmi-
20 liga, því at þar er fangs ván af frekum úlfi; vænti ek þess, at
Hrútr taki því vel ok líkliga, því at mér er maðr sagðr vitr;
mun hann þat sjá kunna, at þetta er hvárstveggja ykkar sómi“.

28. Høskuldr sefaðiz mjǫk við fortǫlur Jórunnar; þykkir
honum þetta vera sannligt. Fara nú menn í milli þeira, er
25 váru beggja vinir, ok bera sættarorð af Høskulds hendi til
Hrúts. **29.** En Hrútr tók því vel, kvaz at vísu vilja semja við

---

1. *at annat væri optar at tala,*
„dass man von anderen dingen öfter
zu sprechen hätte“.

6. 7. *eigi vera hornungr lengr
þess er hann átti,* „nicht länger an
seinem rechtmässigen eigentum ver-
kürzt werden“.

7. *eptir því sem hann átti kyn
til,* „wie man es nach seiner her-
kunft von ihm erwarten konnte“.

12. *ísjáverðir,* „bedenklich“.

13. *er svá brýn eru málaefni,* „wo
ein so klarer rechtsfall vorliegt“.

18. *raunmjǫk sitja yfir sínum hlut,*
„in sehr hohem grade sie die über-
macht fühlen lassen“.

19. 20. *byðir H. bróður þínum
sœmiliga,* „deinem bruder H. ein
ehrenhaftes anerbieten machst“.

20. *er fangs ván af frekum úlfi,*
ein aus Reginsm. 13 bekanntes
sprichwort: „vom gierigen wolf ist
angriff zu erwarten“, d. h. mit einem
gereizten gegner hat man aussicht
auf gefährlichen kampf“.

26. *semja við H.,* „mit H. sich
vergleichen“.

Hǫskuld, kvaz þess lǫngu hafa verit búinn, at þeir semði sína **Ld.** fræmdsemi, eptir því sem vera ætti, ef Hǫskuldr vildi honum **XIX.** rétts unna. Hrútr kvaz ok Hǫskuldi vilja unna sóma fyrir afbrigð þau, er hann hafði gǫrt af sinni hendi. **30.** Eru nú þessi mál sett ok samið í milli þeira brœðra Hǫskulds ok 5 Hrúts; taka þeir nú upp frændsemi sína góða heðan í frá.

31. Hrútr gætir nú bús síns ok geriz mikill maðr fyrir sér, ekki var hann afskiptinn um flesta hluti, en vildi ráða því, er hann hlutaðiz til. **32.** Hrútr þokaði nú bústað sínum ok bjó þar, sem nú heitir á Hrútsstǫðum, allt til elli, Hof átti 10 hann í túni, ok sér þess enn merki. Þat er nú kallat Trolla-skeið; þar er nú þjóðgata. **33.** Hrútr kvángaðiz ok fekk konu þeirar, er Unnr hét, dóttir Marðar gígju. Unnr gekk frá honum; þar af hefjaz deilur þeira Laxdœla ok Fljótshlíðinga. **34.** Aðra konu átti Hrútr, þá er Þorbjǫrg hét; hon var Ármóðsdóttir. 15 Átt hefir Hrútr ena þriðju konu, ok nefnum vér hana eigi. **35.** Sextán sonu átti Hrútr ok tíu dœtr við þessum tveim konum. Svá segja menn, at Hrútr væri svá á þingi eitt sumar,

---

1. *semði sína frœndsemi*, „ihr verwandtschaftliches verhältnis verbesserten“, d.h. ihrem verwandtschaftlichen verhältnis gemäss lebten.

3. 4. *sóma fyrir afbrigð þau*, „genugtuung für das mehrfache unrecht“.

5. *sett ok samið*, „abgemacht und geordnet“; diese allit. formel begegnet auch sonst, z. b. Ósvalds s. c. 2 (Ann. f. nord. oldk. 1854, s. 30, 14).

10. *á Hrútsstǫðum*, gehöft südlich von Kambsnes, von dem gegenwärtig nur noch ruinen sichtbar sind.

11. 12. *Trollaskeið*, „weg der unholde“. Der name soll als benennung eines weges bewahrt sein.

13. *gígju*, beiname; *gígja* bedeutet „geige“.

gekk frá honum, „verliess ihn“, d. h. erklärte sich von ihm geschieden.

14. *Fljótshlíðingar*, „bewohner des distriktes Fljótshlíð (im südlichen Island)“. Die erzählung von diesem streit — zwischen Hǫskuldr und Hrútr auf der einen seite, Gunnarr von Hlíðarendi auf der anderen — macht den inhalt des ersten teiles der Njáls saga aus.

15. *Þorbjǫrg .... Ármóðsdóttir*, nach der Landnámabók (II, 18) hiess die zweite frau des Hrútr *Hallveig Þorgrímsdóttir* und war eine schwester des Ármóðr.

16. *ok nefnum vér hana eigi*, d. h. ihren namen kennen wir nicht. Die andern quellen wissen von einer dritten ehe des Hrútr überhaupt nichts.

17. *Sextán sonu átti Hrútr ok tíu dœtr.* Die Landnámabók teilt dem Hrútr mit Hallveig (s. zu z. 15) 15 söhne und 5 töchter zu.

Ld. at fjórtán synir hans væri með honum. Því er þessa getit, at
XIX. þat þótti vera rausn mikil ok afli; allir váru gerviligir synir
XX. hans.

Erste reise des Óláfr pái. Sein besuch in Norwegen.

XX, 1. Hoskuldr sitr nú í búi sínu ok geriz hniginn á
5 enn efra aldr, en synir hans eru nú þroskaðir. Þorleikr gerir
bú á þeim bœ, er heitir á Kambsnesi, ok leysir Hoskuldr út
fé hans. **2.** Eptir þetta kvángaz hann ok fekk konu þeirar,
er Gjaflaug hét, dóttir Arnbjarnar Sleitu-Bjarnarsonar ok Þor-
laugar Þórðardóttur frá Hofða. Þat var gofugt kvánfang; var
10 Gjaflaug væn kona ok ofláti mikill. **3.** Þorleikr var engi dæld-
armaðr ok enn mesti garpr; ekki lagðiz mjok á með þeim
frændum Hrúti ok Þorleiki. **4.** Bárðr, son Hoskulds, var heima
með feðr sínum; hafði hann þá umsýslu ekki minnr en Hos-
kuldr. **5.** Dœtra Hoskulds er hér eigi getit mjok; þó eru menn
15 frá þeim komnir.

6. Óláfr Hoskuldsson er nú ok frumvaxti ok er allra manna
fríðastr sýnum, þeira er menn hafi sét. Hann bjó sik vel at
vápnum ok klæðum. **7.** Melkorka, móðir Óláfs, bjó á Mel-
korkustoðum, sem fyrr var ritat. Hoskuldr veik meir af sér
20 umsjá um ráðahag Melkorku, en verit hafði; kvaz honum þat
þykkja ekki síðr koma til Óláfs sonar hennar, en Óláfr kvaz
henni veita skyldu sína ásjá, slíka sem hann kunni at veita
henni. **8.** Melkorku þykkir Hoskuldr gera svívirðliga til sín;
hefir hon þat í hug sér at gera þá hluti nokkura, er honum
25 þœtti eigi betr. **9.** Þorbjorn skrjúpr hafði mest veitt umsjá

---

2. *þat þótti vera rausn mikil ok*
afli, „das schien ihm grosses an-
sehen und macht zu verleihen".

Cap. XX. 6. *á Kambsnesi*, vgl.
c. 5, 7, c. 19, 8 und c. 25, 10.

6. 7. *leysir H. út fé hans*, „H.
zahlt (ihm) sein vermögen aus".

8. *Gjaflaug.* Von ihr wird zwei-
mal in der Landnámabók gesprochen
(II, 18; III, 10); doch wird sie das
erste mal *Þuriðr*, das zweite mal
Guðlaug genannt.

Sleitu-Bjarnarsonar. Der name
Bjorn ist hier zur genaueren be-
stimmung des mannes mit *sleita*,
„ausflucht", zusammengesetzt. Die
Landnámabók (II, 21 ff.) nennt ihn
jedoch *Sléttu-Bjorn.*

9. *Hofði*, hof im nördl. Island, an
der ostseite des Skagafjorðr.

10. 11. *dældarmaðr*, „umgänglicher
mensch".

14.15. *eru menn frá þeim komnir*, „sie
haben nachkommen hinterlassen".

um bú Melkorku; vakit hafði hann bónorð við hana, þá er **Ld.XX.**
hon hafði skamma stund búit, en Melkorka tók því fjarri.

10. Skip stóð uppi á Borðeyri í Hrútafirði. Qrn hét stýri-
maðr; hann var hirðmaðr Haralds konungs Gunnhildarsonar.
11. Melkorka vekr tal við Óláf son sinn, þá er þau finnaz, at 5
hon vill, at hann fari utan at vitja frænda sinna gǫfugra, —
„því at ek hefi þat satt sagt, at Mýrkjartan er at vísu faðir
minn, ok er hann konungr Íra; er þér ok hœgt at ráðaz til
skips á Borðeyri.“

12. Óláfr segir: „talat hefi ek þetta fyrir fǫður mínum, 10
ok hefir hann lítt á tekit; er þanneg ok fjárhag fóstra míns
háttat, at þat er meir í lǫndum ok kvikfé, en hann eigi ís-
lenzka vǫru liggjandi fyrir.“

13. Melkorka svarar: „eigi nenni ek, at þú sér ambáttar-
sonr kallaðr lengr, ok ef þat nemr við fǫrinni, at þú þykkiz 15
hafa fé oflítit, þá mun ek heldr þat til vinna at giptaz Þor-
birni, ef þú ræz þá til ferðar heldr en áðr, því at ek ætla, at
hann leggi fram vǫruna, svá sem þú kannt þér þǫrf til, ef
hann náir ráðahag við mik; **14.** er þat ok til kostar, at Hǫs-
kuldi munu þá tveir hlutir illa líka, þá er hann spyrr hvárt- 20
tveggja, at þú ert af landi farinn, en ek manni gipt.“

Óláfr bað móður sína eina ráða.

15. Síðan rœddi Óláfr við Þorbjǫrn, at hann vildi taka
vǫru af honum at láni ok gera mikit at.

16. Þorbjǫrn svarar: „þat mun því at eins, nema ek ná 25
ráðahag við Melkorku; þá væntir mik, at þér sé jafnheimilt
mitt fé sem þat, er þú hefir at varðveita.“

17. Óláfr kvað þat þá mundu at ráði gǫrt; tǫluðu þá

---

2. *tók því fjarri,* „nahm es kühl
auf“, „lehnte die werbung ab“.

3. *Borðeyrr,* hafen im west-
lichen teile des nördlichen Island.

12. 13. *íslenzka vǫru.* Jede reise
war mit handel verbunden, indem
man durch absetzen der mitge-
brachten waren — die zugleich als
bares geld dienten — sich unterhalt
verschaffte.

15. *nemr við fǫrinni,* „der reise
im wege steht“.

16. *þat til vinna,* „das opfer
bringen“.

19. *er þat ok til kostar,* siehe
Möbius, Altn. glossar, s. v. *kostr.*

24. *gera mikit at,* „grosse ver-
pflichtungen übernehmen“, eigentl.:
vieles tun hinsichtlich (der anleihe).

25. *því at eins, nema,* „nur (ge-
schehen), falls“.

ná, so die haupthandschrift, =
nái, praes. conj.

Ld. XX. með sér þá hluti, er þeir vildu, ok skyldi þetta fara allt af
hljóði.

18. Hǫskuldr rœddi við Óláf, at hann mundi ríða til þings
með honum. Óláfr kvaz þat eigi mega fyrir búsýslu, kvaz
5 vilja láta gera lambhaga við Laxá. Hǫskuldi líkar þetta vel,
er hann vill um búit annaz. 19. Síðan reið Hǫskuldr til þings,
en snúit var at brullaupi á Lambastǫðum, ok réð Óláfr einn
máldaga. Óláfr tók þrjá tigu hundraða vǫru af óskiptu, ok
skyldi þar ekki fé fyrir koma. 20. Bárðr Hǫskuldsson var at
10 brullaupi ok vissi þessa ráðagerð með þeim. En er boði var
lokit, þá reið Óláfr til skips ok hitti Ǫrn stýrimann ok tók
sér þar fari.

21. En áðr en þau Melkorka skilðiz, selr hon í hendr
Óláfi fingrgull mikit ok mælti:

15 „þenna grip gaf faðir minn mér at tannfé, ok vænti ek,
at hann kenni, ef hann sér.“

22. Enn fekk hon honum í hǫnd kníf ok belti ok bað
hann selja fóstru sinni, — „get ek, at hon dyliz eigi við þessar
jartegnir.“

20 23. Ok enn mælti Melkorka: „heiman hefi ek þik búit,
svá sem ek kann bezt, ok kent þér írsku at mæla, svá at þik
mun þat eigi skipta, hvar þik berr at Írlandi.“

---

3. *at hann mundi*, „dass er (d. h.
Óláfr) solle“.

4. *búsýslu*, „betrieb der wirtschaft“.

5. *lambhaga*, „eingefriedigte weide
für lämmer“.

7. *snúit var at brullaupi á Lamba-
stǫðum*, „man rüstete zur hochzeit
auf L.“. Dass mit L. der hof des
Þorbjǫrn skrjúpr gemeint ist, ver-
säumt der verfasser mitzuteilen;
diesen namen bekam übrigens der
hof wahrscheinlich erst später, nach
Lambi, dem sohne des Þorbjǫrn
und der Melkorka.

8. *þrjá tigu hundraða vǫru af
óskiptu.* Wie dr. V. Guðmundsson
in seiner abhandlung „Manngjöld-
hundrað“ (Germanistische Abhand-
lungen, Göttingen 1893) bewiesen
hat, bedeutet in solchen verbin-
dungen *hundrað* (d. i. ein gross-
hundert) 120 *lǫgaurar* zu 6 *alnar*.
Ein solcher *lǫgeyrir* war ein achtel
eines *eyrir silfrs*. Die ganze summe
in geld und nach dem kaufwert der
neuzeit berechnet würde c. 19000 Rm.
repräsentieren; *at óskiptu* „im vor-
aus“, ehe der *máldagi* das ver-
mögensverhältnis zwischen den
gatten festgesetzt hatte.

14. *fingrgull*, „fingerring aus gold“,
im gegensatze zu *gullhringr*, „gol-
dener armring“.

15. *tannfé*, geschenk, das dem
kinde gegeben ward, wenn der erste
zahn sich zeigte; vgl. Grundriss II b,
s. 215.

Nú skilja þau eptir þetta. Þegar kom byrr á, er Óláfr Ld. XX.
kom til skips, ok sigla þeir þegar í haf. XXI.

Óláfr pái begiebt sich nach Irland und wird als tochtersohn des
königs Mýrkjartan anerkannt.

XXI, 1. Nú kemr Hǫskuldr heim af þingi ok spyrr þessi
tíðendi. Honum líkar heldr þungliga; en með því at vanda-
menn hans áttu hlut í, þá sefaðiz hann ok lét vera kyrt. 5
2. Þeim Óláfi byrjaði vel, ok tóku Nóreg. Ǫrn fýsir Óláf
at fara til hirðar Haralds konungs, kvað hann gera til þeira
góðan sóma, er ekki váru betr mentir, en Óláfr var. Óláfr
kvaz þat mundu af taka. **3.** Fara þeir Óláfr ok Ǫrn nú til
hirðarinnar ok fá þar góðar viðtǫkur. Vaknar konungr þegar 10
við Óláf fyrir sakir frænda hans ok bauð honum þegar með
sér at vera. **4.** Gunnhildr lagði mikil mæti á Óláf, er hon
vissi, at hann var bróðurson Hrúts; en sumir menn kǫlluðu
þat, at henni þœtti þó skemtan at tala við Óláf, þótt hann
nyti ekki annarra at. 15
5. Óláfr ógladdiz, er á leið vetrinn. Ǫrn spyrr, hvat
honum væri til ekka.

Óláfr svarar: „ferð á ek á hǫndum mér at fara vestr um
haf, ok þœtti mér mikit undir, at þú ættir hlut í, at sú yrði
farin sumarlangt." 20

Ǫrn bað Óláf þess ekki fýsaz, kvaz ekki vita vánir skipa
þeira, er um haf vestr mundu ganga.
6. Gunnhildr gekk á tal þeira ok mælti: „nú heyri ek
ykkr þat tala, sem eigi hefir fyrr við borit, at sinn veg þykkir
hvárum." Óláfr fagnar vel Gunnhildi ok lætr eigi niðr falla 25
talit. **7.** Síðan gengr Ǫrn á brott, en þau Gunnhildr taka þá
tal; segir Óláfr þá ætlan sína, ok svá hvat honum lá við at
koma fram ferðinni, kvez vita með sannindum, at Mýrkjartan
konungr var móðurfaðir hans.

Cap. XXI. 9. *af taka,* „wählen".
12. *mikil mæti,* (neutr. pl.) =
miklar mætur.
14. 15. *þótt hann nyti ekki ann-
arra at,* „selbst wenn er nicht
durch (die vorliebe der Gunnhildr

für) gewisse andere leute (näml.
Hrútr) begünstigt worden wäre".

19. *sú,* scil. *ferð.*

27. *hvat honum lá við,* „wie viel
ihm daran gelegen sei".

8. Þá mælti Gunnhildr: „ek skal fá þér styrk til ferðar þessar, at þú megir fara svá ríkuliga, sem þú vilt.“ Óláfr þakkar henni orð sín.

9. Síðan lætr Gunnhildr búa skip ok fær menn til, bað 5 Óláf á kveða, hvé marga menn hann vill hafa með sér vestr um hafit. 10. En Óláfr kvað á sex tigu manna, ok kvaz þó þykkja miklu skipta, at þat lið væri líkara hermǫnnum en kaupmǫnnum. 11. Hon kvað svá vera skyldu, ok er Ǫrn einn nefndr með Óláfi til ferðarinnar. Þetta lið var allvel búit.

10 12. Haraldr konungr ok Gunnhildr leiddu Óláf til skips ok sǫgðuz mundu leggja til með honum hamingju sína með vingan þeiri annarri, er þau hǫfðu til lagt; sagði Haraldr konungr, at þat mundi auðvelt, því at þau kǫlluðu engan mann vænligra hafa komit af Íslandi á þeira dǫgum.

15 13. Þá spurði Haraldr konungr, hvé gamall maðr hann væri.

Óláfr svarar: „nú em ek átján vetra.“

Konungr mælti: „miklir ágætismenn eru slíkt, sem þú ert, því at þú ert enn lítit af barns aldri, ok sœk þegar á várn 20 fund, er þú kemr aptr.“

14. Síðan bað konungr ok Gunnhildr Óláf vel fara. Stigu síðan á skip ok sigla þegar á haf.

15. Þeim byrjaði illa um sumarit; hafa þeir þokur miklar, en vinda lítla ok óhagstœða, þá sem váru; rak þá víða um 25 hafit; váru þeir flestir innan borðs, at á kom hafvilla. 16. Þat varð um síðir, at þoku hóf af hǫfði ok gerðuz vindar á; var þá tekit til segls. 17. Tókz þá umrœða, hvert til Írlands

---

8. 9. *er Ǫrn einn nefndr með Óláfi til ferðarinnar*, „Ǫ. allein ist ausser dem Óláfr namhaft gemacht als teilnehmer an der reise“.

11. 12. *sǫgðuz — lagt*, „sagten, dass sie der übrigen freundschaft, die sie ihm erzeigt hätten, nun auch ihr glück beifügen wollten“, — allgemein verbreitet war der glaube, dass man, wenn man jmd. glück wünschte, sein „glück“ auf den betreffenden übertragen konnte. —

Die stelle lautet in allen handschriften gleich; vielleicht ist jedoch dieser satz erst durch entstellung dem könige und seiner mutter in den mund gelegt, während er ursprünglich eine bitte Óláfs ausgedrückt hat. Hierauf scheint die nachfolgende äusserung des Haraldr: *at þat mundi auðvelt* usw. schliessen zu lassen.

25. *at á*, „in quos“; *at* steht für *er*, also relativisch.

mundi at leita, ok urðu menn eigi ásáttir á þat. Qrn var til **Ld.**
móts; en mestr hluti manna mælti í gegn ok kváðu Qrn allan **XXI.**
villaz ok sǫgðu þá ráða eiga, er fleiri váru.

18. Síðan var skotit til ráða Óláfs, en Óláfr segir:
„þat vil ek, at þeir ráði, sem hygnari eru; því verr þykki 5
mér, sem oss muni duga heimskra manna ráð, er þau koma
fleiri saman.“

19. Þótti þá ór skorit, er Óláfr mælti þetta, ok réð Qrn
leiðsǫgu þaðan í frá. Sigla þeir þá nætr ok daga ok hafa
jafnan byrlítit. 10

20. Þat var einhverja nótt, at varðmenn hljópu upp ok
báðu menn vaka sem tíðast; kváðuz sjá land svá nær sér, at
þeir stungu nær stafni at; en seglit var uppi ok alllítit veðrit
at. 21. Menn hlaupa þegar upp, ok bað Qrn beita á brott frá
landinu, ef þeir mætti. 15

22. Óláfr segir: „ekki eru þau efni í um várt mál, því at
ek sé, at boðar eru allt fyrir skutstafn, ok felli seglit sem
tíðast, en gerum ráð vár, þá er ljóss dagr er ok menn kenna
land þetta.“

23. Síðan kasta þeir akkerum, ok hrífa þau þegar við. 20
Mikil er umrœða um nóttina, hvar þeir mundu at komnir. En
er ljóss dagr var, kendu þeir, at þat var Írland.

24. Qrn mælti þá: „þat hygg ek, at vér hafim ekki góða
atkvámu, því at þetta er fjarri hǫfnum þeim eða kaupstǫðum,
er útlendir menn skulu hafa frið, [því at vér erum nú fjaraðir 25
uppi svá sem hornsíl]; ok nær ætla ek þat lǫgum þeira Íra,

1. 2. *til móts*, „gegen (die andern)“,
d. h. auf der einen seite.

2. *Qrn allan*, „den ganzen Qrn“,
d. h. Q. ganz und gar.

4. *var skotit til ráða Óláfs*, „wurde
die sache dem urteile Óláfs über-
lassen“.

14. *ok bað Qrn beita*, scil. *þá.*

17. *skutstafn*, „hintersteven“.

felli. Wahrscheinlich 3. pl. (eher
als sg.) conj. praes., „man lasse
herab“.

23. 24. *góða atkvámu*, „gute an-
kunft“, d. h. eine günstige stelle
zum landen.

25. 26. Die in eckigen klammern
eingeschlossenen worte finden sich
zwar in der haupthandschrift und
der mit dieser am meisten ver-
wandten; da sie aber in einem der
wichtigsten fragmente fehlen und
dem ganzen charakter der saga nicht
angemessen sind, so dürften sie wol
als interpolation zu betrachten sein.

26. *hornsíl*, „stichlinge“, neutr. pl.
wahrscheinlicher als fem. sg.

26. — S. 56, 2. *ok nær ætla ek —
fǫngum*, „und nahe (d. h. in über-
einstimmung mit) den gesetzen der
Irländer wird es, wie ich vermute,

Ld. þótt þeir kalli fé þetta, er vér hǫfum með at fara, með sínum
XXI. fǫngum, því at heita láta þeir þat vágrek, er minnr er fjarat
frá skutstafui."

25. Óláfr kvað ekki til mundu saka, — „en sét hefi ek,
5 at mannsafnaðr er á land upp í dag, ok þeim Írum þykkir
um vert skipkvámu þessa; hugða ek at í dag, þá er fjaran
var, at hér gekk upp óss við nes þetta, ok fell þar óvandliga
sjór út ór ósinum. En ef skip várt er ekki sakat, þá munum
vér skjóta báti várum ok flytja skip várt þangat."

10 26. Leira var undir, þar er þeir hǫfðu legit um strengina,
ok var ekki borð sakat í skipi þeira; flytjaz þeir Óláfr þangat
ok kasta þar akkerum. 27. En er á líðr daginn, þá drífr ofan
mannfjǫlði mikill til strandar. Síðan fara tveir menn á báti
til skipsins. 28. Þeir spyrja, hverir fyrir ráði skipi þessu.
15 Óláfr mælti ok svarar á írsku, sem þeir mæltu til. 29. En
er Írar vissu, at þeir váru norrœnir menn, þá beiðaz þeir laga,
at þeir skyldu ganga frá fé sínu, ok mundi þeim þá ekki gǫrt
til auvisla, áðr konungr ætti dóm á þeira máli. 30. Óláfr
kvað þat lǫg vera, ef engi væri túlkr með kaupmǫnnum, —
20 „en ek kann yðr þat með sǫnnu at segja, at þetta eru
friðmenn; en þó munu vér eigi upp gefaz at óreyndu."

31. Írar œpa þá heróp ok vaða út á sjóinn ok ætla at
leiða upp skipit undir þeim; var ekki djúpara, en þeim tók

---

sein, wenn sie dies gut, das wir bei
uns haben, für ihr eigentum er-
klären".

　2. 3. *heita — skutstafni*, „sie er-
klären schon das (dasjenige schiff)
für strandgut, hinter dessen hinter-
steven weniger ebbe sich befindet",
d. h. sie nennen schon solche schiffe
wrack, die nicht so unzweifelhaft
gestrandet sind.

　5. *mannsafnaðr*, „versammlung
von menschen".

　6. *um vert skipkvámu þessa =
vert um s. þ.*, „die ankunft dieses
schiffes wichtig".

　7. *óvandliga*, „nicht völlig".

　15. *svarar á írsku, sem þeir mæltu*

til, „beantwortete — in irischer
sprache — das, wonach sie fragten".

　16. *norrœnir*. Das adjectiv *norrœnn*
(und das entsprechende substantiv
Norðmaðr) kann, in mehr oder
weniger umfassender bedeutung,
bezeichnen: 1. nordisch (d. i. scan-
dinavisch), 2. mann aus Norwegen
oder von dort aus kolonisierten
ländern, 3. Norweger.

　beiðaz þeir laga, „fordern sie die
erfüllung der gesetzlichen vor-
schriften".

　21. *friðmenn*, „friedliche leute".

　at óreyndu, „ohne (den wider-
stand) versucht zu haben".

　23. *undir þeim*, d. h. samt der an
bord befindlichen bemannung.

undir hendr [eða í bróklinda, þeim er stœrstir váru]. Pollrinn Ld.
var svá djúpr, þar er skipit flaut, at eigi kendi niðr. 32. Óláfr XXI.
bað þá brjóta upp vápn sín ok fylkja á skipinu allt á millum
stafna. Stóðu þeir ok svá þykt, at allt var skarat með skjöldum;
stóð spjótsoddr út hjá hverjum skjaldarsporði. 33. Óláfr gekk 5
þá fram í stafninn ok var svá búinn, at hann var í brynju ok
hafði hjálm á höfði gullroðinn. Hann var gyrðr sverði, ok
váru gullrekin hjöltin. Hann hafði krókaspjót í hendi högg-
tekit ok allgóð mál í. Rauðan skjöld hafði hann fyrir sér,
ok var dregit á leó með gulli. 34. En er Írar sjá viðbúning 10
þeira, þá skýtr þeim skelk í bringu, ok þykkir þeim eigi jafn-
auðvelt féfang, sem þeir hugðu til; hnekkja Írar nú ferðinni
ok hlaupa saman í eitt þorp. 35. Síðan kemr kurr mikill í
lið þeira, ok þykkir þeim nú auðvitat, at þetta var herskip, ok
muni vera miklu fleiri skipa ván; gera nú skyndiliga orð til 15
konungs; var þat ok hœgt, því at konungr var þá skamt í
brott þaðan á veizlum. Hann ríðr þegar með sveit manna þar
til, sem skipit var. 36. Eigi var lengra á millum landsins ok
þess, er skipit flaut, en vel mátti nema tal millum manna.
Opt höfðu Írar veitt þeim árásir með skotum, ok varð þeim 20
Óláfi ekki mein at. 37. Óláfr stóð með þessum búningi, sem
fyrr var ritat, ok fannz mönnum mart um, hversu sköruligr

---

1. Für die in eckigen klammern
eingeschlossenen worte gilt dasselbe
wie das zu c. 21, 24 angemerkte.

Pollrinn; *pollr* bezeichnet ein ein-
geschlossenes gewässer (bucht oder
fjord) von beträchtlicher tiefe.

2. *at eigi kendi niðr*, „dass man
den boden nicht erreichen konnte“;
kenna, eigentl. „fühlen“.

3. *brjóta upp*, „hervorholen“.
brjóta, „brechen“, auch: etwas zu-
sammengepacktes lösen.

5. *skjaldarsporði*, „schildspitze“.
Die schilde, die der verfasser vor
augen hat, sind unten spitz.

6. *í brynju*. Die harnische dieser
zeit sind ringpanzer, aus ineinander
geflochtenen eisenringen bestehend.

8. 9. *höggtekit*. Die bedeutung

unsicher ($\overset{\alpha}{\alpha}\pi.$ $\lambda\varepsilon\gamma.$), wörtl. „hieb-
genommen“ (d. h. mit eingehauenen
zeichen versehen?).

9. *mál*, „zeichen“, vielleicht die
durch damascierung hervorge-
brachten figuren (?).

10. *dregit á leó*, „ein löwe ge-
malt“; *leó* hier neutrum.

12. *hnekkja Írar nú ferðinni*, „die
Irländer stellen nun das vorrücken
ein“.

13. *þorp*, gewöhnlich „dorf“, hier
jedoch wahrscheinlich „schar“ (vgl.
Snorra Edda I, 532).

19. *þess*, „der stelle“.
nema tal millum manna, „die rede
zwischen den männern hören“, d. h.
sich gegenseitig verstehen.

Ld. sjá maðr var, er þar var skipsforingi. **38.** En er skipverjar
XXI. Óláfs sjá mikit riddaralið ríða til þeira, ok var et frœknligsta,
þá þagna þeir, því at þeim þótti mikill liðsmunr við at eiga.
39. En er Óláfr heyrði þenna kurr, sem í sveit hans gerðiz,
5 bað hann þá herða hugina, — „því at nú er gott efni í váru
máli, heilsa þeir Írar nú Mýrkjartani konungi sínum."
40. Síðan riðu þeir svá nær skipinu, at hvárir máttu skilja,
hvat aðrir tǫluðu. Konungr spyrr, hverr skipi stýrði. **41.** Óláfr
segir nafn sitt ok spurði, hverr sá væri enn vaskligi riddari,
10 er hann átti þá tal við.

Sá svarar: „ek heiti Mýrkjartan."

42. Óláfr mælti: „hvárt ertu konungr Íra?"

Hann kvað svá vera. Þá spyrr konungr almæltra tíðenda.
Óláfr leysti vel ór þeim tíðendum ǫllum, er hann var spurðr.
15 **43.** Þá spurði konungr, hvaðan þeir hefði út látit, eða hverra
menn þeir væri. Ok enn spyrr konungr vandligar um ætt
Óláfs en fyrrum, því at konungr fann, at þessi maðr var
ríklátr ok vildi eigi segja lengra, en hann spurði.

44. Óláfr segir: „Þat skal yðr kunnigt gera, at vér ýttum
20 af Nóregi, en þetta eru hirðmenn Haralds konungs Gunnhildar-
sonar, er hér eru innanborðs. **45.** En yðr er þat frá ætt minni
at segja, herra, at faðir minn býr á Íslandi, er Hǫskuldr heitir
— hann er stórættaðr maðr —; en móðurkyn mitt vænti ek,
at þér munið sét hafa fleira en ek, því at Melkorka heitir
25 móðir mín, ok er mér sagt með sǫnnu, at hon sé dóttir þín,
konungr, ok þat hefir mik til rekit svá langrar ferðar, ok liggr
mér nú mikit við, hver svǫr þú veitir mínu máli."

46. Konungr þagnar ok á tal við menn sína; spyrja vitrir

---

2. *riddaralið*, „ritterschar".

4. *kurr*, die leute, die zuerst vor
schreck verstummt waren (z. 3),
äusserten jetzt also flüsternd ihre
besorgnisse.

5. *herða hugina*, „die gemüter
stählen", d. h. sich ein herz fassen.

15. *út látit*, „ausgefahren".

15. 16. *hverra menn*, „wessen
leute", d. h. in wessen dienst.

18. *ríklátr*, „hochmütig".

segja lengra, „auf mehr bescheid
geben".

24. *fleira*, attribut zu *móðurkyn*,
„vom geschlechte meiner mutter
habt ihr, glaube ich, mehr personen
gesehen als ich".

26. *mik til rekit*, „mich dazu ge-
trieben".

menn konung, hvat gegnast muni í þessu máli, er sjá maðr Ld.
segir.   XXI.

47. Konungr svarar: „auðsætt er þat á Óláfi þessum, at
hann er stórættaðr maðr, hvárt sem hann er várr frændi eða
eigi, ok svá þat, at hann mælir allra manna bezt írsku.“   5

48. Eptir þat stóð konungr upp ok mælti: „nú skal veita
svǫr þínu máli, at ek vil ǫllum yðr grið gefa, skipverjum, en
um frændsemi þá, er þú telr við oss, munum vér tala fleira,
áðr en ek veita því andsvǫr.“

49. Síðan fara bryggjur á land, ok gengr Óláfr á land 10
ok fǫrunautar hans af skipinu. Finnz þeim Írum nú mikit um,
hversu vígligir þessir menn eru. 50. Fagnar Óláfr þá konungi
vel ok tekr ofan hjálminn ok lýtr konungi, en konungr tekr
honum þá með allri blíðu. 51. Taka þeir þá tal með sér;
flytr Óláfr þá enn sitt mál af nýju ok talar bæði langt erendi 15
ok snjalt. 52. Lauk svá málinu, at hann kvaz þar hafa gull
þat á hendi, er Melkorka seldi honum at skiljnaði á Íslandi
ok sagði svá, — „at þú, konungr, gæfir henni at tannfé.“
Konungr tók við ok leit á gullit, ok gerðiz rauðr mjǫk
ásýndar.   20

53. Síðan mælti konungr: „sannar eru jartegnir, en fyrir
engan mun eru þær ómerkiligri, er þú hefir svá mikit ættar-
bragð af móður þinni, at vel má þik þar af kenna. 54. Ok
fyrir þessa hluti þá vil ek at vísu við ganga þinni frændsemi,
Óláfr, at þeira manna vitni, er hér eru hjá ok tal mitt heyra; 25
skal þat ok fylgja, at ek vil þér bjóða til hirðar minnar með
alla þína sveit; en sómi yðvarr mun þar við liggja, hvert
mannkaup mér þykkir í þér, þá er ek reyni þik meir.“

55. Síðan lætr konungr fá þeim hesta til reiðar, en hann
setr menn til at búa um skip þeira ok annaz varnað þann, er 30
þeir áttu. Konungr reið þá til Dyflinnar, ok þykkja mǫnnum
þetta mikil tíðendi, er þar var dótturson konungs í fǫr með

---

1. *gegnast*, superlativ von *gegn*
(adj.); *hvat gegnast muni* (*vera*),
„wie viel wahres sein möge“.

8. *telr*, „herzählst“.

22. *eru þær ómerkiligri, er*, „sind

diejenigen weniger bedeutend, (die
darin bestehen) dass“.

22. 23. *ættarbragð*, „familienähn-
lichkeit“.

27. *þar við liggja*, „darauf be-
ruhen“.

Ld. honum, þeirar er þaðan var fyrir lǫngu hertekin, fimtán vetra
XXI. gǫmul. 56. En þó brá fóstru Melkorku mest við þessi tíðendi,
er þá lá í kǫr, ok sótti bæði at stríð ok elli; en þó gekk hon
þá staflaust á fund Óláfs.

5   57. Þá mælti konungr til Óláfs: „hér er nú komin fóstra
Melkorku, ok mun hon vilja hafa tíðenda sǫgn af þér um
hennar hag."

Óláfr tók við henni báðum hǫndum ok setti kerlingu á
kné sér ok sagði, at fóstra hennar sat í góðum kostum á Ís-
10 landi. 58. Þá seldi Óláfr henni knífinn ok beltit, ok kendi
kerling gripina, ok varð grátfegin, kvað þat bæði vera, at sonr
Melkorku var skǫruligr, — „enda á hann til þess varit."

59. Var kerling hress þann vetr allan. Konungr var lítt
í kyrsæti, því at þá var jafnan herskátt um vestrlǫnd. Rak
15 konungr af sér þann vetr víkinga ok úthlaupsmenn. Var Óláfr
með sveit sína á konungsskipi, ok þótti sú sveit heldr úrig
viðskiptis, þeim er í móti váru. 60. Konungr hafði þá tal við
Óláf ok hans félaga ok alla ráðagerð, því at honum reyndiz
Óláfr bæði vitr ok framgjarn í ǫllum mannraunum. 61. En
20 at áliðnum vetri stefndi konungr þing, ok varð allfjǫlment.
Konungr stóð upp ok talaði. 62. Hann hóf svá mál sitt:

„þat er yðr kunnigt, at hér kom sá maðr í fyrra haust,
er dótturson minn er, en þó stórættaðr í fǫðurkyn; virðiz mér
Óláfr svá mikill atgervimaðr ok skǫrungr, at vér eigum eigi
25 slíkra manna hér kost. 63. Nú vil ek bjóða honum konung-
dóm eptir minn dag, því at Óláfr er betr til yfirmanns fallinn
en mínir synir."

64. Óláfr þakkar honum boð þetta með mikilli snild ok
fǫgrum orðum, en kvaz þó eigi mundu á hætta, hversu synir
30 hans þylði þat, þá er Mýrkjartans misti við, kvað betra vera
at fá skjóta sœmð en langa svívirðing; kvaz til Nóregs fara

---

3. *stríð*, „sorge" (wegen des ver-
lustes der pflegetochter); *sótti at*,
„griff an".

4. *staflaust*, „ohne stab".

12. *varit*, von *verja* (got. *wasjan*);
á hann til þess varit, „er hat die
natur (die ererbte anlage) dazu";
vgl. Ǫlkofra þ. 17, 14.

14. *vestrlǫnd*, Grossbritannien und
Irland.

30. *þá er Mýrkjartans misti við*,
„wenn M. stürbe".

31. *skjóta sœmð en langa sví-
virðing*, „kurzen ruhm als lange
schande".

vilja, þegar skipum væri óhætt at halda á millum landa; kvað **Ld.**
móður sína mundu hafa lítit ynði, ef hann kœmi eigi aptr. **XXI.**
65. Konungr bað Óláf ráða. Síðan var slitit þinginu. En er **XXII.**
skip Óláfs var albúit, þá fylgir konungr Óláfi til skips ok gaf
honum spjót gullrekit ok sverð búit ok mikit fé annat. 66. Óláfr 5
beiddiz at flytja fóstru Melkorku á brott með sér. Konungr
kvað þess enga þ*o*rf, ok fór hon eigi. 67. Stigu þeir Óláfr
á skip sitt, ok skiljaz þeir konungr með allmikilli vingan.
Eptir þat sigla þei*r* Óláfr á haf. 68. Þeim byrjaði vel ok
tóku Nóreg, ok er Óláfs f*o*r allfræg; setja nú upp skipit. Fær 10
Óláfr sér hesta ok sœkir nú á fund Haralds konungs með
sínu f*o*runeyti.

Óláfr þái kehrt über Norwegen nach Island zurück.

XXII, 1. Óláfr Høskuldsson kom nú til hirðar Haralds
konungs, ok tók konungr honum vel, en Gunnhildr miklu betr.
2. Þau buðu honum til sín ok l*o*gðu þar m*o*rg orð til. Óláfr 15
þiggr þat, ok fara þeir Qrn báðir til konungs hirðar. **3.** Leggr
konungr ok Gunnhildr svá mikla virðing á Óláf, at en*,* i út-
lendr maðr hafði slíka virðing af þeim þegit. **4.** Óláfr gaf
konungi ok Gunnhildi marga fáséna gripi, er hann hafði þegit
á Írlandi vestr. Haraldr konungr gaf Óláfi at jólum *o*ll klæði 20
skorin af skarlati. Sitr nú Óláfr um kyrt um vetrinn. **5.** Ok
um várit, er á leið, taka þeir tal milli sín konungr ok Óláfr;
beiddiz Óláfr orlofs af konungi at fara út til Íslands um
sumarit, — „á ek þangat at vitja," segir hann, „g*o*fugra
frænda." 25

6. Konungr svarar: „þat væri mér næst skapi, at þú stað-
festiz með mér ok tœkir hér allan ráðakost slíkan, sem þú
vilt sjálfr."

7. Óláfr þakkaði konungi þann sóma, er hann bauð honum,

---

1. *óhætt,* „gefahrlos" (wegen der jahreszeit).

5. *sverð búit,* „ein kunstvoll gearbeitetes schwert".

Cap. XXII. 15. *l*o*gðu þar m*o*rg orð til,* „forderten dringend dazu auf".

19. *fáséna,* „seltene"; wörtl. „selten gesehene".

20. 21. *o*ll klæði skorin af skarlati,* „eine vollständige kleidung aus scharlach (feinem wollenstoff) verfertigt".

27. *ráðakost,* „stellung".

Ld.   en kvaz þó gjarna vilja fara til Íslands, ef þat væri eigi at
XXII.   móti konungs vilja.

8. Þá svarar konungr: „eigi skal þetta gera óvinveitt við
þik, Óláfr. Fara skaltu í sumar út til Íslands, því at ek sé,
5 at hugir þínir standa til þess mjök; en øngva ønn né starf
skaltu hafa fyrir um búnað þinn, skal ek þat annaz.“
9. Eptir þetta skilja þeir talit. Haraldr konungr lætr fram
setja skip um várit; þat var knǫrr; þat skip var bæði mikit
ok gott. Þat skip lætr konungr ferma með viði ok búa með
10 ǫllum reiða. 10. Ok er skipit var búit, lætr konungr kalla á
Óláf ok mælti: „þetta skip skaltu eignaz, Óláfr. Vil ek eigi,
at þú siglir af Nóregi þetta sumar, svá at þú sér annarra far-
þegi.“ 11. Óláfr þakkaði konungi með fǫgrum orðum sína
stórmensku. Eptir þat býr Óláfr ferð sína. Ok er hann er
15 húinn, ok byr gefr, þá siglir Óláfr á haf, ok skiljaz þeir Har-
aldr konungr með enum mesta kærleik. 12. Óláfi byrjaði vel
um sumarit. Hann kom skipi sínu í Hrútafjǫrð á Borðeyri.
Skipkváma spyrz brátt, ok svá þat, hverr stýrimaðr er.
13. Hǫskuldr fregn útkvámu Óláfs sonar síns ok verðr feginn
20 mjǫk ok ríðr þegar norðr til Hrútafjarðar með nǫkkura menn.
Verðr þar fagnafundr með þeim feðgum. Bauð Hǫskuldr Óláfi
til sín. Hann kvaz þat þiggja mundu. 14. Óláfr setr upp
skip sitt, en fé hans er norðan flutt. En er þat er sýslat, ríðr
Óláfr norðan við tólfta mann ok heim á Hǫskuldsstaði. 15. Hǫs-
25 kuldr fagnar blíðliga syni sínum. Brœðr hans taka ok með
blíðu við honum ok allir frændr hans; þó var flest um með
þeim Bárði. 16. Óláfr varð frægr af ferð þessi. Þá var ok
kunnigt gǫrt kynferði Óláfs, at hann var dótturson Mýrkjartans
Írakonungs. 17. Spyrz þetta um allt land ok þar með virðing
30 sú, er ríkir menn hǫfðu á hann lagt, þeir er hann hafði heimsótt.

---

3. *óvinveitt,* „unfreundschaftlich“;
eigi skal þetta gera óvinveitt við
þik, „nicht sollst du in dieser
sache unfreundschaftlich behandelt
werden“.

8. *knǫrr,* ein grösseres handels-
schiff, das jedoch auch als kriegs-
schiff gebraucht werden konnte.

15. *gefr,* unpers., *byr* obj.

20. *með nǫkkura menn. með* wird
hier mit dem accusativ verbunden,
weil die begleitung dienender leute
als eine unfreiwillige betrachtet
wird.

26. 27. *þó var flest um með þeim*
Bárði, „doch bestand zwischen
Óláfr und Bárðr das vertrauteste
verhältnis“.

Óláfr hafði ok mikit fé út haft ok er nú um vetrinn með feðr Ld.
sínum.   XXII.

18. Melkorka kom brátt á fund Óláfs sonar síns. Óláfr
fagnar henni með allri blíðu; spyrr hon mjǫk margs af Ír-
landi, fyrst at feðr sínum ok ǫðrum frændum sínum. Óláfr 5
segir slíkt, er hon spyrr. **19.** Brátt spurði hon, ef fóstra hennar
lifði. Óláfr kvað hana at vísu lifa. Melkorka spyrr þá, hví
hann vildi eigi veita henni eptirlæti þat at flytja hana til Ís-
lands.

20. Þá svarar Óláfr: „ekki fýstu menn þess, móðir, at ek 10
flytta fóstru þína af Írlandi.“

„Svá má vera,“ segir hon. Þat fannz á, at henni þótti
þetta mjǫk í móti skapi.

21. Þau Melkorka ok Þorbjǫrn áttu son einn, ok er sá
nefndr Lambi. Hann var mikill maðr ok sterkr ok glíkr feðr 15
sínum yfirlits ok svá at skaplyndi.

22. En er Óláfr hafði verit um vetr á Íslandi, ok er vár
kom, þá rœða þeir feðgar um ráðagerðir sínar.

23. „Þat vilda ek, Óláfr,“ segir Hǫskuldr, „at þér væri
ráðs leitat, ok tœkir síðan við búi fóstra þíns á Goddastǫðum; 20
er þar enn fjárafli mikill; veittir síðan umsýslu um bú þat með
minni umsjá.“

24. Óláfr svarar: „lítt hefi ek þat hugfest hér til; veit ek
eigi, hvar sú kona sitr, er mér sé mikit happ í at geta; máttu
svá til ætla, at ek mun framarla á horfa um kvánfangit; veit 25
ek ok þat gǫrla, at þú munt þetta eigi fyrr hafa upp kveðit,
en þú munt hugsat hafa, hvar þetta skal niðr koma.“

25. Hǫskuldr mælti: „rétt getr þú. Maðr heitir Egill;
hann er Skallagrímsson; hann býr at Borg í Borgarfirði. Egill

---

8. *eptirlæti*, „willfährigkeit“.

10. *ekki fýstu menn þess*, „nicht
spornten die leute dazu an“, d. h.
man riet ab.

17. *um vetr*, „den winter hin-
durch“.

19. 20. *at þér væri ráðs leitat*,
„dass eine ehe für dich gesucht
würde“, d. h. dass du dich nach
einer frau umsähest.

23. *hugfest*, „im gemüt befestigt“,
d. h. ernstlich daran gedacht.

27. *hvar þetta skal niðr koma*,
„auf was dies ausgehen soll“, d. h.
wohin wir uns wenden sollen.

29. *Egill Skallagrímsson*, der be-
rühmte dichter (901—82), dessen
leben in einer ausführlichen saga
(Sagabibl. III) geschildert wird; sein
hof *Borg* war im südwestlichen Is-
land belegen.

Ld. á sér dóttur þá, er Þorgerðr heitir. Þessarrar konu ætla ek
XXII. þér til handa at biðja, því at þessi kostr er albeztr í ǫllum
Borgarfirði ok þó at víðara væri; er þat ok vænna, at þér yrði
þá efling at mægðum við þá Mýramenn."

5   **26.** Óláfr svarar: „þinni forsjá mun ek hlíta hér um, ok
vel er mér at skapi þetta ráð, ef við gengiz, en svá máttu
ætla, faðir, ef þetta mál er upp borit ok gangiz eigi við, at
mér mun illa líka."

27. Hǫskuldr segir: „til þess munum vér ráða at bera
10 þetta mál upp."

Óláfr biðr hann ráða.

28. Líðr nú til þings framan. Hǫskuldr býz nú heiman
ok fjǫlmennir mjǫk. Óláfr son hans er í fǫr með honum. Þeir
tjalda búð sína. Þar var fjǫlment. Egill Skallagrímsson var
15 á þingi. **29.** Allir menn hǫfðu á máli, er Óláf sá, hversu fríðr

---

1. *Þorgerðr Egilsdóttir* sowol als
ihr c. 7, 25 erwähnte bruder Þorsteinn,
ist — abgesehen von Egils saga —
besonders durch Gunnlaugs saga be-
kannt.

3. *þó at víðara væri*, zu ergänzen
ist *leitat* oder dergl.

vænna, (comparativ) „recht wahr-
scheinlich".

4. *efling at mægðum við þá Mýra-
menn*, „vermehrtes ansehen durch
die verschwägerung mit den M.".
Mýramenn wurden die nachkommen
Egils nach dem bezirke *Mýrar* (d. i.
die moore), worin *Borg* lag, genannt.

7. *ef ... upp borit*, „wenn diese
sache vorgebracht (dieser antrag ge-
stellt) ist".

9. *til þess munum vér ráða*, „daran
wollen wir die hand legen", d. h.
wir wollen den versuch wagen.

12. *til þings framan*, „bis das
thing nahe bevorstand". *þing* be-
zeichnet hier, wie öfter in der Lax-
dœla saga, das *alþingi*, das gesamt-
thing Islands, das etwa am ersten tage
des juli (nach dem Gregor. kalender)
anfieng und zwei wochen dauerte.

Es wurde zu *Þingvellir* im südlichen
Island, unweit des danach benannten
sees *Þingvallavatn*, in einer von dem
flusse *Øxará* durchströmten ebene
abgehalten. Die lokalitäten der
thingstelle sind in meinem buche
„Bidrag til en historisk-topografisk
Beskrivelse af Island" I, 90 ff. aus-
führlich besprochen. Eine mit der
dort beigefügten karte im wesent-
lichen übereinstimmende mit an-
gehängten topographischen mit-
teilungen findet sich auch in der
Sturlunga saga (Oxford 1878), II,
513.

13. 14. *Þeir tjalda búð sína.* Jeder
häuptling, besonders die *goðar*, hatte
auf dem thingplatze seine eigene
bude, einen viereckigen, aus rasen-
wänden bestehenden bau (vgl. c. 12,
6), der gewöhnlich das ganze jahr
hindurch stehen blieb. In der thing-
zeit wurden die buden — nachdem
sie ausgebessert waren — mit einem
friesplane überdacht; mit decken
von fries wurden wahrscheinlich
auch die rasenwände an der inneren
seite behängt. In dieser weise die

maðr hann var ok fyrirmannligr. Hann var vel búinn at Ld.
vápnum ok klæðum. XXII.
XXIII.

Óláfr þái heiratet Þorgerðr, die tochter des Egill Skallagrímsson.

XXIII, 1. Þat er sagt einn dag, er þeir feðgar Hǫskuldr
ok Óláfr gengu frá búð ok til fundar við Egil. Egill fagnar
þeim vel, því at þeir Hǫskuldr váru mjǫk málkunnir. 2. Hǫs- 5
kuldr vekr nú bónorðit fyrir hǫnd Óláfs ok biðr Þorgerðar.
Hon var ok þar á þinginu. Egill tók þessu máli vel, kvaz
hafa góða frétt af þeim feðgum;

3. „veit ek ok, Hǫskuldr,“ segir Egill, „at þú ert ættstórr
maðr ok mikils verðr, en Óláfr er frægr af ferð sinni; er ok 10
eigi kynligt, at slíkir menn ætli framarla til, því at hann skortir
eigi ætt né fríðleika; en þó skal nú þetta við Þorgerði rœða,
því at þat er engum manni fœri at fá Þorgerðar án hennar
vilja.“

4. Hǫskuldr mælti: „þat vil ek, Egill, at þú rœðir þetta 15
við dóttur þína.“

Egill kvað svá vera skyldu. 5. Egill gekk nú til fundar
við dóttur sína, ok tóku þau tal saman.

Þá mælti Egill: „maðr heitir Óláfr ok er Hǫskuldsson, ok
er hann nú frægstr maðr einnhverr. 6. Hǫskuldr faðir hans 20
hefir vakit bónorð fyrir hǫnd Óláfs ok beðit þín. Hefi ek því
skotit mjǫk til þinna ráða; vil ek nú vita svǫr þín, en svá
líz oss, sem slíkum málum sé vel felt at svara, því at þetta
gjaforð er gǫfugt.“

7. Þorgerðr svarar: „þat hefi ek þik heyrt mæla, at þú 25
ynnir mér mest barna þinna, en nú þykki mér þú þat ósanna,
ef þú vill gipta mik ambáttarsyni, þótt hann sé vænn ok mikill
áburðarmaðr.“

---

bude mit der nötigen friesbekleidung
zu versehen nannte man *tjalda.*

1. *fyrirmannligr,* „ansehnlich“;
wörtlich: einer, der wie ein *fyrir-
maðr* aussieht.

Cap. XXIII. 5. *málkunnir,* „mit
einander durch gespräche bekannt“,
d. h. leute, die sich öfter mit ein-
ander unterhalten hatten.

11. 12. *hann* (acc.) *skortir* (unpers.)
eigi ætt (acc.); *fríðleiki = fríð-
leikr.*

21. 22. *því skotit mjǫk til þinna
rðða,* „die sache fast ganz deiner
entscheidung anheimgestellt“.

23. *vel felt,* „wol geeignet“, d. h.
nicht schwierig; *feldr* (adject.),
„passend“.

Ld.
XXIII.
8. Egill segir: „eigi ertu um þetta jafnfréttin sem um annat; hefir þú eigi þat spurt, at hann er dótturson Mýrkjartans Írakonungs? Er hann miklu betr borinn í móðurkyn en fǫðurætt, ok væri oss þat þó fullboðit.“

5 9. Ekki lét Þorgerðr sér þat skiljaz. Nú skilja þau talit, ok þykkir nǫkkut sinn veg hváru. 10. Annan dag eptir gengr Egill til búðar Hǫskulds, ok fagnar Hǫskuldr honum vel; taka nú tal saman; spyrr Hǫskuldr, hversu gengit hafi bónorðsmálin. 11. Egill lét lítt yfir, segir allt, hversu farit hafði, kvað 10 fastliga horfa.

Hǫskuldr sannar þat, — „en þó þykki mér þér vel fara.“ Ekki var Óláfr við tal þeira. Eptir þat gengr Egill á brott. 12. Fréttir Óláfr nú, hvat líði bónorðsmálum. Hǫskuldr kvað seinliga horfa af hennar hendi.

15 13. Óláfr mælti: „nú er, sem ek sagða þér, faðir, at mér mundi illa líka, ef ek fenga nǫkkur svívirðingarorð at móti. 14. Réttu meir, er þetta var upp borit. Nú skal ek ok því ráða, at eigi skal hér niðr falla; er þat ok satt, at sagt er, at úlfar eta annars erendi; skal nú ok ganga þegar til búðar 20 Egils.“

---

1. *jafnfréttin,* „eben so neugierig“.

4. *ok væri oss þat þó fullboðit,* „obgleich dies (d. h. eine verbindung mit einem geschlecht wie das des Óláfr von väterlicher seite) für uns ein völlig geziemendes anerbieten wäre“.

5. *Ekki lét Þ. sér þat skiljaz,* „þ. schien das nicht verstehen zu wollen“.

6. *hváru,* „jedem der beiden“. Neutrum, weil das geschlecht der personen verschieden ist.

9. *lét lítt yfir,* „äusserte seine unzufriedenheit“.

9. 10. *kvað fastliga horfa,* „sagte, dass die sache ins stocken zu geraten scheine“; *fastliga,* „unbeweglich“; *horfa,* „den anschein haben“ (eig. eine gewisse richtung haben).

14. *seinliga horfa = fastliga horfa.*

17. *Réttu,* d. i. *rétt-þú* (2. sg. impf. von *ráða*).

19. *úlfar eta annars erendi,* sprichwort, das auch in etwas abweichender form vorkommt — mit *reka* als satzverbum statt *eta*; die bedeutung muss jedoch in beiden fällen dieselbe sein: eine warnung, sich nicht auf andere zu verlassen, da die menschen, wenn es sich nicht um ihre eigenen angelegenheiten handelt, unzuverlässig sind. Die wörtliche auslegung ist zweifelhaft: „aufträge von andern lässt man (wie fremdes vieh, das uns nichts angeht) von den wölfen fressen“ (?). Vergl. Östnordiska och latinska medeltidsordspråk (København 1889 ff.) nr. 341 und comment. s. 150; Laxdœla saga (Kbh. 1889—91) s. LXIX—LXX.

15. Hǫskuldr bað hann því ráða.

Ld. XXIII.

Oláfr var búinn á þá leið, at hann var í skarlatsklæðum, er Haraldr konungr hafði gefit honum. Hann hafði á hǫfði hjálm gullroðinn ok sverð búit í hendi, er Mýrkjartan konungr hafði gefit honum. **16.** Nú ganga þeir Hǫskuldr ok Oláfr til 5 búðar Egils; gengr Hǫskuldr fyrir, en Oláfr þegar eptir. Egill fagnar þeim vel, ok sez Hǫskuldr niðr hjá honum, en Oláfr stóð upp ok litaðiz um. **17.** Hann sá, hvar kona sat á pallinum í búðinni; sú kona var væn ok stórmannlig ok vel búin. Vita þóttiz hann, at þar mundi vera Þorgerðr, dóttir Egils. 10 **18.** Oláfr gengr at pallinum ok sez niðr hjá henni. Þorgerðr heilsar þessum manni ok spyrr, hverr hann sé. Oláfr segir nafn sitt ok fǫður síns, — „mun þér þykkja djarfr geraz ambáttarsonrinn, er hann þorir at sitja hjá þér ok ætlar at tala við þik.‘ 15

19. Þorgerðr svarar: „þat muntu hugsa, at þú munt þykkjaz hafa gǫrt meiri þoranraun en tala við konur.“

Síðan taka þau tal milli sín ok tala þann dag allan. **20.** Ekki heyra aðrir menn til tals þeira. Ok áðr þau sliti talinu, er til heimtr Egill ok Hǫskuldr. Tekz þá af nýju rœða 20 um bónorðsmálit Oláfs. Víkr Þorgerðr þá til ráða fǫður síns. Var þá þetta mál auðsótt, ok fóru þá þegar festar fram. **21.** Varð þeim þá unnt af metorða, Laxdœlum, því at þeim skyldi fœra heim konuna; var á kveðin brullaupsstefna á Hǫskuldsstǫðum at sjau vikum sumars. **22.** Eptir þat skilja þeir 25

---

8. 9. *á pallinum.* Wie die *stofa* (der gewöhnliche aufenthaltsort in dem hause) sind auch die *búðir* mit einem *pallr* versehen gewesen: einer erhöhung längs der seitenwände und der hinteren giebelwand; der an der giebelwand befindliche *þver-pallr* war vorzüglich sitz der frauen. Vgl. Grundriss II², s. 232 - 33.

17. *þoranraun,* „mannhaftigkeits-probe“. *þoran* (fem.), „mut“, „tüchtigkeit“.

23. *Varð þeim þá unnt af* (adv.) *metorða* (gen. pl.), *Laxdœlum,* „ihnen, den Laxdœlar, wurden in dieser

sache ehrenvolle bedingungen zu-gestanden“.

23. 24. *þeim skyldi fœra heim konuna,* „die hausfrau sollte man ihnen in das haus führen“. Ge-wöhnlich wurde die hochzeit an dem wohnsitze des brautvaters abge-halten; wenn sie, wie hier, von dom vater des bräutigams ausge-richtet wurde, so ward dies als eine ihm erwiesene besondere ehre be-trachtet. Vgl. Grundriss II², s. 219.

25. *at sjau vikum sumars,* „wenn noch sieben wochen vom sommer übrig waren“, d. h. am anfange des

5*

Ld. Egill ok Hǫskuldr, ok ríða þeir feðgar heim á Hǫskuldsstaði
XXIII. ok eru heima um sumarit, ok er allt kyrt.
XXIV.   **23.** Síðan var stofnat til boðs á Hǫskuldsstǫðum ok ekki
til sparat, en œrin váru efni. Boðsmenn koma at ákveðinni
5   stefnu; váru þeir Borgfirðingar allfjǫlmennir. **24.** Var þar Egill
ok Þorsteinn son hans. Þar var ok brúðr í fǫr ok valit lið
ór heraðinu. Hǫskuldr hafði ok fjǫlmennt fyrir. Veizla var
allskǫrulig; váru menn með gjǫfum á brott leiddir. **25.** Þá
gaf Ólåfr Agli sverðit Mýrkjartansnaut, ok varð Egill alllétt-
10 brúnn við gjǫfina. Allt var þar tíðendalaust, ok fara menn
heim.

Der hof Hjarðarholt wird gebaut.

XXIV, 1. Þau Ólåfr ok Þorgerðr váru á Hǫskuldsstǫðum,
ok takaz þar ástir miklar. Auðsætt var þat ǫllum mǫnnum,
at hon var skǫrungr mikill, en fáskiptin hversdagliga; en þat
15 varð fram at koma, er Þorgerðr vildi, til hvers sem hon hlutaðiz.
2. Ólåfr ok Þorgerðr váru ýmist þann vetr á Hǫskuldsstǫðum
eða með fóstra hans. Um várit tók Ólåfr við búi á Godda-
stǫðum. **3.** Þat sumar tók Þórðr goddi sótt þá, er hann leiddi
til bana. Ólåfr lét verpa haug eptir hann í nesi því, er gengr
20 fram í Laxá, er Drafnarnes heitir. Þar er garðr hjá ok heitir
Haugsgarðr. **4.** Síðan drífa menn at Ólåfi, ok gerðiz hann

---

september. Nach dem isländischen
kalender zerfiel (und zertällt) das
jahr in zwei hälften, sommer und
winter; jener begann an dem don-
nerstage zwischen dem 9.—15. april
alten stils, dieser an dem sonnabend
zwischen dem 11.—17. oktober alt.
stils (jetzt 10 tage später).
     4. *œrin váru efni*, „das vermögen
war¯gross“.
     5. *Borgfirðingar*, „die leute aus
der landschaft Borgarfjǫrðr“, d. h.
Egill¯und sein gefolge.
     6. *Þorsteinn*. Þ. *Egilsson* ist so-
wol aus der Egils saga, als be-
sonders aus der Gunnlaugs saga
ormstungu bekannt; er war der

vater der schönen *Helga*, der ge-
liebten des Gunnlaugr.
     7. *ór heraðinu*, d. h. aus dem
Borgarfjǫrðr.
     9. *Mýrkjartansnaut*, „der (frühere)
besitz des Mýrkjartan“. *Nautr*,
„wertgegenstand, kleinod“, mit dem
genet. eines eigennamens verbunden,
bezeichnet den gegenstand als das
frühere eigentum jener person.

     Cap. XXIV. 14. *fáskiptin hvers-*
dagliga, „gewöhnlich nicht in
die angelegenheiten anderer sich
mischend“.
     20. 21. *Drafnarnes . . . Haugs-*
garðr. D. soll dem jetzigen *Lamba-*

hǫfðingi mikill. Hǫskuldr ǫfundaði þat ekki, því at hann **Ld.**
vildi jafnan, at Óláfr væri at kvaddr ǫllum stórmálum. Þar **XXIV.**
var bú risuligast í Laxárdal, er Óláfr átti. **5.** Þeir váru brœðr
tveir með Óláfi, er hvárrtveggi hét Án; var annarr kallaðr Án
enn hvíti, en annarr Án svarti. Beinir enn sterki var enn 5
þriði. Þessir váru smiðar Óláfs ok allir hraustir menn. Þor-
gerðr ok Óláfr áttu dóttur, er Þuríðr hét.

6. Lendur þær, er Hrappr hafði átt, lágu í auðn, sem fyrr
var ritat. Óláfi þóttu þær vel liggja; rœddi fyrir feðr sínum
eitt sinn, at þeir mundi gera menn á fund Trefils með þeim 10
erendum, at Óláfr vill kaupa at honum lǫndin á Hrappsstǫðum
ok aðrar eignir, þær er þar fylgja. **7.** Þat var auðsótt, ok
var þessu kaupi slungit, því at Trefill sá þat, at honum var
betri ein kráka í hendi en tvær í skógi. **8.** Var þat at kaupi
með þeim, at Óláfr skyldi reiða þrjár merkr silfrs fyrir lǫndin, 15
en þat var þó ekki jafnaðarkaup, því at þat váru víðar lendur
ok fagrar ok mjǫk gagnauðgar; miklar laxveiðar ok selveiðar
fylgðu þar; váru þar ok skógar miklir.

9. Nǫkkuru ofar en Hǫskuldsstaðir eru, fyrir norðan Laxá,
þar var hǫggvit rjóðr í skóginum, ok þar var náliga til gǫrs 20
at ganga, at þar safnaðiz saman fé Óláfs, hvárt sem veðr váru
betri eða verri. **10.** Þat var á einu hausti, at í því sama holti

---

staðanes entsprechen; auf dieser
landspitze will man noch jetzt einen
von einem rasenwalle umgebenen
grabhügel nachweisen.

2 *at kvaddr ǫllum stórmálum,*
„zu allen wichtigen sachen (als
schiedsrichter oder dergl.) herbei-
gezogen".

3. *bú risuligast,* „das ansehnlichste
gehöft".

6. *smiðar,* „handwerker" im all-
gem. (ein „schmied" heisst *járn-
smiðr,* ein zimmermann *trésmiðr*
usw.). Die haupthandschrift hat
übrigens hier *sveinar.*

8. 9. *sem fyrr var ritat,* s. c. 18, 23.

9. *vel liggja,* „passend belegen zu
sein" (für Óláfr, dessen besitz mit
Goddastaðir grenzte).

13. *slungit* (von *slyngva,* wörtl.
„schlingen"), „abgemacht". Vgl.
slá kaupi c. 12, 19.

13. 14. *honum var betri ein kráka
í hendi en tvær í skógi,* sprichwort:
ein vogel („krähe") in der hand ist
besser als zwei im walde.

15. *þrjár merkr silfrs,* d. i. 1080
Rm. Vgl. zu c. 12, 15.

16. *jafnaðarkaup,* „ein für beide
parteien gleich vorteilhafter handel"‚

19. *ofar,* „höher (in dem tal)",
d. h. ferner von der küste.

20. *gǫrs,* von *gǫrr* (adjectiv zu
gera); *til gǫrs at ganga,* „in bereit-
schaft zu haben", d. h. mit voller
sicherheit zu wissen.

21. *veðr* (neutr. pl.), „die witterung"‚

22. *holti.* Das wort *holt* (etymo-

Ld. lét Oláfr bœ reisa ok af þeim viðum, er þar váru hǫggnir í
XXIV. skóginum, en sumt hafði hann af rekastrǫndum. Þessi bœr
var risuligr. Húsin váru auð um vetrinn. **11.** Um várit eptir
fór Oláfr þangat bygðum ok lét áðr saman reka fé sitt, ok
5 var þat mikill fjǫlði orðinn, því at engi maðr var þá auðgari
at kvikfé í Breiðafirði. **12.** Oláfr sendir nú orð feðr sínum,
at hann stœði úti ok sæi ferð hans, þá er hann fór á þenna
nýja bœ, ok hefði orðheill fyrir. Hǫskuldr kvað svá vera
skyldu. **13.** Oláfr skipar nú til, lætr reka undan fram sauðfé
10 þat, er skjarrast var; þá fór búsmali þar næst. Síðan váru
rekin geldneyti; klyfjahross fóru í síðara lagi. **14.** Svá var
skipat mǫnnum með fé þessu, at þat skyldi engan krók rísta.
Var þá ferðarbroddrinn kominn á þenna bœ enn nýja, er Oláfr
reið ór garði af Goddastǫðum, ok var hvergi hlið í milli.
15 **15.** Hǫskuldr stóð úti með heimamenn sína. Þá mælti Hǫs-
kuldr, at Oláfr son hans skyldi þar velkominn ok með tíma
á þenna enn nýja bólstað, — „ok nær er þat mínu hugboði,
at þetta gangi eptir, at lengi sé hans nafn uppi.‟

16. Jórunn húsfreyja segir: „hefir ambáttarson sjá auð
20 til þess, at uppi · sé hans nafn.‟

---

logisch = „holz‟) bedeutet in Island
eine baumlose anhöhe mit steinigem
boden.

2. *rekastrǫndum.* Solche küsten,
wo treibholz (das der polarstrom
von dem nördlichen Asien mit sich
führt) angeschwemmt wird, finden
sich besonders im nordwestlichen
Island.

7. *stœði úti.* Weil die höfe Hǫs-
kuldsstaðir und Hjarðarholt, jener
an dem linken, dieser an dem rechten
ufer der Laxá, ungefähr einander
gegenüber belegen sind, so dass
man von dem einen sehen kann,
was auf dem andern vorgeht, muss
angenommen werden, dass Hǫskuldr
vor seinem eigenen hofe steht und
von dort aus den umzug jenseits
des flusses betrachtet (Kålund I, 468).

8. *hefði orðheill fyrir,* „glück-
bringende worte ausspräche‟. Vgl.
c. 21, 12.

9. *undan fram,* „zuvor‟.

10. *búsmali,* „das melkvieh‟.

11. *geldneyti,* „das trockene vieh‟
(tiere, die keine milch geben).

12. *engan krók rísta,* „keinen um-
weg machen‟.

13. *ferðarbroddrinn,* „die spitze
des zuges‟.

14. *hvergi hlið í milli,* „nirgends
eine lücke zwischen (den hinterein-
ander gehenden tieren)‟. Der ab-
stand zwischen Hjarðarholt und
Goddastaðir beträgt ungefähr 5 km.

18. *at lengi sé hans nafn uppi,*
„dass sein name lange fortleben
werde‟.

Þat var mjǫk jafnskjótt, at húskarlar hǫfðu ofan tekit **Ld.**
klyfjar af hrossum, ok þá reið Ólafr í garð. **XXIV,**
17. Þá tekr hann til orða: „nú skal mǫnnum skeyta for-
vitni um þat, er jafnan hefir verit um rœtt í vetr, hvat sjá
bœr skal heita. Hann skal heita í Hjarðarholti.“ 5
Þetta þótti mǫnnum vel til fundit af þeim atburðum, er
þar hǫfðu orðit.
18. Ólafr setr nú bú saman í Hjarðarholti. Þat varð brátt
risuligt; skorti þar ok engi hlut. Óxu nú mjǫk metorð Ólafs.
Báru til þess margir hlutir; var Ólafr manna vinsælstr, því at 10
þat, er hann skipti sér af um mál manna, þá unðu allir vel
við sinn hlut. 19. Faðir hans helt honum mjǫk til virðingar.
Ólafi var ok mikil efling at tengðum við Mýramenn. Ólafr
þótti gǫfgastr sona Hǫskulds.
20. Þann vetr, er Ólafr bjó fyrst í Hjarðarholti, hafði 15
hann mart hjóna ok vinnumanna; var skipt verkum með hús-
kǫrlum; gætti annarr geldneyta, en annarr kúneyta. Fjósit
var brott í skóg, eigi allskamt frá bœnum. 21. Eitt kveld
kom sá maðr at Ólafi, er geldneyta gætti, ok bað hann fá til
annan mann at gæta nautanna, — „en ætla mér ǫnnur verk.“ 20
Ólafr svarar: „þat vil ek, at þú hafir en sǫmu verk þín.“
Hann kvaz heldr brott vilja.
22. „Ábóta þykki þér þá vant,“ segir Ólafr; „nú mun ek
fara í kveld með þér, er þú bindr inn naut, ok ef mér þykkir
nǫkkur várkunn til þessa, þá mun ek ekki at telja, ella muntu 25
finna á þínum hlut í nǫkkuru.“
23. Ólafr tekr í hǫnd sér spjótit gullrekna, konungsnaut;
gengr nú heiman ok húskarl með honum. Snjór var nǫkkurr

---

3. 4. *mǫnnum skeyta forvitni,* „die
neugierde der leute befriedigen“.
5. *í Hjarðarholti. Hjarðarholt*
bedeutet „herdenhügel“.
6. *af þeim atburðum.* Siehe c. 24, 9.
11. *þat . . . þá,* eine häufig vor-
kommende anacoluthie.
17. *kúneyta,* genetiv von *kúneyti*
(neutr. pl.), „milchvieh“.
23. *Ábóta þykki þér þá vant,*
„Es scheint dir also etwas nicht
richtig zu sein“. *Ábœtr* (fem. pl.),

„verbesserung, abhilfe für etw.“;
ábóta vant, „unbefriedigend“.
25. *at telja,* „anrechnen, zum vor-
wurf machen“; *at* adv.
25. 26. *muntu finna á þínum hlut*
í nǫkkuru, „wirst du es selber ge-
hörig empfinden (büssen) müssen“.
27. *konungsnaut,* den der könig
besessen hatte. Dieses kleinod war
wahrscheinl. ein *Mýrkjartansnautr.*
Von dem könig Mýrkjartan hatte
Ólafr sowol einen spiess als ein

Ld. á jǫrðu. Koma þeir til fjóssins, ok var þat opit; rœddi Óláfr,
XXIV. at húskarl skyldi inn ganga, — „en ek mun reka at þér
XXV. nautin, en þú bitt eptir."

24. Húskarl gengr at fjósdurunum.

5 Óláfr finnr eigi fyrr, en hann hleypr í fang honum; spyrr
Óláfr, hví hann fœri svá fæltiliga.

Hann svarar: „Hrappr stendr í fjósdurunum ok vildi fálma
til mín, en ek em saddr á fangbrǫgðum við hann."

25. Óláfr gengr þá at durunum ok leggr spjótinu til hans.
10 Hrappr tekr hǫndum báðum um fal spjótsins ok snarar af út,
svá at þegar brotnar skaptit. **26.** Óláfr vill þá renna á Hrapp,
en Hrappr fór þar niðr, sem hann var kominn. Skilr þar með
þeim; hafði Óláfr skapt, en Hrappr spjótit. **27.** Eptir þetta
binda þeir Óláfr inn nautin ok ganga heim síðan. Óláfr sagði
15 nú húskarli, at hann mun honum eigi sakir á gefa þessi orða-
semi. **28.** Um morgininn eptir ferr Óláfr heiman ok þar til,
er Hrappr hafði dysjaðr verit, ok lætr þar til grafa. Hrappr
var þá enn ófúinn. Þar finnr Óláfr spjót sitt. **29.** Síðan lætr
hann gera hál; er Hrappr brendr á báli, ok er aska hans flutt á
20 sjá út Heðan frá verðr engum manni mein at aptrgǫngu Hrapps.

Streit zwischen Hrútr und Þorleikr Hǫskuldsson wegen des frei-
gelassenen Hrólfr.

XXV, 1. Nú er at segja frá sonum Hǫskulds. Þorleikr
Hǫskuldsson hafði verit farmaðr mikill ok var með tignum

---

schwert erhalten (c. 21, 65), später
aber seinem schwiegervater Egill das
schwert geschenkt (c. 23, 25).

3. *bitt eptir*, „binde (sie) darauf
fest".

5. *í fang honum*, „ihm in die
arme".

6. *fæltiliga (ἅπ. λεγ.)*, „erschrocken"?
Vgl. *fœla*, „schrecken" (trans.), und
fœltast (norw. dial.), „erschrecken"
(intrans.).

10. *af út*, „nach der seite fort".

15. 16. *honum eigi sakir á gefa
þessi orðasemi*, „ihn nicht dieser
gesprächigkeit anklagen", d. h. ihm
nicht die vielen bei dieser gelegen-

heit gesprochenen worte zur last
legen. *orðasemi* ist dat. regiert
von *á*.

17. *dysjaðr*, das begräbnis unter
einer *dys*, d. h. unter einem haufen
zusammengeworfener steine, war —
im gegensatz zu dem sorgfältigeren
hügelbegräbnis — nur wenig ehren-
haft und wurde deswegen gewöhn-
lich nur verbrechern oder getöteten
feinden zuteil.

Cap. XXV. **22.** *farmaðr*, „fahrender
kaufmann", d. h. ein mann, der zu
gleicher zeit seefahrt und handel
treibt — wie es das handelswesen
jener zeit mit sich führte.

mǫnnum, þá er hann var í kaupferðum, áðr hann settiz í bú, **Ld.**
ok þótti merkiligr maðr; verit hafði hann ok í víkingu ok gaf **XXV.**
þar góða raun fyrir karlmennsku sakir.

. **2.** Bárðr Hǫskuldsson hafði ok verit farmaðr ok var vel
metinn, hvar sem hann kom, því at hann var enn bezti drengr 5
ok hófsmaðr um allt. Bárðr kvángaðiz ok fekk breiðfirzkrar
konu, er Ástríðr hét; var hon kyngóð. **3.** Son Bárðar hét
Þórarinn, en dóttir hans Guðný, er átti Hallr son Víga-Styrs,
ok er frá þeim kominn mikill áttbogi.

4. Hrútr Herjólfsson gaf frelsi þræli sínum, þeim er Hrólfr 10
hét, ok þar með fjárhlut nǫkkurn ok bústað at landamœri
þeira Hǫskulds, ok lágu svá nær landamerkin, at þeim Hrýtl-
ingum hafði yfir skotiz um þetta, ok hǫfðu þeir settan laus-
ingjann í land Hǫskulds. Hann grœddi þar brátt mikit fé.
5. Hǫskuldi þótti þetta mikit í móti skapi, er Hrútr hafði sett 15
lausingjann við eyra honum, bað lausingjann gjalda sér fé
fyrir jǫrðina, þá er hann bjó á, — „því at þat er mín
eign.“

6. Lausinginn ferr til Hrúts ok segir honum allt tal þeira.
Hrútr bað hann engan gaum at gefa ok gjalda ekki fé Hǫs- 20
kuldi; „veit ek eigi,“ segir hann, „hvárr okkarr átt hefir land
þetta.“

7. Ferr nú lausinginn heim ok sitr í búi sínu rétt sem
áðr. Lítlu síðar ferr Þorleikr Hǫskuldsson at ráði fǫður síns
með nǫkkura menn á bœ lausingjans, taka hann ok drepa, en 25
Þorleikr eignaði sér fé þat allt ok fǫður sínum, er lausinginn
hafði grœtt. **8.** Þetta spurði Hrútr ok líkar illá ok sonum

---

2. *merkiligr,* „ansehnlich“.

6. *breiðfirzkrar,* aus der landschaft
Breiðifjǫrðr, wo auch Bárðr seinen
heimort hatte.

8. *Guðný,* die Landnámabók (II,
17) nennt die tochter des Bárðr
Hallbjǫrg.

9. *áttbogi* = *œttbogi.*

12. *ok lágu svá nær landamerkin,*
die markscheide Hǫskulds lief dem
hofe Hrúts so nahe.

12. 13. *Hrýtlingum,* „den leuten
vom geschlechte des Hrútr“, d. h.
Hrútr und seine söhne.

þeim H. hafði yfir skotiz, „sie
hatten sich versehen“.

21. 22. *veit—þetta,* „ich weiss
nicht, sagte er, wer von uns zweien
diesen landstrich besessen hat“, d. h.
es kann nicht entschieden werden,
wem dieser landstrich von rechts
wegen angehört.

Ld.   hans. Þeir váru margir þroskaðir, ok þótti sá frændabálkr
XXV. óárenniligr. Hrútr leitaði laga um mál þetta, hversu fara ætti.
XXVI. 9. Ok er þetta mál var rannsakat af lǫgmǫnnum, þá gekk
þeim Hrúti lítt í hag, ok mátu menn þat mikils, er Hrútr hafði
5 sett lausingjann niðr á óleyföri jǫrðu Hǫskulds, ok hafði hann
grœtt þar fé; hafði Þorleikr drepit hann á eignum þeira feðga.
10. Unði Hrútr illa við sinn hlut, ok var þó samt. Eptir þetta
lætr Þorleikr bœ gera at landamœri þeira Hrúts ok Hǫskulds,
ok heitir þat á Kambsnesi. Þar bjó Þorleikr um hríð, sem
10 fyrr var sagt. 11. Þorleikr gat son við konu sinni. Sá sveinn
var vatni ausinn, ok nafn gefit, ok kallaðr Bolli; var hann
enn vænligsti maðr snemma.

Hǫskuldr Dala-Kollsson stirbt.

XXVI, 1. Hǫskuldr Dala-Kollsson tók sótt í elli sinni.
Hann sendi eptir sonum sínum ok ǫðrum frændum. Ok er
15 þeir kómu, mælti Hǫskuldr við þá brœðr Bárð ok Þorleik:
2. „ek hefi tekit þyngð nǫkkura; hefi ek verit ósóttnæmr

1. *sá frœndabálkr*, „diese grosse zahl von verwandten".
2. *óárenniligr*, „unangreifbar".
3. *lǫgmǫnnum*. Das wort *lǫgmenn* kann hier nur im allgem. „rechtskundige männer" bedeuten; beamte, die *lǫgmenn* hiessen, kommen auf Island erst nach dem untergange des freistaates (1264) vor.
4. *lítt í hag*, „nicht vorteilhaft".
5. *á óleyföri jǫrðu Hǫskulds*, „im unerlaubten lande H.'s", d. h. im lande H.'s ohne dessen erlaubnis.
7. *var . . samt* (vom adj. *samr*), „es war unverändert", „es blieb beim alten".
9. *á Kambsnesi*. Der bericht der saga über die errichtung des gehöftes Kambsnes (vgl. c. 19, 8 und 20, 1) ist ziemlich verwirrt und die ansiedelung des Þorleikr Hǫskuldsson an diesem orte wird zweimal erzählt (c. 20, 1 und 25, 10) — denn

ohne zweifel haben wir es beide male mit derselben begebenheit zu tun, obwol die umstände, welche sie veranlassten, erst an der letztern stelle berichtet werden. Der hergang ist wahrscheinlich der, dass Hrútr gleich nach seiner ankunft in Island sich irgendwo auf der landspitze Kambsnes den hof baute, der in einigen handschriften *Bólstaðr* genannt wird (vgl. c. 19, 8); diesen vertauschte er dann nach dem vergleiche mit seinem bruder Hǫskuldr, und wahrscheinlich infolge der neuen abgrenzung seines gebietes, mit Hrútsstaðir. An der grenze, auf oder bei seinem früheren hofe, lässt er den freigelassenen Hrólfr sich ansiedeln; Hrólfr wird von Þorleikr getötet, der hier den hof Kambsnes aufführt.
Cap. XXVI. 16. *ósóttnæmr*, „nicht kränklich".

maðr; hygg ek, at þessi sótt muni leiða mik til bana, en nú **Ld.**
er, svá sem ykkr er kunnigt, at þit eruð menn skilgetnir ok **XXVI.**
eiguð at taka allan arf eptir mik, en sá er son minn enn þriði,
at eigi er eðliborinn. Nú vil ek beiða ykkr brœðr, at Óláfr
sé leiddr til arfs ok taki fé at þriðjungi við ykkr." 5

3. Bárðr svarar fyrri ok sagði, at hann mundi þetta gera,
eptir því sem faðir hans vildi, — „því at ek vænti mér sóma
af Óláfi í alla staði, því heldr sem hann er féríkari."

4. Þá mælti Þorleikr: „fjarri er þat mínum vilja, at Óláfr
sé arfgengr gǫrr; hefir Óláfr œrit fé áðr; hefir þú, faðir, þar 10
marga þína muni til gefna ok lengi mjǫk misjafnat með oss
brœðrum; mun ek eigi upp gefa þann sóma með sjálfvild, er
ek em til borinn."

5. Hǫskuldr mælti: „eigi munu þit vilja ræna mik lǫgum,
at ek gefa tólf aura syni mínum svá stórættaðum í móður- 15
kyn, sem Óláfr er."

Þorleikr játtar því.

6. Síðan lét Hǫskuldr taka gullhring Hákonarnaut —
hann vá mǫrk — ok sverðit konungsnaut, er til kom hálf
mǫrk gulls, ok gaf Óláfi syni sínum ok þar með giptu sína 20
ok þeira frænda, kvaz eigi fyrir því þetta mæla, at eigi vissi
hann, at hon hafði þar staðar numit. 7. Óláfr tekr við grip-
unum ok kvaz til mundu bætta, hversu Þorleiki líkaði. Honum

---

2. *skilgetnir*, „eheliche kinder".
Vgl. Grundriss II², s. 223.

4. *eðliborinn*, „ehelich geboren".

10. 11. *þar marga þína muni til
gefna*, „dorthin viele deiner hab-
seligkeiten weggegeben".

11. *mjǫk misjafnat*, „grossen
unterschied gemacht".

12. *sjálfvild = sjálfvili*, „freier
wille".

14. 15. *ræna mik lǫgum, at ek
gefa tólf aura syni mínum*, „mir
mein gesetzliches recht nehmen,
dass ich meinem sohn zwölf *aurar*
gebe". Gesetzlich (in den Gula-
þingslǫg zum beispiel) ist festge-
setzt, dass der vater seinem un-

ehelichen sohn zwölf *aurar* (silber,
oder vielleicht nur *lǫgaurar*?)
schenken darf. Durch eine spitz-
findigkeit versteht Hǫskuldr es hier
als *aurar* gold, wodurch die gabe
weit kostbarer wird.

19. *vá mǫrk*. Siehe c. 13, 6.

konungsnaut. Dieses schwert war,
wie der *gullhringr*, ein Hákonar-
nautr; siehe c. 13, 6.

19. 20. *er til kom hálf mǫrk gulls*.
Siehe c. 13, 6.

20. *þar með giptu sína*. Vgl.
c. 24, 12.

23. *til mundu bætta*, „versuchen
wollen"; vgl. c. 26, 8.

Ld.
XXVI. gaz illa at þessu ok þótti Hǫskuldr hafa haft undirmál við sik.

8. Óláfr svarar: „eigi mun ek gripina lausa láta, Þorleikr, því at þú leyfðir þvílíka fégjǫf við vitni; mun ek til þess
5 hætta, hvárt ek fæ haldit." Bárðr kvaz vilja samþykkja ráði fǫður síns.

9. Eptir þetta andaðiz Hǫskuldr. Þat þótti mikill skaði, fyrst at upphafi sonum hans ok ǫllum tengðamǫnnum þeira ok vinum. Synir hans láta verpa haug virðuligan eptir hann.
10 Lítit var fé borit í haug hjá honum. 10. En er því var lokit, þá taka þeir brœðr tal um þat, at þeir munu efna til erfis eptir fǫður sinn, því at þat var þá tízka í þat mund.

11. Þá mælti Óláfr: „svá líz mér, sem ekki megi svá skjótt at þessi veizlu snúa, ef hon skal svá virðulig verða,
15 sem oss þœtti sóma; er nú mjǫk á liðit haustit, en ekki auðvelt at afla fanga til; 12. mun ok flestum mǫnnum þykkja torvelt, þeim er langt eigu til at sœkja, á haustdegi, ok vís ván, at margir komi eigi, þeir er vér vildim helzt at kœmi. Mun ek ok nú til þess bjóðaz í sumar á þingi at bjóða
20 mǫnnum til boðs þessa. Mun ek leggja fram kostnað at þriðjungi til veizlunnar."

13. Þessu játta þeir brœðr, en Óláfr ferr nú heim. Þeir Þorleikr ok Bárðr skipta fé með sér. Hlýtr Bárðr fǫðurleifð þeira, því at til þess heldu fleiri menn, því at hann var vin
25 sælli. Þorleikr hlaut meir lausafé. Vel var með þeim brœðrum Óláfi ok Bárði, en heldr stygt með þeim Óláfi ok Þorleiki.
14. Nú líðr sjá enn næsti vetr, ok kemr sumar, ok líðr at þingi. Búaz þeir Hǫskuldssynir nú til þings. Var þat brátt auðsætt, at Óláfr mundi mjǫk vera fyrir þeim brœðrum. Ok
30 er þeir koma til þings, tjalda þeir búð sína ok bjugguz um vel ok kurteisliga.

---

4. 5. *mun ek til þess hætta, hvárt ek fæ haldit*, „ich will versuchen, ob ich den besitz behaupten kann".
8. *fyrst at upphafi*, „zuvörderst".
12. *tízka*, „gewohnheit".

24. *til þess heldu fleiri menn*, „dies wünschten (und rieten) die meisten".
29. *vera fyrir*, „übertreffen".
30. *tjalda þeir búð sína*. Siehe zu c. 22, 28.

Das erbmahl zum gedächtnisse des Hǫskuldr. Die halbbrüder Þorleikr
und Óláfr versöhnen sich.

XXVII, 1. Þat er sagt einn dag, þá er menn ganga til
lǫgbergs, þá stendr Óláfr upp ok kveðr sér hljóðs ok segir
mǫnnum fyrst fráfall fǫður síns;

„eru hér nú margir menn, frændr hans ok vinir. **2.** Nú
er þat vili brœðra minna, at ek bjóða yðr til erfis eptir Hǫs- 5
kuld fǫður várn ǫllum goðorðsmǫnnum, því at þeir munu
flestir enir gildari menn, er í tengðum váru bundnir við hann;
skal ok því lýsa, at engi skal gjafalaust á brott fara enna
meiri manna. **3.** Þar með viljum vér bjóða bœndum ok
hverjum, er þiggja vill, sælum ok veslum; skal sœkja hálfs 10
mánaðar veizlu á Hǫskuldsstaði, þá er tíu vikur eru til
vetrar."

4. Ok er Óláfr lauk sínu máli, þá var góðr rómr gǫrr,
ok þótti þetta erendi stórum skǫruligt. Ok er Óláfr kom heim
til búðar, sagði hann brœðrum sínum þessa tilætlan. Þeim 15
fannz fátt um ok þótti œrit mikit við haft. **5.** Eptir þingit

---

Cap. XXVII. 1. 2. *til lǫgbergs.*
Das *lǫgberg*, der mittelpunkt des
alþingi, wo alle öffentlichen be-
kanntmachungen erfolgten, muss —
im gegensatz zu der jüngeren tra-
dition — w e s t l i c h von der die thing-
ebene durchströmenden *Øxará* ge-
legen haben. Siehe c. 22, 28. Vgl.
jetzt auch B. M. Ólsen, Sundurlausar
hugleiðingar, in den Germanistischen
abhandlungen (Göttingen 1893) s.
137 ff.

3. *fráfall,* „tod".

6. *goðorðsmǫnnum.* Die inhaber
der isländischen *goðorð*, ungefähr
50 an der zahl, waren die aner-
kannten häuptlinge des landes, die
durch die teilnahme an der gesetz-
gebung und ihren einfluss auf die
zusammensetzung der gerichte eine
grosse rolle spielten. Auch in ihrem
heimatlichen bezirk besassen diese
goðorðsmenn oder *goðar* (obgleich
die *goðorð* nicht territorial abge-

grenzt, also nicht distrikte in geo-
graphischem sinne waren) gewöhn-
lich eine nicht unbeträchtliche macht,
wenn ihnen auch kaum eine ad-
ministrative gewalt von bedeutung
zustand; aber die übrige bevölke-
rung war infolge der allgemein
geltenden verpflichtung, sich einem
der *goðorð* und dadurch einem be-
stimmten thingbezirk anzuschliessen,
mehr oder weniger von ihnen ab-
hängig. Siehe K. Maurer, Island
(1874), und V. Finsen, Ordregister
til Grágás, København 1883.

11. 12. *til vetrar.* Der anfang des
winters (*enn fyrsti vetrardagr*) fällt
nach dem nun üblichen kalender in
die zweite hälfte des oktobers —
nach dem julianischen dagegen in
der zeit des isländischen freistaates
ungefähr 10 tage früher. Vgl. c. 23, 21.

16. *œrit mikit við haft,* „die ge-
troffenen anstalten grossartiger als
nötig".

Ld. ríða þeir brœðr heim. Líðr nú sumarit. Búaz þeir brœðr við
XXVII. veizlunni; leggr Óláfr til óhneppiliga at þriðjungi, ok er veizlan
búin með hinum beztu fǫngum; var mikit til aflat þessar veizlu,
því at þat var ætlat, at fjǫlmennt mundi koma. 6. Ok er at
5 veizlu kemr, er þat sagt, at flestir virðingamenn koma, þeir
sem heitit hǫfðu. Var þat svá mikit fjǫlmenni, at þat er sǫgn
manna flestra, at eigi skyrti níu hundruð. 7. Þessi hefir ǫnnur
veizla fjǫlmennust verit á Íslandi, en sú ǫnnur, er Hjaltasynir
gerðu erfi eptir fǫður sinn; þar váru tólf hundruð. 8. Þessi
10 veizla var en skǫruligsta at ǫllu, ok fengu þeir brœðr mikinn
sóma; ok var Óláfr mest fyrirmaðr. Óláfr gekk til móts við
báða brœðr sína um fégjafir; var ok gefit ǫllum virðinga-
mǫnnum. 9. Ok er flestir menn váru í brottu farnir, þá víkr
Óláfr til máls við Þorleik bróður sinn ok mælti:
15 „svá er, frændi, sem þér er kunnigt, at með okkr hefir
verit ekki mart. 10. Nú vilda ek til þess mæla, at vit betr-
aðim frændsemi okkra; veit ek, at þér mislíkar, er ek tók við
gripum þeim, er faðir minn gaf mér á deyjanda degi. 11. Nú
ef þú þykkiz af þessu vanhaldinn, þá vil ek þat vinna til
20 heils hugar þíns at fóstra son þinn, ok er sá kallaðr æ minni
maðr, er ǫðrum fóstrar barn.“
Þorleikr tekr þessu vel ok sagði, sem satt er, at þetta er
sœmiliga boðit. 12. Tekr nú Óláfr við Bolla, syni Þorleiks.
Þá var hann þrévetr. Skiljaz þeir nú með enum mesta kær-
25 leik, ok ferr Bolli heim í Hjarðarholt með Óláfi. Þorgerðr

---

2. *óhneppiliga,* „reichlich“ (*hneppi-liga,* „kaum“).
at þriðjungi, „den betrag eines drittels“.
8. *Hjaltasynir.* *Þórðr* und *Þor-valdr,* die söhne des landnámamaðr *Hjalti Þórðarson* im nördlichen Is-land, ehrten ihren verstorbenen vater durch ein weit berühmtes erbmahl, bei welchem auch eine zu ehren des Hjalti gedichtete *drápa* recitiert wurde. Landnámabók III, 10.
7—9. *níu hundruð ... tólf hundruð.* Da ein „grosshundert“ (120) gemeint ist, so beträgt die anzahl 1080 ... 1440.

11. 12. *gekk til móts við báða brœðr sína,* „stellte sich seinen beiden brüdern gegenüber“, d. h. gab eben so viel wie seine beiden brüder zusammen genommen.
19. *vanhaldinn,* „übervorteilt“.
19. 20. *til heils hugar þíns,* „um mir dein wohlwollen zu erwerben“.
20. 21. *minni maðr, er ǫðrum fóstrar barn.* Es war die allgemeine auffassung — der jedoch die wirk-lichkeit nicht immer entsprach —, dass der *fóstri* eines kindes dessen eltern gegenüber als *minni maðr* (d. h. als minder vornehm) betrachtet wurde. Vgl. Grundriss II², 215—16.

tekr vel við honum. Fœðiz Bolli þar upp, ok unnu þau honum eigi minna en sínum bǫrnum.

Die kinder des Óláfr.

XXVIII, 1. Óláfr ok Þorgerðr áttu son; sá sveinn var vatni ausinn, ok nafn gefit; lét Óláfr kalla hann Kjartan eptir Mýrkjartani móðurfǫður sínum. Þeir Bolli ok Kjartan váru 5 mjǫk jafngamlir. **2.** Enn áttu þau fleiri bǫrn. Son þeira hét Steinþórr ok Halldórr, Helgi, ok Hǫskuldr hét enn yngsti son Óláfs. Bergþóra hét dóttir þeira Óláfs ok Þorgerðar ok Þorbjǫrg. Ǫll váru bǫrn þeira mannvæn, er þau óxu upp. **3.** Í þenna tíma bjó Hólmgǫngu-Bersi í Saurbœ á þeim bœ, er í 10 Tungu heitir. Hann ferr á fund Óláfs ok bauð Halldóri syni hans til fóstrs. Þat þiggr Óláfr, ok ferr Halldórr heim með honum. Hann var þá vetrgamall. **4.** Þat sumar tekr Bersi sótt ok liggr lengi sumars. Þat er sagt einn dag, er menn váru at heyverki í Tungu, en þeir tveir inni Halldórr ok 15 Bersi; lá Halldórr í vǫggu. Þá fellr vaggan undir sveininum ok hann ór vǫggunni á gólfit. Þá mátti Bersi eigi til fara. **5.** Þá kvað Bersi þetta:

Cap. XXVIII. **5.** *Mýrkjartan(i).* Das keltische wort Muircertach ist durch volksetymologie umgedeutet: man betrachtete nämlich *Kjartan* als den eigentlichen namen, der durch ein vorgesetztes *mýr(r)* — „moor“ — erweitert worden sei.

ð. *mjǫk*, „fast“.

ð—9. *Son þeira — Þorbjǫrg.* Die aufzählung ist etwas holperig, indem bei den satzgliedern *Halldórr*, *Helgi*, *Þorbjǫrg* subject und prädicatsverbum weggelassen sind. — Die namen der kinder Óláfs, wie sie die Laxd. mitteilt, stimmen nicht ganz zu den angaben der Landnámabók (und Egils saga c. 78, 5); diese letzte quelle nennt nicht *Helgi* und *Hǫskuldr*, dagegen einen *Þorbergr*. Sonderbar ist, dass die tochter *Þuríðr* schon c. 24, 5 isoliert

eingeführt ist — wahrscheinlich war sie älter als ihre geschwister. — Ein leiblicher bruder Óláfs, *Helgi*, den die Landnámabók als zweiten sohn des Hǫskuldr und der Melkorka nennt, scheint dem verfasser der Laxdœla saga ganz unbekannt gewesen zu sein.

10. 11. *í Saurbœ ... í Tungu.* *Saurbœr* ist der name eines bezirks im westlichen Island, nordwestlich von den *Breiðafjarðardalir*; der hier genannte hof *Tunga* ist das jetzige *Bessatunga.*

14—16. *Þat er sagt ...*; ld *Halldórr*: anakoluthie.

16. *í vǫggu*, „in einer wiege“.

17. *mátti Bersi eigi til fara*, „B. konnte ihm (da er alt und gebrechlich war) nicht zu hilfe kommen“.

1. „Liggjom báþer
í lamasesse
Halldórr ok ek,
hǫfom enge þrek;
veldr elle mér,
en œska þér,
þess batnar þér,
en þeyge mér.“

6. Síðan koma menn ok taka Halldór upp af gólfinu, en
10 Bersa batnar. Halldórr fœddiz þar upp ok var mikill maðr
ok vaskligr. 7. Kjartan Óláfsson vex upp heima í Hjarðar-
holti. Hann var allra manna fríðastr, þeira er fœz hafa á Ís-
landi. 8. Hann var mikilleitr ok vel farinn í andliti, manna
bezt eygðr ok ljóslitaðr; mikit hár hafði hann ok fagrt sem
15 silki, ok fell með lokkum, mikill maðr ok sterkr, eptir sem
verit hafði Egill móðurfaðir hans eða Þórólfr. 9. Kjartan
var hverjum manni betr á sik kominn, svá at allir undruðuz,
þeir er sá hann; betr var hann ok vígr en flestir menn aðrir;
vel var hann hagr ok syndr manna bezt. 10. Allar íþróttir
20 hafði hann mjǫk um fram aðra menn; hverjum manni var
hann lítillátari, ok vinsæll, svá at hvert barn unni honum;
hann var léttúðigr ok mildr af fé. Óláfr unni mest Kjartani
allra barna sinna. 11. Bolli fóstbróðir hans var mikill maðr.
Hann gekk næst Kjartani um allar íþróttir ok atgervi; sterkr
25 var hann ok fríðr sýnum, kurteisligr ok enn hermannligsti,
mikill skartsmaðr. Þeir unnuz mikit fóstbrœðr. Sitr Óláfr
nú at búi sínu, svá at vetrum skipti eigi allfám.

1—8. Dieselbe *vísa* — obwol mit
einigen veränderungen — auch in
der Kormáks saga (Möbius str. 48).
Z. 1. 2 (in Korm. auch z. 3. 4) reimen
nicht, was doch in solchen *lausa-
vísur* nicht auffallen kann (vgl.
Egils saga str. 2). Nach G. Vig-
fússon (Cpb I, 569) sollen die reime
hier überhaupt zufällig sein. Ueber-
setzung: Wir liegen beide im sitz
des lahmen (sind lahm), Halldórr
und ich, haben keine kraft; dies
verursacht, was mich betrifft, das

alter, was dich betrifft, die jugend;
dies wird für dich sich bessern,
für mich aber nicht. (*þeyge = þó
eige*.)

13. *mikilleitr*, „mit grossem (brei-
tem) gesicht“.

vel farinn í andliti, „schön von
antlitz“.

16. *Þórólfr*, d. i. *Þ. Skallagríms-
son*, eine der hauptpersonen der
Egils saga.

22. *léttúðigr*, „munter“.

26. *fóstbrœðr*, hier im buchstäb-

Zweite reise des Óláfr pái nach Norwegen.

XXIX, 1. Þat er sagt eitt vár, at Óláfr lýsti því fyrir Þorgerði, at hann ætlar utan, — „vil ek, at þú varðveitir bú okkar ok børn.“ Þorgerðr kvað sér lítit vera um þat, en Óláfr kvaz ráða mundu. Hann kaupir skip, er uppi stóð vestr í Vaðli. 2. Óláfr 5 fór utan um sumarit ok kemr skipi sínu við Hørðaland. Þar bjó sá maðr skamt á land upp, er hét Geirmundr gnýr, ríkr maðr ok auðigr ok víkingr mikill; ódældarmaðr var hann, ok hafði nú sez um kyrt ok var hirðmaðr Hákonar jarls ens ríka. 3. Geirmundr ferr til skips ok kannaz brátt við Óláf, 10 því at hann hafði heyrt hans getit. Geirmundr býðr Óláfi til sín með svá marga menn, sem hann vildi. Þat þiggr Óláfr ok ferr til vistar með sétta mann. Hásetar Óláfs vistaz þar um Hørðaland. 4. Geirmundr veitir Óláfi vel. Þar var bœr risuligr ok mart manna; var þar gleði mikil um vetrinn. 15 5. En er á leið vetrinn, sagði Óláfr Geirmundi skyn á um erendi sín, at hann vill afla sér húsaviðar; kvaz þykkja mikit undir, at hann fengi gott viðaval.

---

lichen sinne des wortes „männer die durch gemeinschaftliche erziehung gleichsam zu brüdern geworden waren“. Das *fóstbrœðralag* (blutbrüderschaft) konnte aber auch im reifen alter geschlossen werden — vgl. c. 18, 17, die fussnote. Die in diesem capitel enthaltene schilderung der pflegebrüder findet sich zum grossen teil in der grossen Óláfs saga Tryggvasonar wieder (Flateyjarbók I, ·308; Fornm. sög. II, 20).

Cap. XXIX. 3. *okkar*, vgl. c. 12, 22.

5. *í Vaðli. Vaðill* ist eine kleine bucht an der nordküste des Breiðifjørðr; *vestr í V.* wird gesagt, obgleich die richtung vom Laxárdalr aus eine nordwestliche ist, weil die reise dorthin (vom L. aus) weiter in das westviertel führt, dem beide örtlichkeiten angehörig sind.

Sagabibl. IV.

7. *gnýr*, „lärm“, hier als beiname gebraucht.

9. 10. *Hákonar jarls ens ríka.* Hákon jarl warf sich zum beherrscher Norwegens (ursprünglich unter dänischer oberhoheit) auf, nachdem der könig Haraldr Gunnhildarson getötet war (969?), wurde aber selbst von dem könig Óláfr Tryggvason vertrieben (995) und von seinem eigenen sklaven ermordet.

10. *kannaz brátt við Óláf*, „macht schnell mit O. bekanntschaft“.

16. *er á leið vetrinn*, unpers. ausdruck; *vetrinn* ist von der praep. *á* regiert.

17. 18. *þykkja mikit undir*, „grosses gewicht darauf legen“.

18. *viðaval*, „auswahl von bauholz“, d. h. gelegenheit das bauholz auszuwählen.

Ld.   **6.** Geirmundr svarar: „Hákon jarl á bezta mǫrk, ok veit
XXIX. ek víst, ef þú kemr á hans fund, at þér mun sú innan handar,
því at jarl fagnar vel þeim mǫnnum, er eigi eru jafnvel mentir
sem þú, Oláfr, ef hann sœkja heim.“

5   **7.** Um várit byrjar Oláfr ferð sína á fund Hákonar jarls;
tók jarl við honum ágæta vel ok bauð Oláfi með sér at vera,
svá lengi sem hann vildi. **8.** Oláfr segir jarli, hversu af stóðz
um ferð hans, — „vil ek þess beiða yðr, herra, at þér létið
oss heimila mǫrk yðra at hǫggva húsavið.“

10   **9.** Jarl svarar: „ósparat skal þat, þóttu fermir skip þitt
af þeim viði, er vér munum gefa þér, því at vér hyggjum, at
oss sœki eigi heim hversdagliga slíkir menn af Íslandi.“

10. En at skilnaði gaf jarl honum øxi gullrekna, ok var
þat en mesta gersemi. Skilðuz síðan með enum mesta kærleik.

15   **11.** Geirmundr skipar jarðir sínar á laun ok ætlar út til
Íslands um sumarit á skipi Oláfs; leynt hefir hann þessu alla
menn. Eigi vissi Oláfr, fyrr en Geirmundr flutti fé sitt til
skips Oláfs, ok var þat mikill auðr.

12. Oláfr mælti: „eigi mundir þú fara á mínu skipi, ef ek
20 hefða fyrr vitat, því at vera ætla ek þá munu nǫkkura á Ís-
landi, at betr gegndi, at þik sæi aldri. En nú er þú ert hér
kominn við svá mikit fé, þá nenni ek eigi at reka þik aptr
sem búrakka.“

13. Geirmundr segir: „eigi skal aptr setjaz, þóttu sér
25 heldr stórorðr, því at ek ætla at vera at fá yðvarr farþegi.“

---

2. *þér mun sú innan handar,* „der
(wald) wird zu deiner verfügung
(stehen)“.

8. *létið ... heimila* (von *heimill*),
„zur verfügung stelltet“.

10. *ósparat skal þat*, „dabei soll
nichts gespart werden“.

15. *skipar jarðir sínar*, „trifft be-
stimmungen über den betrieb seiner
höfe“.

20. *vera ætla ek þá munu nǫkkura*,
d. i. *ek ætla, þá nǫkkura (menn)
munu vera.*

21. *at betr gegndi*, „denen es
besser wäre“; *þeim* ist zu ergänzen.

23. *búrakki*, „hofhund“.

25. *ek ætla at vera at fá yðvarr
farþegi*. Da diese wortstellung durch
mehrere übereinstimmende hand-
schriften gesichert scheint, darf man
kaum *fá* anders als dativ neutr. sg.
des adj. *fár* auffassen; *farþegi* (ge-
wöhnl. „passagier“) muss dann eine
besondere bedeutung haben (einer,
der umsonst überfahrt erhält — vgl.
S. Egilsson, Lex. poet. s. v.). Die
übersetzung würde dann lauten: „ich
gedenke nur in geringem grade
euer fahrt-empfänger zu sein“, d. h.
ich beabsichtige reichliche vergel-

14. Stíga þeir Óláfr á skip ok sigla í haf. Þeim byrjaði **Ld.** vel ok tóku Breiðafjǫrð; bera nú bryggjur á land í Laxárósi. **XXIX.** Lætr Óláfr bera viðu af skipi ok setr upp skipit í hróf þat, er faðir hans hafði gera látit. Óláfr bauð Geirmundi til vistar með sér. **15.** Þat sumar lét Óláfr gera eldhús í Hjarðarholti, 5 meira ok betra en menn hefði fyrr sét. Váru þar markaðar ágætligar sǫgur á þiliviðinum ok svá á ræfrinu; var þat svá vel smíðat, at þá þótti miklu skrautligra, er eigi váru tjǫldin uppi. **16.** Geirmundr var fáskiptinn hversdagla, óþýðr við flesta; en hann var svá búinn jafnan, at hann hafði skarlats- 10 kyrtil rauðan ok gráfeld yztan ok bjarnskinnshúfu á hǫfði, sverð í hendi; þat var mikit vápn ok gott, tannhjǫlt at; ekki var þar borit silfr á, en brandrinn var hvass, ok beið hvergi

---

tung für meine überfahrt zu gewähren.

5. *eldhús*, hat hier nicht die spätere bedeutung „küche", sondern bedeutet „gaststube", ein zu festlichem gebrauch auf den höfen der häuptlinge aufgeführtes gebäude. Vgl. Grundriss II², s. 234 (und, ausführlicher, V. Guðmundsson, Privatboligen på Island i sagatiden, København 1889, s. 205—6). Das betreffende gebäude (vgl. die nachfolgende beschreibung), das wahrscheinlich, wie die isländischen wohnungen im allgemeinen, rasenwände gehabt hat, war inwendig mit wandgetäfel (*þiliviðr*) bekleidet, und ebenso war unter dem rasendach eine bretterbekleidung angebracht, die überall in der halle sichtbar war, da eine zwischendecke fehlte. Der rauch von dem auf dem fussboden brennenden feuer fand durch das dachloch (*ljóri*) seinen ausgang. Unter gewöhnlichen verhältnissen wurden die wände in einem solchen gebäude bei festlichen gelegenheiten mit teppichen (*tjǫld*) bekleidet; hier aber waren rühmliche begebenheiten (*ágætligar sǫgur*) so trefflich an

den getäfelten wänden und dachbrettern (*ræfr*) bildlich dargestellt (*markaðar*, d. h. wahrsch. geschnitzt und zugleich gemalt), dass die halle für weit schöner gehalten wurde, als wenn sie mit teppichen behängt gewesen wäre. Der inhalt dieser abbildungen, der zum teil bekannt ist, war mythologischer art: die verbrennung des Baldr, der fischzug des Þórr nach dem Miðgarðsormr, der kampf des Heimdallr mit Loki — siehe Laxdæla saga, Hafniae 1826, pag. 386—94 (F. Magnusen, Disqvisitio etc.).

9. *fáskiptinn.* Siehe zu c. 24, 1.

hversdagla, abgeleitet durch die adverbialendung -*la*, nicht etwa schreibfehler für -*liga* (vgl. E. Sievers, Beitr. 5, 475 fg.).

11. *bjarnskinnshúfu*, „mütze von bärenfell".

12. *tannhjǫlt at*, „daran *hjǫlt* (knopf uud parierstange) von (wallross)zahn".

13. *borit silfr á*, „silber (zur ausschmückung) darauf angebracht".

13. — s. 84, 1. *beið hvergi ryð á*, „nirgends ward daran rost gefunden"; *beið*, impf. von *bíða*,

6*

Ld. ryð á. 17. Þetta sverð kallaði hann Fótbít ok lét þat aldregi
XXIX. hendi firr ganga. Geirmundr hafði skamma hríð þar verit,
XXX. áðr hann feldi hug til Þuríðar, dóttur Óláfs, ok vekr hann
bónorð við Óláf, en hann veitti afsvǫr. 18. Síðan berr Geir-
5 mundr fé undir Þorgerði, til þess at haun næði ráðinu. Hon
tók við fénu, því at eigi var smám fram lagt. 19. Síðan vekr
Þorgerðr þetta mál við Óláf; hon segir ok sína ætlan, at
dóttir þeira muni eigi betr verða gefin, — „því at hann er
garpr mikill, auðigr ok stórlátr.“

10 20. Þá svarar Óláfr: „eigi skal þetta gera í móti þér
heldr en annat, þótt ek væra fúsari at gipta Þuríði ǫðrum
manni.“

21. Þorgerðr gengr í brott ok þykkir gott orðit sitt erendi.
Sagði nú svá skapat Geirmundi. Hann þakkaði henni sín
15 tillǫg ok skǫrungsskap; vekr nú Geirmundr bónorðit í annat
sinn við Óláf, ok var þat nú auðsótt. 22. Eptir þat fastnar
Geirmundr sér Þuríði, ok skal boð vera at áliðnum vetri í
Hjarðarholti. Þat boð var allfjǫlment, því at þá var algǫrt
eldhúsit. 23. Þar var at boði Úlfr Uggason ok hafði ort
20 kvæði um Óláf Hǫskuldsson ok um sǫgur þær, er skrifaðar
váru á eldhúsinu, ok fœrði hann þar at boðinu. Þetta kvæði
er kallat Húsdrápa ok er vel ort. 24. Óláfr launaði vel
kvæðit. Hann gaf ok stórgjafir ǫllu stórmenni, er hann hafði
heim sótt. Þótti Óláfr vaxit hafa af þessi veizlu.

Þuríðr Óláfsdóttir wird von ihrem manne, Geirmundr gnýr, verlassen.

25 **XXX, 1.** Ekki var mart um í samfǫrum þeira Geirmundar
ok Þuríðar; var svá af beggja þeira hendi. 2. Þrjá vetr var

„warten“, „bleiben“; *eht biðr* (un-
pers.), „etwas kommt vor“.

1. *Fótbítr*, „fussbeisser“.

2. *hendi firr*, „aus der hand“;
firr, compar. v. *fjarri* (adv.).

4. 5. *berr G. fé undir Þ.*, „G. be-
sticht þ.“

6. *smám fram lagt*, „in geringer
menge gegeben“; *smám*, dat. pl.

14. *svá skapat*, „das so abge-
machte“, d. h. wie die sachlage war.

19—22. *Úlfr Uggason . . . Hús-*

drápa. Der dichter Ú. U. wird (von
einer stelle in der Kristni saga ab-
gesehen) in den quellen nur wegen
der hier erwähnten, zu ehren des
Óláfr pái verfassten *drápa* genannt.
Von diesem gedicht werden in der
Snorra Edda neun vollständig oder
zum teil bewahrte strophen citiert;
dies ist alles was von der *Húsdrápa*
erhalten ist, und zugleich die einzige
quelle, die über die vorwürfe der
bilder in Óláfs halle uns unter-

Geirmundr með Óláfi, áðr hann fýstiz í brott ok lýsti því, at
Þuríðr mundi eptir vera ok svá dóttir þeira, er Gróa hét. Sú
mær var þá vetrgǫmul; en fé vill Geirmundr ekki eptir leggja.
Þetta líkar þeim mœðgum stórum illa ok segja til Óláfi.
3. En Óláfr mælti þá: „hvat er nú, Þorgerðr? Er aust- 5
maðrinn eigi jafnstórlátr nú sem um haustit, þá er hann bað
þik mægðarinnar?"
4. Kómu þær engu á leið við Óláf, því at hann var um
alla hluti samningarmaðr, kvað ok mey skyldu eptir vera, þar
til er hon kynni nǫkkurn farnað. 5. En at skilnaði þeira 10
Geirmundar gaf Óláfr honum kaupskipit með ǫllum reiða.
Geirmundr þakkar honum vel ok sagði gefit allstórmannliga.
6. Síðan býr hann skipit ok siglir út ór Laxárósi léttan land-
nyrðing, ok fellr veðrit, er þeir koma út at eyjum. Hann liggr
út við Øxney hálfan mánuð, svá at honum gefr eigi í brott. 15
Í þenna tíma átti Óláfr heimanfǫr at annaz um reka sína.
7. Síðan kallar Þuríðr dóttir hans til sín húskarla, bað þá
fara með sér. Hon hafði ok með sér meyna; tíu váru þau
saman. 8. Hon lætr setja fram ferju, er Óláfr átti. Þuríðr
bað þá sigla ok róa út eptir Hvammsfirði, ok er þau koma 20
út at eyjum, bað hon þá skjóta báti útbyrðis, er stóð á ferj-
unni. 9. Þuríðr sté á bátinn ok tveir menn aðrir, en hon bað
þá gæta skips, er eptir váru, þar til er hon kœmi aptr.
10. Hon tók meyna í faðm sér ok bað þá róa yfir strauminn,

---

richtet (s. zu c. 29, 15). Diese frag-
mente sind auch in Wisén's Carmina
Norrœna aufgenommen. Vgl. über
Ú. U. Finnur Jónsson, Den oldnorske
og oldislandske litteraturs historie
I (Kbh. 1894) s. 513—15.

Cap. XXX. 8. *Kómu . . . engu á
leið*, „sie erreichten nichts".
9. *samningarmaðr*, „friedfertiger
mensch".
10. *kynni nǫkkurn farnað*, „einige
erziehung erhalten hätte".
15. *Øxney*, eine insel in der mün-
dung des *Hvammsfjǫrðr*, an der
südseite der einfahrt.

16. *heimanfǫr at annaz um reka
sína*. Eins der besten fragmente
fügt nach *heimanfǫr* das wahrschein-
lich echte *um heiðar vestr* hinzu.
Die *rekastrǫnd* Óláfs muss dann auf
der nordwestlichsten halbinsel Is-
lands, in der jetzigen *Strandasýsla*,
gesucht werden.
20. *sigla ok róa*. *ok* ist eine, wie
es scheint, notwendige conjectur
für *eða* der handschriften; *s. ok r.*,
„die fahrt fördern durch gleichzeitige
anwendung von segel und ruder";
vgl. Egils s. c. 21, 7.
24. *strauminn*, der sund zwischen
Øxney und den nachbarinseln.

Ld. þar til er þau mætti ná skipinu. **11.** Hon greip upp nafar ór
XXX. stafnlokinu ok seldi í hendr fǫrunaut sínum ǫðrum, bað hann
ganga á knarrarbátinn ok hora, svá at ófœrr væri, ef þeir
þyrfti skjótt til at taka. **12.** Síðan lét hon sik flytja á land
5 ok hafði meyna í faðmi sér. Þat var í sólarupprás. Hon
gengr út eptir bryggju ok svá í skipit. Allir menn váru í
svefni. **13.** Hon gekk at húðfati því, er Geirmundr svaf í.
Sverðit Fótbítr hekk á hnykkistafnum. **14.** Þuríðr setr nú
meyna Gró í húðfatit, en greip upp Fótbít ok hafði með sér.
10 Síðan gengr hon af skipinu ok til fǫrunauta sinna. **15.** Nú
tekr mærin at gráta. Við þat vaknar Geirmundr ok sez upp
ok kennir barnit ok þykkiz vita, af hverjúm rifjum vera mun.
16. Hann sprettr upp ok vill þrífa sverðit ok missir, sem ván
var; gengr út á borð ok sér, at þau róa frá skipinu. **17.** Geir-
15 mundr kallar á menn sína ok bað þá hlaupa í bátinn ok róa
eptir þeim. Þeir gera svá, ok er þeir eru skamt komnir, þá
finna þeir, at sjár kolblár fellr at þeim; snúa nú aptr til skips.
18. Þá kallar Geirmundr á Þuríði ok bað hana aptr snúa ok
fá honum sverðit Fótbít, — „en tak við mey þinni ok haf
20 heðan með henni fé svá mikit, sem þú vill.“

19. Þuríðr segir: „þykki þér betra en eigi at ná sverð-
inu?“

Geirmundr svarar: „mikit fé læt ek annat, áðr mér þykkir
betra at missa sverðsins.“

25 **20.** Hon mælti: „þá skaltu aldri fá þat; hefir þér mart
ódrengiliga farit til vár; mun nú skilja með okkr.“

21. Þá mælti Geirmundr: „ekki happ mun þér í verða
at hafa með þér sverðit.“

Hon kvaz til þess mundu hætta.

---

2. *stafnlok*, n., „raum im vorder-
steven des schiffes“.

8. *hnykkistafnum.* Die bedeutung
ist unsicher (vgl. *hnykkja*, „rücken“
und norw. *nykkja*, „krøge, krumme“,
Aasen 544 a; Ross 552 b).

21. *þykki þér betra en eigi* (adv.)
usw., „möchtest du das schwert
lieber haben als nicht haben“, liegt

dir viel an dem besitze des
schwertes?

23. 24. *mikit — sverðsins*, „lieber
verlöre ich vieles andere gut, als
dass ich das schwert aufgäbe“.

25. 26. *hefir — vár*, „in vieler
(jeder) hinsicht hast du dich un-
ehrenhaft gegen uns benommen“.

„Þat læt ek þá um mælt,“ segir Geirmundr, „at þetta **Ld.**
sverð verði þeim manni at bana í yðvarri ætt, er mestr er **XXX.**
skaði at, ok óskapligast komi við.“   **XXXI.**
22. Eptir þetta ferr Þuríðr heim í Hjarðarholt. Óláfr var
ok þá heim kominn ok lét lítt yfir hennar tiltekju: en þó var 5
kyrt. Þuríðr gaf Bolla frænda sínum sverðit Fótbít, því at
hon unni honum eigi minna en brœðrum sínum; bar Bolli
þetta sverð lengi síðan. **23.** Eptir þetta byrjaði þeim Geir-
mundi; sigla þeir í haf ok koma við Nóreg um haustit. Þeir
sigla á einni nótt í boða fyrir Staði. Týniz Geirmundr ok 10
oll skipshofn hans, ok lýkr þar frá Geirmundi at segja.

Die nachkommen der töchter des Óláfr. Der traum Óláfs.

XXXI, 1. Óláfr Hoskuldsson sat í búi sínu í miklum
sóma, sem fyrr var ritat. Guðmundr hét maðr Solmundarson.
Hann bjó í Ásbjarnarnesi norðr í Víðidal. **2.** Guðmundr var
auðigr maðr; hann bað Þuríðar ok gat bana með miklu fé. 15
Þuríðr var vitr kona ok skapstór ok skorungr mikill. **3.** Hallr
hét son þeira ok Barði, Steinn ok Steingrímr. Guðrún hét
dóttir þeira ok Ólof. **4.** Þorbjorg, dóttir Óláfs, var kvenna
vænst ok þreklig; hon var kolluð Þorbjorg digra ok var gipt
vestr í Vatnsfjorð Ásgeiri Knattarsyni. Hann var gofugr maðr. 20
5. Þeira son var Kjartan, faðir Þorvalds, foður Þórðar, foður
Snorra, foður Þorvalds. Þaðan er komit Vatnsfirðingakyn.

---

2. *þeim manni*, d. i. Kjartan.
3. *ok óskapligast komi við*, „und
(es, d. h. dieser tod) zum grössten
unheil eintritt“.
10. *fyrir Staði*. Staðr, das jetzige
„Stadtland“, ein vorgebirge im west-
lichen Norwegen, an *Sunnmœri* und
Firðir angrenzend.

Cap. XXXI. 14. *Asbjarnarnes*,
gehöft am westl. ufer des binnen-
sees Hóp (südl. vom Húnafjorðr)
im isländ. nordviertel.
15. *Þuríðr*, ihr gatte *Guðmundr*
und ihre söhne gehören zu den
hauptpersonen der Heiðarvíga saga.
Vgl. Egils saga c. 78, 5.

20. *í Vatnsfjorð*, der V. — an
welchem das gleichnamige gehöft
liegt — ist eine verzweigung der
grossen bai *Ísafjarðardjúp* im nord-
westlichen Island.
22. *Vatnsfirðingakyn*. Das hier
erwähnte auf dem hofe *Vatnsfjorðr*
angesessene häuptlingsgeschlecht ist
aus der verfallzeit des isländischen
freistaats, der sogen. *Sturlungaold*,
in welcher es an den heftigen partei-
fehden rücksichtslos teilnahm, wol
bekannt. Das hier zuletzt genannte
mitglied der familie, *Þorvaldr Snorra-
son*, ein schwiegersohn des be-
rühmten geschichtsschreibers Snorri
Sturluson, starb durch mordbrand

6. Síðan átti Þorbjǫrgu Vermundr Þorgrímsson. Þeira dóttir
var Þorfinna, er átti Þorsteinn Kuggason. **7.** Bergþóra Óláfs-
dóttir var gipt vestr í Djúpafjǫrð Þórhalli goða. Þeira son
var Kjartan, faðir Smið-Sturlu; hann var fóstri Þórðar Gils-
5 sonar. **8.** Óláfr pái átti marga kostgripi í ganganda fé. Hann
átti uxa góðan, er Harri hét, apalgrár at lit, meiri en ǫnnur
naut. **9.** Hann hafði fjǫgur horn; váru tvau mikil ok stóðu
fagrt, et þriðja stóð í lopt upp, et fjórða stóð ór enni ok niðr
fyrir augu honum; þat var brunnvaka hans; hann krapsaði
10 sem hross. **10.** Einn fellivetr mikinn gekk hann ór Hjarðar-
holti ok þangat, sem nú heita Harrastaðir, í Breiðafjarðardali.
Þar gekk hann um vetrinn með sextán nautum ok kom þeim
ǫllum á gras. Um várit gekk hann heim í haga, þar sem
heitir Harraból í Hjarðarholtslandi. **11.** Þá er Harri var átján
15 vetra gamall, þá fell brunnvaka hans af hǫfði honum, ok þat
sama haust lét Óláfr hǫggva hann. **12.** Ena næstu nótt eptir
dreymði Óláf, at kona kom at honum; sú var mikil ok
reiðulig.

　　　　Hon tók til orða: „er þér svefns?“

20　　　　Hann kvaz vaka.

　　　　13. Konan mælti: „þér er svefns, en þó mun fyrir hitt

1228. Ueber *Asgeirr Knattarson*
und *Vermundr Þorgrímsson* (schon
Laxd. 3, 7 genannt) vgl. Egils saga
c. 78, 5.

　2. *Þorsteinn Kuggason.* Der
vater hiess eigentl. *Þorkell Þórðar-
son* (Laxd. 7, 25) mit dem beinamen
kuggi (= *kuggr*, „schiff“?).

　3. *Djúpafjǫrðr*, nördliche ver-
zweigung des *Breiðifjǫrðr*.

　4. *Smið-Sturlu.* Der zusatz *Smið-*
deutet darauf hin, dass *Sturla* ein
tüchtiger handwerker gewesen ist.

　4. 5. *fóstri Þórðar Gilssonar. fóstri*
muss hier aus chronolog. gründen
„pflege v a t e r“ bedeuten. Eine der
haupthandschriften fügt, nach *Gils-
sonar, fǫður Sturlu* hinzu; dieser
Sturla († 1183) ist der stammvater
der berühmten *Sturlungar*, die dem

letzten zeitraume des isländischen
freistaats den namen geben; einer
seiner söhne war der historiker
Snorri Sturluson. (Dieselbe hand-
schrift hat übrigens auch nach *Þór-
halli goða* einen zusatz, nämlich
syni Odda Ýrasonar — O. Ý. kommt
mehrfach in der Landnámabók vor).

　9. *brunnvaka*, wörtlich „brunnen-
wecker“, d. h. werkzeug, womit, um
trinkwasser zu erlangen, löcher ins
eis gehauen werden.

　11. *Harrastaðir*, hof im tieflande
südöstlich vom *Hvammsfjǫrðr.*

　13. *heim í haga*, „nach den zu
dem hofe gehörigen weiden zurück“.

　14. *Harraból.* Der name ist nicht
erhalten.

　19. *er þér svefns*, „schläfst du“.

　21. s. 89, 1. *en þó mun fyrir hitt*

ganga. Son minn hefir þú drepa látit ok látit koma ógervi-
ligan mér til handa, ok fyrir þá sǫk skaltu eiga at sjá þinn
son alblóðgan af mínu tilstilli; skal ek ok þann til velja, er
ek veit, at þér er ófalastr."

14. Síðan hvarf hon á brott. Óláfr vaknaði ok þóttiz sjá 5
svip konunnar. **15.** Óláfi þótti mikils um vert drauminn ok
segir vinum sínum, ok varð ekki ráðinn, svá at honum líki.
Þeir þóttu honum bezt um tala, er þat mæltu, at þat væri
draumskrǫk, er fyrir hann hafði borit.

Ósvífr Helgason.

XXXII, 1. Ósvífr hét maðr ok var Helgason, Óttarssonar, 10
Bjarnarsonar ens austrœna, Ketilssonar flatnefs, Bjarnarsonar
bunu. **2.** Móðir Ósvífrs hét Niðbjǫrg; hennar móðir Kaðlín,
dóttir Gǫngu-Hrólfs, Øxna-Þórissonar; hann var hersir ágætr
austr í Vík. Því var hann svá kallaðr,. at hann átti eyjar
þrjár ok átta tigu øxna í hverri. Hann gaf eina eyna ok 15
øxnina með Hákoni konungi, ok varð sú gjǫf allfræg. **3.** Ósvífr

---

ganga, „aber doch wird das gegen-
teil geschehen", d. h. dennoch wirst
du dieselbe erfahrung machen, als
ob du im wachen zustande mich
sähest (dein traum wird in erfüllung
gehen).

1. 2. ógerviligan, „misshandelt".

4. at þér er ófalastr, „dass du ihn
am ungernsten verlieren wolltest";
natürlich ist Kjartan gemeint. falr,
„käuflich".

7. ok varð ekki ráðinn. Als sub-
ject ist draumr zu ergänzen.

9. draumskrǫk, wörtl. „traumlüge",
d. h. ein bedeutungsloser traum.

Cap. XXXII. 10. Ósvífr; -r ist
radical. Ueber sein geschlecht vgl.
Landnámabók II, 11; Fornm. sög.
II, 20; Flateyjarbók I, 308—9.

13. Gǫngu-Hrólfr, d. i. „H. der
fussgänger". Diesen zusatz zu
seinem namen erhielt H., der be-
rühmte eroberer der Normandie,

weil er so schwer war, dass kein
pferd ihn tragen konnte.

Øxna - Þórissonar. Die Laxdœla
saga lässt — im widerstreit mit der
Landnámabók (aber merkwürdiger
weise mit dem kleinen Þorsteins
þáttr hvíta übereinstimmend) — den
Gǫngu-Hrólfr einen sohn des Ø.-Þ.
statt des Rǫgnvaldr Mœrajarl (Laxd.
c. 4, 9) sein. Bekanntlich ist es aber
zweifelhaft, ob H. überhaupt nor-
wegischer herkunft war: nach Dudo
von St. Quentin war er ein Däne.

14. Vík, die norwegische land-
schaft dieses namens. Siehe zu
c. 11, 10.

svá kallaðr, näml. Øxna-(Þórir).

16. Hákoni. Dieser name, obwohl
ihn alle handschriften der saga
übereinstimmend bieten, ist den-
noch höchst wahrscheinlich ein alter
fehler statt Haraldi. Der empfänger
war, der Landnámabók zufolge,
könig Haraldr hárfagri.

Ld.   var spekingr mikill.   Hann bjó at Laugum í Sælingsdal.
XXXII. Laugabœr stendr fyrir norðan Sælingsdalsá gegnt Tungu.
Kona hans hét Þórdís, dóttir Þjóðólfs lága. **4.** Óspakr hét
son þeira, annarr Helgi, þriði Vandráðr, fjórði Torráðr, fimti
5 Þórólfr. Allir váru þeir vígligir menn. **5.** Guðrún hét dóttir
þeira; hon var kvenna vænst, er upp óxu á Íslandi, bæði at
ásjánu ok vitsmunum. **6.** Guðrún var kurteis kona, svá at í
þann tíma þóttu allt barnavípur, þat er aðrar konur hǫfðu í
skarti, hjá henni. Allra kvenna var hon kœnst ok bezt orði
10 farin; hon var ǫrlynd kona. **7.** Sú kona var á vist með Ó-
svífri, er Þórhalla hét ok var kǫlluð en málga. Hon var nǫkkut
skyld Ósvífri. Tvá sonu átti hon; hét annarr Oddr, en annarr
Steinn. **8.** Þeir váru knáligir menn ok váru mjǫk grjótpálar
fyrir búi Ósvífrs. Málgir váru þeir sem móðir þeira, en óvin-
15 sælir; þó hǫfðu þeir mikit hald af sonum Ósvífrs.

      9. Í Tungu bjó sá maðr, er Þórarinn hét, son Þóris sæl-
ings; hann var góðr búandi. Þórarinn var mikill maðr ok

---

1. 2. *Laugum í Sælingsdal . . .
Tungu.* Der *Sælingsdalr* ist ein von
der ebene, die den innersten teil
des *Hvammsfjǫrðr* umgiebt, in nord-
westlicher richtung ausgehendes tal,
das von der *Sælingsdalsá* (die also
einen südöstlichen lauf hat) durch-
strömt wird. An diesem flusse
liegen die zwei höfe *Laugar* und
Tunga, jener auf dem r. (westlichen),
dieser auf dem l. (östlichen) ufer.
3. *lága*, „des niedrigen (kleinen)“
— beiname.
3. 5. *Óspakr . . . Þórólfr.* Ueber
die söhne des *Ósvífr* herscht in den
quellen keine übereinstimmung; ihre
namen und zum teil auch ihre an-
zahl werden verschieden angegeben
(vgl. Landnámabók, Kristni saga,
Fornmanna sögur, Flateyjarbók).
6. *er*, bezieht sich auf *kvenna.*
7. *Guðrún.* Sowol Fornm. sög.
(II, 20—23) als Flateyjarbók (I,
308—9) geben als einleitung des (in
die Ólafs saga Tryggvasonar einge-

schobenen) Kjartans þáttr, nach der
c. 28, 7—11 erwähnten beschreibung
Kjartans und Bollis, entsprechende
angaben über Ósvífr und sein ge-
schlecht, besonders Guðrún, deren
zwei erste ehen (Laxd. c. 34—35)
und beginnende neigung für Kjartan
(Laxd. c. 39) hier erwähnt werden.
8. *barnavípur*, „kindertand“.
10. *ǫrlynd*, „freigebig“.
13. *grjótpálar*, wörtlich „brech-
stangen“ (werkzeuge, womit in Is-
land steine aus der erde losgebrochen
werden); hier in figürlicher bedeu-
tung: männer, die schwierige ar-
beiten zu leisten im stande sind.
16. 17. *er Þórarinn hét, son Þóris
sælings. sælingr*, beiname, „der
reiche“. Die Landnámabók nennt
den *Þórarinn*, der *var með Kjartani
í Svínadal, þá er hann fell*, als sohn
des aus Gísla saga Súrssonar be-
kannten *Ingjaldr Hergilsson* aus
Hergilsey und lässt ihn mit einer
schwester des c. 32, 11 ff. erwähnten

sterkr. Hann átti lendur góðar, en minna lausafé. Osvífr **Ld.**
vildi kaupa at honum lendur, því at hann hafði landeklu, en **XXXII.**
fjǫlða kvikfjár. **10.** Þetta fór fram, at Ósvífr keypti at Þórarni **XXXIII.**
af landi hans allt frá Gnúpuskǫrðum ok eptir dalnum tveim
megin til Stakkagils; þat eru góð lǫnd ok kostig. Hann hafði 5
þangat selfǫr. Jafnan hafði hann hjón mart; var þeira ráða-
hagr enn virðuligsti. **11.** Vestr í Saurbœ heitir bœr á Hóli; þar bjuggu mágar
þrír. Þorkell hvelpr ok Knútr váru brœðr ok ættstórir menn.
Mágr þeira átti bú með þeim, sá er Þórðr hét. **12.** Hann var 10
kendr við móður sína ok kallaðr Ingunnarson. Faðir Þórðar
var Glúmr Geirason. Þórðr var vænn maðr ok vaskligr, gǫrr
at sér ok sakamaðr mikill. **13.** Þórðr átti systur þeira Þorkels,
er Auðr hét; ekki var hon væn kona né gervilig. Þórðr unni
henni lítit; hafði hann mjǫk slœgz til fjár, því at þar stóð 15
auðr mikill saman; var bú þeira gott, síðan Þórðr kom til
ráða með þeim.

Gestr Oddleifsson deutet die träume der Guðrún Ósvífrsdóttir.

XXXIII, 1. Gestr Oddleifsson bjó vestr á Barðastrǫnd
í Haga. Hann var hǫfðingi mikill ok spekingr at viti, fram-
sýnn um marga hluti, vel vingaðr við alla ena stœrri menn, 20
ok margir sóttu ráð at honum. **2.** Hann reið hvert sumar til

---

Þórðr Ingunnarson verheiratet sein.
Landn. II, 19; III, 20. Dagegen
kommt in der Landn. als ein ganz
anderer mann ein *Þórarinn* sælingr
Þórisson vor.

17. *góðr búandi*, ein wohlhabender
bauer.

4. 5. *frá Gnúpuskǫrðum . . . til
Stakkagils.* G. und S. sind locali-
täten im *Sælingsdalr;* sowol *skarð*
als *gil* bezeichnet „kluft"; *tveim
megin*, auf beiden seiten (des
flusses).

8. *í Saurbœ.* Siehe zu c. 28, 3.
á Hóli. Der jetzige hof *Saurhóll.*

9. *hvelpr*, hier beiname.

12. *Glúmr Geirason,* der bekannte
dichter. Da sein sohn *Þórðr* nach
der mutter benannt ward, ist G.
wahrscheinlich bald nach der ge-
burt desselben gestorben; vgl. zu
Egils s. c. 25, 2.

15. *slœgz til fjár,* „nach dem ver-
mögen gestrebt" (d. h. hatte um des
geldes willen geheiratet); — von
slœgjaz.

Cap. XXXIII. 18. *Gestr Oddleifs-
son.* Vgl. Landnámabók II, 25. 28. 30.
Der weise G., der die gabe der
weissagung hatte, kommt in vielen
sagas vor, z. b. *Gísla saga Súrs-
sonar* und *Hávarðar saga.*

Ld.   þings ok hafði jafnan gistingarstað á Hóli. Einhverju sinni
XXXIII.bar enn svá til, at Gestr reið til þings ok gisti á Hóli. Hann
býz um morgininn snemma, því at leið var lǫng. **3.** Hann
ætlaði um kveldit í Þykkvaskóg til Ármóðs mágs síns; hann
5 átti Þórunni, systur Gests.   Þeira synir váru þeir Ǫrnólfr ok
Halldórr. **4.** Gestr ríðr nú um daginn vestan ór Saurbœ ok
kemr til Sælingsdalslaugar ok dvelz þar um hríð. Guðrún
kom til laugar ok fagnar vel Gesti frænda sínum. Gestr tók
henni vel, ok taka þau tal saman, ok váru þau bæði vitr ok
10 orðig. **5.** En er á líðr daginn, mælti Guðrún:

„þat vilda ek, frændi, at þú ríðir til vár í kveld með
allan flokk þinn; er þat ok vili fǫður míns, þótt hann unni
mér virðingar at bera þetta erendi, ok þat með, at þú gistir
þar hvert sinn, er þú ríðr vestr eða vestan.“

15 **6.** Gestr tók þessu vel ok kvað þetta skǫruligt erendi,
en kvaz þó mundu ríða, svá sem hann hafði ætlat.

7. Guðrún mælti: „dreymt hefir mik mart í vetr, en fjórir
eru þeir draumar, er mér afla mikillar áhyggju; en engi maðr
hefir þá svá ráðit, at mér líki, ok bið ek þú eigi þess, at þeir
20 sé í vil ráðnir.“

8. Gestr mælti þá: „seg þú drauma þína; vera má, at vér
gerim af nǫkkut.“

9. Guðrún segir: „úti þóttumz ek vera stǫdd við lœk
nǫkkurn, ok hafða ek krókfald á hǫfði, ok þótti mér illa
25 sama, ok var ek fúsari at breyta faldinum; en margir tǫlðu

---

4. í *Þykkvaskóg,* der name Þ. scheint
die verschiedenen, nach dem sie
umgebenden walde (*skógr*) benann-
ten höfe, die an der mündung des
Haukadalr liegen, zu umfassen.
Der Haukadalr ist das südl. nach-
bartal des Laxárdalr. Ueber das
hiesige geschlecht vgl. Landnáma-
bók II, 18.

7. *til Sælingsdalslaugar.* Der hof
Laugar hat nach einer heissen quelle
(*laug*) — hier S. genannt —, die
oberhalb von ihm, etwas höher am
gebirgsabhange liegt, seinen namen;
das wasser der quelle, dessen tem-
peratur 30—40° R. beträgt, wird

noch immer in der haushaltung ge-
braucht; in älterer zeit benutzte
man es auch vielfach zum baden.

10. *orðig,* „gesprächig“.

18. *áhyggju,* „bekümmernis“.

19. 20. *bið—ráðnir,* „ich verlange
doch nicht, dass sie (mir) zu ge-
fallen gedeutet werden“.

21. 22. *at—nǫkkut,* „dass wir
etwas daraus machen können“.

24. *krókfald,* ein *faldr* von be-
sonderer gestalt — wahrscheinlich
stark nach vorn gebogen. Vgl.
Grundriss II², s. 243.

25. *breyta faldinum,* „die kopf-
bedeckung wechseln“.

um, at ek skylda þat eigi gera; en ek hlýdda ekki á þat, ok Ld.
greip ek af hǫfði mér faldinn ok kastaða ek út á lœkinn, —XXXIII.
ok var þessi draumr eigi lengri."

10. Ok enn mælti Guðrún: „þat var upphaf at ǫðrum
draum, at ek þóttumz vera stǫdd hjá vatni einu. Svá þótti 5
mér, sem kominn væri silfrhringr á hǫnd mér, ok þóttumz ek
eiga ok einkar vel sama; þótti mér þat vera allmikil gersemi,
ok ætlaða ek lengi at eiga. **11.** Ok er mér váru minstar
vánir, þá rendi hringrinn af hendi mér ok á vatnit, ok sá ek
hann aldri síðan; þótti mér sjá skaði miklu meiri, en ek mætta 10
at glíkendum ráða, þótt ek hefða einum grip týnt. Síðan
vaknaða ek."

12. Gestr svarar þessu einu: „era sjá draumr minni."

13. Enn mælti Guðrún: „sá er enn þriði draumr minn, at
ek þóttumz hafa gullhring á hendi, ok þóttumz ek eiga hringinn, 15
ok þótti mér bœttr skaðinn; kom mér þat í hug, at ek munda
þessa hrings lengr njóta en ens fyrra, en eigi þótti mér sjá
gripr því betr sama, sem gull er dýrra en silfr. **14.** Síðan
þóttumz ek falla ok vilja styðja mik með hendinni, en gull-
hringrinn mœtti steini nǫkkurum ok stǫkk í tvá hluti, ok þótti 20
mér dreyra ór hlutunum. **15.** Þat þótti mér líkara harmi en
skaða, er ek þóttumz þá bera eptir; kom mér þá í hug, at
brestr hafði verit á hringnum, ok þá er ek hugða at brotunum
eptir, þá þóttumz ek sjá fleiri brestina á, ok þótti mér þó, sem
heill mundi, ef ek hefða betr til gætt, ok var eigi þessi draumr 25
lengri."

16. Gestr svarar: „ekki fara í þurð draumarnir."

S. 92, 25. 1. tǫlðu um, „stellten
(mir) vor"; von telja.

3. ok — lengri. Als abschluss des
ersten traumes erwartet man — wie
es bei den folgenden geschieht —
eine bemerkung des Gestr; vielleicht
ist eine solche verloren gegangen,
die lücke ist aber allen handschriften
gemeinsam.

5. vatni, „landsee".

7. ok einkar vel sama, stark ver-
kürzt und anakoluthisch; der satz
muss regelrecht lauten: ok sá (scil.
hringr) þótti einkar vel sama mér.

9. rendi, „glitt".

10. 11. en ek mætta at glíkendum
ráða, „als ich mir vorstellen konnte
(dass es der fall sein würde)"; glík-
endi = líkindi, „vermutung"; ráða
at líkindum, „sich etwas vorstellen".

22. bera eptir, „ertragen".

23. brestr, „sprung".

24. 25. sem — gætt, „als wenn er
unbeschädigt geblieben wäre, falls
ich besser acht gegeben hätte".

27. fara í þurð, „nehmen (an be-
deutung) ab"; þurðr, „verminde-
rung" (zu þverra).

Ld.   Ok enn mælti Guðrún: „sá var enn fjórði draumr minn,
XXXIII. at ek þóttumz hafa hjálm á hǫfði af gulli ok var settr mjǫk
gimsteinum. 17. Ek þóttumz eiga þá gersemi, en þat þótti
mér helzt at, at hann var nǫkkurs til þungr, því at ek fekk
5 varla valdit, ok bar ek halt hǫfuðit, ok gaf ek þó hjálminum
enga sǫk á því ok ætlaða ekki at lóga honum; en þó steypðiz
hann af hǫfði mér ok út á Hvammsfjǫrð, ok eptir þat vakn-
aða ek. Eru þér nú sagðir draumarnir allir.‘
        18. Gestr svarar: „glǫggt fæ ek sét, hvat draumar þessir
10 eru, en mjǫk mun þér samstaft þykkja, því at ek mun næsta
einn veg alla ráða. 19. Bœndr mantu eiga fjóra, ok væntir
mik. þá er þú ert enum fyrsta gipt, at þat sé þér ekki girnda-
ráð. 20. Þar er þú þóttiz hafa mikinn fald á hǫfði, ok
þótti þér illa sama, þar muntu lítit unna honum; ok þar er
15 þú tókt af hǫfði þér faldinn ok kastaðir á vatnit, þar muntu
ganga frá honum. Því kalla menn á sæ kastat, er maðr lætr
eigu sína ok tekr ekki í mót.“
        21. Ok enn mælti Gestr: „sá var draumr þinn annarr, at
þú þóttiz hafa silfrhring á hendi. Þar muntu vera gipt ǫðrum
20 manni, ágætum; þeim muntu unna mikit ok njóta skamma
stund; kemr mér ekki þat at óvǫrum, þóttu missir hans með
druknun, ok eigi geri ek þann draum lengra. 22. Sá var enn
þriði draumr þinn, at þú þóttiz hafa gullhring á hendi. Þar
muntu eiga enn þriðja bónda; ekki mun sá því meira verðr,
25 sem þér þótti sá málmrinn torugætri ok dýrri; en nær er þat
mínu hugboði, at í þat mund muni orðit siðaskipti, ok muni
sá þinn bóndi hafa tekit við þeim sið, er vér byggjum at
miklu sé háleitari. 23. En þar er þér þótti hringrinn í sundr
støkkva, nǫkkut af þinni vangeymslu, ok sátt blóð koma ór

---

3. 4. *þótti mér helzt at*, „kam mir
am meisten als ein ungemach vor“.

4. *nǫkkurs til*, „etwas zu“.

4. 5. *fekk varla valdit*, „konnte
kaum ertragen“.

10. *samstaft*, „gleichartig“.

16. *á sœ kastat*. Sprichwörtlich
wird gesagt *at kasta á sœ* (oder *á
glœ*), „verschwenden“.

21. *óvǫrum*, dat. sg., apposition
zu *mer*.

22. *eigi geri ek þann draum lengra*,
„nicht kann ich in diesem traume
mehr finden“.

24. *því meira verðr*, „um so viel
vorzüglicher“.

27. *þeim sið*, d. i. „dem christen-
tum“. Als christ übertrifft der dritte
gatte der Guðrún (Bolli) seinen vor-
gänger oben so sehr wie gold wert-
voller ist als silber.

29. *nǫkkut*, „zum teil“.

hlutunum, þá mun sá þinn bóndi vera veginn; muntu þá **Ld.**
þykkjaz glǫggst sjá þá þverbresti, er á þeim ráðahag hafa**XXXIII.**
verit.“

24. Ok enn mælti Gestr: „sjá er enn fjórði draumr þinn,
at þú þóttiz hafa hjálm á hǫfði af gulli ok settr gimsteinum 5
ok varð þér þungbærr. Þar munt þú eiga enn fjórða bónda.
25. Sá mun vera mestr hǫfðingi ok mun bera heldr œgishjálm
yfir þér. Ok þar er þér þótti hann steypaz út á Hvammsfjǫrð,
þá man hann þann sama fjǫrð fyrir hitta á enum efsta degi
síns lífs; geri ek nú þenna draum ekki lengra.“ 10
26. Guðrúnu setti dreyrrauða, meðan draumarnir váru
ráðnir; en engi hafði hon orð um, fyrr en Gestr lauk sínu
máli.

. **27.** Þá segir Guðrún: „hitta mundir þú fegri spár í þessu
máli, ef svá væri í hendr þér búit af mér; en haf þó þǫkk 15
fyrir, er þú hefir ráðit draumana, en mikit er til at hyggja,
ef þetta allt skal eptir ganga.“
28. Guðrún bauð þá Gesti af nýju, at hann skyldi þar
dveljaz um daginn, kvað þá Ósvífr mart spakligt tala mundu.
29. Hann svarar: „ríða mun ek, sem ek hefi á kveðit, en 20
segja skaltu fǫður þínum kveðju mína, ok seg honum þau mín
orð, at koma mun þar, at skemra mun í milli bústaða okkarra
Ósvífrs, ok mun okkr þá hœgt um tal, ef okkr er þá leyft at
talaz við.“
30. Síðan fór Guðrún heim, en Gestr reið í brott ok 25
mœtti heimamanni Óláfs við túngarð. Hann bauð Gesti í
Hjarðarholt at orðsending Óláfs. Gestr kvaz vilja finna Óláf
um daginn, en gista í Þykkvaskógi. **31.** Snýr húskarl þegar

---

S. 94, 29. *vangeymslu*, „unachtsam-
keit“, = *vangœzlu*.

2. *þá þverbresti*, „die grossen
mängel“; *þverbrestr*, wörtl. „quer-
sprung“.

6. *þungbœrr*, „schwer zu tragen“.

15. *ef — mér*, „falls mein bericht
die möglichkeit gewährt hätte“.

16. *mikit er til at hyggja*, „schwere
zeiten sind zu erwarten“.

17. *eptir ganga*, „in erfüllung
gehen“.

19. *þá Ósvífr*, „er und Ó.“

22—24. Die worte Gests ent-
halten die weissagung, dass ihn und
Ósvífr dasselbe grab aufnehmen
werde.

26. *við túngarð*, „am zaune des
(zu dem hofe Laugar gehörigen)
grasfeldes“.

27. 28. *finna Oláf um daginn, en
gista í Þ.*, „den Óláfr im verlaufe
des tages zu besuchen, die nacht
aber in Þ. zubringen“.

Ld. heim ok segir Oláfi svá skapat. Óláfr lét taka hesta, ok reið
XXXIII. hann í mót Gesti við nǫkkura menn. Þeir Gestr finnaz inn
við Ljá. **32.** Óláfr fagnar honum vel ok hauð honum til sín
með allan flokk sinn. Gestr þakkar honum boðit ok kvaz
5 ríða mundu á bœinn ok sjá híbýli hans, en gista Ármóð. **33.** Gestr dvalðiz lítla hríð ok sá þó víða á bœinn ok lét vel
yfir, kvað eigi þar fé til sparat bœjar þess. Óláfr reið á leið
með Gesti til Laxár.
 34. Þeir fóstbrœðr hǫfðu verit á sundi um daginn; réðu
10 þeir Óláfssynir mest fyrir þeiri skemtun. Margir váru ungir
menn af ǫðrum bœjum á sundi. Þá hlupu þeir Kjartan ok
Bolli af sundi, er flokkrinn reið at, váru þá mjǫk klæddir, er
þeir Gestr ok Óláfr riðu at. **35.** Gestr leit á þessa ena ungu
menn um stund ok sagði Óláfi, hvar Kjartan sat ok svá Bolli;
15 ok þá rétti Gestr spjótshalann at sér hverjum þeira Óláfssona
ok nefndi þá alla, er þar váru, **36.** en margir váru þar aðrir
menn allvænligir, þeir er þá váru af sundi komnir ok sátu á
árbakkanum hjá þeim Kjartani. Ekki kvaz Gestr þekkja
ættarbragð Óláfs á þeim mǫnnum.
20 **37.** Þá mælti Óláfr: „eigi má ofsǫgum segja frá vitsmunum
þínum, Gestr, er þú kennir óséna menn, ok þat vil ek, at þú
segir mér, hverr þeira enna ungu manna mun mestr verða
fyrir sér.“
 38. Gestr svarar: „þat mun mjǫk ganga eptir ástríki þínu,
25 at um Kjartan mun þykkja mest vert, meðan hann er uppi.“
 Síðan keyrði Gestr hestinn ok reið í brott. **39.** En
nǫkkuru síðar ríðr Þórðr enn lági, son hans, hjá honum ok
mælti: „hvat berr nú þess við, faðir minn, er þér hrynja
tár?“
30 **40.** Gestr svarar: „þarfleysa er at segja þat, en eigi nenni

---

3. *Ljá*, ein fluss im n. der *Laxá*
parallel mit dieser fliessend.

9. *Þeir fóstbrœðr*, d. h. die söhne
Óláfs und Bolli.

19. *ættarbragð*, „familienähnlich-
keit“.

20. *eigi má ofsǫgum segja*, „nichts
übertriebenes kann man berichten“,

d. h. „nicht genug kann man rüh-
men“.

24. *ástríki*, „grosse liebe“.

25. *er uppi*, „lebt“.

27. *Þórðr*. Auch in der Landnáma-
bók II, 25 angeführt.

28. *hvat berr nú þess við*, „was
ist die ursache davon“.

30. *þarfleysa = þarfleysi*.

ek at þegja yfir því, er á þínum dǫgum mun fram koma; en **Ld.**
ekki kemr mér at óvǫrum, þótt Bolli standi yfir hǫfuðsvǫrðum **XXXIII.**
Kjartans, ok hann vinni sér þá ok hǫfuðbana, ok er þetta illt **XXXIV.**
at vita um svá mikla ágætismenn."
Síðan riðu þeir til þings, ok er kyrt þingit.

Guðrúns erste ehe (mit Þorvaldr Halldórsson).

XXXIV, 1. Þorvaldr hét maðr, son Halldórs Garpsdals-
goða. Hann bjó í Garpsdal í Gilsfirði, auðigr maðr ok engi
hetja. Hann bað Guðrúnar Ósvífrsdóttur á alþingi, þá er hon
var fimtán vetra gǫmul. **2.** Því máli var eigi fjarri tekit, en
þó sagði Ósvífr, at þat mundi á kostum finna, at þau Guðrún 10
váru eigi jafnmenni. Þorvaldr talaði óharðfœrliga, kvaz konu
biðja, en ekki fjár. **3.** Síðan var Guðrún fǫstnuð Þorvaldi,
ok réð Ósvífr einn máldaga, ok svá var skilt, at Guðrún skyldi
ein ráða fyrir fé þeira, þegar er þau koma í eina rekkju, ok
eiga alls helming, hvárt er samfarar þeira væri lengri eða 15
skemri; **4.** hann skyldi ok kaupa gripi til handa henni, svá
at engi jafnfjáð kona ætti betri gripi, en þó mætti hann halda
búi sínu fyrir þær sakir. Ríða menn nú heim af þingi. **5.** Ekki
var Guðrún at þessu spurð, ok heldr gerði hon sér at þessu

Cap. XXXIV. 7. *í Gilsfirði.* Der
Gilsfjǫrðr ist die innerste ver-
zweigung des Breiðifjǫrðr in nord-
östlicher richtung. Ueber das hier
erwähnte geschlecht siehe Land-
námabók II, 21.
9. *fimtán vetra gǫmul.* Nach den
sagas wurden die mädchen öfter in
einem noch sehr jugendlichen alter
verheiratet. Vgl. Grundriss II², 217.
eigi fjarri tekit, „nicht übel auf-
genommen".
10. *þat mundi á kostum finna*,
„dass würde aus den bedingungen
(dem heiratskontrakt) ersichtlich
werden".
11. *váru eigi jafnmenni*, „nicht
gleich (vornehm) waren".
óharðfœrliga, „nachgiebig, be-
scheiden".
Sagabibl. IV.

13. *ok svá var skilt*, „und so ward
es ausbedungen".
14. *er — rekkju.* Die formelle voll-
ziehung der ehe geschah dadurch,
dass das brautpaar in gegenwart
von zeugen zu dem ehebette ge-
leitet ward. Vgl. Grundriss II²,
s. 219.
15. *eiga alls helming.* Zwischen
den gatten wurde demnach das so-
genannte *helmingarfélag* geschlos-
sen, wodurch jeder der gatten be-
sitzer der halben masse wurde.
16. *gripi*, „kostbarkeiten".
17. *jafnfjáð*, „ebenso vermögend".
17. 18. *en — sakir*, „aber doch so,
dass er trotzdem seinen haushalt
führen konnte" (dass die nötigen
mittel zum betriebe der wirtschaft
übrig blieben).

Ld.
XXXIV. ógetit, ok var þó kyrt. Brúðkaup var í Garpsdal at tví-
mánuði.

6. Lítt unni Guðrún Þorvaldi ok var erfið í gripa kaupum;
váru engar gersimar svá miklar á Vestfjǫrðum, at Guðrúnu
5 þœtti eigi skapligt at hon ætti, en galt fjándskap Þorvaldi, ef
hann keypti eigi, hversu dýrar sem metnar váru. 7. Þórðr
Ingunnarson gerði sér dátt við þau Þorvald ok Guðrúnu ok
var þar lǫngum; ok fell þar mǫrg umrœða á um kærleika
þeira Þórðar ok Guðrúnar. 8. Þat var eitt sinn, at Guðrún
10 beiddi Þorvald gripa kaups. Þorvaldr kvað hana ekki hóf at
kunna ok sló hana kinnhest.

Þá mælti Guðrún: „nú gaftu mér þat, er oss konum þykkir
miklu skipta, at vér eigim vel at gǫrt, en þat er litarapt gott,
ok af hefir þú mik ráðit brekvísi við þik.“

15 9. Þat sama kveld kom Þórðr þar. Guðrún sagði honum
þessa svívirðing ok spurði hann, hverju hon skyldi þetta launa.
Þórðr brosti at ok mælti: „hér kann ek gott ráð til. Gerðu
honum skyrtu ok brautgangs hǫfuðsmátt ok seg skilit við
hann fyrir þessar sakir.“

20 10. Eigi mælti Guðrún í móti þessu, ok skilja þau talit.

Þat sama vár segir Guðrún skilit við Þorvald ok fór heim
til Lauga. 11. Síðan var gǫrt féskipti þeira Þorvalds ok Guð-
rúnar, ok hafði hon helming fjár alls, ok var nú meira en
áðr. Tvá vetr hǫfðu þau ásamt verit. 12. Þat sama vár
25 seldi Ingunn land sitt í Króksfirði, þat sem síðan heitir á

---

1. *ógetit*, „was jmd. missfällt“;
gerði — ógetit, „sio gab ihr miss-
fallen kund“.

1. 2. *at tvímánuði*, d. h. in dem
fünften sommermonat (ungef. sep-
tember). Das wort scheint „doppel-
monat“ zu bedeuten.

3. *erfið*, „schwierig“.

7. *dátt*, „lieb“; *gerði sér dátt við
þau*, „wurde mit ihnen befreundet“.

12. 13. *er — skipta*, „worauf wir
frauen grossen wert legen“.

13. *vel at gǫrt*, „in gutem stande“.
litarapt, „gesichtsfarbe“.

18. *brautgangs hǫfuðsmátt. braut-
gangr*, „weggehen“, d. h. schei-

dung; *hǫfuðsmátt*, „halsloch“; *b-s
h.*, ein hemd, welches so tief aus-
geschnitten ist, dass die brustwarzen
nicht bedeckt sind (s. c. 35, 9).
Trug ein mann ein solches hemd,
so war dies für die frau ein gesetz-
licher scheidungsgrund: es wurde
nämlich als unanständig angesehen,
kleider zu tragen, welche sich für
das betreffende geschlecht nicht
passten. Vgl. Grundriss II², s. 222.

23. 24. *ok var nú meira en áðr*,
„und (ihr besitz) war nun grösser
als zuvor“.

25. *í Króksfirði*. Es wird als be-
kannt vorausgesetzt — was andere

Ingunnarstǫðum, ok fór vestr á Skálmarnes; hana hafði átt **Ld.**
Glúmr Geirason, sem fyrr var ritat. 13. Í þenna tíma bjó **XXXIV.**
Hallsteinn goði á Hallsteinsnesi fyrir vestan Þorskafjǫrð. Hann **XXXV.**
var ríkr maðr ok meðallagi vinsæll.

Guðrúns zweite ehe (mit Þórðr Ingunnarson); dieser wird durch den
zauber des Kotkell getötet.

XXXV, 1. Kotkell hét maðr, er þá hafði út komit fyrir 5
lítlu. Gríma hét kona hans; þeira synir váru þeir Hallbjǫrn
slíkisteinsauga ok Stígandi. Þessir menn váru suðreyskir.
Qll váru þau mjǫk fjǫlkunnig ok enir mestu seiðmenn. **2.** Hall-
steinn goði tók við þeim ok setti þau niðr at Urðum í Skálmar-
firði, ok var þeira bygð ekki vinsæl. 10
3. Þetta sumar fór Gestr til þings ok fór á skipi til Saur-
bœjar, sem hann var vanr. Hann gisti á Hóli í Saurbœ. Þeir
.mágar léðu honum hesta, sem fyrr var vant. **4.** Þórðr Ing-
unnarson var þá í fǫr með Gesti ok kom til Lauga í Sælings-
dal. Guðrún Ósvífrsdóttir reið til þings ok fylgði henni Þórðr 15

---

quellen (Landnámabók, Reykdœla
saga) ausdrücklich berichten —, dass
die eltern des Þórðr, Ingunn und
Glúmr Geirason, im *K.*, westlich
vom *Gilsfjǫrðr*, wohnten.
1. *Skálmarnes*, eine halbinsel an
der nordküste des *Breiðifjǫrðr*.
3. *Hallsteinn goði.* Dieser mann
wird hier erwähnt, als ob er zum
ersten mal in der saga genannt
würde; tatsächlich ist es jedoch der-
selbe mann, der c. 10, 4 als vater
des Þorsteinn surtr und dessen
schwester Vígdís erwähnt wurde.
Zu der zeit (um 990), wo die saga
ihn zu Hallsteinsnes wohnen lässt,
muss er, der aller wahrscheinlichkeit
nach als erwachsener mann am
schlusse des 9. jahrhunderts mit
seinem vater nach Island kam,
längst tot gewesen sein.
4. *meðallagi*, „mittelmässig“, d. h.

nicht besonders; eig. ein neutrales
substantiv in dat. sg.
Cap. XXXV. 5. *hafði út komit*,
„(nach Island) ausgewandert war“.
7. *slíkisteinsauga*, beiname, wört-
lich „schleifsteinsauge“.
suðreyskir, von den Hebriden.
Diese inseln hatten damals zum teil
skandinavische bevölkerung.
9. 10. *at Urðum í Skálmarfirði*,
der S. ist ein meerbusen, der gegen
osten das c. 34, 12 genannte *Skálm-
arnes* begrenzt; an der ostseite
dieser halbinsel zeigt man noch die
stelle, wo der hof Urðir einst ge-
legen hat.
11. 12. *fór á skipi til Saurbœjar*,
d. h. er segelte über den Breiði-
fjǫrðr (welches für ihn der be-
quemste weg war).
13. *sem fyrr var vant*, „wie ge
wöhnlich“.

7*

Ld. Ingunnarson. **5.** Þat var einn dag, er þau riðu yfir Bláskóga-
XXXV. heiði — var á veðr gott —, þá mælti Guðrún: „hvárt er þat
satt, Þórðr, at Auðr kona þín er jafnan í brókum ok setgeiri
í, en vafit spjǫrrum mjǫk í skúa niðr?“

5 Hann kvaz ekki hafa til þess fundit.

6. „Lítit bragð mun þá at,“ segir Guðrún, „ef þú finnr
eigi, ok fyrir hvat skal hon þá heita Bróka-Auðr?“

Þórðr mælti: „vér ætlum hana lítla hríð svá hafa verit
kallaða.“

10 **7.** Guðrún svarar: „hitt skiptir hana enn meira, at hon
eigi þetta nafn lengi síðan.“

Eptir þat kómu menn til þings; er þar allt tíðendalaust.
8. Þórðr var lǫngum í búð Gests ok talaði jafnan við Guðrúnu.
Einn dag spurði Þórðr Ingunnarson Guðrúnu, hvat konu varð-
15 aði, ef hon væri í brókum jafnan svá sem karlar.

9. Guðrún svarar: „slíkt víti á konum at skapa fyrir þat
á sitt hóf sem karlmanni, ef hann hefir hǫfuðsmátt svá mikla,
at sjái geirvǫrtur hans berar, brautgangssǫk hvárttveggja.“

10. Þá mælti Þórðr: „hvárt ræðr þú mér, at ek segi skilit
20 við Auði hér á þingi eða í heraði ok geri ek þat við fleiri

---

1. 2. *Bláskógaheiði*, eine hochebene im südwestlichen Island,
welche die landschaft um den *Borgar-*
fjǫrðr von dem bezirke, wo *Þing-*
vellir, die stelle des gemeinsamen
things, liegt, trennt.
3. 4. *í brókum — spjǫrrum neðan.*
Wie es scheint wird hier eine definition von männerhosen gegeben,
und zwar in solcher weise, dass
man vermuten könnte, dass eine
entsprechende — wenn auch anders
eingerichtete, hinten nicht geschlossene — bekleidung auch für
weiber gebräuchlich gewesen sei,
was jedoch nicht bekannt ist. *set-*
geiri, „hinterstück“ (das gesäss der
hosen bildend); *spjarrar*, „zeugstreifen“ (welche um die waden ge-

wickelt den untersten teil der hosen
festhalten sollten). Die hosen gingen
also bis auf den knöchel herab; der
fuss ist entweder von einer socke
bedeckt gewesen, oder die genannten *spjarrar* haben zugleich
die fussbekleidung gebildet. Vgl.
Arkiv f. nord. filol. IX, 90—91.
6. *Lítit bragð*, „geringe bedeu-
tung“.
8. *lítla hríð*, „eine kurze zeit“,
d. h. nicht früher als jetzt.
10. 11. *hitt — eigi*, „das ist für sie
von grösserer bedeutung, dass sie
wird tragen müssen“.
17. *á sitt hóf*, „verhältnismässig“,
d. h. in demselben grade.
20. *í heraði*, d. h. in meinem
heimatsbezirk“.

manna ráð, því at menn eru skapstórir, þeir er sér mun þykkja **Ld.**
misboðit í þessu.ʻ **XXXV.**

11. Guðrún svarar stundu síðar: „aptans bíðr óframs sǫk.ʻ

Þá spratt Þórðr þegar upp ok gekk til lǫgbergs ok nefndi
sér vátta, at hann segir skilit við Auði, ok fann þat til saka, 5
at hon skarz í setgeirabrœkr sem karlkonur. **12.** Brœðrum
Auðar líkar illa, ok er þó kyrt. Þórðr ríðr af þingi með þeim
Ósvífrssonum. En er Auðr spyrr þessi tíðendi, þá mælti hon:

2. „vel es ek veit þat,
   vask ein of láten.ʻ 10

13. Síðan reið Þórðr til féskiptis vestr til Saurbœjar með
tólfta mann, ok gekk þat greitt, því at Þórði var óspart um,
hversu fénu var skipt. Þórðr rak vestan til Lauga mart búfé.
14. Síðan bað hann Guðrúnar; var honum þat mál auðsótt
við Ósvífr, en Guðrún mælti ekki í móti. Brullaup skyldi 15
vera at Laugum at tíu vikum sumars; var sú veizla allskǫrulig.
15. Samfǫr þeira Þórðar ok Guðrúnar var góð. Þat eitt helt
til, at Þorkell hvelpr ok Knútr fóru eigi málum á hendr Þórði
Ingunnarsyni, at þeir fengu eigi styrk til.

16. Annat sumar eptir hǫfðu Hólsmenn selfǫr í Hvamms- 20
dal. Var Auðr at seli. Laugamenn hǫfðu selfǫr í Lambadal;
sá gengr vestr í fjǫll af Sælingsdal. **17.** Auðr spyrr þann

---

1. *ráð*, „billigung".

2. *misboðit*, „verunglimpft".

3. *stundu síðar*, „etwas später".

aptans — sǫk. Sprichwort: „die
sache des feigen wartet den abend
ab", d. h. der feige sucht aufschub.

6. *skarz í*, v. *skera* (eig „schneiden"),
„anzog". Bez. *skeraz* vgl. 9, 2 u. 37, 2.
karlkonur, ein sonst unbekanntes
wort: „mannweiber".

9. 10. Wortfolge wie gewöhnlich;
übersetzung: „wol, dass ich es weiss;
ich bin (von meinem manne) ver-
lassen". Es scheint, als ob Auðr
unter diesem ironischen ausspruch
ihren schmerz verbergen will.

12. *Þórði var óspart um*, „þ. nahm
es nicht so genau".

16. *at tíu vikum sumars*, „als 10
wochen vom sommer übrig waren"
d. h. im monat august. Vgl. c. 23, 21.

17. 18. *helt til*, „bewirkte".

18. *fóru — Þórði*, „nicht klagbar
gegen þ. wurden". *Þorkell* und
Knútr sind die früher erwähnten
brüder der *Auðr*.

19. *styrk*, „stärke". Eine rechts-
sache dieser art konnte ohne ent-
faltung bewaffneter macht schwer
durchgeführt werden.

20. *Annat sumar*, „im nächsten
sommer".

20—22. *Hvammsdal . . . Lamba-
dal . . . Sælingsdal*. Von dem be-
zirke *Saurbœr* ausgehend erstreckt
sich gegen südost ein tal (der Staðar-

Ld. mann, er smalans gætti, hversu opt hann fyndi smalamann
XXXV. frá Laugum. Hann kvað þat jafnan vera, sem líkligt var, því
at háls einn var á milli seljanna.

18. Þá mælti Auðr: „þú skalt hitta í dag smalamann frá
5 Laugum, ok máttu segja mér, hvat manna er at vetrhúsum
eða í seli, ok rœð allt vingjarnliga til Þórðar, sem þú átt
at gera.“

19. Sveinninn heitr at gera svá, sem hon mælti. En um
kveldit, er smalamaðr kom heim, spyrr Auðr tíðenda.

10 **20.** Smalamaðrinn svarar: „spurt hefi ek þau tíðendi, er
þér munu þykkja góð, at nú er breitt hvílugólf milli rúma
þeira Þórðar ok Guðrúnar, því at hon er í seli, en hann heljaz
á skálasmíð, ok eru þeir Ósvífr tveir at vetrhúsum.“

21. „Vel hefir þú njósnat,“ segir hon, „ok haf söðlat
15 hesta tvá, er menn fara at sofa.“

Smalasveinn gerði, sem hon bauð.

22. Ok nøkkuru fyrir sólarfall sté Auðr á bak, ok var
hon þá at vísu í brókum. Smalasveinn reið øðrum hesti ok
gat varla fylgt henni, svá knúði hon fast reiðina. **23.** Hon
20 reið suðr yfir Sælingsdalsheiði ok nam eigi staðar fyrr en

---

hólsdalr) in das gebirge hinein,
während der *Sælingsdalr* von süden
her sich in nordwestlicher richtung
in dasselbe gebirge hineinschneidet.
Von jedem dieser zwei täler zweigt
sich ein nebental ab: vom Staðar-
hólsdalr der *Hvammsdalr* und vom
Sælingsdalr der *Lambadalr*; beide
nebentäler sind nur durch einen
schmalen bergrücken von einander
getrennt.

5. *at vetrhúsum*, „in den winter-
häusern“. Die *vetrhús* sind der
eigentliche hof, wohin die leute,
welche im sommer auf den senn-
hütten beschäftigt gewesen waren,
am anfange des winters zurück-
kehrten

6. 7. *ok — gera*, „und sprich in
jeder hinsicht freundschaftlich von
Þ., wie sichs gebührt“.

8. *Sveinninn*, „der knabe“. Als

schafhirten wurden, wie es scheint,
gewöhnlich halberwachsene jüng-
linge verwendet.

11. *breitt hvílugólf*, „eine breite
bettkammer“, d. h. ein grosser ab-
stand.

12. *heljaz*, wahrscheinlich „sich
zu schanden arbeiten“ (d. h. sich
bis zum äussersten anstrengen; vgl.
neuisl. *drepa sik á*). Vgl. J. Þorkels-
son, Supplement til isl. ordb., Reykj.
1879—85. Anders bei Fritzner; bei
Cleasby-Vigfusson fehlt das wort.

13. *skálasmíð*, „aufführung eines
skáli (d. h. schlafhaus)“.

17. *sólarfall*, „sonnenuntergang“.

18. *at vísu í brókum*. A. hat
wahrsch. auf dem pferde rittlings
(wie ein mann) gesessen.

20. *Sælingsdalsheiði*, der zu § 16
erwähnte bergrücken, der die
äussersten verzweigungen des *Sæl-*

undir túngarði at Laugum. Þá sté hon af baki, en það smala- **Ld.**
sveininn gæta hestanna, meðan hon gengi til húss. **24.** Auðr **XXXV.**
gekk at durum, ok var opin hurð; hon gekk til eldhúss ok
at lokrekkju þeiri, er Þórðr lá í ok svaf; var hurðin fallin
aptr, en eigi lokan fyrir. **25.** Hon gekk í lokrekkjuna, en 5
Þórðr svaf ok horfði í lopt upp. Þá vakði Auðr Þórð, en
hann sneriz á hliðina, er hann sá, at maðr var kominn.
26. Hon brá þá saxi ok lagði á Þórði, ok veitti honum á-
verka mikla, ok kom á hǫndina hœgri, varð hann sárr á
báðum geirvǫrtum; svá lagði hon til fast, at saxit nam í 10
beðinum staðar. Síðan gekk Auðr brott ok til hests ok hljóp
á bak ok reið heim eptir þat. **27.** Þórðr vildi upp spretta,
er hann fekk áverkann, ok varð þat ekki, því at hann mœddi
blóðrás.

Við þetta vaknaði Ósvífr ok spyrr, hvat títt væri, en 15
Þórðr kvaz orðinn fyrir áverkum nǫkkurum. **28.** Ósvífr spyrr,
ef hann vissi, hverr á honum hefði unnit, ok stóð upp ok
batt um sár hans. Þórðr kvaz ætla, at þat hefði Auðr gǫrt.
29. Osvífr bauð at ríða eptir henni, kvað hana fámenna til
mundu hafa farit, ok væri henni skapat víti. Þórðr kvað 20
þat fjarri skyldu fara, sagði hana slíkt hafa at gǫrt, sem
hon átti.

30. Auðr kom heim í sólarupprás, ok spurðu þeir brœðr
hennar, hvert hon hefði farit. Auðr kvaz farit hafa til Lauga
ok sagði þeim, hvat til tíðenda hafði gǫrz í fǫrum hennar. 25
Þeir létu vel yfir ok kváðu of lítit mundu at orðit. **31.** Þórðr

---

ingsdalr von den südlichsten tälern
im *Saurbœr* scheidet.

2. *til húss,* gewöhnlicher ist *til
húsa,* da jeder isländische hof aus
mehreren zusammengebauten häu-
sern besteht, von dem jedes ein
zimmer ausmacht. Vgl. Grundriss
II ², s. 230.

3. 4. *til — lokrekkju. eldhús* be-
zeichnet hier ein gebäude, das zu-
gleich als küche und als schlafraum
dient, also auch die betten enthält.
Die hier befindliche *lokrekkja* muss
man sich als eine kleine, von dem

hauptraume durch bretterwände ge-
schiedene bettkammer vorstellen,
zu der eine tür (*hurð*) führte, welche
durch einen riegel (*loka*) geschlossen
werden konnte. Vgl. Grundriss II ²,
s. 230, 233—34, 249.

8. *saxi, sax* ist ein kurzes, ein-
schneidiges schwert.

10. 11. *í beðinum,* „in dem bette";
beðr, „bettdecke".

14. *blóðrás,* „blutverlust".

20. *ok — víti,* „und die strafe würde
für sie wolverdient sein".

21. 22. *sem hon átti,* „wie sie muste".

Ld. lá lengi í sárum, ok greru vel bringusárin, en sú hǫndin varð
XXXV. honum hvergi betri til taks en áðr. Kyrt var nú um vetrinn.
32. En eptir um várit kom Ingunn, móðir Þórðar, vestan
af Skálmarnesi. Hann tók vel við henni. Hon kvaz vilja
5 ráðaz undir áraburð Þórðar, kvað hon Kotkel ok konu hans
ok sonu gera sér óvært í fjárránum ok fjǫlkyngi, en hafa
mikit traust af Hallsteini goða. **33.** Þórðr veikz skjótt við
þetta mál ok kvaz hafa skyldu rétt af þjófum þeim, þótt
Hallsteinn væri at móti; snaraz þegar til ferðar við tíunda
10 mann. Ingunn fór ok vestr með honum. Hann hafði ferju
ór Tjaldanesi. **34.** Síðan heldu þau vestr til Skálmarness.
Þórðr lét flytja til skips allt lausafé, þat er móðir hans átti
þar, en smala skyldi reka fyrir innan fjǫrðu. Tólf váru þau
alls á skipi; þar var Ingunn ok ǫnnur kona. **35.** Þórðr kom
15 til bœjar Kotkels með tíunda mann. Synir þeira Kotkels
váru eigi heima. Síðan stefndi hann þeim Kotkatli ok Grímu
ok sonum þeira um þjófnað ok fjǫlkyngi ok lét varða skóggang.
Hann stefndi sǫkum þeim til alþingis, ok fór til skips eptir
þat. **36.** Þá kómu þeir Hallbjǫrn ok Stígandi heim, er Þórðr
20 var kominn frá landi ok þó skamt; sagði Kotkell þá sonum
sínum, hvat þar hafði í gǫrz. **37.** Þeir brœðr urðu óðir við
þetta ok kváðu menn ekki hafa fyrr gengit í berhǫgg við
þau um svá mikinn fjándskap. **38.** Síðan lét Kotkell gera
seiðhjall mikinn. Þau fœrðuz þar á upp ǫll. Þau kváðu
25 þar harðsnúin frœði; þat váru galdrar. Því næst laust á hríð
mikilli.

39. Þat fann Þórðr Ingunnarson ok hans fǫrunautar, þar
sem hann var á sæ staddr, ok til hans var gǫrt veðrit.

---

1. 2. *sú hǫndin — áðr*, „seine
(verwundete) hand wurde keines-
wegs brauchbarer (eigentl. besser
zum griff) als zuvor", d. h. sie wurde
nie völlig geheilt.

6. *óvært*, „unruhig, unangenehm";
gera ser óvært, „sie verunglimpfen",
„schädigen".

11. *ór Tjaldanesi*, *T.* ist ein hof
an der küste des *Saurbœr*.

13. *fyrir innan fjǫrðu*, landwärts,
die vielen föhrden entlang, die von

dem *Breiðifjǫrðr* in nördlicher rich-
tung ausgehen.

24. *seiðhjallr*, „gerüst zur aus-
übung des *seiðr* gebraucht".

25. *harðsnúin frœði*, „kräftige
weisheit", d. h. zauberformeln.

galdrar. Sowol *seiðr* als *galdr*
waren gesänge; vgl. F. Jónsson,
Þrjár ritgjörðir tileinkaðar Páli
Melsteð, Kph. 1892.

28. *til hans*, „gegen ihn", „ihm zum
verderben".

40. Keyrir skipit vestr fyrir Skálmarnes. Þórðr sýndi mikinn Ld.
hraustleik í sæliði. Þat sá þeir menn, er á landi váru, at XXXV.
hann kastaði því ǫllu, er til þunga var, utan mǫnnum; væntu XXXVI.
þeir menn, er á landi váru, Þórði þá landtǫku, því at þá var
af farit þat, sem skerjóttast var. **41.** Síðan reis boði skamt 5
frá landi, sá er engi maðr mundi, at fyrri hefði uppi verit, ok
laust skipit, svá at þegar horfði upp kjǫlrinn. Þar druknaði
Þórðr ok allt fǫruneyti hans, en skipit braut í spón, ok rak
þar kjǫlinn, er síðan heitir Kjalarey. **42.** Skjǫld Þórðar rak
í þá ey, er Skjaldarey er kǫlluð. Lík Þórðar rak þar þegar 10
á land ok hans fǫrunauta; var þar haugr orpinn at líkum
þeira, þar er síðan heitir Haugsnes.

Kotkell und seine familie werden von Þorleikr Hǫskuldsson beschützt.

XXXVI, 1. Þessi tíðendi spyrjaz víða ok mælaz illa
fyrir; þóttu þat ólíffismenn', er slíka fjǫlkyngi frǫmðu, sem þau
Kotkell hǫfðu þá lýst. **2.** Mikit þótti Guðrúnu at um líflát 15
Þórðar', ok var hon þá eigi heil, ok mjǫk framat. Guðrún
fœddi svein; sá var vatni ausinn ok kallaðr Þórðr. **3.** Í þenna
tíma bjó Snorri goði at Helgafelli; hann var frændi Ósvífrs
ok vin; áttu þau Guðrún þar mikit traust. Þangat fór Snorri
goði at heimboði. **4.** Þá tjáði Guðrún þetta vandkvæði fyrir 20

---

1. *Keyrir skipit* (unpers.), „das
schiff wird getrieben (in verkehrter
richtung)".

2. *í sæliði*, „durch (seine) tüchtig-
keit bei der seefahrt".

5. *af farit þat*, „die stelle passiert".
skerjóttast var, „die meisten klip-
pen enthielt".

6. *hefði uppi verit*, „existiere";
boði ist eine durch eine blinde
klippe verursachte brandung.

9—12. *Kjalarey ... Skjaldarey ...
Haugsnes. K.* und *S.* sind inseln
in dem *Breiðifjǫrðr, H.* ist die süd-
östlichste spitze von *Skálmarnes.*

Cap. XXXVI. 15. *lýst*, „an den
tag gelegt".

16. *mjǫk framat* (neutr. sg. un-
pers.), „ihrer niederkunft nahe".

18. *Snorri goði*, ein besonders
durch seine berechnende klugheit
bekannter häuptling, der in mehreren
sagas eine grosse rolle spielt; er
war ein sohn des c. 7, 25 u. c. 18, 1
genannten Þorgrímr Þorsteinsson.
Von ihm handelt besonders die
Eyrbyggja saga. Ueber seinen ratio-
nalismus bei einführung des christen-
tums siehe Kristni saga c. 11. Vgl.
ferner z. b. Heiðarvíga saga und
Njáls saga.

at Helgafelli, H. ist ein auf Þórsnes
(c. 10) belegener hof.

19. *Þangat*, „dorthin", d. h. nach
Laugar, dem wohnsitze der Guðrún.

Ld. Snorra, en hann kvaz mundu veita þeim at málum, þá er
XXXVI. honum sýndiz, en bauð Guðrúnu barnfóstr til hugganar við
hana. 5. Þetta þá Guðrún ok kvaz hans forsjá hlíta mundu.
Þessi Þórðr var kallaðr kǫttr, faðir Stúfs skálds. 6. Síðan
5 ferr Gestr Oddleifsson á fund Hallsteins goða ok gerði honum
tvá kosti, at hann skyldi reka í brott þessa fjǫlkunnigu menn,
ella kvaz hann mundu drepa þá, — „ok er þó ofseinat.“
7. Hallsteinn kaus skjótt ok bað þau heldr í brott fara
ok nema hvergi staðar fyrir vestan Dalaheiði, ok kvað réttara,
10 at þau væri drepin. Síðan fóru þau Kotkell í brott ok hǫfðu
eigi meira fé en stóðhross fjǫgur; var hestrinn svartr. Hann
var bæði mikill ok vænn ok reyndr at vígi. 8. Ekki er getit
um ferð þeira, áðr þau koma á Kambsnes til Þorleiks Hǫs-
kuldssonar. Hann falar at þeim hrossin, því at hann sá, at
15 þat váru afreksgripir.

Kotkell svarar: „gera skal þér kost á því. Tak við hross-
unum, en fá mér bústað nǫkkurn hér í nánd þér.“
9. Þorleikr mælti: „munu þá eigi heldr dýr hrossin, því
at ek hefi þat spurt, at þér munuð eiga heldr sǫkótt hér í
20 heraði?“

Kotkell svarar: „þetta muntu mæla til Laugamanna.“
Þorleikr kvað þat satt vera.
10. Þá mælti Kotkell: „þat horfir þó nǫkkut annan veg
við um sakir við Guðrúnu ok brœðr hennar, en þér hefir sagt
25 verit; hafa menn ausit hrópi á oss fyrir enga sǫk; ok þigg
stóðhrossin fyrir þessar sakir; ganga ok þær einar sǫgur frá

---

4. *kǫttr*, „katze“, hier beiname.

Stúfs skálds. Stúfr Þórðarson (auch
„Kattarson“) war ein bekannter
dichter des 11. jahrhunderts. Er
soll blind geboren sein, aber aus-
gedehnte kenntnis von der dichtung
der damaligen zeit besessen haben.
Vgl. Guðm. Þorláksson, Udsigt over
de norsk-islandske skjalde s. 113 fg.;
Sn. Edda III, 591 ff.

7. *er . . ofseinat*, „geschieht zu
spät“.

9. *Dalaheiði*, wahrscheinlich die
hochebene zwischen *Saurbœr* und
den tälern im südosten.

12. *reyndr at vígi*, „tüchtig zum
kampf“ (pferdekampf). Der kampf
zwischen pferden war ein beliebtes
nationalvergnügen. Vgl. Grundriss
II², s. 251.

23. 24. *horfir . . . við*, „verhält
sich“.

25. 26. *þigg—sakir*, „nimm dessen
ungeachtet die pferde an“.

þér, at vér munim eigi uppi orpin fyrir sveitarmǫnnum hér, Ld.
ef vér hǫfum þitt traust."   XXXVI.
11. Þorleikr slæz nú í málinu, ok þóttu honum fǫgr XXXVII.
hrossin, en Kotkell flutti kœnliga málit. Þá tók Þorleikr við
hrossunum. Hann fekk þeim bústað á Leiðólfsstǫðum í Laxár- 5
dal; hann birgði þau ok um búfé. **12.** Þetta spyrja Lauga-
menn, ok vilja synir Ósvífrs þegar gera til þeira Kotkels ok
sona hans.

Ósvífr mælti: „hǫfum vér nú ráð Snorra goða ok spǫrum
þetta verk ǫðrum, því at skamt mun líða, áðr búar Kotkels 10
munu eiga spánýjar sakir við þá, ok mun, sem vert er, Þor-
leiki mest mein at þeim; **13.** munu þeir margir hans óvinir af
stundu, er hann hefir áðr haft stundan af, en eigi mun ek
letja yðr at gera slíkt mein þeim Kotkatli, sem yðr líkar, ef
eigi verða aðrir til at elta þau ór heraði eða taka af lífi með 15
ǫllu, um þat er þrír vetr eru liðnir."

14. Guðrún ok brœðr hennar sǫgðu svá vera skyldu.

Ekki unnuz þau Kotkell mjǫk fyrir, en hvárki þurftu þau
um vetrinn at kaupa hey né mat, ok var sú bygð óvinsæl.
Eigi treystuz menn at raska kosti þeira fyrir Þorleiki.   20

Hrútr beleidigt seinen brudersohn Þorleikr durch die tötung des Eldgrímr.
Þorleikr rächt sich mit hilfe des Kotkell, der zur strafe getötet wird.

XXXVII, 1. Þat var eitt sumar á þingi, er Þorleikr sat
í búð sinni, at maðr einn mikill gekk í búðina inn. Sá
kvaddi Þorleik, en hann tók kveðju þessa manns ok spurði
hann at nafni, eða hvaðan hann væri. **2.** Hann kvaz Eld-
grímr heita ok búa í Borgarfirði á þeim bœ, er heita Eld- 25
grímsstaðir, — en sá bœr er í dal þeim, er skerz vestr í fjǫll
milli Múla ok Grísartungu; sá er nú kallaðr Grímsdalr.

---

1. *uppi — hér*, „schutzlos den
leuten des hiesigen bezirks gegen-
über".
4. *kœnliga*, „schlau".
5. *á Leiðólfsstǫðum*, L. ist ein
hof südlich von der *Laxá*, etwas
östlicher als *Hǫskuldsstaðir*.
7. *gera til*, „angreifen".
9. *ráð Snorra goða*, vgl. c. 36, 4.

11. *spánýjar*, „ganz neue"; von
spá(n)nýr, „neu wie ein (eben ab-
geschnitzter) span".
12. 13. *af stundu*, „bald".
13. *stundan*, „hochachtung".
18. *unnuz . . . fyrir*, „arbeiteten
. . . für ihren unterhalt".

Cap. XXXVII. 25—27. *Eldgríms-*

3. Þorleikr segir: „heyrt hefi ek þín getit at því, at þú sér ekki lítilmenni.“

Eldgrímr mælti: „þat er erendi mitt hegat, at ek vil kaupa at þér stóðhrossin þau en dýru, er Kotkell gaf þér í fyrra 5 sumar.“

4. Þorleikr svarar: „eigi eru fǫl hrossin.“

Eldgrímr mælti: „ek býð þér jafnmǫrg stóðhross við ok meðalauka nǫkkurn, ok munu margir mæla, at ek bjóða við tvenn verð.“

10 5. Þorleikr mælti: „engi em ek mangsmaðr, því at þessi hross fær þú aldregi, þóttu bjóðir við þrenn verð.“

Eldgrímr mælti: „eigi mun þat logit, at þú munt vera stórr ok einráðr. Munda ek þat ok vilja, at þú hefðir óríf- ligra verðit, en nú hefi ek þér boðit, ok létir þú hrossin eigi 15 at síðr.“

6. Þorleikr roðnaði mjǫk við þessi orð ok mælti: „þurfa muntu, Eldgrímr, at ganga nær, ef þú skalt kúga af mér hrossin.“

7. Eldgrímr mælti: „ólíkligt þykki þér þat, at þú munir 20 verða halloki fyrir mér, en þetta sumar mun ek fara at sjá hrossin, hvárr okkarr sem þá hlýtr þau at eiga þaðan í frá.“

Þorleikr segir: „ger, sem þú heitr, ok bjóð mér engan liðsmun.“

8. Síðan skilja þeir talit. Þat mæltu menn, er heyrðu, 25 at hér væri makliga á komit um þeira skipti. Síðan fóru menn heim af þingi, ok var allt tíðendalaust.

9. Þat var einn morgin snimma, at maðr sá út á Hrúts- stǫðum at Hrúts bónda Herjólfssonar. En er hann kom inn,

---

staðir . . . Grímsdalr, E. ist ein jetzt verfallener hof in dem gegen- wärtig unbewohnten Grímsdalr im westlichen Island; Múli und Grísar- tunga bilden die östliche und west- liche begrenzung dieses tales, das den vormals bewohnten, hochliegen- den Langavatnsdalr mit dem süd- licheren tiefland Mýrar verbindet.

8. meðalauka, „zugabe“.

10. mangsmaðr, „krämer“.

13. einráðr, „eigensinnig“.

13. 14. órífligra, „weniger vorteil- haft“.

17. ganga nær, „weiter gehen“, „sich mehr anstrengen“ (eig. „zu- dringlicher sein“).

20. verða halloki, „zu kurz kom- men“.

25. at — skipti, „dass sie als gegner gut passten“, „dass hier ein paar ebenbürtige gegner an einander geraten seien“.

28. at Hrúts, scil. bœ oder dergl.

spurði Hrútr tíðenda; sá kvez engi tíðendi kunna at segja Ld.
ǫnnur, en hann kvez sjá mann ríða handan um vaðla ok þar XXXVII.
til, er hross Þorleiks váru, ok sté maðrinn af baki ok hǫndl-
aði hrossin. **10.** Hrútr spurði, hvar hrossin væri þá.

Húskarl mælti: „vel hǫfðu þau enn haldit haganum, þau 5
stóðu jafnt í engjum þínum fyrir neðan garð.“

11. Hrútr svarar: „þat er satt, at Þorleikr frændi er
jafnan ómeskinn um beitingar, ok enn þykki mér líkara, at
eigi sé at hans ráði hrossin rekin á brott.“

Síðan spratt Hrútr upp í skyrtu ok línbrókum ok kastaði 10
yfir sik grám feldi ok hafði í hendi bryntroll gullrekit, er
Haraldr konungr gaf honum. **12.** Hann gekk út nǫkkut
snúðigt ok sá, at maðr reið at hrossum fyrir neðan garð.
Hrútr gekk í móti honum ok sá, at Eldgrímr rak hrossin.
13. Hrútr heilsaði honum. Eldgrímr tók kveðju hans ok 15
heldr seint.

Hrútr spurði, hvert hann skyldi reka hrossin.

14. Eldgrímr svarar: „ekki skal þik því leyna, en veit
ek frændsemi með ykkr Þorleiki; en svá em ek eptir hross-
unum kominn, at ek ætla honum þau aldri síðan; hefi ek ok 20

---

2. *vaðla*, von *vaðill (-all)*, „wasser,
durch welches man waten kann“;
handan um vaðla, „von jenseits
durch das seichte wasser“. Diese
vaðlar bilden die südöstlichste ecke
des *Hvammsfjǫrðr*, und durch sie
führt zur zeit der ebbe der ge-
wöhnliche weg.

5. *vel — haganum*, „richtig waren
sie auch diesmal auf der weide ver-
blieben“, d. h. sie liessen es sich
wie gewöhnlich auf ihrem guten
weideplatz wol sein — ironisch,
weil die pferde auf fremdem boden
weiden.

6. *jafnt*, „just“.
fyrir neðan garð, „unterhalb des
zaunes (des *tún*)“.

8. *ómeskinn*, ein ἅπαξ λεγ.; vgl.
norweg. *mesken*, *meskjen*, „lüstern,

lecker“ (Aasen 495 a; Ross 513 a);
ó. ist also eigentl. jmd., der in be-
zug auf seine speise nicht wählerisch
ist, dann überhaupt jmd., der es
nicht genau mit einer sache nimmt.

9. *á brott*, von den weiden Hrúts
nämlich, wo sie nicht sein durften.

10. *í — línbrókum*, stehender aus-
druck in den sagas; man muss also
annehmen, dass die leute auch wäh-
rend der nacht die unterkleider
anbehielten und diese (wenigstens
die unterbeinkleider), merkwürdiger-
weise, von leinwand waren.

11. *bryntroll*, „hellebarde“.

13. *reið at hrossum*, „pferde trieb“.
Wahrsch. ist *at* hier als adv. anf-
zufassen.

18. 19. *en veit ek*, „obgleich ich
weiss“.

Ld. þat efnt, sem ek hét honum á þingi, at ek hefi ekki með
XXXVII. fjǫlmenni farit eptir hrossunum."

15. Hrútr segir: „engi er þat frami, þóttu takir hross í
brott, en Þorleikr liggi í rekkju sinni ok sofi: efnir þú þat þá
5 bezt, er þit urðuð á sáttir, ef þú hittir hann, áðr þú ríðr ór
heraði með hrossin."

16. Eldgrímr mælti: „ger þú Þorleik varan við, ef þú vill,
því at þú mátt sjá, at ek hefi svá heiman búiz, at mér þótti
vel, at fund okkarn Þorleiks bæri saman," — ok hristi króka-
10 spjótit, er hann hafði í hendi. Hann hafði ok hjálm á hǫfði
ok var gyrðr sverði, skjǫld á hlið; hann var í brynju.

17. Hrútr mælti: „heldr mun ek annars á leita en fara
á Kambsnes, því at mér er fótr þungr, en eigi mun ek láta
ræna Þorleik, ef ek hefi fǫng á því, þótt eigi sé mart í frænd-
15 semi okkarri."

18. Eldgrímr mælti: „er eigi þat, at þú ætlir at taka af
mér hrossin?"

Hrútr svarar: „gefa vil ek þér ǫnnur stóðhross, til þess
at þú látir þessi laus, þótt þau sé eigi jafngóð sem þessi."

20 **19.** Eldgrímr mælti: „bezta talar þú, Hrútr, en með því
at ek hefi komit hǫndum á hrossin Þorleiks, þá muntu þau
hvárki plokka af mér með mútugjǫfum né heitan."

20. Þá svarar Hrútr: „þat hygg ek, at þú kjósir þann
hlut til handa báðum okkr, er verr muni gegna."

25   Eldgrímr vill nú skilja ok hrøkkvir hestinn. **21.** En er
Hrútr sá þat, reiddi hann upp bryntrollit ok setr milli herða
Eldgrími, svá at þegar slitnaði brynjan fyrir, en bryntrollit
hljóp út um bringuna; fell Eldgrímr dauðr af hestinum, sem
ván var. Síðan hulði Hrútr hræ hans; þar heitir Eldgríms-
30 holt suðr frá Kambsnesi. **22.** Eptir þetta ríðr Hrútr ofan á
Kambsnes ok segir Þorleiki þessi tíðendi. Hann bráz reiðr

---

12. *annars á leita = leita annars*
á, „einen andern ausweg versuchen".

20. *bezta = et bezta.*

25. *hrøkkvir,* „setzt in bewegung".

29. *hulði Hrútr hræ hans,* wenn
man es unterliess den leichnam zu
bedecken, so hatte dies für den tot-
schläger die acht zur folge; vgl.

z. b. Droplaugar sona s. (Kbh. 1847)
s. 15 fg.

29. 30. *Eldgrímsholt,* hügel nord-
westlich von den ruinen des hofes
Hrútsstaðir.

30. *ofan,* „hinab", d. h. nach der
küste zu.

við ok þóttiz vera mjǫk svívirðr í þessu tilbragði, en Hrútr   **Ld.**
þóttiz hafa sýnt við hann mikinn vinskap. **23.** Þorleikr kvað   **XXXVII.**
þat bæði vera, at honum hafði illt til gengit, enda mundi eigi
gott í móti koma. Hrútr kvað hann mundu því ráða; skiljaz
þeir með engri blíðu. Hrútr var þá áttrœðr, er hann drap 5
Eldgrím, ok þótti hann mikit hafa vaxit af þessu verki.
24. Ekki þótti Þorleiki Hrútr því betra af verðr, at hann
væri miklaðr af þessu verki; þóttiz hann glǫgt skilja, at hann
mundi hafa borit af Eldgrími, ef þeir hefði reynt með sér,
svá lítit sem fyrir hann lagðiz.   10

25. Fór Þorleikr nú á fund landseta sinna, Kotkels ok
Grímu, ok bað þau gera nǫkkurn hlut, þann er Hrúti væri
svívirðing at. Þau tóku undir þetta léttliga ok kváðuz þess
vera albúin. Síðan ferr Þorleikr heim. **26.** En lítlu síðar
gera þau heimanferð sína, Kotkell ok Gríma ok synir þeira; 15
þat var um nótt. Þau fóru á bœ Hrúts ok gerðu þar seið
mikinn. **27.** En er seiðlætin kómu upp, þá þóttuz þeir eigi
skilja, er inni váru, hverju gegna mundi; en fǫgr var sú
kveðandi at heyra. Hrútr einn kendi þessi læti ok bað
engan mann út sjá á þeiri nótt, — „ok haldi hverr vǫku 20
sinni, er má, ok mun oss þá ekki til saka, ef svá er með
farit."

28. En þó sofnuðu allir menn. Hrútr vakði lengst, ok
sofnaði þó. Kári hét son Hrúts, er þá var tólf vetra gamall,
ok var hann efniligastr sona Hrúts. Hann unni honum mikit. 25
29. Kári sofnaði nær ekki, því at til hans var leikr gǫrr;

---

s. 110, 31. 1. *brázreiðr við*, „wurde
hierüber zornig".

1. *tilbragð*, „verfahren", „hand-
lungsweise".

7. 8. *Ekki — verki*, „nicht schien
dem Þorleik das verdienst des
Hrútr grösser, weil sein ansehen
durch diese tat wuchs"; *betra*, gen.
sg. neutr. (construction: *verðr betra
af, því at*).

9. *borit af*, „besiegt".

10. *svá — lagðiz*, „da ihm so wenig
beschieden war", d. h. weil es sich

gezeigt hatte, dass er vom glücke
nicht begünstigt wurde.

13. *léttliga*, „willig".

17. *seiðlætin*, wörtl. „die zauber-
laute".

19. *kveðandi*, „gesang".

21. *oss þá ekki til saka*, „keine
schädlichen folgen für uns haben";
saka ist inf. (nicht gen. pl. von *sǫk*).

24. *Kári*, auch die Landnámabók
(II, 18) kennt unter den söhnen
Hrúts einen *Kárr* oder *Kári*.

26. *leikr*, „der zauber".

Ld.   honum gerðiz ekki mjǫk vært. Kári spratt upp ok sá út.
XXXVII. Hann gekk á seiðinn ok fell þegar dauðr niðr. **30.** Hrútr
vaknaði um morgininn ok hans heimamenn ok saknaði sonar
síns; fannz hann ørendr skamt frá durum. Þetta þótti Hrúti
5 enn mesti skaði, ok lét verpa haug eptir Kára. Síðan ríðr
hann á fund Óláfs Hǫskuldssonar ok segir honum þau tíðendi,
er þar hǫfðu gǫrz.

31. Óláfr varð óðr við þessi tíðendi ok segir verit hafa
mikla vanhyggju, er þeir hǫfðu látit sitja slík illmenni et
10 næsta sér, sem þau Kotkell váru; sagði ok Þorleik hafa sér
illan hlut af deilt af málum við Hrút, en kvað þó meira at
orðit, en hann mundi vilja. **32.** Óláfr kvað þá þegar skyldu
drepa þau Kotkel ok konu hans ok sonu, — „er þó of-
seinat nú."

15   **33.** Þeir Óláfr ok Hrútr fara með fimtán menn. En er
þau Kotkell sjá mannareið at bœ sínum, þá taka þau undan
í fjall upp. Þar varð Hallbjǫrn slíkisteinsauga tekinn ok
dreginn belgr á hǫfuð honum. **34.** Þegar váru þá fengnir
menn til gæzlu við hann, en sumir sóttu eptir þeim Kotkatli
20 ok Grímu ok Stíganda upp á fjallit. **35.** Þau Kotkell ok
Gríma urðu áhend á hálsinum milli Haukadals ok Laxárdals;
váru þau þar harið grjóti í hel, ok var þar gǫr at þeim dys
ór grjóti, ok sér þess merki, ok heitir þat Skrattavarði.
Stígandi tók undan suðr af hálsinum til Haukadals, ok þar
25 hvarf hann þeim. **36.** Hrútr ok synir hans fóru til sjávar
með Hallbjǫrn. Þeir settu fram skip ok reru frá landi með
hann. Síðan tóku þeir belg af hǫfði honum, en bundu stein

---

1. *honum — vært,* „er fand keine
ruhe".

2. *gekk á seiðinn,* „ging zu der
stelle, wo der zauber betrieben war".

10. 11. *hafa — deilt,* „hätte sich ein
schlechtes loos zugeteilt", d. h. sich
schlecht aufgeführt.

11. 12. *meira at orðit,* „dass
ernstere dinge sich zugetragen
hätten".

12. *þá,* adv.; *þá þegar,* „nun
gleich".

21. *áhend,* „ergriffen".

Haukadals, der H. ist ein süd-
liches nachbartal des *Laxárdalr,*
das ungefähr parallel mit diesem
läuft.

22. *barið grjóti í hel,* dies war
die gewöhnliche todesstrafe für
zauberer, vgl. z. b. Eyrb. c. 20;
Landn. III, 20 u. ö.

23. *Skrattavarði,* südöstlich von
Leiðólfsstaðir, auf dem bergrücken.

við hálsinn.   37. Hallbjǫrn rak þá skygnur á landit, ok var
augnalag hans ekki gott.

Þá mælti Hallbjǫrn: „ekki var oss þat tímadagr, er vér
frændr kómum á Kambsnes þetta til móts við Þorleik.   38. Þat
mæli ek um,“ segir hann, „at Þorleikr eigi þar fá skemtanar- 5
daga heðan í frá ok ǫllum verði þungbýlt, þeim sem í hans
rúm setjaz.“

Mjǫk þykkir þetta atkvæði á hafa hrinit.   Síðan drekðu
þeir honum ok reru til lands.

39. Lítlu síðar ferr Hrútr á fund Óláfs frænda síns ok 10
segir honum, at hann vill eigi hafa svá húit við Þorleik, ok
bað hann fá sér menn til at sœkja heim Þorleik.

40. Óláfr svarar: „þetta samir eigi, at þér frændr leggiz
hendr á; hefir þetta tekiz ógiptusamliga Þorleiki til handar;
viljum vér heldr leita um sættir með ykkr; hefir þú opt þíns 15
hluta beðit vel ok lengi.“

·41. Hrútr segir: „ekki er slíks at leita, aldri mun um
heilt með okkr gróa, ok þat munda ek vilja, at eigi byggim
vit báðir lengi í Laxárdal heðan í frá.“

42. Óláfr svarar: „eigi mun þér þat verða hlýðisamt at 20
ganga framar á hendr Þorleiki, en mitt leyfi er til; en ef þú
gerir þat, þá er eigi ólíkligt, at mœti dalr hóli.“   43. Hrútr
þykkiz nú skilja, at fast mun fyrir vera, ferr heim ok líkar
stórilla, ok er kyrt at kalla.   Ok sitja menn um kyrt þau
missari.   25

---

2. *augnalag*, „blick“.

3. *tímadagr*, „glücklicher tag“.

4. 5. *Þat mœli ek um*, „das wünsche
ich“ (ein fluch).

6. 7. *í hans rúm setjaz*, „seinen
platz (als eigentümer des hofes
Kambsnes) einnehmen“.

8. *atkvœði*, „verwünschung“.

12. *sœkja heim*, „besuchen“, d. h.
angreifen.

13. 14. *leggiz hendr á* = *leggi
hendr á sik*, „die hand an einander
legen“, d. h. sich befehden.

14. *til handar*, *til* fehlt in allen
handschriften.

16. *beðit*, von *bíða*.

21. *á hendr*, „gegen“ (zum an-
griff).

22. *at mœti dalr hóli*, sprichwort,
wörtl. „dass auf das tal ein hügel
folgen wird“, d. h. dass die sache
unangenehme, aber unabwendbare
folgen haben wird.

23. *at fast mun fyrir vera*, „dass
heftiger widerstand zu erwarten
sein werde“.

XXXVIII. Stígandi Kotkelsson wird getötet. Þorleikr Hǫskuldsson verlässt Island.

XXXVIII, 1. Nú er at segja frá Stíganda. Hann gerðiz útilegumaðr ok illr viðreignar. Þórðr hét maðr, hann bjó í Hundadal; hann var auðigr maðr ok ekki mikilmenni. Þat varð til nýlundu um sumarit í Hundadal, at fé nytjaðiz illa, 5 en kona gætti fjár þar. **2.** Þat fundu menn, at hon varð gripaauðig, ok hon var lǫngum horfin, svá at menn vissu eigi, hvar hon var. Þórðr bóndi lætr henni nauðga til sagna, ok er hon verðr hrædd, þá segir hon, at maðr kemr til fundar við hana; „sá er mikill,“ segir hon, „ok sýniz mér vænligr.“ 10 **3.** Þá spyrr Þórðr, hversu brátt sá maðr mundi koma til fundar við hana. Hon kvaz vænta, at þat mundi brátt vera. Eptir þetta ferr Þórðr á fund Óláfs ok segir honum, at Stígandi mun eigi langt þaðan í brott, biðr hann til fara með sína menn ok ná honum. **4.** Óláfr bregðr við skjótt ok ferr 15 í Hundadal; er þá ambáttin heimt til tals við hann; spyrr þá Óláfr, hvar bœli Stíganda væri; hon kvaz þat eigi vita. Óláfr bauð at kaupa at henni, ef hon kœmi Stíganda í fœri við þá. Þessu kaupa þau saman. **5.** Um daginn ferr hon at fé sínu. Kemr þá Stígandi 20 til móts við hana. Hon fagnar honum vel ok býðr at skoða í hǫfði honum. **6.** Hann leggr hǫfuðit í kné henni ok sofnar skjótliga. Þá skreiðiz hon undan hǫfði honum ok ferr til móts við þá Óláf ok segir þeim, hvar þá var komit. **7.** Fara þeir til Stíganda ok rœða um með sér, at hann skal eigi fara 25 sem bróðir hans, at hann skyldi þat mart sjá, er þeim yrði mein at; taka nú belg ok draga á hǫfuð honum. **8.** Stígandi

---

Cap. XXXVIII. 3. *Hundadalr*, ein westl. seitental des von der südöstlichen ecke des Hvammsfjǫrðr in südlicher richtung sich erstreckenden tales der Miðá; in jenem kleinen tale finden sich zwei höfe, die wie dieses den namen H. führen.

4. *nytjaðiz illa*, „wenig milch lieferte“.

13. *til fara = fara til.*

17. *ef — þá*, „falls sie den S. in ihre gewalt brächte“.

20. 21. *at — honum*, „seinen kopf zu untersuchen“, d. h. ihn zu lausen.

23. *hvar þá var komit*, „wie es sich nun verhielt“ (eig.: „wie weit die sache nun gekommen war“).

24. *at hann skal eigi fara*, „dass es mit ihm nicht gehen solle“.

25. 26. *er þeim yrði mein at*, vgl. c. 37, 37; man glaubte also, dass der blick des sterbenden Hallbjǫrn unheilbringend gewesen sei, oder wenigstens dazu beigetragen habe,

vaknaði við þetta ok bregðr nú engum viðbrǫgðum, því at margir menn váru nú um einn. Rauf var á belgnum, ok getr Stígandi sét ǫðrum megin í hlíðina. 9. Þar var fagrt landsleg ok grasloðit; en því var líkast, sem hvirfilvindr komi at; sneri um jǫrðunni, svá at aldregi síðan kom þar gras upp. 5 Þar heitir nú á Brennu. 10. Síðan berja þeir Stíganda grjóti í hel, ok þar var hann dysjaðr. Óláfr efnir vel við ambáttina ok gaf henni frelsi, ok fór hon heim í Hjarðarholt.

11. Hallbjǫrn slíkisteinsauga rak upp ór brimi, lítlu síðar en honum var drekt. Þar heitir Knarrarnes, sem hann var 10 kasaðr, ok gekk hann aptr mjǫk.

12. Sá maðr er nefndr, er Þorkell skalli hét. Hann bjó í Þykkvaskógi á fǫðurleifð sinni. Hann var fullhugi mikill ok rammr at afli. 13. Eitt kveld var vant kýr í Þykkvaskógi; fór Þorkell at leita ok húskarl hans með honum. Þat 15 var eptir dagsetr, en tunglskin var á. 14. Þorkell mælti, at þeir mundu skipta með sér leitinni, ok er Þorkell var einn saman staddr, þá þóttiz hann sjá á holtinu fyrir sér kú, ok er hann kemr at, þá var þat Slíkisteinsauga, en eigi kýr. 15. Þeir runnuz á allsterkliga; fór Hallbjǫrn undan, ok er 20 Þorkel varði minst, þá smýgr hann niðr í jǫrðina ór hǫndum honum. Eptir þat fór Þorkell heim. Húskarlinn var heim kominn, ok hafði hann fundit kúna. Ekki varð síðan mein at Hallbirni.

16. Þorbjǫrn skrjúpr var þá andaðr ok svá Melkorka; 25 þau liggja bæði í kumli í Laxárdal, en Lambi son þeira bjó þar eptir. Hann var garpr mikill ok hafði mikit fé. 17. Meira var Lambi virðr af mǫnnum en faðir hans fyrir sakir móðurfrænda sinna; vel var í frændsemi þeira Óláfs.

Ld. XXXVIII.

---

dass der von ihm ausgesprochene fluch in erfüllung gieng.

1. bregðr — viðbrǫgðum, „leistet nun keinen widerstand"; viðbragð, „bewegung".

4. grasloðit, „mit dichtem gras bewachsen".

hvirfilvindr, „wirbelwind".

5. sneri, unpers.

6. á Brennu, unbekannte lokalität; brenna, wörtl. „brand".

10. Knarrarnes, unbekannte lokalität; sie ist in der nähe von Kambsnes zu suchen.

11. kasaðr = dysjaðr; von kǫs, „haufe".

12. skalli, „kahlkopf", hier als beiname gebraucht.

14. var vant kýr, (gen. sg.) „vermisste man eine kuh".

16. tunglskin, „mondschein".

Líðr nú enn næsti vetr eptir dráp Kotkels. **18.** Um várit
eptir hittuz þeir brœðr, Óláfr ok Þorleikr; spurði Óláfr, hvárt
Þorleikr ætlaði at halda búi sínu. Þorleikr segir, at svá var.
19. Óláfr mælti: „hins vilda ek beiða yðr, frændi, at þér
5 breytið ráðahag yðrum ok fœrið utan; muntu þar þykkja
sómamaðr, sem þú kemr, en ek hygg um Hrút frænda okkarn,
at hann þykkiz kulda af kenna af skiptum yðrum. **20.** Er
mér lítit um at hætta til lengr, at þit sitiz svá nær; er Hrútr
aflamikill, en synir hans ofsamenn einir ok garpar; þykkjumz
10 ek vant við kominn fyrir frændsemis sakir, er þér deilið ill-
deildum, frændr mínir."
21. Þorleikr mælti: „ekki kvíði ek því, at ek geta eigi
haldit mér réttum fyrir Hrúti ok sonum hans, ok mun ek eigi
fyrir því af landi fara. **22.** En ef þér þykkir miklu máli
15 skipta, frændi, ok þykkiz þú þar um í miklum vanda sitja,
þá vil ek gera fyrir þín orð, því at þá unða ek bezt mínu
ráði, er ek var utanlendis; veit ek ok, at þú munt ekki at
verr gera til Bolla sonar míns, þó at ek sjá hvergi í nánd,
ok honum ann ek mest manna."
20   **23.** Óláfr svarar: „þá hefir þú vel af þessu máli, ef þú
gerir eptir bœn minni; ætla ek mér þat at gera heðan í frá
sem hegat til, er til Bolla kemr, ok vera til hans eigi verr
en til minna sona."
24. Eptir þetta skilja þeir brœðr með mikilli blíðu. Þor-
25 leikr selr nú jarðir sínar ok verr fénu til utanferðar. Hann
kaupir skip, er uppi stóð í Dǫgurðarnesi. **25.** En er hann
var búinn með ǫllu, sté hann á skip út ok kona hans ok
annat skuldalið. Skip þat verðr vel reiðfara, ok taka Noreg
um haustit. **26.** Þaðan ferr hann suðr til Danmerkr, því at
30 hann festi ekki ynði í Noregi; váru látnir frændr hans ok

---

9. *ofsamenn einir*, „lauter über-
mütige männer".

10. *vant við kominn*, „in einer
schwierigen lage".

13. *haldit mér réttum*, „mich auf-
recht halten", d. h. meinen mann
stehen.

17. 18. *ekki at verr gera*, „nicht

schlimmer handeln", d. h. noch
besser verfahren.

20. *þá — máli*, „dann betrügst du
dich schön in dieser sache".

22. *er til Bolla kemr*, „was B.
betrifft".

28. *skuldalið*, „hausgenossen".

30. *festi ekki ynði*, „fühlte sich
nicht zufrieden".

vinir, en sumir ór landi reknir. Síðan helt Þorleikr til Gaut- Ld.
lands. Þat er flestra manna sǫgn, at Þorleikr ætti lítt við elli XXXVIII.
at fáz, ok þótti þó mikils verðr, meðan hann var uppi. Ok XXXIX.
lúkum vér þar sǫgu frá Þorleiki.

Kjartans freundschaft mit Bolli und neigung zu Guðrún.

XXXIX, 1. Þat var þá jafnan tíðhjalat í Breiðafjarðar- 5
dǫlum um skipti þeira Hrúts ok Þorleiks, at Hrútr hefði þungt
af fengit Kotkatli ok sonum hans. Þá mælti Ósvífr til Guð-
rúnar ok brœðra hennar, bað þau á minnaz, hvárt þá væri
betr ráðit at hafa þar lagit sjálfa sik í hættu við heljarmenn
slíka, sem þau Kotkell váru.   10
    Guðrún mælti: „eigi er sá ráðlauss, faðir, er þinna ráða
á kost.“
    2. Oláfr sat nú í búi sínu með miklum sóma, ok eru þar
allir synir hans heima ok svá Bolli, frændi þeira ok fóstbróðir.
Kjartan var mjǫk fyrir sonum Óláfs. **3.** Þeir Kjartan ok Bolli 15
unnuz mest; fór Kjartan hvergi þess, er eigi fylgði Bolli honum.
Kjartan fór opt til Sælingsdalslaugar. Jafnan bar svá til, at
Guðrún var at laugu; þótti Kjartani gott at tala við Guðrúnu,
því at hon var bæði vitr ok málsnjǫll. **4.** Þat var allra manna
mál, at með þeim Kjartani ok Guðrúnu þœtti vera mest jafn- 20
ræði þeira manna, er þá óxu upp. Vinátta var ok mikil með
þeim Óláfi ok Ósvífri ok jafnan heimboð, ok ekki því minnr,
at kært gerðiz með enum yngrum mǫnnum.
    5. Eitt sinn rœddi Óláfr við Kjartan: „eigi veit ek,“ segir
hann, „hví mér er jafnan svá hugstœtt, er þú ferr til Lauga 25
ok talar við Guðrúnu; en eigi er þat fyrir því, at eigi þœtti
mér Guðrún fyrir ǫllum konum ǫðrum, ok hon ein er svá
kvenna, at mér þykki þér fullkosta. **6.** Nú er þat hugboð
mitt, en eigi vil ek þess spá, at vér frændr ok Laugamenn
berim eigi allsendis gæfu til um vár skipti.“   30

2. 3. *ætti — fáz*, „nicht alt wurde“.
Cap. XXXIX. 6. 7. *þungt af*
fengit = fengit þ. af.
    9. *betr ráðit*, „ein besserer be-
schluss“.
    11. 12. *er — kost*, „der deine rat-
schläge benutzen kann“.

22. 23. *ekki því minnr, at*, „nicht
weniger (d. h. desto mehr), weil“.

23. *mǫnnum*, „leuten“.

25. *hugstœtt*, „beklemmungen ver-
ursachend“.

30. *allsendis*, „bis zum schlusse“.

Ld.
XXXIX.
XL.

7. Kjartan kvaz eigi vilja gera í mót vilja fǫður síns, þat er hann mætti við gera, en kvaz vænta, at þetta mundi betr takaz, en hann gat til. Heldr Kjartan teknum hætti um ferðir sínar. Fór Bolli jafnan með honum. Líða nú þau missari.

Das geschlecht des Asgeirr œðikollr. Reise Kjartans und Bollis nach Norwegen, wo sie getauft werden und in den dienst des königs Óláfr Tryggvason treten.

5   **XL, 1.** Ásgeirr hét maðr ok var kallaðr œðikollr. Hann bjó at Ásgeirsá í Víðidal. Hann var son Auðunar skǫkuls; hann kom fyrst sinna kynsmanna til Íslands; hann nam Víðidal. Annarr son Auðunar hét Þorgrímr hærukollr; hann var faðir Ásmundar, fǫður Grettis. **2.** Ásgeirr œðikollr átti fimm 10 bǫrn; son hans hét Auðun, faðir Ásgeirs, fǫður Auðunar, fǫður Egils, er átti Úlfeiði, dóttur Eyjólfs ens halta; þeira son var Eyjólfr, er veginn var á alþingi. **3.** Annarr son Ásgeirs hét Þorvaldr, hans dóttir var Dalla, er átti Ísleifr byskup; þeira son var Gizorr byskup. **4.** Enn þriði son Ásgeirs hét Kálfr.

---

1. 2. *þat — gera*, „soweit es in seiner macht stände“.

Cap. XL. 5. *œðikollr*, beiname, wahrsch. „brausekopf“. Die genealogie Asgeirs und die nachfolgende darstellung (die reise Kjartans nach Norwegen und sein aufenthalt am norwegischen hofe) findet sich in der grösseren Óláfs saga Tryggvasonar (Fornm. sög. II, 23 ff. und Flateyjarbók I, 309 ff.) wieder, in welche die ganze partie zweifellos aus der Laxdœla saga eingeschaltet ist. Vgl. zu c. 49, 22.
6. *Víðidalr*, bezirk im westlichen teile des isländ. nordviertels, südl. vom Húnafjǫrðr.
skǫkuls, beiname; *skǫkull*, „strang“. Ueber das geschlecht des Auðun skǫkull vgl. besonders Landnámabók III, 1; doch sind die angaben etwas unsicher.

8. *hærukollr*, beiname, „graukopf“. *Þorgrímr h.* war nach der Landnámabók ein sohn des *Qnundr tréfótr* (von dem die einleitung der Grettis saga handelt).
9. *Grettir*, der volkstümlichste aller isländischen sagenhelden, ist die hauptperson der nach ihm benannten saga, die hauptsächlich von der lebenslangen friedlosigkeit dieses kecken, aber von dem unglück verfolgten mannes handelt.
12. *Eyjólfr — alþingi*, dieses sonst nicht bekannte ereignis muss im 12. jahrhundert (1163? s. Sturl. saga I, 90) stattgefunden haben. Sein grossvater *Eyjólfr halti* war ein sohn des mächtigen häuptlings Guðmundr ríki aus dem Eyjafjǫrðr, der in vielen sagas, besonders aber in der Ljósvetninga saga und Valla-Ljóts saga, eine rolle spielt.
13. 14. *Ísleifr byskup . . . Gizorr*

Allir váru synir Ásgeirs vænligir menn. Kálfr Ásgeirsson var Ld. XL.
þann tíma í fǫrum ok þótti enn nýzti maðr. **5.** Dóttir Ásgeirs
hét Þuríðr; hon var gipt Þorkatli kugga, syni Þórðar gellis;
þeira son var Þorsteinn. **6.** Ǫnnur dóttir Ásgeirs hét Hrefna;
hon var vænst kvenna norðr þar í sveitum ok vel vinsæl. 5
Ásgeirr var mikill maðr fyrir sér.

7. Þat er sagt eitt sinni, at Kjartan Ólafsson byrjaði ferð
sína suðr til Borgarfjarðar; ekki er getit um ferð hans, fyrr ·
en hann kom til Borgar. Þar bjó þá Þorsteinn Egilsson,
móðurbróðir hans. **8.** Bolli var í ferð með honum, því at svá 10
var ástúðigt með þeim fóstbrœðrum, at hvárgi þóttiz nýta
mega, at þeir væri eigi ásamt. **9.** Þorsteinn tók við Kjartani
með allri blíðu, kvaz þǫkk kunna, at hann væri þar lengr
en skemr. Kjartan dvelz at Borg um hríð. Þetta sumar stóð
skip uppi í Gufuárósi; þat skip átti Kálfr Ásgeirsson. Hann 15
hafði verit um vetrinn á vist með Þorsteini Egilssyni. **10.**
Kjartan segir Þorsteini í hljóði, at þat var mest erendi hans
suðr þangat, at hann vildi kaupa skip hálft at Kálfi: „er
mér á því hugr at fara utan,“ — ok spyrr Þorstein, hversu
honum virðiz Kálfr. 20

11. Þorsteinn kvaz hyggja, at hann væri góðr drengr; „er
þat várkunn mikil, frændi,“ segir Þorsteinn, „at þik fýsi at
kanna annarra manna siðu; mun þín ferð verða merkilig með
nǫkkuru móti; eigu frændr þínir mikit í hættu, hversu þér
tekz ferðin.“ Kjartan kvað vel takaz munu. 25

12. Síðan kaupir Kjartan skip hálft at Kálfi, ok gera
helmingarfélag; skal Kjartan koma til skips, þá er tíu vikur eru
af sumri. **13.** Gjǫfum var Kjartan út leiddr frá Borg. Ríða þeir

---

byskup, beide waren bischöfe von
Skálholt in Island, Ísleifr (der erste
bischof Islands) 1056—80, Gizorr
1082—1118.

11. nýta, „ertragen“.
13. 14. lengr en skemr, „eine
längere zeit lieber als eine kürzere“,
d. h. je länger, je lieber.
15. í Gufuárósi, die Guf(u)á ist
ein fluss, der östlich von Borg in
den Borgarfjǫrðr fliesst. Das er-

wähnte schiff war, nachdem es in
der mündung (óss) der Gufá ge-
landet hatte, zur überwinterung ans
land gezogen worden, und noch
nicht wieder zu wasser gelassen;
þetta sumar (z. 14) ist der jetzt
(kalendarisch) beginnende sommer,
das frühjahr.
27. helmingarfélag, „eine derartige
gemeinschaft, dass jeder die hälfte
des vermögens besitzt“. Vgl. c. 16,
8; 34, 3.

Ld. XL. Bolli heim síðan. En er Oláfr frétti þessa ráðabreytni, þá
þótti honum Kjartan þessu hafa skjótt ráðit, ok kvaz þó eigi
bregða mundu.

14. Lítlu síðar ríðr Kjartan til Lauga ok segir Guðrúnu
5 utanferð sína.

Guðrún mælti: „skjótt hefir þú þetta ráðit, Kjartan“.

Hefir hon þar um nǫkkur orð, þau er Kjartan mátti skilja,
at Guðrún lét sér ógetit at þessu.

15. Kjartan mælti: „lát þér eigi þetta mislíka, ek skal
10 gera annan hlut, svá at þér þykki vel.“

Guðrún mælti: „entu þetta, því at ek mun brátt yfir því
lýsa.“

Kjartan bað hana svá gera.

16. Guðrún mælti: „þá vil ek fara utan með þér í sumar,
15 ok hefir þú þá yfir bœtt við mik þetta bráðræði, því at ekki
ann ek Íslandi.“

17. „Þat má eigi vera,“ segir Kjartan, „brœðr þínir eru
óráðnir, en faðir þinn gamall, ok eru þeir allri forsjá sviptir,
ef þú ferr af landi á brott, ok bíð mín þrjá vetr.“

20 **18.** Guðrún kvaz um þat mundu engu heita, ok þótti sinn
veg hváru þeira, ok skilðu með því. Reið Kjartan heim.

19. Óláfr reið til þings um sumarit. Kjartan reið með
feðr sínum vestan ór Hjarðarholti ok skilðuz í Norðrárdal.
Þaðan reið Kjartan til skips, ok Bolli frændi hans var í fǫr
25 með honum. **20.** Tíu váru þeir íslenzkir menn saman alls, er
í ferð váru með Kjartani, ok engi vildi skiljaz við Kjartan
fyrir ástar sakir. Ríðr Kjartan til skips við þetta fǫruneyti.
21. Kálfr Ásgeirsson fagnar þeim vel. Mikit fé hǫfðu þeir
utan Kjartan ok Bolli. Halda þeir nú á búnaði sínum, ok
30 þegar er byr gaf, sigla þeir út eptir Borgarfirði léttan byr ok
góðan, ok síðan í haf. **22.** Þeim byrjaði vel, tóku Noreg
norðr við Þrándheim, lǫgðu inn til Agðaness ok hittu þar

---

1. *ráðabreytni*, „neues vorhaben“.
8. *lét sér ógetit*, vgl. zu c. 34, 5.
18. *óráðnir*, sonderbar ist, dass
die unreife der brüder Guðrúns ihre
anwesenheit notwendig machen soll,
da die Kristni saga c. 6 erzählt, dass
sie ungefähr gleichzeitig ihren an-

verwandten, Stefnir, wegen gottes-
lästerung gerichtlich verfolgen.

23. *Norðrárdalr*, bezirk im west-
lichen Island (in der landschaft
Borgarfjǫrðr).

32. *Þrándheimr*, die landschaft

menn at máli ok spurðu tíðenda. **23.** Þeim var sagt, at Ld. XL.
hǫfðingjaskipti var orðit í landinu, var Hákon jarl frá fallinn,
en Óláfr konungr Tryggvason til kominn, ok hafði allr Noregr
fallit í hans vald. **24.** Óláfr konungr hauð siðaskipti í Noregi;
gengu menn allmisjafnt undir þat. Þeir Kjartan lǫgðu inn til 5
Niðaróss skipi sínu.
   25. Í þenna tíma váru margir menn íslenzkir í Noregi,
þeir er virðingamenn váru.   Lágu þar fyrir bryggjunum þrjú
skip, er íslenzkir menn áttu ǫll; eitt skip átti Brandr enn
ǫrvi, son Vermundar Þorgrímssonar; annat skip átti Hallfreðr 10
vandræðaskáld; þriðja skip áttu brœðr tveir, hét annarr Bjarni,
en annarr Þórhallr, þeir váru synir Breiðár-Skeggja austan ór
Fellshverfi.   **26.** Þessir menn allir hǫfðu ætlat um sumarit út
til Íslands, en konungr hafði lagt farbann fyrir skip þessi ǫll,
því at þeir vildu eigi taka við sið þeim, er hann bauð. 15

---

auf beiden seiten des Trondhjems-
fjord in Norwegen.

s. 120, 32. *Agðanes*, vorgebirge
am eingange des Trondhjemsfjord,
an der südseite.

2. 3. *Hákon jarl . . . Óláfr kon-
ungr Tryggvason*, Hákon jarl ward
995 getötet und in demselben jahre
ward der von seinen abenteuerlichen
kriegszügen zurückkehrende Ó. T.
zum könig erwählt; vgl. zu c. 29, 2.

6. *Niðaróss*, die stadt Drontheim
(Trondhjem), an. der mündung des
flusses *Nið*.

9. 10. *Brandr enn ǫrvi*, „B. der
freigebige“. B. war der sohn des
c. 3, 7 genannten, von Bjǫrn austrœni
abstammenden Vermundr Þorgríms-
son. Von ihm handelt ein *þáttr*
in der Morkinskinna (s. 69 fg.); vgl.
auch Finnboga saga s. XXXVII.

10. 11. *Hallfreðr vandrœðaskáld*,
berühmter dichter, von dem eine
eigene saga handelt. Vgl. Snorra
Edda III, 472—98. Ueber seinen bei-
namen (der dichter, der schwierig-
keiten macht) s. unten zu c. 40, 77.

13. *Fellshverfi*, alle handschriften
haben *Fljótshlíð*; wegen der lage
des hofes *Breiðá*, wonach der sonst
unbekannte *Breiðár-Skeggi* benannt
ward, ist jedoch die änderung not-
wendig. *Fljótshlíð* ist ein bezirk
im südlichen Island; der bezirk
Fellshverfi aber liegt im südöstlichen,
und hier hat auch, wie man weiss,
ein später von gletschern zerstörter
hof *Breiðá* ehemals bestanden.

14. *farbann*, „verbot gegen die
abreise“.

14. 15. *farbann — bauð*, der ab-
schnitt über die zurückhaltung der
nach Norwegen gekommenen Is-
länder wegen ihrer weigerung das
christentum anzunehmen findet sich
nicht nur in der grossen Óláfs saga
Tryggvasonar (Fornm. sög., Flat-
eyjarbók) wieder, sondern kommt
auch in der Óláfs saga des Oddr,
in der Kristni saga und der Heims-
kringla vor, doch so, dass das ver-
hältnis zur Laxdœla saga ein ziem-
lich verwickeltes ist. Vgl. *O.* Brenner,
über die Kristni-saga (München 1878);

Ld. XL. 27. Allir íslenzkir menn fagna vel Kjartani, en þó Brandr
bezt, því at þeir váru mjǫk kunnir áðr.   Báru nú Íslendingar
saman ráð sín, ok kom þat ásamt með þeim at níta sið þeim,
er konungr bauð, ok hǫfðu þessir allir samband, þeir sem fyrr
5 váru nefndir.   **28.** Þeir Kjartan lǫgðu nú skipinu við bryggjur,
ok ruddu skipit ok stǫfuðu fyrir fé sínu.

Óláfr konungr var í bœnum.   Hann spyrr skipkvámu
þessa ok þat með, at þar munu þeir menn margir á skipi, er
mikilhæfir eru.

10   **29.** Þat var um haustit einn góðan veðrdag, at menn
fóru ór bœnum til sunds á ána Nið.   Þeir Kjartan sjá þetta.
Þá mælti Kjartan til sinna félaga, at þeir mundu fara til
sundsins at skemta sér um daginn.   Þeir gera svá.   **30.** Einn
maðr lék þar miklu bezt.

15   Þá spyrr Kjartan Bolla, ef hann vili freista sunds við
bœjarmanninn.

Bolli svarar: „ekki ætla ek þat mitt fœri."

31. „Eigi veit ek, hvar kapp þitt er nú komit," segir
Kjartan, „ok skal ek þá til."

20   Bolli svarar: „þat máttu gera, ef þér líkar."

32. Kjartan fleygir sér nú út á ána ok at þessum manni,
er bezt er sundfœrr, ok fœrir niðr þegar ok heldr niðri um
hríð; lætr Kjartan þenna upp.   **33.** Ok er þeir hafa eigi lengi
uppi verit, þá þrífr sá maðr til Kjartans ok keyrir hann niðr,
25 ok eru niðri ekki skemr, en Kjartani þótti hóf at; koma enn
upp.   Engi hǫfðuz þeir orð við.   **34.** Et þriðja sinn fara þeir
niðr, ok eru þeir þá miklu lengst niðri; þykkiz Kjartan nú
eigi skilja, hversu sjá leikr mun fara, ok þykkiz Kjartan aldri
komit hafa í jafnrakkan stað fyrr.   **35.** Þar kemr at lykðum,
30 at þeir koma upp ok leggjaz til lands.

G. Morgenstern, Oddr Fagrskinna
Snorre (Leipzig 1890) und besonders
den aufsatz von Björn Magnússon
Ólsen: „Om Are frode" (Aarböger
for nord. Oldkyndighed og Hist. 1893)
namentl. s. 297, 325 ff., 335 ff., wo
diese frage gründlich erörtert ist.

6. *stǫfuðu fyrir fé sínu*, „trafen
bestimmungen über ihr gut".

11. *Nið*, vgl. c. 40, 24.

14. *lék*, „schwamm".

19. *til*, scil. *vera*, „bereit sein".

23. *þenna*, scil. *mann*.

26. *Engi — við*, „keine worte
wechselten sie mit einander".

29. *í jafnrakkan stað*, „in eine so
kühne lage", d. h. in eine lage die
so viel kühnheit forderte".

Þá mælti bœjarmaðrinn: „hverr er þessi maðr?" Ld. XL.
Kjartan sagði nafn sitt.

36. Bœjarmaðr mælti: „þú ert sundfœrr vel, eða ertu at
qðrum íþróttum jafnvel búinn sem at þessi?"

Kjartan svarar ok heldr seint: „þat var orð á, þá er ek 5
var á Íslandi, at þar fœri aðrar eptir, en nú er lítils um
þessa vert."

37. Bœjarmaðr mælti: „þat skiptir nqkkuru, við hvern þú
hefir átt, eða hví spyrr þú mik engis?"

Kjartan mælti: „ekki hirði ek um nafn þitt." 10

38. Bœjarmaðr segir: „bæði er, at þú ert gerviligr maðr,
enda lætr þú allstórliga; en eigi því síðr skaltu vita nafn mitt,
eða við hvern þú hefir sundit þreytt; hér er Óláfr konungr
Tryggvason."

39. Kjartan svarar engu ok snýr þegar í brott skikkju- 15
lauss; hann var í skarlatskyrtli rauðum. Konungr var þá
mjqk klæddr; hann kallar á Kjartan ok bað hann eigi svá
skjótt fara. **40.** Kjartan víkr aptr ok heldr seint. Þá tekr
konungr af herðum sér skikkju góða ok gaf Kjartani, kvað
hann eigi skikkjulausan skyldu ganga til sinna manna. **41.** 20
Kjartan þakkar konungi gjqfina ok gengr til sinna manna ok
sýnir þeim skikkjuna. Ekki létu hans menn vel yfir þessu;
þóttu Kjartan mjqk hafa gengit á konungs vald; ok er
nú kyrt.

42. Veðráttu gerði harða um haustit; váru frost mikil ok 25
kuldar. Heiðnir menn segja þat eigi undarligt, at veðrátta
léti illa, — „geldr at nýbreytni konungs ok þessa ens nýja
siðar, er goðin hafa reiðz."

43. Íslendingar váru allir saman um vetrinn í bœnum;
var Kjartan mjqk fyrir þeim. Veðrátta batnar, ok kómu menn 30

5. *þat var orð á*, „man sagte";
constr. *þat orð var á.*

6. *at — eptir*, „dass noch andere
(nämlich *íþróttir*) sich nach diesen
richteten" (d. h. dass ich in anderen
künsten ebenso tüchtig wäre).

6. 7. *er — vert*, „hat diese wenig
bedeutung", hat diese sich schlecht
bewährt.

17. *mjqk*, „beinahe".

23. *gengit á konungs vald*, „sich in
die macht des königs gegeben".

25. 26. *frost ... ok kuldar*, plur.,
um die längere dauer der kalten
witterung anzudeuten.

27. *geldr at* (unpers.) *nýbreytni*
(gen.) *konungs*, „man büsst für die
neue erfindung des königs".

Ld. XL. fjǫlment þá til bœjarins at orðsending Óláfs konungs. **44.** Margir
menn hǫfðu við kristni tekit í Þrándheimi, en hinir váru þó
miklu fleiri, er í móti váru. Einn hvern dag átti konungr
þing í bœnum út á eyrum ok talaði trú fyrir mǫnnum, langt
5 erendi ok snjalt. Þrœndir hǫfðu her manns ok buðu konungi
bardaga í mót. **45.** Konungr kvað þá vita skyldu, at hann
þóttiz átt hafa við meira ofrefli en berjaz þar við þorpara í
Þrándheimi. Skaut þá bóndum skelk í bringu ok lǫgðu allt
á konungs vald, ok var mart fólk þá skírt. En síðan var
10 slitit þinginu.
    46. Þetta sama kveld sendir konungr menn til herbergis
Íslendinga ok bað þá verða vísa, hvat þeir talaði. Þeir gera
svá. Var þar inn at heyra glaumr mikill. **47.** Þá tók Kjartan
til orða ok mælti til Bolla: „hversu fúss ertu, frændi, at taka
15 við trú þeiri, er konungr býðr?“
    „Ekki em ek þess fúss,“ svarar Bolli, „því at mér líz siðr
þeira veykligr mjǫk.“
    48. Kjartan spyrr: „þótti yðr konungrinn í engum hótum
hafa við þá, er eigi vildu undir ganga hans vilja?“
20   Bolli svarar: „at vísu þótti oss konungr ganga ór skugga
um þat, at þeir mundu miklum afarkostum mœta af honum.“
    49. „Engis manns nauðungarmaðr vil ek vera,“ segir
Kjartan, „meðan ek má upp standa ok vápnum valda; þykki
mér þat ok lítilmannligt at vera tekinn sem lamb ór stekk
25 eða melrakki ór gildru; þykki mér hinn kostr miklu betri, ef
maðr skal þó deyja, at vinna þat nǫkkut áðr, er lengi sé uppi
haft síðan.“
    50. Bolli spyrr: „hvat viltu gera?“
    „Ekki mun ek því leyna,“ segir Kjartan, „brenna kon-
30 unginn inni.“
    51. „Ekki kalla ek þetta lítilmannligt,“ segir Bolli, „en
eigi mun þetta framgengt verða, at því er ek hygg; mun

---

4. *út á eyrum, eyrar* bezeichnet
h er die seeküste an der westseite des
flusses *Nið*, wo die thingstelle war.
    5. *Þrœndir*, die bewohner der
landschaft *Þrándheimr*.
    18. 19. *í hótum hafa við ehn*,

„jmd. durch drohungen einzuschüch-
tern suchen“, vgl. Fritzner, I, 683ᴬ.
    24. *ór stekk*, „aus dem pferch“.
    26. 27. *uppi haft*, „erwähnt“.
    32. *framgengt verða*, „ausgeführt
werden können“.

konungr vera giptudrjúgr ok hamingjumikill; hann hefir ok Ld. XL.
ǫrugg varðhǫld dag · ok nótt."

52. Kjartan kvað áræðit flestum bila, þótt allgóðir karl-
menn væri. Bolli kvað þat vant at sjá, hverjum hugar þyrfti
at frýja; en margir tóku undir, at þetta væri þarfleysutal. Ok 5
er konungsmenn hǫfðu þessa varir orðit, þá fóru þeir í brott
ok segja konungi þetta tal allt.

53. Um morgininn eptir vill konungr þing hafa; er nú til
stefnt ǫllum íslenzkum mǫnnum. Ok er þingit var sett, þá
stóð konungr upp ok þakkaði mǫnnum þangatkvámu, þeim er 10
hans vinir vildu vera ok við trú hǫfðu tekit. 54. Hann heimti
til tals við sik Íslendinga. Konungr spyrr, ef þeir vildi skírn .
taka. Þeir rœma þat lítt. Konungr segir, at þeir mundi þann
kost velja sér til handa, er þeim gegndi verr, — „eða hverjum
yðrum þótti þat ráðligast at brenna mik inni?"   15

55. Þá svarar Kjartan: „þat munu þér ætla, at sá muni
eigi einurð til hafa við at ganga, er þat hefir mælt, en hér
máttu þann sjá."

56. „Sjá má ek þik," segir konungr, „ok eigi smáráðan;
en eigi mun þér þess auðit verða at standa yfir hǫfuðsvǫrðum 20
mínum, ok œrna hefir þú sǫk til þess, þóttu heitaðiz eigi við
fleiri konunga inni at brenna, fyrir þá sǫk er þér væri et betra
kent; 57. en fyrir þat er ek vissa eigi, hvárt hugr fylgði máli
þínu, en drengiliga við gengit, þá skal þik eigi af lífi taka
fyrir þessa sǫk; kann ok vera, at þú haldir því betr trúna, 25
sem þú mælir meir í móti henni en aðrir; kann ek ok þat at
skilja, at þat mun skipshǫfnum skipta, at þann dag munu við
trú taka, er þú lætr ónauðigr skíraz, 58. þykki mér ok á því
líkendi, at frændr yðrir ok vinir muni mjǫk á þat hlýða, hvat

---

3. kvað — bila, „sagte, dass der
mut (gelegentlich) die meisten ver-
lasse".

4. vant, von vandr, „schwierig".

10. þangatkvámu, „erscheinen".

19. smáráðan, „auf kleinigkeiten
sinnend".

21—23. œrna — kent, der sinn ist:
„du hättest es wol verdient, dass ich
(durch hinrichtung) dich ausser stand

setzte noch andere könige deswegen
zu bedrohen, weil man dich das
bessere (den rechten glauben) lehrt".

23. 24. hvárt — þínu, „ob du im
ernst sprachst".

24. en drengiliga við gengit (un-
pers.), „du aber wie ein mann be-
kannt hast".

27. þat — skipta, „es wird (ganze)
schiffsbemannungen betragen".

Ld. XL. þér talið fyrir þeim, er þér komið út til Islands; er þat ok
nær mínu hugboði, at þú, Kjartan, hafir betra sið, er þú siglir
af Noregi, en þá er þú komt hegat. **59.** Farið nú í friði ok
í griðum, hvert er þér vilið af þessum fundi; skal eigi pynda
5 yðr til kristni at sinni, því at guð mælir svá, at hann vill, at
engi komi nauðigr til hans."

   60. Var góðr rómr gǫrr at máli konungs ok þó mest af
kristnum mǫnnum; en heiðnir menn mátu við Kjartan, at hann
skyldi svara, sem hann vildi.

10   **61.** Þá mælti Kjartan: „þakka viljum vér yðr, konungr,
er þér gefið oss góðan frið, ok þanneg máttu oss mest teygja
at taka við trúnni at gefa oss upp stórsakir, en mælir til alls
í blíðu, þar sem þér hafið þann dag allt ráð várt í hendi, er
þér vilið, ok þat ætla ek mér at taka því at eins við trú í
15 Noregi, at ek meta lítils Þór enn næsta vetr, er ek kem til
Íslands."

   62. Þá segir konungr ok brosti at: „þat sér á yfirbragði
Kjartans, at hann þykkiz eiga meira traust undir afli sínu ok
vápnum, heldr en þar sem er Þórr ok Óðinn."

20   Síðan var slitit þinginu.

   63. Margir menn eggjuðu konung, er stund var í milli,
at nauðga þeim Kjartani til trúarinnar, ok þótti óráðligt at
hafa svá marga heiðna menn nær sér. **64.** Konungr svarar
reiðuliga, kvaz þat hyggja, at margir mundi þeir kristnir, er
25 eigi mundu þeir jafnháttagóðir sem Kjartan eða sveit hans, —
„ok skal slíkra manna lengi bíða."

   65. Konungr lætr mart nytsamligt vinna þann vetr, lætr
hann kirkju gera ok auka mjǫk kaupstaðinn. Sú kirkja var
gǫr at jólum. **66.** Þá mælti Kjartan, at þeir mundi ganga
30 svá nær kirkju, at þeir mætti sjá atferði siðar þess, er kristnir
menn hǫfðu. Tóku margir undir ok sǫgðu þat vera mundu
mikla skemtan. **67.** Gengr Kjartan nú með sína sveit ok
Bolli; þar er ok Hallfreðr í fǫr ok mart manna af Íslendingum.

---

4. *pynda*, „zwingen".
5. 6. *hann — hans*, diese äusserung
stimmt nicht gut zu der gewalt-
samen art, mit der könig Óláfr
bei der bekehrung zu werke gieng.
8. *mátu við*, „überliessen".

12. *en mælir til*, dass du ver-
langest; wahrsch. — mit anakoluthie
— praes. indic.
21. *er stund var í milli*, „als
einige zeit verflossen war".
30. *atferði* (neutr.) = *atferð*.

Konungr talaði trú fyrir mǫnnum, bæði langt erendi ok snjallt, Ld. XL.
ok gerðu kristnir menn góðan róm at hans máli. 68. En er
þeir Kjartan váru gengnir í herbergi sín, tekz umrœða mikil,
hverneg þeim hefði á litiz konunginn nú, er kristnir menn
kalla næst enni mestu hátíð, — 69. „því at konungr sagði, 5
svá at vér máttum heyra, at sá hǫfðingi hafi í nótt borinn
verit, er vér skulum nú á trúa, ef vér gerum eptir því, sem
konungr býðr oss."

70. Kjartan segir: „svá leiz mér vel á konung et fyrsta
sinn, er ek sá hann, at ek fekk þat þegar skilt, at hann var 10
enn mesti ágætismaðr, ok þat hefir haldiz jafnan síðan, er ek
hefi hann á mannfundum sét; 71. en miklu bezt leiz mér þó
í dag á hann, ok ǫll ætla ek oss þar við liggja vár málskipti,
at vér trúim þann vera sannan guð, sem konungr býðr, ok
fyrir engan mun má konungi nú tíðara til vera, at ek taka 15
við trúnni, en mér er at láta skíraz, ok þat eina dvelr, er ek
geng nú eigi þegar á konungs fund, er framorðit er dags, því
at nú mun konungr yfir borðum vera, en sá dagr mun dveljaz,
er vér sveitungar látum allir skíraz."

72. Bolli tók vel undir þetta ok bað Kjartan einn ráða 20
þeira máli. Viðrœðu þeira Kjartans hafði konungr fyrri spurt,
en borðin væri í brottu, því at hann átti trúnað í hvers þeira
herbergi enna heiðnu manna. 73. Konungrinn verðr allglaðr
við þetta ok mælti: „sannat hefir Kjartan orðskviðinn, at
hátíðir eru til heilla beztar."   25

Ok þegar um morgininn snimma, er konungr gekk til
kirkju, mœtti Kjartan honum á strætinu með mikilli sveit
manna. 74. Kjartan kvaddi konung með mikilli blíðu ok

---

4. 5. nú—hátíð, „jetzt (d. h. an
dem tage), den die christen als
ihren zweitgrössten feiertag an-
sehen". Der ausdruck ist sonder-
bar; kann næst enni mestu „bei-
nahe den grössten" bedeuten?

13. málskipti, „interesse", „wohl-
fahrt".

15. tíðara, „mehr angelegen".

17. framorðit, „spät".

18. dveljaz, „darauf gehen", „völlig
in anspruch genommen werden".

22. en borðin væri í brottu, die
tische wurden vor der mahlzeit
hereingetragen und nach derselben
wieder entfernt. Vgl. Grundriss II²,
s. 247.

22. trúnað = trúnaðarmann, „einen
zuverlässigen kundschafter".

25. hátíðir—beztar, „festtage
sind die glücklichsten tage".

Ld. XL. kvaz eiga skyld erendi við hann. Konungr tók vel kveðju
XLI. hans ok kvaz hafa spurt af et ljósasta um hans erendi, —
„ok mun þér þetta mál auðsótt."

75. Kjartan bað þá ekki dvala við at leita at vatninu, ok
5 kvað þó mikils mundu við þurfa. Konungr svarar ok brosti við:
„já, Kjartan," segir hann, „eigi mundi okkr hér um harðfœri
skilja, þóttu værir nǫkkuru kaupdýrri."

Síðan váru þeir Kjartan ok Bolli skírðir ok ǫll skipshǫfn
þeira ok fjǫlði annarra manna. Þetta var annan dag jóla
10 fyrir tíðir. 76. Síðan bauð konungr Kjartani í jólaboð sitt
ok svá Bolla, frænda hans. Þat er sǫgn flestra manna, at
Kjartan hafi þann dag gǫrz handgenginn Óláfi konungi, er
hann var fœrðr ór hvítaváðum, ok þeir Bolli báðir. 77. Hall-
freðr var eigi skírðr þann dag, því at hann skilði þat til, at
15 konungr sjálfr skyldi halda honum undir skírn; konungr lagði
þat til annan dag eptir. Kjartan ok Bolli váru með Óláfi
konungi, þat er eptir var vetrarins. 78. Konungr mat Kjartan
um fram alla menn fyrir sakir ættar sinnar ok atgervi, ok er
þat alsagt, at Kjartan væri þar svá vinsæll, at hann átti sér
20 engan ǫfundarmann innan hirðar; var þat ok allra manna mál,
at engi hefði slíkr maðr komit af Íslandi sem Kjartan. 79.
Bolli var ok enn vaskasti maðr ok metinn vel af góðum
mǫnnum. Líðr nú vetr sjá. Ok er várar, búaz menn ferða
sinna, svá hverr sem ætlaði.

Kjartan wird in Norwegen zurückgehalten. Die misslungene isländische
mission Þangbrands. Bolli begleitet die missionäre Gizorr und Hjalti nach
Island.

25   **XLI, 1.** Kálfr Ásgeirsson gengr til fundar við Kjartan
ok spyrr, hvat hann ætlaði ráða sinna um sumarit. 2. Kjartan

4. *dvala við,* „säumen".

5. *mikils,* „viel (wasser)".

6. 7. *eigi — skilja,* „nicht würde
halsstarrigkeit uns hier uneinig
machen".

14. *skilði þat til,* „bedang sich
das aus".

15. *halda — skírn,* „patenstelle bei

ihm zu übernehmen". Weil er dem
könige diese und noch andere be-
dingungen stellte, bevor er dessen
gefolgsmann werden wollte, bekam
er, wie die Heimskringla erzählt,
von diesem den beinamen *vand-*
ræðaskáld.

15. 16. *lagði þat til,* „gestand
dies zu".

svarar: „þat ætlaða ek helzt, at vit mundim halda skipi okkru
til Englands, því at þangat er nú góð kaupstefna kristnum
mǫnnum; en þó vil ek finna konung, áðr en ek ráða þetta til
staðar, því at hann tók lítt á um ferð mína, þá er okkr varð
um rœtt á vári." 5

3. Síðan gekk Kálfr á brott, en Kjartan til máls við
konung ok fagnar honum vel. Konungr tók honum með blíðu
ok spurði, hvat í tali hefði verit með þeim félǫgum. 4. Kjartan
segir, hvat þeir hefði helzt ætlat, en kvað þó þat sitt erendi
til konungs, at biðja sér orlofs um sína ferð. 10

5. Konungr svarar: „þann kost mun ek þér gera á því,
Kjartan, at þú farir til Íslands út í sumar ok brjótir menn til
kristni þar annathvárt með styrk eða ráðum; en ef þér þykkir
sú fǫr torsóttlig, þá vil ek fyrir engan mun láta hendr af þér,
því at ek virði, at þér sé betr hent at þjóna tígnum mǫnnum 15
heldr en geraz hér at kaupmanni."

6. Kjartan kaus heldr at vera með konungi en fara til
Íslands ok boða þeim trúna, kvaz eigi deila vilja ofrkappi við
frændr sína, — „er þat ok líkara um fǫður minn ok aðra
hǫfðingja, þá sem frændr mínir eru nánir, at þeir sé eigi at 20
strangari í at gera þinn vilja, at ek sjá í yðru valdi í góðum
kostum."

7. Konungr segir: „þetta er bæði kørit hyggiliga ok
mikilmannliga."

Konungr gaf Kjartani ǫll klæði nýskorin af skarlati; 25
sǫmðu honum þau, því at þat sǫgðu menn, at þeir hafi jafn-
miklir menn verit, þá er þeir gengu undir mál, Óláfr konungr
ok Kjartan.

Cap. XLI. 3. 4. áðr—staðar, „ehe
ich hierüber eine endgiltige ent-
scheidung treffe".
4. tók lítt á, „äusserte damit seine
unzufriedenheit".
11. á því, „hierfür", d. h. für die
reiseerlaubnis.
13. með—ráðum, „mit gewalt
oder durch klugheit".
14. láta—þér, „dich fahren lassen"
20. 21. eigi at strangari ... at
Sagabibl. IV.

ek, „nicht deswegen hartnäckiger
... dass ich", d. h. weniger ab-
geneigt ... wenn ich.
25. ǫll klæði, „einen ganzen an-
zug".
26. sǫmðu, „passten".
27. 28. Óláfr konungr ok Kjartan.
Hier schliesst vorläufig der par-
allele text der grossen Óláfssaga
(Fornm. sǫg. II, 79; Flateyjarbók I,
339—40).

Ld. XLI.   8. Óláfr konungr sendi til Íslands hirðprest sinn, er Þang-
brandr hét. Hann kom skipi sínu í Álptafjǫrð ok var með
Síðu-Halli um vetrinn, at Þváttá, ok boðaði mǫnnum trú bæði
með blíðum orðum ok hǫrðum refsingum. Þangbrandr vá tvá
5 menn, þá er mest mæltu í móti. 9. Hallr tók trú um várit
ok var skírðr þváttdaginn fyrir páska ok ǫll hjón hans; ok
þá lét Gizorr hvíti skíraz ok Hjalti Skeggjason ok margir
aðrir hǫfðingjar; en þó váru þeir miklu fleiri, er í móti mæltu,
ok gerðiz þá trautt óhætt með heiðnum mǫnnum ok kristnum;
10 gerðu hǫfðingjar ráð sitt, at þeir mundu drepa Þangbrand ok
þá menn, er honum vildu veita forstoð. 10. Fyrir þessum
ófriði stǫkk Þangbrandr til Nóregs ok kom á fund Óláfs kon-
ungs ok sagði honum, hvat til tíðenda hafði borit í sinni ferð,
ok kvaz þat hyggja, at eigi mundi kristni við gangaz á Ís-
15 landi. 11. Konungr verðr þessu reiðr mjǫk ok kvaz þat ætla,
at margir Íslendingar mundu kenna á sínum hlut, nema þeir
riði sjálfir á vit sín. 12. Þat sama sumar varð Hjalti Skeggja-
son sekr á þingi um goðgá. Rúnólfr Úlfsson sótti hann, er
bjó í Dal undir Eyjafjǫllum, enn mesti hǫfðingi.
20   13. Þat sumar fór Gizorr utan ok Hjalti með honum;

---

1. 2. *Þangbrandr*, deutsch „Dank-
brand". Vgl. über ihn: K. Maurer,
Bekehrung I, 382 ff.

2. *Álptafjǫrðr*, bucht im süd-
östlichen Island.

3. *Síðu-Halli*, der auf dem hofe
Þváttá in *Álptafjǫrðr* wohnende
häuptling *Hallr* wurde *S.-H.* ge-
nannt, nach der landschaft *Síða*, zu
der wahrscheinlich auch sein bezirk
gerechnet wurde; der an seinem
hofe vorbeifliessende fluss (*á*) soll
wegen der hier stattgefundenen
taufe *Þváttá*, d. h. „waschfluss", ge-
nannt worden sein. Vgl. Kristni-
saga c. 7 (Bisk. sögur I, 12). Be-
sonders häufig wird *Síðu-Hallr* in
der Njáls saga erwähnt.

7. *Gizorr hvíti* und *Hjalti Skeggja-
son* waren bekannte häuptlinge im
südlichen Island; *G.* (*Teitsson*) war

vater des *Ísleifr*, des ersten bischofs
von Island. Ueber die mission G.s
und H.s, die die annahme des
christentums als der landesreligion
in Island durchführten, berichtet
ausführlich die Kristni saga. Auch
in der Njála saga werden sie häufig
erwähnt.

11. *forstoð*, „hilfe".

16. *mundu — hlut*, „würden es
empfinden".

16. 17. *nema — sín*, „falls sie nicht
zur besinnung kämen"; *ríða eht á*,
„etwas anwenden" (*ríða* wörtlich
„reiben"); *vit*, „sinne". So Fritzner.

18. 19. *Rúnólfr — undir Eyja-
fjǫllum*, die *E.* sind ein gebirge im
südlichen Island. Ueber den process
wegen der gotteslästerung vergl.
Kristni saga c. 9; übrigens ist R. be-
sonders aus der Njáls saga bekannt.

taka Nóreg ok fara þegar á fund Óláfs konungs. Konungr Ld. XLI. tekr þeim vel ok kvað þá hafa vel ór ráðit ok bauð þeim með sér at vera, ok þat þiggja þeir. 14. Þá hafði Svertingr, son Rúnólfs ór Dal, verit í Nóregi um vetrinn ok ætlaði til Íslands um sumarit; flaut þá skip hans fyrir bryggjum albúit, 5 ok beið byrjar. Konungr bannaði honum brottferð, kvað engi skip skyldu ganga til Íslands þat sumar. 15. Svertingr gekk á konungs fund ok flutti mál sitt, bað sér orlofs ok kvað sér miklu máli skipta, at þeir bæri eigi farminn af skipinu. Konungr mælti ok var þá reiðr: „vel er, at þar sé son blótmanns- 10 ins, er honum þykkir verra," — ok fór Svertingr hvergi. Var þann vetr allt tíðendalaust.

16. Um sumarit eptir sendi konungr þá Gizor hvíta ok Hjalta Skeggjason til Íslands at boða trú enn af nýju, en hann tók fjóra menn at gíslum eptir, Kjartan Óláfsson, Halldór, son 15 Guðmundar ens ríka, ok Kolbein, son Þórðar Freysgoða, ok Sverting, son Rúnólfs ór Dal. 17. Þá ræz ok Bolli til farar með þeim Gizori ok Hjalta. Síðan gengr hann at hitta Kjartan frænda sinn ok mælti:

18. „nú em ek búinn til ferðar, ok munda ek bíða þín 20 enn næsta vetr, ef at sumri væri lausligra um þína ferð en nú; en vér þykkjumz hitt skilja, at konungr vill fyrir engan mun þik lausan láta, en hofum þat fyrir satt, at þú munir fátt þat, er á Íslandi er til skemtanar, þá er þú sitr á tali við Ingibjorgu konungssystur." 25

19. Hon var þá með hirð Óláfs konungs ok þeira kvenna fríðust, er þá váru í landi.

Kjartan svarar: „haf ekki slíkt við, en bera skaltu frændum várum kveðju mína ok svá vinum."

---

15. fjóra — gíslum, es scheint, dass der könig aus jedem landesviertel eine geisel gewählt habe: Kjartan repräsentiert das westviertel, Halldórr Guðmundsson war der sohn eines der mächtigsten häuptlinge im nordviertel (im Eyjafjorðr, vgl. oben zu c. 40, 2), Þórðr, der vater des Kolbeinn, gehörte dem ostviertel an (der beiname Freysgoði bezeichnet ihn als eifrigen verehrer

des gottes Freyr), Svertingr dem südviertel.

21. lausligra, „loser", d. h. weniger schwierig.

23. þik lausan láta, „dich loslassen", dich reisen lassen.

25. Ingibjorg, vgl. die einleitung § 3; at þú munir fátt þat usw., d. h. dass du Guðrún über Ingibjorg vergessen hast.

9*

Die bekehrung Islands. Bolli versucht Guðrún zu gewinnen.

XLII, 1. Eptir þat skiljaz þeir Kjartan ok Bolli. Gizorr ok Hjalti sigla af Nóregi ok verða vel reiðfara; koma at þingi í Vestmannaeyjar ok fara til meginlands; eigu þar stefnur ok tal við frændr sína. **2.** Síðan fara þeir til alþingis ok 5 tọlðu trú fyrir mọnnum, bæði langt erendi ok snjallt; ok tóku þá allir menn trú á Íslandi. Bolli reið í Hjarðarholt af þingi með Óláfi frænda sínum; tók hann við honum með mikilli blíðu. **3.** Bolli reið til Lauga at skemta sér, þá er hann hafði lítla hríð verit heima; var honum þar vel fagnat. Guðrún 10 spurði vandliga um ferðir hans, en því næst at Kjartani.

4. Bolli leysti ofléttliga ór því ọllu, er Guðrún spurði, kvað allt tíðendalaust um ferðir sínar, — „en þat er kemr til Kjartans, þá er þat með miklum ágætum at segja satt frá hans kosti, því at hann er í hirð Óláfs konungs ok metinn 15 þar um fram hvern mann; en ekki kemr mér at óvọrum, þó at hans hafi hér í landi lítlar nytjar ena næstu vetr.“

5. Guðrún spyrr þá, hvárt nọkkut heldi til þess annat en vinátta þeira konungs.

Bolli segir, hvert orðtak manna var á um vináttu þeira 20 Kjartans ok Ingibjargar konungssystur ok kvað þat nær sinni ætlan, at konungr mundi heldr gipta honum Ingibjọrgu en láta hann lausan, ef því væri at skipta.

6. Guðrún kvað þat góð tíðendi, — „en því at eins er Kjartani fullboðit, ef hann fær góða konu,“ ok lét þá þegar 25 falla niðr talit, gekk á brott ok var allrauð. ·

En aðrir grunuðu, hvárt henni þœtti þessi tíðendi svá góð, sem hon lét vel yfir.

7. Bolli er heima í Hjarðarholti um sumarit ok hafði mikinn sóma fengit í ferð þessi; þótti ọllum frændum hans

---

s. 131, 28. *haf—við*, „brauche nicht derartiges“, d.h. sprich nicht so.

Cap. XLII. 2. 3. *at þingi*, „um die zeit des allthings“.

3. *Vestmannaeyjar*, eine inselgruppe an der südseite Islands; hier findet sich ein hafen, während sonst beinahe die ganze südküste für grössere schiffe unzugänglich ist.

11. *ofléttliga*, „bereitwillig“.

12. 13. *kemr til Kjartans*, „K. angeht“.

13. 14. *þá er þat—kosti*, „da sind es sehr rühmliche dinge, die der wahrheit gemäss von seiner stellung berichtet werden können“.

16. *at hans hafi*, „dass man von ihm haben werde“.

ok kunningjum mikils um vert hans vaskleik. Bolli hafði ok **Ld.**
mikit fé út haft. Hann kom opt til Lauga ok var á tali við **XLII.**
Guðrúnu. 8. Eitt sinn spurði Bolli Guðrúnu, hversu hon mundi **XLIII.**
svara, ef hann bæði hennar.

Þá segir Guðrún skjótt: „ekki þarftu slíkt at rœða, Bolli; 5
engum manni mun ek giptaz, meðan ek spyr Kjartan á lífi.“

9. Bolli svarar: „þat hyggjum vér, at þú verðir at sitja
nökkura vetr mannlaus, ef þú skalt bíða Kjartans; mundi
hann ok kost hafa átt at bjóða mér þar um nökkut erendi,
ef honum þœtti þat allmiklu máli skipta.“ 10

Skiptuz þau nökkurum orðum við, ok þótti sinn veg hváru.
Síðan ríðr Bolli heim.

**Guðrúns dritte ehe (mit Bolli Þorleiksson). Kjartan wird von könig
Óláfr entlassen.**

XLIII, 1. Nökkuru síðar rœðir Bolli við Óláf frænda
sinn ok mælti: „á þá leið er, frændi, komit, at mér væri á
því hugr at staðfesta ráð mitt ok kvángaz; þykkjumz ek nú 15
vera fullkominn at þroska; vilda ek til hafa þessa máls þitt
orða fullting ok framkvæmð, því at þeir eru hér flestir menn,
at mikils munu virða þín orð.“

2. Óláfr svarar: „þær eru flestar konur, at vér munum
kalla, at þeim sé fullboðit, þar er þú ert; muntu ok eigi hafa 20
þetta fyrr upp kveðit, en þú munt hafa statt fyrir þér, hvar
niðr skal koma.“

3. Bolli segir: „ekki mun ek mér ór sveit á brott biðja
konu, meðan svá nálægir eru góðir ráðakostir; ek vil biðja
Guðrúnar Ósvífrsdóttur; hon er nú frægst kvenna.“ 25

4. Óláfr svarar: „þar er þat mál, at ek vil engan hlut at
eiga; er þér, Bolli, þat í engan stað ókunnara en mér, hvert
orðtak á var um kærleika með þeim Kjartani ok Guðrúnu;
5. en ef þér þykkir þetta allmiklu máli skipta, þá mun ek
leggja engan meinleika til, ef þetta semz með yðr Ósvífri. 30
Eða hefir þú þetta mál nökkut rœtt við Guðrúnu?“

Cap. XLIII. 16. 17. *þitt — fram-*
kvæmð, „deine hilfe in wort und tat“.
21. *statt*, „beschlossen“; von
steðja.

23. *ór sveit á brott*, „ausserhalb
des bezirkes“.
26. 27. *at eiga*; *at* adv.
30. *meinleika*, „hinderung“.

Ld.
XLIII.

6. Bolli kvaz hafa á vikit um sinns sakir ok kvað hana hafa ekki mjǫk á tekit, — „vænti ek þó, at Ósvífr muni mestu um ráða þetta mál.“

Óláfr kvað hann með mundu fara, sem honum líkaði.

5   7. Eigi miklu síðar ríðr Bolli heiman ok með honum synir Óláfs, Halldórr ok Steinþórr; váru þeir tólf saman. Þeir ríða til Lauga. Ósvífr fagnar þeim vel ok synir hans. 8. Bolli kvaddi Ósvífr til máls við sik ok hefr upp bónorð sitt ok bað Guðrúnar dóttur hans. En Ósvífr svarar á þá leið: „svá er, sem 10 þú veizt, Bolli, at Guðrún er ekkja, ok á hon sjálf svǫr fyrir sér, en fýsa mun ek þessa.“

9. Gengr nú Ósvífr til fundar við Guðrúnu ok segir henni, at þar er kominn Bolli Þorleiksson — „ok biðr þín; áttu nú svǫr þessa máls; mun ek hér um skjótt birta minn vilja, at 15 Bolla mun eigi frá hnekt, ef ek skal ráða.“

10. Guðrún svarar: „skjótlitit gerir þú þetta mál, ok rœddi Bolli eitt sinn þetta mál fyrir mér, ok veik ek heldr af, ok þat sama er mér enn í hug.“

11. Þá segir Ósvífr: „þá munu margir menn mæla, at 20 þetta sé meir af ofsa mælt en mikilli fyrirhyggju, ef þú neitar slíkum manni, sem Bolli er. En meðan ek em uppi, þá skal ek hafa forsjá fyrir yðr, hǫrnum mínum, um þá hluti, er ek kann gǫrr at sjá en þér.“

12. Ok er Ósvífr tók þetta mál svá þvert, þá fyrirtók 25 Guðrún eigi fyrir sína hǫnd ok var þó en tregasta í ǫllu. Synir Ósvífrs fýsa þessa mjǫk; þykkir sér mikil slœgja til mægða við Bolla. 13. Ok hvárt sem at þessum málum var setit lengr eða skemr, þá réz þat af, at þar fóru festar fram, ok kveðit á brullaupsstefnu um vetrnáttaskeið. 14. Síðan ríðr 30 Bolli heim í Hjarðarholt ok segir Óláfi þessa ráðastofnun. Hann lætr sér fátt um finnaz. Er Bolli heima, þar til er hann

---

1. *hafa—sinns sakir*, „es gelegent-
lich zur sprache gebracht zu haben“.

4. *líkaði*, diese haltung Óláfs und
aller beteiligten wird erklärlicher,
wenn man sich erinnert, wie wenig
damals eine mit officieller verlobung
nicht verbundene, gegenseitige nei-
gung respectiert wurde.

16. *skjótlitit*, „schnell betrachtet“;
sk. gerir þú þetta mál, „schnell
bist du mit der prüfung dieser an-
gelegenheit fertig“.

24. *fyrirtók*, „schlug (es) ab“.

26. *slœgja = slœgr*, „vorteil“

skal boðit sœkja. **15.** Bolli banð Oláfi frænda sínum, en Óláfr **Ld.**
var þess ekki fljótr ok fór þó at bœn Bolla. Veizla var virðu- **XLIII.**
lig at Laugum. Bolli var þar eptir um vetrinn. Ekki var
mart í samfǫrum þeira Bolla af Guðrúnar hendi.

16. En er sumar kom, þá gengu skip landa í milli. Þá 5
spurðuz þau tíðendi til Nóregs af Íslandi, at þat var alkristit.
Varð Óláfr konungr við þat allglaðr ok gaf leyfi ǫllum til
Íslands þeim mǫnnum, er hann hafði í gíslingum haft, ok fara
hvert er þeim líkaði. **17.** Kjartan svarar — því at hann var
fyrir þeim mǫnnum ǫllum, er í gíslingu hǫfðu verit haldnir —: 10
„hafið mikla þǫkk, ok þann munum vér af taka, at vitja Ís-
lands í sumar."

18. Þá segir Óláfr konungr: „eigi munum vér þessi orð
aptr taka, Kjartan, en þó mæltum vér þetta ekki síðr til
annarra manna en til þín, því at vér virðum svá, Kjartan, at 15
þú hafir hér setit meir í vingan en gíslingu; **19.** vilda ek, at
þú fýstiz eigi út til Íslands, þó at þú eigir þar gǫfga frændr,
því at kost muntu eiga at taka þann ráðakost í Nóregi, er
engi mun slíkr á Íslandi."

20. Þá svarar Kjartan: „várr herra launi yðr þann sóma, 20
er þér hafið til mín gǫrt, síðan er ek kom á yðvart vald, en
þess vænti ek, at þér munið eigi síðr gefa mér orlof en þeim
ǫðrum, er þér hafið hér haldit um hríð."

Konungr kvað svá vera skyldu, en segir sér torfengan
slíkan mann ótíginn, sem Kjartan var. 25

21. Þann vetr hafði Kálfr Ásgeirsson verit í Nóregi ok
hafði áðr um haustit komit vestan af Englandi með skip
þeira Kjartans ok kaupeyri. Ok er Kjartan hafði fengit orlofit
til Íslandsferðar, halda þeir Kálfr á búnaði sínum. **22.** Ok er
skipit var albúit, þá gengr Kjartan á fund Ingibjargar kon- 30
ungssystur. Hon fagnaði honum vel ok gefr rúm at sitja hjá
sér, ok taka þau tal saman; segir Kjartan þá Ingibjǫrgu, at
hann hefir búit ferð sína til Íslands.

23. Þá svarar hon: „meir ætlum vér, Kjartan, at þú hafir

---

5. 6. *Þá spurðuz*, das nachfolgende,
bis zum schluss des kapitels, hat
in der grossen Óláfs saga (Fornm.
sög. II, 253; Flateyjarbók I, 453)
eine parallele, worauf ein kurzer

auszug der begebenheiten bis zu
der ermordung Kjartans folgt.

11. *þann*, ergänze *kost*.

24. *torfengan*, „schwierig zu er-
langen".

Ld.
XLIII. gǫrt þetta við einræði þitt, en menn hafi þik þessa eggjat at fara í brott af Nóregi ok til Íslands;“ en fátt varð þeim at orðum þaðan í frá.

24. Í þessu bili tekr Ingibjǫrg til mjǫðdrekku, er stendr
5 hjá henni. Hon tekr þar ór motr hvítan, gullofinn ok gefr Kjartani, ok kvað Guðrúnu Ósvífrsdóttur hǫlzti gott at vefja honum at hǫfði sér, — 25. „ok muntu henni gefa motrinn at bekkjargjǫf; vil ek, at þær Íslendinga-konur sjái þat, at sú kona er eigi þræla ættar, er þú hefir tal átt við í
10 Nóregi;“ þar var guðvefjarpoki um utan, var þat enn ágætasti gripr.

26. „Hvergi mun ek leiða þik,“ sagði Ingibjǫrg, „far nú vel ok heill!“

Eptir þat stendr Kjartan upp ok hvarf til Ingibjargar, ok
15 hǫfðu menn þat fyrir satt, at þeim þætti fyrir at skiljaz.
27. Gengr nú Kjartan í brott ok til konungs; sagði konungi, at hann er þá búinn ferðar sinnar. Óláfr konungr leiddi Kjartan til skips ok fjǫlði manns með honum. Ok er þeir kómu þar, sem skipit flaut, ok var þá ein bryggja á land, þá
20 tók konungr til orða:

28. „hér er sverð, Kjartan, er þú skalt þiggja af mér at skilnaði okkrum; láttu þér vápn þetta fylgjusamt vera, því at ek vænti þess, at þú verðir eigi vápnbitinn maðr, ef þú berr þetta sverð.“

25 29. Þat var enn virðuligsti gripr, ok búit mjǫk.

Kjartan þakkaði konungi með fǫgrum orðum alla þá sœmð

---

1. *einræði*, „eigenwilligkeit“.

4. *mjǫðdrekku*, „ein gefäss aus dem man met zu trinken pflegte, ein metkrug“, — hier, sonderbar genug, als aufbewahrungsort für frauenputz angewandt.

5. *motr*, „kopftuch“; wahrscheinlich von ähnlicher beschaffenheit wie das öfter erwähnte *skaut*. Dieses tuch wurde wahrscheinlich durch die art, in der man den kopf mit ihm umwickelte, zum *faldr*.

6. *hǫlzti* = *helzti*.

8. *bekkjargjǫf*, wörtl. „bankgabe“

Sowol *b.* als *línfé* bezeichnen die hochzeitsgabe des bräutigams an die braut; es scheint, als ob das *línfé* der jungfräulichen braut vorbehalten war, während die frau, die zum zweiten male sich vermählte, sich mit der *bekkjargjǫf* begnügen musste.

12. *Hvergi — þik*, „nicht will ich dir (zum hause hinaus) das geleit geben“.

14. *hvarf til Ingibjargar*, „wandte sich zu I.“, d. h. küsste I.

17. *búinn ferðar sinnar*, „zu seiner reise bereit“.

ok virðing, er hann hafði honum veitt, meðan hann hafði **Ld.**
verit í Nóregi. **XLIII.**

Þá mælti konungr: „þess vil ek biðja þik, Kjartan, at þú **XLIV.**
haldir vel trú þína.“

30. Eptir þat skiljaz þeir, konungr ok Kjartan, með 5
miklum kærleik. Gengr þá Kjartan út á skip.

Konungrinn leit eptir honum ok mælti: „mikit er at Kjartani
kveðit ok kyni hans, ok mun óbœgt vera atgerða við for- ✓
lǫgum þeira.“

Kjartan trifft nach seiner rückkehr nach Island Hrefna, die schwester
seines gefährten Kálfr.

XLIV, 1. Þeir Kjartan ok Kálfr sigla nú í haf. Þeim 10
byrjaði vel ok váru lítla hríð úti; tóku Hvítá í Borgarfirði.
Þessi tíðendi spyrjaz víða, útkváma Kjartans. **2.** Þetta fréttir
Oláfr faðir hans ok aðrir frændr hans ok verða fegnir mjǫk.
Ríðr Óláfr þegar vestan ór Dǫlum ok suðr til Borgarfjarðar;
verðr þar mikill fagnafundr með þeim feðgum; býðr Óláfr 15
Kjartani til sín við svá marga menn, sem hann vildi. **3.** Kjartan
tók því vel, kvaz sér þá eina vist ætla at hafa á Íslandi.
Ríðr Óláfr nú heim í Hjarðarholt, en Kjartan er at skipi um
sumarit. Hann spyrr nú gjaforð Guðrúnar ok brá sér ekki
við þat; en mǫrgum var á því kvíðustaðr áðr. 20

4. Guðmundr Sǫlmundarson, mágr Kjartans, ok Þuríðr
systir hans kómu til skips. Kjartan fagnar þeim vel. Ásgeirr
œðikollr kom ok til skips at finna Kálf son sinn. Þar var
í ferð með honum Hrefna dóttir hans; hon var en fríðasta
kona. **5.** Kjartan bauð Þuríði systur sinni at hafa slíkt af 25
varningi, sem hon vildi. Slíkt et sama mælti Kálfr við Hrefnu.
Kálfr lýkr nú upp einni mikilli kistu ok bað þær þar til
ganga. **6.** Um daginn gerði á hvast veðr, ok hljópu þeir
Kjartan þá út at festa skip sitt. Ok er þeir hǫfðu því lokit,
ganga þeir heim til búðanna. Gengr Kálfr inn fyrri í búðina. 30

---

7. 8. *mikit — hans*, „schwere ver-
hängnisse sind dem K. und seinem
geschlechte bestimmt“.

8. *óhœgt . . . atgerða* (gen. pl.),
„schwierig vorbeugende massregeln
zu treffen“.

Cap. XLIV. 17. *þá — Íslandi*, „dass
er in Island nur diesen aufenthalts-
ort wählen würde“.

20. *kvíðustaðr*, „veranlassung zur
furcht“.

30. *inn fyrri, inn* adv., *fyrri* wol adj.

Ld.   7. Þær Þuríðr ok Hrefna hafa þá mjǫk brotit ór kistunni. Þá
XLIV. þrífr Hrefna upp motrinn ok rekr í sundr; tala þær um, at
þat sé en mesta gersemi. Þá segir Hrefna, at hon vill falda
sér við motrinn. Þuríðr kvað þat ráðligt; ok nú gerir Hrefna
5 svá. 8. Kálfr sér þetta ok lét eigi hafa vel til tekiz, ok bað
hana taka ofan sem skjótast; — „því at sjá einn er svá hlutr,
at vit Kjartan eigum eigi báðir saman."

     9. Ok er þau tala þetta, þá kemr Kjartan inn í búðina.
Hann hafði heyrt tal þeira ok tók undir þegar ok kvað ekki
10 saka. Hrefna sat þá enn með faldinum. 10. Kjartan hyggr
at henni vandliga ok mælti: „vel þykki mér þér sama motrinn,
Hrefna," segir hann, „ætla ek ok, at þat sé bezt fallit, at ek
eiga allt saman, motr ok mey."

     11. Þá svarar Hrefna: „þat munu menn ætla, at þú munir
15 eigi kvángaz vilja bráðendis, en geta þá konu, er þú biðr."

     12. Kjartan segir, at eigi mundi mikit undir, hverja hann
ætti, en léz engrar skyldu lengi vánbiðill vera; — „sé ek, at
þessi búnaðr berr þér vel, ok er sannligt, at þú verðir mín
kona."

20   13. Hrefna tekr nú ofan faldinn ok selr Kjartani motrinn,
ok hann varðveitir. Guðmundr ok þau Þuríðr buðu Kjartani
norðr þangat til sín til kynnisvistar um vetrinn. Kjartan hét
ferð sinni. Kálfr Ásgeirsson réz norðr með feðr sínum.
14. Skipta þeir Kjartan nú félagi sínu, ok fór þat allt í mak-
25 endi ok vinskap. Kjartan ríðr ok frá skipi ok vestr í Dali.
Þeir váru tólf saman. Kemr Kjartan heim í Hjarðarholt, ok
verða allir menn honum fegnir. 15. Kjartan lætr flytja fé
sitt sunnan frá skipi um haustit. Þessir tólf menn, er vestr
riðu með Kjartani, váru allir í Hjarðarholti um vetrinn.

---

1. *brotit*, wörtl. „gebrochen", hier
„ausgepackt".

2. *rekr í sundr*, „entfaltet"; von
rekja.

5. *lét — tekiz*, „sagte, dass hier
etwas unpassendes geschehen wäre".

6. 7. *svá hlutr, at*, „ein ding der
art, dass".

15. *en geta*, scil. *en (at þú munir)
geta*, „aber dass du bekommen
werdest".

18. *berr þér vel*, „ist angemessen
für dich".

sannligt, „billig".

22. *til kynnisvistar*, „auf besuch
bei bekannten".

24. 25. *makendi*, „friedfertigkeit".

28. *Þessir tólf* etc. Der ausdruck
ist ungenau, weil (wie z. 26 angegeben)
die schar Kjartans, nur wenn er
selbst mitgezählt wurde, 12 aus-
machte.

16. Þeir Óláfr ok Ósvífr heldu enum sama hætti um heim- **Ld.**
boð; skyldu sitt haust hvárir aðra heim sœkja. Þetta haust **XLIV.**
skyldi vera boð at Laugum, en Óláfr til sœkja ok þeir Hjarð- **XLV.**
hyltingar. 17. Guðrún mælti nú við Bolla, at henni þótti
hann eigi hafa sér allt satt til sagt um útkvámu Kjartans. 5
Bolli kvaz þat sagt hafa, sem hann vissi þar af sannast.
18. Guðrún talaði fátt til þessa efnis, en þat var auðfynt, at
henni líkaði illa, því at þat ætluðu flestir menn, at henni væri
enn mikil eptirsjá at um Kjartan, þó at hon hylði yfir. 19.
Líðr nú þar til, er haustboðit skyldi vera at Laugum. Óláfr 10
bjóz til ferðar ok bað Kjartan fara með sér. Kjartan kvaz
mundu heima vera at gæta bús.

Óláfr bað hann eigi þat gera at styggjaz við frændr sína,
— 20. „minnstu á þat, Kjartan, at þú hefir engum manni
jafnmikit unnt sem Bolla fóstbróður þínum; er þat minn vili, 15
at þú farir; mun ok brátt semjaz með ykkr frændum, ef þit
finniz sjálfir.“

21. Kjartan gerir, svá sem faðir hans beiðiz, ok tekr hann
nú upp skarlatsklæði sín, þau er Óláfr konungr gaf honum
at skilnaði, ok bjó sik við skart. 22. Hann gyrði sik með 20
sverðinu konungsnaut; hann hafði á höfði hjálm gullroðinn
ok skjǫld á hlið rauðan, ok dreginn á með gulli krossinn
helgi; hann hafði í hendi spjót ok gullrekinn falrinn á.
23. Allir menn hans váru í litklæðum. Þeir váru alls á þriðja
tigi manna. Þeir ríða nú heiman ór Hjarðarholti ok fóru þar 25
til, er þeir kómu til Lauga; var þar mikit fjǫlmenni fyrir.

Zwischen Kjartan und Bolli entsteht unfreundschaft.
Kjartan heiratet Hrefna.

XLV, 1. Bolli gekk í móti þeim Óláfi ok synir Ósvífrs
ok fagna þeim vel. Bolli gekk at Kjartani ok mintiz til hans.

---

4. *Hjarðhyltingar*, die bewohner
des hofes *Hjarðarholt*.

7. *til þessa efnis*, „was diese
sache betraf“.

9. *eptirsjá*, „sehnsüchtiges ver-
langen“, „liebe“.

hylði yfir, „es verbärge“.

24. *í litklæðum*, „in künstlich ge-
färbten kleidern“, die nur wol-
habendere leute zu tragen pflegten,
während die ärmeren sich mit un-
gefärbtem zeuge (das also die
natürliche farbe der wolle hatte)
begnügten. Siehe Arkiv f. nord.
filol. IX, 171 ff.

Ld.   Kjartan tók kveðju hans. Eptir þat var þeim inn fylgt. Bolli
XLV. er við þá enn kátasti. Óláfr tók því einkar vel, en Kjartan
heldr fáliga. 2. Veizla fór vel fram. Bolli átti stóðhross þau,
er bezt váru kǫlluð. Hestrinn var mikill ok vænn ok hafði
5 aldregi brugðiz at vígi; hann var hvítr at lit ok rauð eyrun
ok topprinn. Þar fylgðu þrjú merhryssi með sama lit sem
hestrinn. 3. Þessi hross vildi Bolli gefa Kjartani, en Kjartan
kvaz engi vera hrossamaðr ok vildi eigi þiggja. Óláfr bað
hann við taka hrossunum, — „ok eru þetta enar virðuligstu
10 gjafir.“

    4. Kjartan setti þvert nei fyrir. Skilðuz eptir þat með
engri blíðu, ok fóru Hjarðhyltingar heim; ok er nú kyrt. Var
Kjartan heldr fár um vetrinn. Nutu menn lítt tals hans; þótti
Óláfi á því mikil mein.

15   5. Þann vetr eptir jól býz Kjartan heiman, ok þeir tólf
saman; ætluðu þeir norðr til heraða. Ríða nú leið sína, þar
til er þeir koma í Víðidal norðr, í Ásbjarnarnes, ok er þar
tekit við Kjartani með enni mestu blíðu ok ǫlúð. 6. Váru
þar hýbýli en vegligstu. Hallr son Guðmundar var þá á tví-
20 tugs aldri; hann var mjǫk í kyn þeira Laxdœla. Þat er alsagt,
at eigi hafi verit alvaskligri maðr í ǫllum Norðlendingafjórð-
ungi. Hallr tók við Kjartani frænda sínum með mikilli blíðu.
7. Eru þá þegar leikar lagðir í Ásbjarnarnesi, ok safnat víða
til um heruð; kom til vestan ór Miðfirði, ok af Vatnsnesi, ok
25 ór Vatnsdal, ok allt utan ór Langadal; varð þar mikit fjǫl-
menni. 8. Allir menn hǫfðu á máli, hversu mikit afbragð
Kjartan var annarra manna. Síðan var aflat til leiks, ok
beitiz Hallr fyrir; hann bað Kjartan til leiks, — „vildim vér
frændi, at þú sýndir kurteisi þína í þessu.“

30   9. Kjartan svarar: „lítt hefi ek tamit mik til leika nú

Cap. XLV. 6. *merhryssi*, „stuten“.
8. *hrossamaðr*, „pferdeliebhaber“.

    19. *Hallr Guðmundarson*, nach
der Heiðarvíga saga wurde dieser
mann ungefähr 10 jahre später in
Norwegen getötet.

    24. 25. *Miðfirði — Langadal*, sämt-
liche hier genannte localitäten sind

nachbarbezirke des *Víðidalr*, wo
der hof *Asbjarnarnes* gelegen ist.
Langidalr ist die nordöstlichste
landschaft, aber weil sie an der
küste liegt, wird von ihr die be-
zeichnung *utan* (z. 25) gebraucht.

    28. *beitiz H. fyrir*, „H. übernimmt
die leitung“.

et næsta, því at annat var tíðara með Óláfi konungi; en eigi
vil ek synja þér um sinns sakir þessa.' Ld.
XLV.

10. Býz nú Kjartan til leiks; var þeim mǫnnum at móti
honum skipt, er þar váru sterkastir. Er nú leikit um daginn;
hafði þar engi maðr við Kjartani hvárki afl né fimleik. 5 ·

11. Ok um kveldit, er leik var lokit, þá stendr upp Hallr
Guðmundarson ok mælti: „þat er boð fǫður míns ok vili um
alla þá menn, er hingat hafa lengst sótt, at þeir sé hér allir
náttlangt, ok taki hér á morgin til skemtanar.“

12. Þetta erendi rœmðiz vel, ok þótti stórmannliga boðit. 10
Kálfr Ásgeirsson var þar kominn, ok var einkar kært með
þeim Kjartani. Þar var ok Hrefna systir hans ok helt all-
mjǫk til skarts. Var þar aukit hundrað manna á búi um
nóttina. **13.** Um daginn eptir var þar skipt til leiks. Kjartan
sat þá hjá leik ok sá á. Þuríðr systir hans gekk til máls 15
við hann ok mælti svá:

14. „þat er mér sagt, frændi, at þú sér heldr hljóðr vetr-
langt; tala menn þat, at þér muni vera eptirsjá at um Guð-
rúnu; fœra menn þat til þess, at engi blíða verðr á með ykkr
Bolla frændum, svá mikit ástríki sem með ykkr hefir verit 20
allar stundir. **15.** Ger svá vel ok hœfiliga, at þú lát þér ekki
at þessu þykkja, ok unn frænda þínum góðs ráðs; þœtti oss
þat ráðligast, at þú kvángaðiz eptir því, sem þú mæltir í fyrra
sumar, þótt þér sé eigi þar með ǫllu jafnræði, sem Hrefna er,
því at þú mátt eigi þat finna innanlands. **16.** Ásgeirr faðir 25
hennar er gǫfugr maðr ok stórættaðr. Hann skortir ok eigi
fé at fríða þetta ráð; er ok ǫnnur dóttir hans gipt ríkum
manni. Þú hefir ok mér sagt, at Kálfr Ásgeirsson sé enn
rǫskvasti maðr; er þeira ráðahagr enn skǫruligsti. Þat er
minn vili, at þú takir tal við Hrefnu, ok væntir mik, at þér 30
þykki þar fara vit eptir vænleik.“

---

1. *et næsta,* „in der letzten zeit“.
annat var tíðara etc., die in Is-
land gebräuchlichen spiele scheint
Kjartan hierdurch als unfein oder
bäuerisch stempeln zu wollen.
2. *um sinns sakir,* „für diesmal“.
5. *fimleik,* „behendigkeit“.
13. *aukit hundrað,* „mehr als ein
hundert“.

19. *fœra—þess,* „man schliesst
dies daraus“.
29. *ráðahagr,* „stellung“ (ver-
hältnisse).
31. *fara—vænleik,* „dass ihr ver-
stand ihrer schönheit entspricht“.
Der stabreim giebt dem satze die
form einer sentenz.

Ld.　　　　　**17.** Kjartan tók vel undir þetta ok kvað hana vel mála
XLV. leita. Eptir þetta er komit saman tali þeira Hrefnu; tala þau
um daginn. Um kveldit spurði Þuríðr Kjartan, hversu honum
hefði virz orðtak Hrefnu. Hann lét vel yfir, kvaz kona þykkja
5 vera en skǫruligsta at ǫllu því, er hann mátti sjá af. **18.** Um
morgininn eptir váru menn sendir til Ásgeirs ok boðit honum
í Ásbjarnarnes. Tókz nú umrœða um mál þeira, ok biðr
Kjartan nú Hrefnu, dóttur Ásgeirs. **19.** Hann tekr því máli
líkliga, því at hann var vitr maðr ok kunni at sjá, hversu
10 sœmiliga þeim er boðit. Kálfr er þessa máls mjǫk flýtandi,
— „vil ek ekki láta til spara.“
Hrefna veitti ok eigi afsvǫr fyrir sína hǫnd, ok bað hon
fǫður sinn ráða. **20.** Er nú þessu máli á leið snúit ok váttum
bundit. Ekki lætr Kjartan sér annat líka, en brullaup sé í
15 Hjarðarholti. Þeir Ásgeirr ok Kálfr mæla ekki þessu í mót.
21. Er nú ákveðin brullaupstefna í Hjarðarholti, þá er fimm
vikur eru af sumri. Eptir þat reið Kjartan heim með stórar
gjafir. Óláfr lét vel yfir þessum tíðendum, því at Kjartan var
miklu kátari, en áðr hann fór heiman. **22.** Kjartan fastaði
20 þurt langafǫstu ok gerði þat at engis manns dœmum hér á
landi; því at þat er sǫgn manna, at hann hafi fyrstr manna
fastat þurt hér innanlands. **23.** Svá þótti mǫnnum þat undar-
ligr hlutr, at Kjartan lifði svá lengi matlauss, at menn fóru
langar leiðir at sjá hann. Með slíku móti váru aðrir hættir
25 Kjartans um fram aðra menn. Síðan gengu af páskarnir.
Eptir þat láta þeir Kjartan ok Óláfr stofna til veizlu mikillar.
24. Koma þeir norðan Ásgeirr ok Kálfr at ákveðinni
stefnu, ok Guðmundr ok Hallr, ok hǫfðu þeir allir saman sex

---

1. 2. *hana — leita*, „dass sie einen
ansprechenden vorschlag mache“.

2. *tali þeira Hrefnu*, „gespräch
zwischen Kjartan und H.“

4. 5. *kvaz — skǫruligsta*, d h. *kvað
sér þykkja kona vera* usw., eine
sonderbare construction, die conta-
mination eines conjunctivsatzes und
eines acc. cum inf. zu sein scheint.

5. *at — af*, „nach allem was er da-
von sehen könne“, d. h. soweit er
die sache zu beurteilen vermöge.

14. 15. *Ekki — Hjarðarholti*, ein
ausdruck von Kjartans selbstgefühl.
Vgl. c. 23, 21.

16. 17. *þá — sumri*, d. h. c. 1. juni.

19. 20. *fastaði þurt*, „lebte (den
katholischen fastenregeln entspre-
chend) von *þurr matr*, d. i. fisch
(ohne milchspeisen)“.

23. *matlauss*, „ohne speise“; *matr*
steht hier jedoch in beschränkterer
bedeutung, da es die in der fasten-
zeit verbotenen hauptnahrungsmittel

tigu manna. Þeir Kjartan hǫfðu ok mikit fjǫlmenni fyrir. Ld.
Var sú veizla ágæt, því at viku var at boðinu setit. 25. Kjartan XLV.
gaf Hrefnu at línfé motrinn, ok var sú gjǫf allfræg, því at XLVI.
engi var þar svá vitr eða stórauðigr, at slíka gersemi hefði
sét eða átta; en þat er hygginna manna frásǫgn, at átta 5
aurum gulls væri ofit í motrinn. 26. Kjartan var ok svá kátr
at boðinu, at hann skemti þar hverjum manni í tali sínu ok
sagði frá ferðum sínum; þótti mǫnnum þar mikils um þat vert,
hversu mikil efni þar váru til seld, því at hann hafði lengi
þjónat enum ágætasta hǫfðingja, Ólafi konungi Tryggvasyni. 10
27. En þá er boðinu var slitit, valði Kjartan góðar gjafir
Guðmundi ok Halli ok ǫðru stórmenni. Fengu þeir feðgar
mikinn orðstír af þessi veizlu. Tókuz góðar ástir með þeim
Kjartani ok Hrefnu.

Die gastmähler zu Hjarðarholt und Laugar. Während des ersten wird
das schwert Kjartans gestohlen; bei dem zweiten verschwindet der kopf-
putz Hrefnas.

XLVI, 1. Þeir Ólafr ok Ósvífr heldu sinni vináttu, þótt 15
nǫkkut væri þústr á með enum yngrum mǫnnum. Þat sumar
hafði Ólafr heimboð hálfum mánaði fyrir vetr. Ósvífr hafði
ok boð stofnat at vetrnóttum; bauð þá hvárr þeira ǫðrum til
sín með svá marga menn, sem þá þœtti hvárum mestr sómi
at vera. 2. Ósvífr átti þá fyrri boð at sœkja til Óláfs, ok 20
kom hann at ákveðinni stundu í Hjarðarholt. Í þeiri ferð
var Bolli ok Guðrún ok synir Ósvífrs. 3. Um morgininn eptir
rœddi kona ein um, er þær gengu utar eptir skálanum, hversu
konum skyldi skipa í sæti. Þat bar saman ok Guðrún er
komin gegnt rekkju þeiri, at Kjartan var vanr at liggja í. 25
4. Kjartan var ·þá at ok klæddiz ok steypði yfir sik skarlats-
kyrtli rauðum; þá mælti Kjartan til konu þeirar, er um kvenna
skipunina hafði rœtt — því at engi var annarr skjótari til at

---

bezeichnet, also so gut wie ohne
speise.
3. *línfé*, siehe c. 43, 25.
5. 6. *átta aurum gulls* = 8 *mǫrkum
silfrs*, also ungefähr 2880 rm.
9. *hversu — seld*, „wie bedeutende
begebenheiten hier (im gespräche)
behandelt wurden".

Cap. XLVI. 16. *þústr*, „unfreund-
schaft".
20. *at vera; at* adv.
23. *skálanum, skáli* bezeichnet
hier den gemeinschaftlichen schlaf-
raum; siehe Grundriss II², s. 233—34;
utar eptir sk., „von innen den
schlafraum entlang".

Ld.
XLVI. svara —: „Hrefna skal sitja í ǫndvegi ok vera mest metin at gǫrvǫllu, á meðan ek em á lífi.“

5. En Guðrún hafði þó áðr ávalt skipat ǫndvegi í Hjarðarholti ok annars staðar. Guðrún heyrði þetta ok leit til Kjartans

5 ok brá lit, en svarar engu. 6. Annan dag eptir mælti Guðrún við Hrefnu, at hon skyldi falda sér með motrinum ok sýna mǫnnum svá enn bezta grip, er komit hafði til Íslands. Kjartan var hjá ok þó eigi allnær ok heyrði, hvat Guðrún mælti. 7. Hann varð skjótari til at svara en Hrefna: „ekki skal hon

10 falda sér með motri at þessu boði, því at meira þykki mér skipta, at Hrefna eigi ena mestu gersemi, heldr en boðsmenn hafi nú augnagaman af at sinni.“ 8. Viku skyldi haustboð vera at Ólafs. Annan dag eptir rœddi Guðrún í hljóði til Hrefnu, at hon skyldi sýna henni motrinn; hon kvað svá vera

15 skyldu. Um daginn eptir ganga þær í útibúr þat, er gripirnir váru í. 9. Lauk Hrefna upp kistu ok tók þar upp guðvefjarpoka, en ór pokanum tók hon motrinn ok sýndi Guðrúnu. Hon rakði motrinn ok leit á um hríð ok rœddi hvárki um lǫst né lof. Síðan hirði Hrefna motrinn, ok gengu þær til

20 sætis síns. Eptir þat fór þar fram gleði ok skemtan.

10. En þann dag er boðsmenn skyldu í brott ríða, gekk Kjartan mjǫk um sýslur at annaz mǫnnum hesta skipti, þeim er langt váru at komnir, ok slíkan fararbeina hverjum, sem hafa þurfti. 11. Ekki hafði Kjartan haft sverðit konungsnaut

25 í hendi, þá er hann hafði at þessu gengit, en þó var hann sjaldan vanr at láta þat hendi firr ganga. Síðan gekk hann til rúms síns, þar sem sverðit hafði verit, ok var þá á brottu. 12. Hann gekk þegar at segja feðr sínum þessa svipan.

---

1. *ǫndvegi*, „hochsitz“; er befand sich in der mitte der erhöhungen (oder bänke), die längs der seitenwände der stube liefen. Vgl. Grundriss II², s. 232—33.

1. 2. *at gǫrvǫllu*, „in jeder hinsicht“.
13. *vera*, d. h. dauern.
at Ólafs, das von *at* regierte wort (*bœ* oder *garði*) ist, wie gewöhnlich, weggelassen.
21. 22. *gekk . . . mjǫk um sýslur*, „war eifrig beschäftigt“.

22. *at annaz mǫnnum hesta skipti* (acc.), *þeim* etc., „um dafür sorge tragen, dass die leute, die aus weiter ferne gekommen waren, frische pferde bekamen“.
23. *ok (annaz) slíkan fararbeina hverjum*, „und jedem einzelnen für seine reise die hilfe zu leisten“.
26. *hendi firr ganga*, „von der hand fortgehen“, d. h. es aus der hand lassen.
27. *til rúms síns*, es war üblich,

Óláfr mælti: „hér skulum vér fara með sem hljóðast, ok Ld.
mun ek fá menn til njósnar í hvern flokk þeira, er á brott XLVI.
ríða;“ ok svá gerði hann.

13. Án enn hvíti skyldi ríða með liði Ósvífrs ok hugleiða
afhvarf manna eða dvalar. Þeir riðu inn hjá Ljárskógum ok 5
hjá bœjum þeim, er í Skógum heita, ok dvǫlðuz hjá skóginum
ok stigu þar af baki. 14. Þórólfr, son Ósvífrs, fór af bœnum
ok nǫkkurir aðrir menn með honum. Þeir hurfu í brott í
hrískjǫrr nǫkkur, á meðan þeir dvǫlðuz hjá skóginum. 15. Án
fylgði þeim til Laxár, er fellr ór Sælingsdal, ok kvaz hann 10
þá mundu aptr hverfa. Eigi talði Þórólfr mein á því, þótt
hann hefði hvergi farit. 16. Þá nótt áðr hafði fallit lítil
snæfǫlva, svá at sporrækt var. Án reið aptr til skógar ok
rakði spor Þórólfs til keldu einnar eða fens. Hann þreifar
þar í niðr, ok greip á sverðshjǫltum. 17. Án vildi hafa til 15
vitni með sér um þetta mál ok reið eptir Þórarni í Sælings-
dalstungu, ok hann fór til með Áni at taka upp sverðit. Eptir
þat fœrði Án Kjartani sverðit. Kjartan vafði um dúki ok
lagði niðr í kistu. 18. Þar heitir Sverðskelda síðan, er þeir
Þórólfr hǫfðu fólgit konungsnaut. Var nú látit kyrt yfir þessu, 20
en umgjǫrðin fannz aldregi síðan. Kjartan hafði jafnan minni
mætur á sverðinu síðan en áðr.

Þetta lét Kjartan á sik bíta ok vildi eigi hafa svá búit.

19. Óláfr mælti: „láttu þetta ekki á þik bíta; hafa þeir
sýnt ekki góðan prett, en þik sakar ekki; látum eigi aðra 25

---

dass jeder mann die waffen über
seinem bette hängen hatte.
s. 144, 28. svipan, „verlust“; =
svipr.

5. afhvarf, „das abbiegen vom
wege“.
Ljárskógar, hof nördlich von dem
c. 33, 31 genannten fluss Ljá.
6. í Skógum, gegenwärtig liegen
nördlich von Ljárskógar zwei höfe
dieses namens.
9. hrískjǫrr, „gebüsch auf sump-
figem boden“.
10. þeim, d. i. liði Ósvífrs.
Laxár ... Sælingsdal, diese Laxá,

durch die vereinigung der Sælings-
dalsá und der Svínadalsá gebildet,
ergiesst sich von norden her in die
innerste bucht des Hvammsfjǫrðr.
11. 12. Eigi — farit, „þ. sagte
dass er es nicht bedauert haben
würde, falls er zu hause geblieben
wäre“.
13. snæfǫlva, „dünne schnee-
decke“.
svá — var, „sodass man die spuren
verfolgen konnte“.
14. keldu, „sumpf“ = fens. kelda,
urspr. „quelle“.
19. Sverðskelda, der name ist nicht
erhalten.

Ld. eiga at því at hlæja, at vér leggim slíkt til deilu, þar er til
XLVI. móts eru vinir ok frændr."

Ok við þessar fortǫlur Óláfs lét Kjartan kyrt vera.

20. Eptir þetta bjóz Óláfr at sœkja heimboð til Lauga
5 at vetrnóttum ok rœddi um við Kjartan, at hann skyldi fara.
Kjartan var trauðr til ok hét þó ferðinni at bœn fǫður síns.
Hrefna skyldi ok fara ok vildi heima láta motrinn.

21. Þorgerðr húsfreyja spurði: „hvé nær skaltu upp taka
slíkan ágætisgrip, ef hann skal í kistum liggja, þá er þú ferr
10 til boða?"   Hrefna svarar: „margir menn mæla þat, at eigi
sé ørvæna, at ek koma þar, at ek eiga færi ǫfundarmenn en
at Laugum."

22. Þorgerðr segir: „ekki leggjum vér mikinn trúnað á
þá menn, er slíkt láta fjúka hér í milli húsa."

15 En með því at Þorgerðr fýsti ákaft, þá hafði Hrefna
motrinn; en Kjartan mælti þá eigi í mót, er hann sá, hversu
móðir hans vildi. **23.** Eptir þetta ráðaz þau til ferðar, ok
koma þau til Lauga um kveldit, ok var þeim þar vel fagnat.
Þorgerðr ok Hrefna selja klæði sín til varðveizlu. **24.** En um
20 morgininn, er konur skyldu taka búnað sinn, þá leitar Hrefna
at motrinum, ok var þá í brottu þaðan, sem hon hafði varð-
veitt; ok var þá víða leitat ok fannz eigi. **25.** Guðrún kvað
þat líkast, at heima mundi eptir hafa orðit motrinn, eða hon
mundi hafa húit um óvarliga ok fellt niðr. Hrefna sagði nú
25 Kjartani, at motrinn var horfinn. **26.** Hann svarar ok kvað
eigi hœgt hlut í at eiga at gæta til með þeim ok bað hana
nú láta vera kyrt, segir síðan fǫður sínum, um hvat at
leika var.

27. Óláfr svarar: „enn vilda ek sem fyrr, at þú létir vera
30 ok hjá þér líða þetta vandræði; mun ek leita eptir þessu í
hljóði, því at þar til vilda ek allt vinna, at ykkr Bolla skilði
eigi á; er um heilt bezt at binda, frændi," segir hann.

---

11. *ørvæna = ørvænt,* „kaum zu
erwarten". *eigi sé ø. at ek koma
þar, at,* „es sei leicht möglich, dass
ich an einen ort kommen könnte, wo".

26. *at gæta til með þeim,* „auf
sie acht zu geben".

27. 28. *um hvat at leika var,* „wie

die lage der dinge war"; *at leika
um eht,* „mit etwas zu tun haben".

29. 30. *at — líða,* „dass du (dies)
unerwähnt und unbeachtet liessest".

32. *er — binda,* sprichwort; würtl.
„das unbeschädigte ist am leichtesten
zu verbinden".

28. Kjartan svarar: „auðvitat er þat, faðir, at þú mundir   **Ld.**
unna ǫllum hér af góðs hlutar, en þó veit ek eigi, hvárt ek **XLVI.**
nenni at aka svá hǫllu fyrir Laugamǫnnum."

29. Þann dag, er menn skyldu á brott ríða frá boðinu,
tekr Kjartan til máls ok segir svá: „þik kveð ek at þessu, 5
Bolli frændi, þú munt vilja gera til vár drengiligar heðan í
frá en hingat til; 30. mun ek þetta ekki í hljóðmæli fœra,
því at þat er nú at margra manna viti um hvǫrf þau, er hér
hafa ₀orðiₜ, er vér hyggjum at í yðvarn garð hafi runnit.
31. Á hausti, er· vér veittum veizlu í Hjarðarholti, var tekit 10
sverð mitt; nú kom þat aptr, en eigi umgjǫrðin. Nú hefir hér
enn horfit sá gripr, er fémætr mun þykkja; þó vil ek nú hafa
hvárntveggja."

32. Þá svarar Bolli: „eigi eru vér þessa valdir, Kjartan,
er þú berr á oss; mundi oss alls annars af þér vara en þat, 15
at þú mundir oss stulð kenna."

33. Kjartan segir: „þá menn hyggjum vér hér í ráðum
hafa verit um þetta, at þú mátt bœtr á ráða, ef þú vill; gangi
þér þǫrfum meir á fang við oss; hǫfum vér lengi undan eirt
fjándskap yðrum; skal nú því lýsa, at eigi mun svá húit 20
hlýða."

34. Þá svarar Guðrún máli hans ok mælti: „þann seyði
raufar þú þar, Kjartan! at betr væri, at eigi ryki. 35. Nú þó
at svá sé, sem þú segir, at þeir menn sé hér nǫkkurir, er ráð
hafi til þess sett, at motrinn skyldi hverfa, þá virði ek svá, 25
at þeir hafi at sínu gengit; 36. hafi þér nú þat fyrir satt þar
um, sem yðr líkar, hvat af motrinum er orðit, en eigi þykki

---

2. *unna—hlutar*, „allen (beiden
parteien) einen guten ausgang dieser
sache gönnen".

3. *at—hǫllu*, „mit so schiefem
(wagen) fahren", d. h. so sehr zu
kurz kommen.

7. *hljóðmæli*, „geheime unter-
redung".

12. *fémætr*, „wertvoll".

14. *þessa valdir*, „urheber davon".

19. *þǫrfum meir*, „mehr als not-
wendig".

22. 23. *þann seyði raufar þú*,
„dies feuer schürst du". „feuer
schüren" bildlich gebraucht = eine
sache erwähnen; vergl. auch das
nachfolgende.

26. *at sínu gengit*, hierdurch wird
angedeutet, dass Guðrún, wegen
der worte der königstochter Ingi-
bjǫrg (c. 43, 24), den *motr* als ihr
eigentum betrachtete, und indirekt
bekannte, an dem verschwinden
desselben schuld zu sein.

10*

Ld.   mér illa, þó at svá sé fyrir honum hagat, at Hrefna hafi lítla
XLVI. búningsbót af motrinum heðan í frá.“
XLVII.   37. Eptir þetta skilja þau heldr þungliga. Ríða þeir heim
Hjarðhyltingar. Takaz nú af heimboðin; var þó kyrt at kalla.
5 Ekki spurðiz síðan til motrsins. 38. Þat hǫfðu margir menn
fyrir satt, at Þórólfr hefði brendan motrinn í eldi at ráði Guð-
rúnar systur sinnar. Þann vetr ǫndverðan andaðiz Ásgeirr
œðikollr. Tóku synir hans þar við búi ok fé.

Kjartan hält die leute des hofes Laugar eingeschlossen und verhindert
Bolli an dem kaufe des hofes Tunga.

XLVII, 1. Eptir jól um vetrinn safnar Kjartan at sér
10 mǫnnum; urðu þeir saman sex tigir manna. Ekki sagði
Kjartan fǫður sínum, hversu af stóz um ferð þessa; spurði
Óláfr ok lítt at. Kjartan hafði með sér tjǫld ok vistir.
2. Ríðr Kjartan nú leið sína, þar til er hann kemr til Lauga.
Hann biðr menn stíga af baki ok mælti, at sumir skyldu
15 geyma hesta þeira, en suma biðr hann reisa tjǫld. 3. Í þann
tíma var þat mikil tízka, at úti var salerni ok eigi allskamt
frá bœnum, ok svá var at Laugum. Kjartan lét þar taka dyrr
allar á húsum ok bannaði ǫllum mǫnnum útgǫngu ok dreitti
þau inni þrjár nætr. 4. Eptir þat ríðr Kjartan heim í Hjarðar-
20 holt ok hverr hans fǫrunauta til síns heimilis. Óláfr lætr illa
yfir þessi ferð. Þorgerðr kvað eigi lasta þurfa ok sagði
Laugamenn til slíks gǫrt hafa eða meiri svívirðingar.
5. Þá mælti Hrefna: „áttir þú, Kjartan, við nǫkkura menn
tal at Laugum?“
25   Hann svarar: „lítit var bragð at því;“ segir hann, at þeir
Bolli skiptuz við nǫkkurum orðum.
6. Þá mælti Hrefna ok brosti við: „þat er mér sannliga
sagt, at þit Guðrún muniÞ hafa við talaz, ok svá hefi ek
spurt, hversu hon var búin, at hon hefði nú faldit sik við
30 motrinum ok semði einkar vel.“
7. Kjartan svarar ok roðnaði mjǫk við — var mǫnnum
auðfynt, at hann reiddiz við, er hon hafði þetta í fleymingi —:

---

2. *búningsbót*, „verschönerung der   Cap. XLVII. 16. *tízka*, „gewohnheit“!
tracht“.   17. 18. *taka dyrr allar*, „alle
                                         türen besetzen“.

8. „ekki bar mér þat fyrir augu, er þú segir frá, Hrefna,“ Ld.
segir Kjartan; „mundi Guðrún ekki þurfa at falda sér motri XLVII.
til þess at sama betr en allar konur aðrar.“
Þá hætti Hrefna þessu tali.
9. Þeim Laugamǫnnum líkar illa ok þótti þetta miklu 5
meiri svívirðing ok verri, en þótt Kjartan hefði drepit mann
eða tvá fyrir þeim. 10. Váru þeir synir Ósvífrs óðastir á
þetta mál, en Bolli svafði heldr. Guðrún talaði hér fæst um,
en þó fundu menn þat á orðum hennar, at eigi væri víst,
hvárt ǫðrum lægi í meira rúmi en henni. 11. Geriz nú full- 10
kominn fjándskapr milli Laugamanna ok Hjarðhyltinga. Ok
er á leið vetrinn, fœddi Hrefna barn. Þat var sveinn, ok var
nefndr Asgeirr.
12. Þórarinn búandi í Tungu lýsir því, at hann vildi
selja Tungu-land; var þat bæði, at honum þurru lausafé, enda 15
þótti honum mjǫk vaxa þústr milli manna í heraðinu; en
honum var kært við hváratveggju. 13. Bolli þóttiz þurfa at
kaupa sér staðfestu, því at Laugamenn hǫfðu fá lǫnd, en
fjǫlða fjár. Þau Bolli ok Guðrún riðu í Tungu at ráði Osvífrs;
þótti þeim í hǫnd falla at taka upp land þetta hjá sér sjálfum, 20
ok bað Ósvífr þau eigi láta smátt slíta. 14. Síðan réðu þau
Þórarinn um kaup þetta ok urðu ásátt, hversu dýrt vera skyldi,
ok svá þat, er í móti skyldi vera, ok var mælt til kaups með
þeim Bolla. 15. En því var kaupit eigi váttum bundit, at eigi
váru menn svá margir hjá, at þat þœtti vera lǫgfullt. Ríða 25
þau Bolli ok Guðrún heim eptir þetta. En er Kjartan Ólafs-
son spyrr þessi tíðendi, ríðr hann þegar við tólfta mann ok
kom í Tungu snemma dags; fagnar Þórarinn honum vel ok
bauð honum þar at vera. 16. Kjartan kvaz heim mundu ríða

8. svafði, „beruhigte“.
13. Asgeirr, die Landnámabók
(II, 18) kennt, ausser A, noch einen
sohn aus der ehe von Kjartan und
Hrefna, nämlich Skúmr.
18. 19. hǫfðu — fjár, „hatten
mangel an land, aber viel vieh“.
20. í hǫnd falla, „gelegen sein“.
taka — sjálfum, „dieses, in ihrer
unmittelbaren nähe belegene land
in besitz zu bekommen“.

21. láta smátt slíta, „etwas un-
bedeutendes hindernd sein lassen“,
d. h. das zustandekommen des kaufes
durch eine kleine verschiedenheit
hinsichtlich des verkaufspreises zu
vereiteln.
23. ok — vera, „und zugleich was
(d. h. welcher art waaren) als zah-
lungsmittel dienen sollte“.
25. lǫgfullt, „den gesetzlichen vor-
schriften entsprechend“.

Ld. um kveldit, en eiga þar dvǫl nǫkkura. Þórarinn frétti at um
XLVII. erendi.

Kjartan svarar: „þat er erendi mitt hingat at rœða um
landkaup þat nǫkkut, er þér Bolli hafið stofnat, því at mér er
5 þat í móti skapi, ef þú selr land þetta þeim Bolla ok Guð-
rúnu.“

17. Þórarinn kvað sér vanhenta annat, — „því at verðit
skal bæði rífligt, þat er Bolli hefir mér fyrir heitit landit, ok
gjaldaz skjótt.“

10 **18.** Kjartan mælti: „ekki skal þik í skaða, þó at Bolli
kaupi eigi landit, því at ek mun kaupa þvílíku verði, ok ekki
mun þér duga mjǫk í móti at mæla því, sem ek vil vera láta,
því at þat mun á finnaz, at ek vil hér mestu ráða í heraði
ok gera þó meir eptir annarra manna skaplyndi en Lauga-
15 manna.“

19. Þórarinn svarar: „dýrt mun mér verða dróttins orð
um þetta mál, en þat væri næst mínu skaplyndi, at kaup þetta
væri kyrt, sem vit Bolli hǫfum stofnat.“

20. Kjartan mælti: „ekki kalla ek þat landkaup, er eigi
20 er váttum bundit. Ger nú annathvárt, at þú handsala mér
þegar landit at þvílíkum kostum, sem þú hefir ásáttr orðit við
aðra, eða bú sjálfr á landi þínu ella.“

21. Þórarinn kaus at selja honum landit. Váru nú þegar
váttar at þessu kaupi. Kjartan reið heim eptir landkaupit.
25 Þetta spurðiz um alla Breiðafjarðardali. Et sama kveld spurðiz
þetta til Lauga.

22. Þá mælti Guðrún: „svá virðiz mér, Bolli! sem Kjartan
hafi þér gǫrt tvá kosti, nǫkkuru harðari en hann gerði Þórarni,
at þú munt láta verða herað þetta með lítlum sóma eða sýna
30 þik á einhverjum fundi ykkrum nǫkkuru óslæra, en þú hefir
fyrr verit.“

Bolli svarar engu ok gekk þegar af þessu tali; ok var
nú kyrt þat er eptir var langafǫstu.

---

7. *vanhenta,* „ungelegen sein“.

10. *ekki—skaða,* „du sollst da-
durch keinen schaden leiden“; *skal*
unpers.

16. *dýrt mun . . . dróttins orð,*

sprichwort, „das wort des herren
hat viel gewicht“.

29. *láta verða,* „gezwungen werden
zu verlassen“.

30. *óslæra,* „weniger stumpf“, d. h.
weniger nachgiebig.

23. Enn þriðja dag páska reið Kjartan heiman við annan   **Ld.**
mann; fylgði honum Án svarti. Þeir koma í Tungu um **XLVII.**
daginn. **24.** Kjartan vill, at Þórarinn ríði með honum vestr
til Saurbœjar at játa þar skuldarstǫðum, því at Kjartan átti
þar miklar fjárreiður. Þórarinn var riðinn á annan bœ. 5
Kjartan dvalðiz þar um hríð ok beið hans. **25.** Þann sama
dag var þar komin Þórhalla málga. Hon spyrr Kjartan, hvert
hann ætlaði at fara. Hann kvaz fara skyldu vestr til Saur-
bœjar.

26. Hon spyrr: „hverja skaltu leið ríða?"   10
Kjartan svarar: „ek mun ríða vestr Sælingsdal, en vestan
Svínadal."

27. Hon spurði, hversu lengi hann mundi vera.
Kjartan svarar: „þat er líkast, at ek ríða vestan fimta-
daginn."   .   15
28. „Mantu reka erendi mitt," sagði Þórhalla. „Ek á
frænda vestr fyrir Hvítadal í Saurbœ; hann hefir heitit mér
hálfri mǫrk vaðmáls; vilda ek, at þú heimtir ok hefðir með
þér vestan."

29. Kjartan hét þessu. Síðan kemr Þórarinn heim ok 20
ræz til ferðar með þeim. Ríða þeir vestr um Sælingsdalsheiði
ok koma um kveldit á Hól til þeira systkina. Kjartan fær

---

4. *játa þar skuldarstǫðum*, „dort
ausstände (als zeuge) beglaubigen".
5. *fjárreiður*, „geldangelegen-
heiten"; wahrscheinlich ein guthaben
aus der verkauften schiffsladung.
á annan bœ, „nach einem nach-
barhof".
11. 12. *Sælingsdal — Svínadal*,
diese beiden täler verbinden den
an der innersten bucht des *Hvamms-
fjǫrðr* gelegenen bezirk (die
Hvammssveit), in welche sie un-
gefähr an demselben punkte ein-
münden, mit dem *Saurbœr*; von der
Hvammssveit erstreckt sich der
Sælingsdalr gegen nordwesten, wäh-
rend der Svínadalr — tatsächlich
nur ein enger pass — in nördlicher
richtung zum gebirge hinaufführt.

14. 15. *fimtadaginn*, „donnerstag".
Die heidnischen namen der wochen-
tage wurden in Island auf befehl
des bischofs Jón von Hólar († 1121)
abgeschafft.

17. *fyrir Hvítadal*, so ist der hof,
der an der mündung des tales H.
belegen ist, nach seiner lage be-
nannt gewesen.

18. *hálfri mǫrk vaðmáls*, der aus-
druck *mǫrk* in verbindung mit *vað-
máls* zeigt, das *vaðmál* hier für
lǫgeyrir steht, worunter man ver-
schiedene waaren verstehen konnte,
obwol fries (ellenweise) als rech-
nungseinheit verwendet wurde. Der
betrag ist 24 „ellen", die einen wert
von c. 22 rm. repräsentieren.

Ld. þar góðar viðtǫkur, því at þar var en mesta vingan. **30.** Þór-
LXVII. halla málga kom heim til Lauga um kveldit. Spyrja synir
LXVIII. Ósvífrs, hvat hon hitti manna um daginn. Hon kvaz hafa
hitt Kjartan Óláfsson. **31.** Þeir spurðu, hvert hann ætlaði.
5 Hon sagði slíkt af, sem hon vissi, — „ok aldregi hefir hann
verit vaskligri en nú, ok er þat eigi kynligt, at slíkum mǫnnum
þykki allt lágt hjá sér.“
32. Ok enn mælti Þórhalla: „auðfynt þótti mér þat á, at
Kjartani var ekki annat jafnlétt hjalat sem um landkaup þeira
10 Þórarins.“
33. Guðrún mælti: „vel má Kjartan því allt gera djarfliga,
þat er honum líkar, því at þat er reynt, at hann tekr enga
þá ósœmð til, at neinn þori at skjóta skapti at móti honum.“
34. Bæði var hjá tali þeira Guðrúnar Bolli ok synir
15 Osvífrs. Þeir Óspakr svara fá ok heldr til áleitni við Kjartan,
sem jafnan var vant. Bolli lét, sem hann heyrði eigi, sem
jafnan er Kjartani var hallmælt, því at hann var vanr at
þegja eða mæla í móti.

Die leute von Laugar legen dem Kjartan einen hinterhalt.

XLVIII, 1. Kjartan sitr enn fjórða dag páska á Hóli;
20 var þar en mesta skemtan ok gleði. Um nóttina eptir lét Án
illa í svefni, ok var hann vakiðr. Þeir spurðu, hvat hann
hefði dreymt.
2. Hann svarar: „kona kom at mér, óþekkilig, ok kipði
mér á stokk fram; hon hafði í hendi skálm ok trog í annarri;
25 hon setti fyrir brjóst mér skálmina ok reist á mér kviðinn
allan ok tók á brott innyflin ok lét koma í staðinn hrís.
Eptir þat gekk hon út,“ segir Án.
3. Þeir Kjartan hlógu mjǫk at drauminum ok kváðu hann

---

7. *allt — sér*, „alles im vergleich
mit ihnen selbst geringfügig“.
at — sér, dass solche männer alle
anderen leute für minderwertig an-
sehen“.

8. 9. *at — hjalat*, „dass K. von
keiner anderen sache so gerne
sprach“.

11. 12. *því . . . því*, unnötige
wiederholung.

12. 13. *tekr — til*, „er übt nicht
solche ungebührlichkeit“.

Cap. XLVIII. 23. *óþekkilig*, „wider-
wärtig“.

24. *stokk*, „seitenrand des bettes“.
trog, „trog“.

heita skyldu An hrísmaga; þrifu þeir til hans ok kváðuz leita
skyldu, hvárt brís væri í maganum.

4. Þá mælti Auðr: „eigi þarf at spotta þetta svá mjǫk;
er þat mitt tillag, at Kjartan geri annathvárt, at hann dveliz
hér lengr, en ef hann vill ríða, þá ríði hann með meira lið 5
heðan en hingat.“

5. Kjartan mælti: „vera kann, at yðr þykki Án hrísmagi
mjǫk merkimáll, þá er hann sitr á tali við yðr um dagana,
er yðr þykkir allt, sem vitran sé, þat er hann dreymir; ok
fara mun ek, sem ek hefi áðr ætlat, fyrir þessum draum.“   10

6. Kjartan býz snimma fimtadag í páskaviku, ok Þorkell
hvelpr ok Knútr bróðir hans at ráði Auðar. Þeir riðu með
Kjartani á leið alls tólf saman. Kjartan kemr fyrir Hvítadal
ok heimti vaðmál Þórhǫllu málgu, sem hann hét. Síðan reið
hann suðr Svínadal.   15

7. Þat var tíðenda at Laugum í Sælingsdal, at Guðrún
var snemma á fótum, þegar er sólu var ofrat. Hon gekk
þangat til, er brœðr hennar sváfu; hon tók á Óspaki. Hann
vaknaði skjótt við ok svá þeir fleiri brœðr. **8.** Ok er Óspakr
kendi þar systur sína, þá spurði hann, hvat hon vildi, er hon 20
var svá snemma á fótum. Guðrún kvaz vildu vita, hvat þeir
vildu at hafaz um daginn. Óspakr kvaz mundu kyrru fyrir
halda, — „ok er nú fátt til verknaðar.“

9. Guðrún mælti: „gott skaplyndi hefðið þér fengit, ef
þér væerið dœtr einshvers bónda, ok láta hvárki at yðr verða 25
gagn né mein; en slíka svívirðing ok skǫmm, sem Kjartan
hefir yðr gǫrt, þá sofi þér eigi at minna, at hann ríði hér hjá

---

1. *hrísmaga,* „reisigmagen“.

8. *merkimáll,* „dessen worten man
gewicht beilegen muss“ (weil er
zukünftige dinge vorauszusehen ver-
mag).

22. *at hafaz* = *hafa sik at.*

22. 23. *kyrru fyrir halda,* „sich
ruhig verhalten“.

23. *fátt til verknaðar,* „wenig zu
verrichten“.

25. *at yðr,* „von euch“.

26. 27. *slíka svívirðing ok skǫmm
. . . þá sofi þér,* man übersetze:
„trotz der schmach“ usw.; die hier
vorliegende anakoluthie ist sehr ge-
wöhnlich. Eigentümlich ist, dass
svívirðing ok skǫmm in dem casus
stehen, den das verbum des an-
gehängten relativsatzes (*sem — gǫrt*)
fordert.

27. *eigi at minna, at,* „nichts
desto weniger, obgleich“.

garði við annan mann, ok hafa slíkir menn mikit svínsminni;
10. þykki mér ok rekin ván, at þér þorið Kjartan heim at
sœkja, ef þér þorið eigi at finna hann nú, er hann ferr við
annan mann eða þriðja, en þér sitið heima ok látið vænliga
5 ok eruð æ hølzti margir.ʼ
11. Óspakr kvað hana mikit af taka, en vera illt til mót-
mæla, ok spratt hann upp þegar ok klæddiz ok hverr þeira
brœðra at ǫðrum. Síðan bjugguz þeir at sitja fyrir Kjartani.
12. Þá bað Guðrún Bolla til ferðar með þeim. Bolli kvað sér
10 eigi sama fyrir frændsemis sakir við Kjartan ok tjáði, hversu
ástsamliga Óláfr hafði hann upp fœddan.
13. Guðrún svarar: „satt segir þú þat, en eigi muntu bera
giptu til at gera svá, at ǫllum þykki vel, ok mun lokit okkrum
samfǫrum, ef þú skerz undan fǫrinni.ʼ
15 14. Ok við fortǫlur Guðrúnar miklaði Bolli fyrir sér
fjándskap allan á hendr Kjartani ok sakir ok vápnaðiz síðan
skjótt, ok urðu níu saman. 15. Váru þeir fimm synir Ósvífrs
Óspakr ok Helgi, Vandráðr ok Torráðr, Þórólfr, Bolli enn sétti,
Guðlaugr enn sjaundi, systurson Ósvífrs ok manna vænligastr.
20 Þar var Oddr ok Steinn, synir Þórhǫllu málgu. 16. Þeir riðu
til Svínadals ok námu staðar hjá gili því, er Hafragil heitir;
bundu þar hestana ok settuz niðr. Bolli var hljóðr um daginn
ok lá uppi hjá gilsþreminum.
17. En er þeir Kjartan váru komnir suðr um Mjósyndi,
25 ok rýmaz tekr dalrinn, mælti Kjartan, at þeir Þorkell mundu

---

1. *svinsminni,* „gedächtnis wie
ein schwein“, d. h. ein kurzes ge-
dächtnis.
2. *rekin ván,* „die hoffnung ver-
trieben (geschwunden)“.
4. *látið vænliga,* „sprechet zu-
versichtlich“, d. h. beschränkt euch
auf grosse worte.
6. *mikit af taka,* „sich darüber
sehr ereifern“.
6. 7. *illt til mótmæla* (gen. pl.),
„schwierig (dem) zu widersprechen“.
15. *miklaði,* „vermehrte“; *m. Bolli
fyrir sér fjándskap allan,* „B. liess
den hass in seinem herzen raum
gewinnen“.

21. *Hafragil,* eine schlucht an der
ostseite des *Svinadalr,* nicht weit
von der mündung desselben. Ge-
naueren aufschluss über die lokalität
giebt ein zusatz in einer der beiden
handschriftenklassen der Laxdœla
saga: *þat gil liggr norðan ór fjall-
inu ok fram í ána; lá þjóðgatan
eptir hlíðinni nǫkkuru ofar en þeir
Ósvífrssynir sátu.*
24. *Mjósyndi,* ein engpass im
Svinadalr, ungefähr in der mitte
desselben. Der name ist identisch
mit dem namen des bekannten
dorfes *Missunde* (dän. *Mysunde*) an
der Schlei.

snúa aptr. Þorkell kvaz ríða mundu, þar til er þrýtr dalinn. **Ld.**
18. Ok þá er þeir kómu suðr um sel þau, er Norðrsel heita, **XLVIII.**
þá mælti Kjartan til þeira bræðra, at þeir skyldu eigi ríða **XLIX.**
lengra, — „skal eigi Þórólfr, þjófrinn, at því hlæja, at ek
þora eigi at ríða leið mína fámennr." 5
19. Þorkell hvelpr svarar: „þat munu vér nú veita þér
at ríða nú eigi lengra, en iðraz munu vér þess, ef vér erum
eigi viðstaddir, ef þú þarft manna við í dag."
20. Þá mælti Kjartan: „eigi mun Bolli frændi minn slá
banaráðum við mik; en ef þeir Ósvífrssynir sitja fyrir mér, 10
þá er eigi reynt, hvárir frá tíðendum eiga at segja, þó at ek
eiga við nøkkurn liðsmun."
Síðan riðu þeir bræðr vestr aptr.

Kjartan wird getötet.

XLIX, 1. Nú ríðr Kjartan suðr eptir dalnum ok þeir þrír
saman, Án svarti ok Þórarinn. Þorkell hét maðr, er bjó at 15
Hafratindum í Svínadal. Þar er nú auðn. **2.** Hann hafði
farit til hrossa sinna um daginn ok smalasveinn hans með
honum. Þeir sá hváratveggju, Laugamenn í fyrirsátinni ok þá
Kjartan, er þeir riðu eptir dalnum þrír saman. **3.** Þá mælti
smalasveinn, at þeir mundu snúa til móts við þá Kjartan, 20
kvað þeim þat mikit happ, ef þeir mætti skirra vandræðum
svá miklum, sem þá var til stefnt.
4. Þorkell mælti: „þegi skjótt," segir hann, „mun fúli
þinn nøkkurum manni líf gefa, ef bana verðr auðit? Er þat
ok satt at segja, at ek spari hváriga til, at þeir eigi nú svá 25
illt saman, sem þeim líkar. **5.** Sýniz mér þat betra ráð, at vit
komim okkr þar, at okkr sé við engu hætt, en vit megim sem
gørst sjá fundinn, ok hafim gaman af leik þeira, því at þat

2. *Norðrsel,* die lage der lokalität ist unsicher.

11. *hvárir—segja,* „welche von den beiden parteien (als überlebender sieger) von dem ausgange wird berichten können".

Cap. XLIX. 15.16. *at Hafratindum,* die lage dieses ortes ist unbekannt;

der *Svínadalr* ist gegenwärtig unbewohnt.

23. *fúli,* „thor". *mun fúli þinn* usw., ausdruck des den heidnischen nordleuten eigentümlichen fatalismus.

25. *ek—til,* „ich halte keine von beiden parteien für zu gut dafür", d. h. ich gönne es beiden parteien.

Ld.
XLIX. ágæta allir, at Kjartan sé vígr hverjum manni betr; 6. væntir
mik ok, at hann þurfi nú þess, því at okkr er þat kunnigt,
at œrinn er liðsmunr.“

Ok varð svá at vera, sem Þorkell vildi.

5   7. Þeir Kjartan ríða fram at Hafragili. En í annan stað
gruna þeir Ósvífrssynir, hví Bolli mun sér hafa þar svá staðar
leitat, er hann mátti vel sjá, þá er menn riðu vestan. 8. Þeir
gera nú ráð sitt, ok þótti sem Bolli mundi þeim eigi vera trúr,
ganga at honum upp í brekkuna ok brugðu á glímu ok á
10 glens ok tóku í fœtr honum ok drógu hann ofan fyrir brekkuna.
9. En þá Kjartan bar brátt at, er þeir riðu hart, ok er þeir
kómu suðr yfir gilit, þá sá þeir fyrirsátina ok kendu mennina.
Kjartan spratt þegar af baki ok sneri í móti þeim Ósvífrs-
sonum. 10. Þar stóð steinn einn mikill. Þar bað Kjartan þá
15 við taka. En áðr þeir mœttiz, skaut Kjartan spjótinu, ok kom
í skjǫld Þórólfs fyrir ofan mundriðann ok bar at honum
skjǫldinn við. 11. Spjótit gekk í gegnum skjǫldinn ok hand-
legginn fyrir ofan ǫlboga, ok tók þar í sundr aflvǫðvann; lét
Þórólfr þá lausan skjǫldinn, ok var honum ónýt hǫndin um
20 daginn. 12. Síðan brá Kjartan sverðinu ok hafði eigi kon-
ungsnaut. Þórhǫllusynir runnu á Þórarin, því at þeim var þat
hlutverk ætlat. Var sá atgangr harðr, því at Þórarinn var
ramr at afli; þeir váru ok vel knáir; mátti þar ok varla í
milli sjá, hvárir þar mundu drjúgari verða. 13. Þá sóttu þeir
25 Ósvífrssynir at Kjartani ok Guðlaugr; váru þeir fimm, en
þeir Kjartan ok Án tveir. Án varðiz vel ok vildi æ ganga
fram fyrir Kjartan. Bolli stóð hjá með Fótbít. 14. Kjartan
hjó stórt, en sverðit dugði illa; brá hann því jafnan undir fót
sér; urðu þá hvárirtveggju sárir, Ósvífrssynir ok Án, en Kjartan

---

16. 17. *bar — við,* „der schild
wurde dadurch (durch den wurf) an
ihn heran gedrückt“.

18. *aflvǫðvann,* „den muskel des
oberarms“ (wörtl. „kraftmuskel“).

21. 22. *þat hlutverk,* „dieser teil
der arbeit“.

23. 24. *í milli sjá,* „einen unter-
schied sehen“.

25. *fimm,* so in der ausgabe be-
richtigt, obgleich sämtliche hand-
schriften *sex* haben. Von den fünf
Ósvífrssynir war aber *Þórólfr* schon
unfähig zum kampf, und gleich nach-
her (c. 49, 16) wird auch angegeben,
dass nur v i e r Ó.-ss. an dem kampfe
teilnehmen.

28. *brá* usw., dies geschah um
die durch die hiebe krumm ge-
wordene klinge wieder gerade zu
machen.

var þá enn ekki sárr. **15.** Kjartan barðiz svá snart ok hraust- Ld.
liga, at þeir Ósvífrssynir hopuðu undan ok sneru þá þar at, XLIX.
sem Án var. Þá fell Án ok hafði hann þó bariz um hríð,
svá at úti lágu iðrin. **16.** Í þessi svipan hjó Kjartan fót af
Guðlaugi fyrir ofan kné, ok var honum sá áverki œrinn til 5
bana. Þá sœkja þeir Ósvífrssynir fjórir Kjartan, ok varðiz
hann svá hraustliga, at hvergi fór hann á hæl fyrir þeim.
17. Þá mælti Kjartan: „Bolli frændi, hví fórtu heiman, ef
þú vildir kyrr standa hjá? ok er þér nú þat vænst at veita
öðrumhvárum ok reyna nú, hversu Fótbítr dugi.“ Bolli lét, 10
sem hann heyrði eigi. **18.** Ok er Óspakr sá, at þeir mundu
eigi bera af Kjartani, þá eggjar hann Bolla á alla vega, kvað
hann eigi mundu vilja vita þá skömm eptir sér at hafa heitit
þeim vígsgangi ok veita nú ekki, — **19.** „ok var Kjartan oss
þá þungr í skiptum, er vér höfðum eigi jafnstórt til gört; ok 15
ef Kjartan skal nú undan rekaz, þá mun þér, Bolli, svá sem
oss, skamt til afarkosta.“
20. Þá brá Bolli Fótbít ok snýr nú at Kjartani.
Þá mælti Kjartan til Bolla: „víst ætlar þú nú, frændi,
níðingsverk at gera, en miklu þykki mér betra at þiggja 20
banorð af þér, frændi, en veita þér þat.“
21. Síðan kastaði Kjartan vápnum ok vildi þá eigi verja
sik, en þó var hann lítt sárr, en ákafliga vígmóðr. Engi veitti
Bolli svör máli Kjartans, en þó veitti hann honum banasár.
22. Bolli settiz þegar undir herðar honum, ok andaðiz Kjartan 25
í knjám Bolla. Iðraðiz Bolli þegar verksins, ok lýsti vígi á
hendr sér. Bolli sendi þá Ósvífrssonu til heraðs, en hann var
eptir ok Þórarinn hjá líkunum. **23.** Ok er þeir Ósvífrssynir
kómu til Lauga, þá sögðu þeir tíðendin. Guðrún lét vel yfir,

4. *svipan*, „augenblick“.

13. *eptir sér*, „an seinen namen
geknüpft“.

14. *vígsgangi* (dat. sg. msc.), „bei-
stand im kampfe“; für *vígsgengi*
verschrieben?

21. *banorð*, „tod“.

26. *í knjám Bolla*, die ent-
sprechende stelle in der grossen
Ólafs saga (Fornm. sög. II, 257;
Flateyjarbók I, 455) enthält eine

hinweisung auf unsere saga: *sem
segir í Laxdœla sögu*.

26. 27. *lýsti — sér*, „erklärte öffent-
lich, dass er den totschlag begangen
habe“. Eine solche erklärung war
durch das gesetz vorgeschrieben;
widrigenfalls wurde der totschlag
als (besonders strafbares) *morð* be-
trachtet.

27. *til heraðs*, „nach dem bezirk
(der bewohnten gegend)“.

Ld. ok var þá bundit um hondina Þórólfs, greri hon seint, ok
XLIX. varð honum aldregi meinlaus. **24.** Lík Kjartans var fœrt heim
í Tungu. Síðan reið Bolli heim til Lauga. Guðrún gekk í
móti honum ok spurði, hversu framorðit væri. Bolli kvað þá
5 vera nær nóni dags þess.

25. Þá mælti Guðrún: „mikil verða hermðarverk, ek hefi
spunnit tólf alna garn, en þú hefir vegit Kjartan.“

26. Bolli svarar: „þó mætti mér þat óhapp seint ór hug
ganga, þóttu mintir mik ekki á þat.“

10 **27.** Guðrún mælti: „ekki tel ek slíkt með óhoppum; þótti
mér, sém þú hefðir meiri metorð þann vetr, er Kjartan var í
Nóregi, en nú, er hann trað yðr undir fótum, þegar hann kom
til Íslands. En ek tel þat þó síðast, er mér þykkir mest vert,
at Hrefna mun eigi ganga hlæjandi at sænginni í kveld.“

15 **28.** Þá segir Bolli ok var mjok reiðr: „ósýnt þykki mér,
at hon folni meir við þessi tíðendi en þú, ok þat grunar mik,
at þú brygðir þér minnr við, þó at vér lægim eptir á víg-
vellinum, en Kjartan segði frá tíðendum.“

29. Guðrún fann þá, at Bolli reiddiz, ok mælti: „haf ekki
20 slíkt við, því at ek kann þér mikla þokk fyrir verkit; þykki
mér nú þat vitat, at þú vill ekki gera í móti skapi mínu.“

30. Síðan gengu þeir Ósvífrssynir í jarðhús þat, er þeim
var búit á laun, en þeir Þórhollusynir váru sendir út til Helga-
fells at segja Snorra goða þessi tíðendi ok þat með, at þau
25 báðu hann senda sér skjótan styrk til liðveizlu á móti Óláfi
ok þeim monnum, er eptirmál áttu eptir Kjartan.

31. Þat varð til tíðenda í Sælingsdalstungu þá nótt, er
vígit hafði orðit um daginn, at Án settiz upp, er allir hugðu,
at dauðr væri. Urðu þeir hræddir, er vokðu yfir líkunum, ok
30 þótti þetta undr mikit.

32. Þá mælti Án til þeira: „ek bið yðr í guðs nafni, at
þér hræðiz mik eigi, því at ek hefi lifat ok haft vit mitt allt

---

6. *hermðarverk*, „rühmliche taten“.
7. *tólf alna garn*, „garn, das für
12 ellen (fries) ausreicht“. Eine solche
menge garn konnte jedoch in so
kurzer zeit von Guðrún — selbst
mit hilfe ihrer dienstmägde — un-
möglich bereitet werden.

13. *ek — síðast*, „und doch nenne
ich zuletzt das“.
26. *er — Kjartan*, „denen es zu-
kam die sache wegen der tötung
Kjartans anhängig zu machen“.

til þeirar stundar, at rann á mik ómeginshǫfgi. **33.** Þá dreymði Ld.
mik en sama kona ok fyrr, ok þótti mér hon nú taka hrísit XLIX.
ór maganum, en lét koma innyflin í staðinn, ok varð mér L.
gott við þat skipti."

Síðan váru bundin sár þau, er Án hafði, ok varð hann 5
heill, ok var síðan kallaðr Án hrísmagi. **34.** En er Óláfr
Hǫskuldsson spurði þessi tíðendi, þá þótti honum mikit at um
víg Kjartans, en þó bar hann drengiliga. Þeir synir hans
vildu þegar fara at Bolla ok drepa hann.

35. Óláfr segir: „þat skal fjarri fara; er mér ekki sonr 10
minn at bœttri, þó at Bolli sé drepinn, ok unna ek Kjartani
um alla menn fram, en eigi mátta ek vita mein Bolla; en sé
ek yðr makligri sýslu; **36.** fari þér til móts við Þórhǫllusonu,
er þeir eru sendir til Helgafells at stefna liði at oss; vel líkar
mér, þótt þér skapið þeim slíkt víti, sem yðr líkar." 15

37. Síðan snaraz þeir til ferðar Óláfssynir ok gengu á
ferju, er Óláfr átti; váru þeir sjau saman; róa út eptir Hvamms-
firði ok sœkja knáliga ferðina. **38.** Þeir hafa veðr lítit ok
hagstœtt. Þeir róa undir seglinu, þar til er þeir koma undir
Skorey, ok eigu þar dvǫl nǫkkura ok spyrjaz þar fyrir um 20
ferðir manna. **39.** Ok lítlu síðar sjá þeir skip róa vestan um
fjǫrðinn; kendu þeir brátt mennina; váru þar Þórhǫllusynir.
Leggja þeir Halldórr þegar at þeim. **40.** Þar varð engi við-
taka, því at þeir Óláfssynir hljópu þegar út á skipit at þeim.
Urðu þeir Steinn handteknir og hǫggnir fyrir borð. Þeir 25
Óláfssynir snúa aptr, ok þótti þeira ferð allskǫrulig vera.

Der process wegen der tötung des Kjartan wird eingeleitet.

L, 1. Óláfr fór í móti líki Kjartans. Hann sendi menn
suðr til Borgar at segja Þorsteini Egilssyni þessi tíðendi ok

---

1. *ómeginshǫfgi*, „schwere ohn-
macht".

11. *at bœttri*, „dadurch mehr ge-
büsst". Der sinn der stelle ist: „der
kummer um den tod meines sohnes
wird dadurch nicht kleiner, dass
Bolli getötet wird".

12. *mátta ek vita*, „könnte ich
vertragen zu wissen", d. h. könnte
ich dulden.

14. *at oss*, „gegen uns".

19. *Þeir — seglinu*, „sie bedienen
sich (um schneller vorwärts zu
kommen) beim segeln auch noch
der ruder". Vgl. c. 30, 8.

20. *Skorey*, jetzt *Skoreyjar*, insel
nordöstlich von *Þórsnes*.

25. *hǫggnir fyrir borð*, „nieder-
gehauen und über bord geworfen".

Ld. L. þat með, at hann vildi hafa styrk af honum til eptirmáls; ef
stórmenni slœgiz í móti með Ósvífrssonum, þá kvaz hann allt
vildu eiga undir sér. 2. Slík orð sendi hann norðr í Víðidal
til Guðmundar mágs síns ok þeira Ásgeirssona, ok þat með,
5 at hann hafði lýst vígi Kjartans á hendr ǫllum mǫnnum, þeim
er í tilfǫr hǫfðu verit, nema Óspaki Ósvífrssyni — 3. hann
var áðr sekr um konu þá, er Aldís hét, hon var dóttir Hǫlm-
gǫngu-Ljóts af Ingjaldssandi. 4. Þeira son var Úlfr, er síðan
var stallari Haralds konungs Sigurðarsonar; hann átti Jórunni
10 Þorbergsdóttur. Þeira son var Jón, faðir Erlends hímalda,
fǫður Eysteins erkibyskups. 5. Óláfr hafði lýst vígsǫkinni til
Þórsnessþings. Hann lét flytja heim lík Kjartans ok tjalda
yfir, því at þá var engi kirkja gǫr í Dǫlum. 6. En er Óláfr
spurði, at Þorsteinn hafði skjótt við brugðit ok hafði tekit

Cap. L. 5. at — ǫllum usw., „dass
er alle . . . für mitschuldige an der
tötung des Kjartan erklärt habe".

6. nema Óspaki, weil Ó. bereits
geächtet war, wäre eine zweite ver-
urteilung überflüssig gewesen.

7. 8. Aldís . . . dóttir Hólmgǫngu-
Ljóts, diese frau nennt die Land-
námabók (II, 28) Ásdís und be-
zeichnet sie als schwester des
Ljótr. Dieser letztgenannte, der
auch in der Hávarðar saga Ísfirðings
Hólmgǫngu-Ljótr heisst, führt in
der Landnámabók den ganz ver-
schiedenen beinamen spaki.

8. af Ingjaldssandi, I. ist ein be-
zirk im nordwestlichen Island (an
der südseite des Qnundarfjǫrðr).

8—11. Ulfr—Eysteins erkibyskups,
über die hier genannten personen
sei folgendes bemerkt: Ulfr Óspaks-
son, der bis zu seinem tode dem
norwegischen könige Haraldr harð-
ráði Sigurðsson (1047—1066) diente,
hatte an den griechischen kriegs-
abenteuern dieses fürsten teilg -
nommen und gehörte zu seinen ver-

trautesten freunden; seine frau
Jórunn (eine tochter des norwe-
gischen häuptlings Þorbergr Árna-
son) war eine schwester der ge-
mahlinn des königs, Þóra. Ihr
enkel Erlendr führte, aus uns un-
bekannter ursache, den beinamen
hímaldi („dummkopf"); dessen sohn
Eysteinn (erzbischof von Drontheim
1157—1188) war ein eifriger vor-
kämpfer für die macht der katho-
lischen kirche.

11. 12. lýst—Þórsnessþings, „er-
hebt die klage wegen des tot-
schlages beim Þórsnesthing". Ueber
dieses siehe c. 18, 3. Da die gegner
des Kjartan gewiss alle diesem
thingbezirk angehört haben, musste
gesetzlich die sache hier anhängig
gemacht werden, falls der kläger
es nicht vorzog, sie sogleich vor
das viertelgericht am allthing zu
bringen.

13. engi—Dǫlum, als der tot-
schlag stattfand (im jahre 1003),
waren erst drei jahre seit der ein-
führung des christentums in Island
verflossen.

upp mikit fjǫlmenni, ok svá þeir Víðdœlir, þá lætr Oláfr safna   Ld.
mǫnnum fyrir um alla Dali; var þat mikit fjǫlmenni.   7. Síðan L. LI.
sendi Oláfr lið þat allt til Lauga ok mælti svá: „þat er minn
vili, at þér verið Bolla, ef hann þarf, eigi verr en þér fylgið
mér, því at nær er þat minni ætlan, at þeir þykkiz nǫkkut 5
eiga eptir sínum hlut at sjá við hann, utanheraðsmennirnir, er
nú munu brátt koma á hendr oss.“

8. Ok er þessu var skipat með þessum hætti, þá kómu
þeir Þorsteinn ok svá Víðdœlir, ok váru þeir enir óðustu.
9. Eggjaði Hallr Guðmundarson mest ok Kálfr Ásgeirsson at 10
ganga skyldi at Bolla ok leita Ósvífrssona, þar til er þeir
fyndiz, ok sǫgðu, at þeir mundu hvergi ór heraði farnir.
10. En með því at Oláfr latti mjǫk at fara, þá váru borin á
milli sáttmál, ok var þat auðsótt við Bolla, því at hann bað
Oláf einn ráða fyrir sína hǫnd; en Ósvífr sá engi sín efni at 15
mæla í móti, því at honum kom ekki lið frá Snorra. 11. Var
þá lagðr sættarfundr í Ljárskógum; kómu mál ǫll óskoruð
undir Oláf; skyldi koma fyrir víg Kjartans, svá sem Oláfi
líkaði, fé ok mannsekðir. Síðan var slitit sættarfundi. 12. Eigi
kom Bolli til sættarfundarins, ok réð Oláfr því. Gerðum 20
skyldi upp lúka á Þórsnessþingi. Nú riðu þeir Mýramenn ok
Víðdœlir í Hjarðarholt. 13. Þorsteinn Kuggason bauð Ásgeiri
syni Kjartans til fóstrs til hugganar við Hrefnu, en Hrefna fór
norðr með brœðrum sínum ok var mjǫk harmþrungin; en þó
bar hon sik kurteisliga, því at hon var við hvern mann létt 25
í máli. 14. Engan tók Hrefna mann eptir Kjartan. Hon lifði
lítla hríð, síðan er hon kom norðr, ok er þat sǫgn manna, at
hon hafi sprungit af stríði.

Oláfr pái legt den gegnern Kjartans ihre strafe auf.

LI, 1. Lík Kjartans stóð uppi viku í Hjarðarholti. Þor-
steinn Egilsson hafði gera látit kirkju at Borg. Hann flutti 30
lík Kjartans heim með sér, ok var Kjartan at Borg grafinn.

---

s. 160, 14 — 161, 1. *tekit upp*, „auf
die beine gebracht“.

1. *Víðdœlir*, „bewohner des *Víði-*
dalr“, hier namentlich das geschlecht
von *Ásgeirsd.*

5. 6. *nǫkkut — hann*, „in irgend
etwas verlust durch ihn erlitten zu
haben“.

6. *utanheraðsmennirnir*, „die leute
aus den fremden bezirken“.

Ld. LI. Þá var kirkja nývígð ok í hvítaváðum. 2. Síðan leið til
Þórsnessþings. Váru þá mál til búin á hendr þeim Ósvífrs-
sonum, ok urðu þeir allir sekir. Var gefit fé til, at þeir skyldi
vera ferjandi, en eiga eigi útkvæmt, meðan nǫkkurr Óláfssona
5 væri á dǫgum eða Ásgeirr Kjartansson; 3. en Guðlaugr, systur-
son Ósvífrs, skyldi vera ógildr fyrir tilfǫr ok fyrirsát við
Kjartan, ok øngvar skyldi Þórólfr sœmðir hafa fyrir áverka
þá, er hann hafði fengit. Eigi vildi Óláfr láta sœkja Bolla
ok það hann koma fé fyrir sik. 4. Þetta líkaði þeim Hall-
10 dóri ok Steinþóri stórilla, ok svá ǫllum sonum Óláfs, ok kváðu
þungt mundu veita, ef Bolli skyldi sitja samheraðs við þá.
Óláfr kvað hlýða mundu, meðan hann væri á fótum. 5. Skip
stóð uppi í Bjarnarhǫfn, er átti Auðun festargarmr. Hann var
á þinginu ok mælti: „það er til kostar, at þessa manna sekð
15 mun eigi minni í Nóregi, ef vinir Kjartans lifa."
     6. Þá segir Ósvífr: „þú, festarhundr, munt verða eigi
sannspár, því at synir mínir munu vera virðir mikils af tígnum
mǫnnum, en þú, festargarmr, munt fara í trollendr í sumar."
     7. Auðun festargarmr fór utan þat sumar ok braut skipit
20 við Færeyjar. Þar týndiz hvert mannsbarn af skipinu; þótti
þat mjǫk hafa á hrinit, er Ósvífr hafði spát. 8. Ósvífrssynir
fóru utan þat sumar, ok kom engi þeira út síðan. Lauk þar
eptirmáli, at Óláfr þótti hafa vaxit af því, at hann lét þar
með beini ganga, er makligast var, þar er þeir váru Ósvífrs-
25 synir, en hlífði Bolla fyrir frændsemis sakir. 9. Óláfr þakkaði
mǫnnum vel liðveizlu. Bolli hafði landkaup í Tungu at ráði

Cap. LI, 1. *í hvítaváðum*, hiernach
wurden also die neugebauten kirchen
bei ihrer einweihung mit weissem
stoff dekoriert, wie ja auch die zum
christentum übertretenden heiden
bei der taufe weisse kleidung an-
legen mussten.

     4. *vera ferjandi*, sonst durfte kein
schiff geächtete an bord nehmen.

     11. *þungt mundu veita*, „ihnen
schwer fallen würde".

samheraðs (adv.), „in demselben
bezirke".

     12. *væri á fótum*, „am leben
wäre".

     13. *festargarmr*, „kettenhund";
beiname = *festarhundr* (z. 16).
Auðun f. kommt auch in der Gunn-
laugs saga ormstungu vor (c. 5—6).

     14. *er til kostar*, vgl. zu c. 20, 14.

     18. *í trollendr* = *í trolla hendr*,
„in die hände der unholde"; *fara
í t.*, „ins unglück geraten".

     23. 24. *hann lét ganga með beini*,
„er liess (den hieb) längs dem
knochen gehen", d. h. er verfuhr
rücksichtslos, kannte keine scho-
nung.

     26. *landkaup í T.*, „ankauf des
hofes T.".

Oláfs. Þat er sagt, at Óláfr lifði þrjá vetr, síðan Kjartan var Ld. veginn. En síðan er hann var allr, skiptu þeir synir hans LI. LII. arfi eptir hann. 10. Tók Halldórr bústað í Hjarðarholti. Þorgerðr móðir þeira var með Halldóri. Hon var mjök heiptarfengin til Bolla, ok þótti sár fóstrlaunin. 5

Þorleikr Bollason wird geboren. An Þorkell á Hafratindum wird rache genommen.

LII, 1. Þau Bolli ok Guðrún settu bú saman um várit í Sælingsdalstungu, ok varð þat brátt risuligt. Þau Bolli ok Guðrún gátu son. Þeim sveini var nafn gefit, ok kallaðr Þorleikr. Hann var væn sveinn snemma ok vel fljótligr. **2.** Halldórr Óláfsson bjó í Hjarðarholti, sem fyrr var ritat; hann var 10 mjök fyrir þeim bræðrum. **3.** Þat vár, at Kjartan var veginn, tók Þorgerðr Egilsdóttir vist frændsveini sínum með Þorkatli at Hafratindum. Sveininn gætti þar fjár um sumarit. **4.** Honum var Kjartan mjök harmdauði sem öðrum. Hann mátti aldri tala til Kjartans, svá at Þorkell væri hjá, því at hann mælti 15 jafnan illa til hans ok kvað hann verit hafa hvítan mann ok huglausan, ok hermði hann opt eptir, hverneg hann hafði við orðit áverkann. **5.** Sveininum varð at þessu illa getit, ok ferr í Hjarðarholt ok segir til Halldóri ok Þorgerði ok bað þau viðtöku. Þorgerðr bað hann vera í vist sinni til vetrar. 20 **6.** Sveinninn kvaz eigi hafa þrótt til at vera þar lengr, — „ok mundir þú mik eigi biðja þessa, ef þú vissir, hversu mikla raun ek hefi af þessu.“

5. *sár fóstrlaunin*, „ein schlechter lohn für die erziehung (des Bolli)“.

Cap. LII. 9. *vel fljótligr*, „frühreif“.

11. *Þat — veginn* usw., eine eigentümliche chronologische unsicherheit tritt hier zu tage. Obgleich es (c. 51, 9) gesagt ist, dass Óláfr pái nach dem tode Kjartans noch drei jahre lebte, tritt hier schon kurz nach dem tode Kjartans, bei der tötung des Þorkell á Hafratindum,

Óláfs sohn Halldórr, als selbständiger inhaber des väterlichen hofes Hjarðarholt auf, auf dem neben ihm die mutter als herrin waltete.

16. *hvítan*, wörtl. „weiss“; hier wahrscheinlich „weibisch“.

17. *huglausan*, „mutlos“.

17. 18. *við — áverkann*, d. i. *orðit við* (praep.) *áv.*

18. *varð — getit*, „wurde dabei übel zu mute“. Vgl. c. 34, 5.

19. *segir til*, „giebt nachricht“.

11*

Ld. LII.   7. Þá gekkz Þorgerði hugr við harmtǫlur hans, ok kvaz
mundu láta honum uppi vist fyrir sína hǫnd.

Halldórr segir: „gef ekki gaum sveini þessum, því at hann
er ómerkr.“

5   8. Þá svarar Þorgerðr: „lítils er sveinn verðr,“ segir hon,
„en Þorkatli hefir alls kostar illa farit þetta mál, því at hann
vissi fyrirsát Laugamanna fyrir Kjartani ok vildi eigi segja
honum, en gerði sér af gaman ok skemtan af viðskiptum
þeira, en hefir síðan lagt til mǫrg óvingjarnlig orð; 9. mun
10 yðr fjarri fara brœðrum, at þér munið þar til hefnda leita,
sem ofrefli er fyrir, en þér getið eigi launat sín tillǫg slíkum
mannfýlum, sem Þorkell er.“

Halldórr svarar fá hér um, en bað Þorgerði ráða vist
sveinsins.

15   10. Fám dǫgum síðar ríðr Halldórr heiman ok þeir
nǫkkurir menn saman.   Hann ferr til Hafratinda ok tók hús
á Þorkatli; var Þorkell leiddr út ok drepinn, ok varð hann
ódrengiliga við sitt líflát.   11. Engu lét Halldórr ræna ok fór
heim við svá búit.   Vel lét Þorgerðr yfir þessu verki, ok þótti
20 minning sjá betri en engi.   Þetta sumar var kyrt at kalla, ok
var þó et fæsta með þeim Bolla ok Óláfssonum.   12. Létu
þeir brœðr et ólinligsta við Bolla, en hann vægði í ǫllu fyrir
þeim frændum, þess er hann minkaði sik í engu, því at hann
var enn mesti kappsmaðr.   Bolli hafði fjǫlment ok helt sik
25 ríkmannliga, því at eigi skorti fé.   13. Steinþórr Óláfsson bjó
á Dǫnustǫðum í Laxárdal.   Hann átti Þuríði Ásgeirsdóttur, er

---

1. *gekkz Þorgerði hugr*, „wurde
das gemüt der Þ. bewegt“.

harmtǫlur, „klagen“.

4. *ómerkr*, „unzuverlässig“.

5. *er lítils . . . verðr*, „taugt nicht
viel“.

6. *Þorkatli — mál*, „Þ. hat sich in
jeder hinsicht in dieser sache schlecht
aufgeführt“.

16. 17. *tók hús* (neutr. pl.) *á Þor-
katli*, „nahm Þ. in seinem hause ge-
fangen“. Vgl. c. 47, 3.

20. *minning*, „erinnerung (an ein

gemachtes versehen)“, daher strafe,
rache.

21. *et fæsta*, „ein sehr kaltes ver-
hältnis“.

22. *et ólinligsta*, „sehr unglimpf-
lich“.

23. *þess er*, „so dass“.

minkaði sik, „sich verringerte“
(d. h. sich demütigte).

24. *kappsmaðr*, „„unbeugsamer
mann“.

26. *á Dǫnustǫðum*, D. ist ein hof
im oberen *Laxárdalr*, an der süd-
seite des flusses.

átt hafði Þorkell kuggi. Þeira son hét Steinþórr, er kallaðr Ld. LII.
var gróslappi. LIII.

Þorgerðr fordert ihre söhne auf an Bolli rache zu nehmen.

LIII, 1. Enn næsta vetr eptir andlát Óláfs Hǫskuldssonar
þá sendir Þorgerðr Egilsdóttir orð Steinþóri syni sínum at
áliðnum vetri, at hann skyldi koma á fund hennar. **2.** Ok er 5
þau mœðgin hittaz, segir hon honum skil á, at hon vill fara
heiman ok vestr til Saurbœjar at hitta Auði vinkonu sína.
Hon segir Halldóri, at hann skal fara. Þau váru fimm saman.
Halldórr fylgði móður sinni. **3.** Fara nú, til þess er þau koma
fyrir bœinn í Sælingsdalstungu. Þá sneri Þorgerðr hestinum 10
upp at bœnum ok spurði: „hvat heitir bœr sjá?“

4. Halldórr svarar: „þess spyrr þú eigi af því, móðir, at
eigi vitir þú áðr. Sjá bœr heitir í Tungu.“

„Hverr býr hér?“ segir hon.

Hann svarar: „veiztu þat, móðir.“ 15

5. Þá segir Þorgerðr ok blés við: „veit ek at vísu,“ segir
hon, „at hér býr Bolli, bróðurbani yðvarr, ok furðu ólíkir urðu
þér yðrum frændum gǫfgum, er þér vilið eigi hefna þvílíks
bróður, sem Kjartan var; **6.** ok eigi mundi svá gera Egill
móðurfaðir yðvarr; ok er illt at eiga dáðlausa sonu; ok víst 20
ætla ek yðr til þess betr felda, at þér værið dœtr fǫður yðvars
ok værið giptar. **7.** Kemr hér at því, Halldórr, sem mælt er,
at einn er auðkvisi ættar hverrar, ok sú er mér auðsæst ó-
gipta Óláfs, at honum glapðiz svá mjǫk sona eignin. **8.** Kveð
ek þik af því at þessu, Halldórr,“ segir hon, „at þú þykkiz 25

---

2. *gróslappi*, beiname von un-
bekannter bedeutung.

Cap. LIII. 22. *Kemr—því*, „es
zeigt sich nun“.
sem mælt er, „wie das sprichwort
lautet“.
23. *auðkvisi*, „entarteter mensch“.
Als die ursprüngliche form hat man
ein *afkvisi* angenommen; K.Gíslason
(vgl. E. Jonsson, Oldn. ordbog) sah
jedoch das auch vorkommende
aukvisi für die urform an und

fasste dies wort als *auk-visi* (von
auk und *vesa*, später *vera*), eigentl.
„einer der in der familie überflüssig
ist“. Dasselbe sprichwort auch in
Óláfs s. helga (1853) s. 145, 22.
23. 24. *sú — Óláfs*, „das war
meines erachtens das grösste un-
glück Óláfs“.
24. *sona eignin*, „der besitz an
söhnen“, d. h. die söhne die er er-
halten hatte.
24. 25. *Kveð ek þik ... at þessu*,
„an dich richte ich die aufforderung“.

Ld. LIII. mest fyrir yðr brœðrum.   Nú munum vér aptr snúa, ok var
LIV. þetta erendit mest at minna yðr á þetta, ef þér mynðið
eigi áðr."

9. Þá svarar Halldórr: „ekki munum vér þér þat kenna,
5 móðir, þótt oss líði ór hug þetta."

Halldórr svarar hér fá um, ok þó þrútnaði honum mjǫk
móðr til Bolla.

10. Líðr nú vetr sjá, ok er sumar kemr, þá líðr framan
til þings. Halldórr lýsir þingreið sinni ok þeir brœðr hans.
10 Ríða þeir með mikinn flokk ok tjalda búð þá, er Óláfr hafði
átt. Var þingit kyrt ok tíðendalaust. 11. Þeir váru á þingi
norðan Víðdœlir, synir Guðmundar Sǫlmundarsonar. Barði
Guðmundarson var þá átján vetra gamall, hann var mikill
maðr ok sterkr. Óláfssynir bjóða Barða frænda sínum heim
15 með sér ok leggja til þess mǫrg orð. 12. Hallr Guðmundar-
son var þá eigi hér á landi. Barði tók þessu vel, því at
ástúðigt var með þeim frændum. Ríðr nú Barði vestr af þingi
með þeim Óláfssonum. Koma þeir heim í Hjarðarholt, ok er
Barði þar um sumarit, þat sem eptir var.

Der überfall gegen Bolli wird verabredet.

20   **LIV, 1.** Nú segir Halldórr Barða í hljóði, at þeir brœðr
ætla at fara at Bolla, ok sǫgðuz eigi lengr þola frýju móður
sinnar, — „er ekki því at leyna, Barði frændi, at mjǫk var
undir heimboði við þik, at vér vildim hér til hafa þitt liðsinni
ok brautargengi."

25   2. Þá svarar Barði: „illa mun þat fyrir mælaz at ganga
á sættir við frændr sína, en í annan stað sýniz mér Bolli
torsóttligr. Hann hefir mart manna um sik, en er sjálfr enn
mesti garpr; þar skortir ok eigi vitrligar ráðagerðir, er þau
eru Guðrún ok Ósvífr. Þykki mér við þetta allt saman ó-
30 auðsóttligt."

3. Halldórr segir: „hins munu vér þurfa at torvelda ekki
þetta mál fyrir oss. Hefi ek ok þetta eigi fyrri upp kveðit,

---

4. *þér þat kenna*, „dir schuld
geben".

16. *eigi — landi*, Hallr war ge-
wöhnlich als fahrender kaufmann

auf reisen, bis er c. 1010 in Nor-
wegen erschlagen wurde.   Siehe
Heiðarvíga saga c. 13.

en þat mun framgengt verða, at vér munum til leita hefnd- Ld. LIV.
anna við Bolla. Vænti ek ok, frændi, at þú skeriz eigi undan
ferð þessi með oss.“

4. Barði svarar: „veit ek, at þér mun ósannligt þykkja,
at ek víkjumz undan. Mun ek þat ok eigi gera, ef ek sé, at 5
ek fæ eigi latt.“

5. „Þá hefir þú vel af máli,“ segir Halldórr, „sem ván
var at.“

Barði sagði, at þeir mundu verða ráðum at at fara.

Halldórr kvaz spurt hafa, at Bolli hafði sent heiman menn 10
sína, suma norðr til Hrútafjarðar til skips, en suma út á
strǫnd, — **6.** „þat er mér ok sagt, at Bolli sé at seli í Sæl-
ingsdal, ok sé þar ekki fleira manna en húskarlar þeir, er þar
vinna heyverk. Sýniz mér svá, sem eigi muni í annat sinn
sýnna at leita til fundar við Bolla en nú.“ 15

Ok þetta staðfesta þeir með sér, Halldórr ok Barði.

7. Maðr hét Þorsteinn svarti, hann bjó í Hundadal í
Breiðafjarðardǫlum, vitr maðr ok auðigr; hann hafði verit
langan tíma vinr Óláfs pá; systir Þorsteins hét Sólveig, hon
var gipt þeim manni, er Helgi hét ok var Harðbeinsson. 20
8. Helgi var mikill maðr ok sterkr ok farmaðr mikill, hann
var nýkominn þá út ok var á vist með Þorsteini mági sínum.
Halldórr sendir orð Þorsteini svarta ok Helga mági hans;
9. en er þeir kómu í Hjarðarholt, segir Halldórr þeim ætlan
sína ok ráðagerð ok bað þá til ferðar með sér. Þorsteinn lét 25
illa yfir þessi ætlan, — „er þat enn mesti geigr, at þér frændr
skuluð drepaz niðr á leið fram. Eru nú fáir slíkir menn í
yðvarri ætt, sem Bolli er.“

10. En þó at Þorsteinn mælti slíkt, þá kom fyrir ekki.
Halldórr sendir orð Lamba fǫðurbróður sínum, ok er hann 30
kom á fund Halldórs, þá sagði hann honum ætlan sína.
Lambi fýsti mjǫk, at þetta skyldi fram ganga. **11.** Þorgerðr
húsfreyja var ok mikill hvatamaðr, at þessi ferð skyldi takaz;

Cap. LIV. **4.** *ósannligt,* „unge-
bührlich“.

9. *at at fara,* das erste *at* ad-
verbiell.

12. *strǫnd,* wahrsch. *Fellsstrǫnd,*
die nordküste des *Hvammsfjǫrðr.*

17. *svarti,* „der schwarze“, bei-
name.

27. *drepaz — fram,* „zukünftig ein-
ander durch totschlag vernichten“.

29. *þá — ekki,* „so nützte es den-
noch nichts“.

Ld. LIV. kvaz aldri hefnt þykkja Kjartans, nema Bolli kœmi fyrir.
LV. Eptir þetta búaz þeir til ferðar. **12.** Í þessi ferð váru þeir
Óláfssynir fjórir, enn fimti var Barði — þessir váru Óláfssynir: Halldórr ok Steinþórr, Helgi ok Hǫskuldr, en Barði var
5 son Guðmundar —, sétti Lambi, sjaundi Þorsteinn, átti Helgi
mágr hans, níundi Án hrísmagi. **13.** Þorgerðr réz ok til ferðar
með þeim; heldr lǫttu þeir þess ok kváðu slíkt ekki kvennaferðir. Hon kvaz at vísu fara skyldu, — „því at ek veit
gǫrst um yðr sonu mína, at þurfi þér brýningina." Þeir segja
10 hana ráða mundu.

Bolli wird getötet.

LV, 1. Eptir þat ríða þeir heiman ór Hjarðarholti níu
saman; Þorgerðr var en tíunda. Þau ríða inn eptir fjǫrum
ok svá til Ljárskóga. Þat var ǫndverða nótt. **2.** Létta eigi,
fyrr en þau koma í Sælingsdal, þá er nǫkkut var mornat.
15 Skógr þykkr var í dalnum í þann tíð. Bolli var þar í seli,
sem Halldórr hafði spurt. Selin stóðu við ána, þar sem nú heita
Bollatoptir. **3.** Holt mikit gengr fyrir ofan selit ok ofan at
Stakkagili. Milli blíðarinnar ok holtsins er engi mikit, er í Barmi
heitir; þar unnu húskarlar Bolla. **4.** Þeir Halldórr ok hans fǫru
20 nautar riðu at Øxnagróf, yfir Ránarvǫllu ok svá fyrir ofan
Hamarengi, þat er gegnt selinu; þeir vissu, at mart manna var

---

1. *nema—fyrir*, „wenn nicht B.
an die stelle käme", d. h. zur vergeltung getötet würde.
9. *at þurfi þér = at þér þurfið.*

Cap. LV. 12. *inn eptir fjǫrum,*
„das zur zeit der ebbe trockene
ufer entlang". Ein solcher strand
bietet einen ungewöhnlich guten
weg dar.
15. *Skógr þykkr, skógr* bedeutet
hier, wie gewöhnlich in Island,
birkengestrüpp.
17. *Bollatoptir,* man zeigt die
trümmer dieser sennhütte noch im
tale an der ostseite des flusses.
18. *í Barmi, B.* ist eine wiesen-

strecke in dem *Sælingsdalr,* an der
ostseite des flusses, durch eine anhöhe von diesem geschieden.
20. 21. *at Øxnagróf—gegnt selinu,*
Ø. ist eine einsenkung in dem
Sælingsdalr, an der westseite des
flusses; die stelle ist jetzt unbekannt,
muss aber den *Bollatoptir* gegenüber gesucht werden. *Ránarvellir*
ist die benennung des tieflandes
unterhalb der felsenkluft *Ránargil,*
an der westseite des flusses. Der
name *Hamarengi* ist gegenwärtig
auch verschollen, die lokalität aber
muss man an der westseite des
flusses, nördlich von *Ránarvellir,*
suchen.

at selinu; stíga af baki ok ætluðu at bíða þess, er menn fœri Ld. LV.
frá selinu til verks. 5. Smalamaðr Bolla fór at fé snemma
um morgininn uppi í hlíðinni; hann sá mennina í skóginum
ok svá hrossin, er bundin váru; hann grunar, at þetta muni
eigi vera friðmenn, er svá leyniliga fóru; hann stefnir þegar 5
heim et gegnsta til selsins ok ætlar at segja Bolla kvámu
manna. 6. Halldórr var skygn maðr. Hann sér, at maðrinn
hleypr ofan ór hlíðinni ok stefndi til selsins. Hann segir
fǫrunautum sínum, at þat mun vera smalamaðr Bolla, — 7. „ok
mun hafa sét ferð vára; skulum vér nú gera í móti honum 10
ok láta hann engri njósn koma til selsins.“
    Þeir gerðu, sem hann mælti fyrir. Án hrísmagi varð þeira
skjótastr ok getr farit sveininn, tekr hann upp ok keyrir niðr.
Þat fall varð á þá leið, at hryggrinn brotnaði í sundr í svein-
inum. Síðan riðu þeir at selinu. 8. Selin váru tvau, svefnsel 15
ok búr. Bolli hafði verit snemma á fótum um morgininn ok
skipat til vinnu, en lagiz þá til svefns, er húskarlar fóru í
brott. Þau váru tvau í selinu, Bolli ok Guðrún. 9. Þau
vǫknuðu við dyninn, er þeir hlupu af baki; heyrðu þau ok, er
þeir rœddu um, hverr fyrstr skyldi inn ganga í selit at Bolla. 20
Bolli kendi mál Halldórs ok fleiri þeira fǫrunauta. 10. Bolli
mælti við Guðrúnu ok bað hana ganga ór selinu í brott ok
segir, at sá einn mundi fundr þeira verða, er henni mundi
ekki gaman at verða. Guðrún kvaz hyggja, at þau ein tíðendi
mundi þar verða, at hon mundi sjá mega, ok kvað Bolla ekki 25
mundu mein at sér, þótt hon væri nær honum stǫdd. 11. Bolli
kvaz þessu ráða vilja, ok svá var, at Guðrún gekk út ór
selinu. Hon gekk ofan fyrir brekkuna til lœkjar þess, er þar
fell, ok tók at þvá lérept sín. 12. Bolli var nú einn í selinu;
hann tók vápn sín, setti hjálm á hǫfuð sér ok hafði skjǫld 30
fyrir sér, en sverðit Fótbít í hendi; enga hafði hann brynju.
13. Þeir Halldórr rœða nú um með sér, hversu at skal orka,
því at engi var fúss at ganga inn í selit.
    Þá mælti Án hrísmagi: „eru þeir menn hér í ferð, er
Kjartani eru skyldri at frændsemi en ek, en engi mun sá, at 35

---

6. et gegnsta, „auf dem kürzesten
wege“.

10. gera, hier „eilen“.

24. at verða, at adv.

32. hversu at skal orka = h. skal
orka at, „wie man das werk an-
fangen solle“.

Ld. LV. minnisamara muni vera um þann atburð, er Kjartan léz, en mér. **14.** Var mér þat þá í hug, at ek var heim fœrðr í Tungu ódauðr at einu, en Kjartan var veginn, at ek munda feginn vinna Bolla mein, ef ek kœmumz í fœri. Mun ek fyrstr 5 inn ganga í selit.“

15. Þá svarar Þorsteinn svarti: „hreystimannliga er slíkt mælt, en þó er ráðligra at rasa eigi fyrir ráð fram, ok fari menn nú varliga, því at Bolli mun eigi kyrr fyrir standa, er at honum er sótt. **16.** Nú þótt hann sé fáliðr fyrir, þá munu 10 þér þar ván eiga snarprar varnar, því at Bolli er bæði sterkr ok vígfimr. Hefir hann ok sverð þat, er ørugt er til vápns.“

17. Síðan gengr Án inn í selit hart ok skjótt ok hafði skjǫldinn yfir hǫfði sér ok sneri fram enu mjóra. Bolli hjó til hans með Fótbít ok af skjaldarsporðinn, ok þar með klauf 15 hann Án í herðar niðr; fekk hann þegar bana. **18.** Síðan gekk Lambi inn; hann hafði hlíf fyrir sér, en sverð brugðit í hendi. Í því bili kipði Bolli Fótbít ór sárinu, ok bar þá af honum skjǫldinn. Þá lagði Lambi í lær Bolla, ok varð þat mikit sár. **19.** Bolli hjó í móti á ǫxl Lamba, ok rendi sverðit 20 ofan með síðunni; hann varð þegar óvígr, ok aldri síðan varð honum hǫndin meinlaus, meðan hann lifði. **20.** Í þessarri svipan gekk inn Helgi Harðbeinsson ok hafði í hendi spjót þat, er alnar var lǫng fjǫðrin ok járni vafit skaptit. **21.** En er Bolli sér þat, þá kastar hann sverðinu, en tók skjǫldinn 25 tveim hǫndum ok gekk fram at selsdurunum í móti Helga. Helgi lagði til Bolla með spjótinu í gegnum skjǫldinn ok sjálfan hann. **22.** Bolli hallaðiz upp at selsvegginum. Nú þustu menn inn í selit, Halldórr ok brœðr hans. Þorgerðr gekk ok inn í selit.

---

3. *ódauðr at einu*, „so gut wie tot“.

7. *rasa — fram*, „sich nicht un- kluger weise übereilen“.

9. *fáliðr*, „von wenigen begleitet“.

11. *vígfimr*, „waffentüchtig“.

ørugt ... til vápns, „wegen seiner zuverlässigkeit gut als waffe zu ver- wenden“.

13. *sneri — mjóra*, „kehrte den schmalsten teil vorwärts“. Der

schild hatte die form eines läng- lichen dreiecks.

14. *skjaldarsporðinn*, „die schild- spitze“.

17. 18. *bar — skjǫldinn*, „der schild wurde von ihm fortgeführt“, d. h. glitt zur seite, so dass er den körper nicht mehr deckte.

23. *alnar — fjǫðrin*, die länge des blattes betrug hiernach ungefähr

23. Þá mælti Bolli: „þat er nú ráð, brœðr, at ganga nær Ld. LV. en hér til,“ kvaz þess vænta, at þá mundi skǫmm vǫrn.

Þorgerðr svarar máli hans ok sagði eigi spara þurfa at vinna ógrunsamliga at við Bolla, bað þá ganga milli hols ok hǫfuðs. **24.** Bolli stóð þá enn upp við selsvegginn ok helt at 5 sér kyrtlinum, at eigi hlypi út iðrin. Þá hljóp Steinþórr Óláfsson at Bolla ok hjó til hans með øxi mikilli á hálsinn við herðarnar, ok gekk þegar af hǫfuðit. **25.** Þorgerðr bað hann heilan njóta handa, kvað nú Guðrúnu mundu eiga at búa um rauða skǫr Bolla um hríð. Eptir þetta ganga þeir út ór selinu. 10 **26.** Guðrún gengr þá neðan frá lœknum ok til tals við þá Halldór ok spurði, hvat til tíðenda hafði gǫrz í skiptum þeira Bolla. Þeir segja slíkt, sem í hafði gǫrz. **27.** Guðrún var í námkyrtli, ok við vefjar upphlutr þrǫngr, en sveigr mikill á hǫfði. Hon hafði knýtt um sik blæju, ok váru í mǫrk blá 15 ok trǫf fyrir enda. **28.** Helgi Harðbeinsson gekk at Guðrúnu ok tók blæjuendann ok þerði blóð af spjótinu því enu sama, er hann lagði Bolla í gegnum með. Guðrún leit til hans ok brosti við.

29. Þá mælti Halldórr: „þetta er illmannliga gǫrt ok 20 grimmliga.“

Helgi bað hann eigi þat harma; „því at ek hygg þat,“ segir hann, „at undir þessu blæjuhorni búi minn hǫfuðsbani.“

30. Síðan tóku þeir hesta sína ok riðu í brott. Guðrún gekk á veg með þeim ok talaði við þá um hríð. Síðan hvarf 25 hon aptr.

---

48 cm, da die damalige elle nur ca. 18½“ lang war.

1. *brœðr*, „ihr brüder“.

2. *at—vǫrn*, „dass er nur noch kurze zeit sich werde wehren können“.

4. *ógrunsamliga*, „zweifellos“; *eigi spara þurfa* usw., „sie würden nicht verfehlen mit B. so zu verfahren, dass niemand an seinem tode zweifeln werde“.

9. 10. *búa—Bolla*, „sich mit dem roten haare (den blutigen locken) des Bolli beschäftigen“.

13. 14. *í námkyrtli, ok við* (scil. var) *vefjar upphlutr þrǫngr*, „im rock und überdies (trug sie) ein enges mieder von wollenzeug“. Vgl. Grundriss II², s. 244.

14. *sveigr*, „ein um den kopf gewickeltes tuch“.

15. 16. *blæju—enda*, „eine schürze, die mit blauen (eingewebten) figuren und unten mit fransen versehen war“. Vgl. Grundriss a. a. o.

23. *minn hǫfuðsbani*, d. i. *Bolli Bollason*, der noch ungeborene sohn der Guðrún.

Bolli Bollason wird geboren. Guðrún verlegt ihren wohnsitz
nach Helgafell.

LVI, 1. Þat rœddu þeir fǫrunautar Halldórs, at Guðrúnu
þœtti lítit dráp Bolla, er hon slóz á leiðiorð við þá ok átti
allt tal við þá, svá sem þeir hefði ekki at gǫrt, þat er henni
væri í móti skapi.

5 **2.** Þá svarar Halldórr: „ekki er þat mín ætlan, at Guðrúnu
þykki lítit lát Bolla; hygg ek, at henni gengi þat meir til
leiðiorðs við oss, at hon vildi vita sem gǫrst, hverir menn
hefði verit í þessi ferð. **3.** Er þat ok ekki ofmæli, at Guðrún
er mjǫk fyrir ǫðrum konum um allan skǫrungskap. Þat er ok
10 eptir vánum, at Guðrúnu þykki mikit lát Bolla, því at þat er
satt at segja, at eptir slíka menn er mestr skaði, sem Bolli
var, þó at vér frændr bærim eigi giptu til samþykkis.“

4. Eptir þetta ríða þeir heim í Hjarðarholt.

Þessi tíðendi spyrjaz brátt víða ok þóttu mikil. Var
15 Bolli et mesta harmdauði. Guðrún sendi þegar menn á fund
Snorra goða, því at þar þóttuz þau Ósvífr eiga allt traust, er
Snorri var. **5.** Snorri brá við skjótt orðsending Guðrúnar ok
kom í Tungu við sextigi manna. Guðrún varð fegin kvámu
hans. Hann bauz at leita um sættir, en Guðrúnu var lítit um
20 þat at játa því fyrir hǫnd Þorleiks at taka fé fyrir víg Bolla.

6. „Þykki mér þú Snorri þat liðsinni mér mest veita,“
segir Guðrún, „at þú skiptir bústǫðum við mik, svá at ek sitja
eigi samtýnis við þá Hjarðhyltinga.“

7. Í þenna tíma átti Snorri deilur miklar við þá Eyr-
25 byggja. Snorri kvaz þetta mundu gera fyrir vinfengis sakir

---

Cap. LVI. 2. *slóz á leiðiorð*, „sich
auf ein abschiedsgespräch einliess“.

12. *bærim eigi giptu*, „kein glück
hatten“.

17. *brá við skjótt* = b. *skjótt við*.

20. *taka fé fyrir*, sich gegen zah-
lung einer busse auf einen vergleich
einlassen.

21. *mest*, apposition zu *liðsinni*.

23. *samtýnis*, wörtl. „in demselben
tún“, d. h. in unmittelbarer nähe.

24. 25. *við þá Eyrbyggja*, die

Eyrbyggjar (bewohner des hofes
Eyrr, vgl. c. 3, 7) sind namentlich
aus der nach diesem geschlechte
benannten Eyrbyggja saga bekannt.
— Der verfasser setzt den umzug
des Snorri von *Helgafell* nach *Tunga*
irrtümlich zu seinen streitigkeiten
mit den Eyrbyggjar in beziehung:
diese händel waren nämlich schon
im jahre 998 abgeschlossen, während
der umzug wahrscheinlich im jahre
1008 stattgefunden hat.

við Guðrúnu, — „en þó muntu Guðrún þessi missari verða at
búa í Tungu."

8. Býz nú Snorri í brott, ok gaf Guðrún honum virðuligar gjafir. Ríðr nú Snorri heim, ok var kyrt at kalla þau
missari.   5

9. Enn næsta vetr eptir víg Bolla fœddi Guðrún barn;
þat var sveinn. Sá var Bolli nefndr. Hann var snimma
mikill ok vænn. Guðrún unni honum mikit.

10. Ok er vetr sá líðr af ok vár kom, þá ferr fram kaup
þat, sem rœtt hafði verit, at þau myndi kaupa um lǫnd, Snorri 10
ok Guðrún. 11. Réz Snorri í Tungu ok bjó þar, meðan hann
lifði; Guðrún ferr til Helgafells ok þau Ósvífr ok setja þar
bú saman risuligt; vaxa þar upp synir Guðrúnar Þorleikr ok
Bolli. Þorleikr var þá fjogurra vetra gamall, er Bolli var
veginn, faðir hans.   15

Þorleikr Bollason wird von Þorgils Hǫlluson unterrichtet. Þorkell
     Eyjólfsson zieht gegen den friedlosen Grímr aus.

LVII, 1. Maðr hét Þorgils ok var Hǫlluson; en því var
hann kendr við móður sína, at hon lifði lengr en faðir hans;
hann hét Snorri ok var son Álfs ór Dǫlum. Halla móðir Þorgils var dóttir Gests Oddleifssonar. Þorgils bjó í Hǫrðadal á
þeim bœ, er í Tungu heitir. 2. Þorgils var mikill maðr ok 20
vænn ok enn mesti ofláti; engi var hann kallaðr jafnaðarmaðr. Opt var heldr fátt með þeim Snorra goða; þótti Snorra
Þorgils hlutgjarn ok áburðarmikill. 3. Þorgils gaf sér mart
til erenda út í sveitina, hann kom jafnan til Helgafells ok

---

7. *Sá—nefndr*, während die Laxdœla saga nur zwei kinder des Bolli
Þorleiksson und der Guðrún kennt
(die beiden söhne *Þorleikr* und *Bolli*),
führt die Landnámabók II, 17 aus
dieser ehe nicht weniger als sechs
kinder auf (4 söhne und 2 töchter),
ferner je zwei kinder aus ihrer
zweiten und vierten ehe (die Laxd.
aus jeder nur eins). — Zu der
namengebung ist zu bemerken, dass
postume söhne stets den namen
ihres vaters erhielten, vgl. G. Storm,

Arkiv 9, 199 ff. (Vgl. auch *Þórðr
Þórðarson* c. 36, 2).

Cap. LVII. 16. *Þorgils . . . Hǫlluson*, siehe Landnámabók II, 18.

23. *hlutgjarn ok áburðarmikill*,
„geneigt sich in fremde angelegenheiten zu mischen und ehrbegierig".

24. *út í sveitina*, „in den bezirk
heraus". So wird die richtung von
dem tiefer im lande liegenden hofe
des Þorgils nach der küste bezeichnet.

Ld. bauð sik til umsýslu með Guðrúnu.   Hon tók á því vel at
LVII. eins ok lítit af ǫllu.   4. Þorgils hauð heim Þorleiki syni
hennar, ok var hann lǫngum í Tungu ok nam lǫg at Þorgísli,
því at hann var enn lǫgkœnsti maðr.
5   5. Í þenna tíma var í fǫrum Þorkell Eyjólfsson, hann var
enn frægsti maðr ok kynstórr, ok var hann mikill vin Snorra
goða.   Hann var ok jafnan með Þorsteini Kuggasyni, frænda
sínum, þá er hann var út hér.   6. Ok eitt sinn, er Þorkell
átti skip uppi standanda í Vaðli á Barðastrǫnd, þá varð at-
10 burðr sá í Borgarfirði, at son Eiðs ór Ási var veginn af sonum
Helgu frá Kroppi.   Hét sá Grímr, er vegit hafði, en bróðir
hans Njáll; hann druknaði í Hvítá lítlu síðar.   7. En Grímr
✓ varð sekr skógarmaðr um vígit, ok lá hann úti á fjǫllum, er
hann var í sekðinni; hann var mikill maðr ok sterkr.   Eiðr
15 var þá mjǫk gamlaðr, er þetta var tíðenda; varð af því at
þessu gǫrr engi reki.   8. Mjǫk lágu menn á hálsi Þorkatli
Eyjólfssyni, er hann rak eigi þessa réttar.   Um várit eptir, þá
er Þorkell hafði búit skip sitt, ferr hann suðr um Breiðafjǫrð
suðr til Borgarfjarðar ok fær sér þar hest ok ríðr einn saman

---

1. 2. *tók—ǫllu*, „beantwortete
den antrag höflich, aber zurück-
haltend“.

3. *Þorgísli*, von *Þorgils*, urspr.
Þorgísl.

5. *Þorkell Eyjólfsson*, dieser mann
war ein sohn des *Eyjólfr grái* (c. 7,
25), und folglich ein enkel des be-
kannten häuptlings *Þórðr gellir*.

7. 8. *með—sínum*, die väter des
Þ. K. und des *Þorkell Eyjólfsson*
waren brüder; siehe c. 7, 25.

8. *út*, so (nicht *úti*), weil man an
die mit der reise verknüpfte be-
wegung denkt.

10. 11. *Eiðs ór Ási … frá Kroppi*,
die höfe *Áss* und *Kroppr* liegen in
der landschaft *Borgarfjǫrðr*, an der
südseite des flusses *Hvítá*, ziemlich
weit von der küste und in der nähe
des bekannten *Reykjaholt* (besitzung
des Snorri Sturluson).   Ueber *Eiðr*,

sohn des häuptlings *Miðfjarðar-
Skeggi*, siehe Landnámabók I, 21.

15. *gamlaðr*, „bejahrt“.

16. *lágu—Þorkatli*, „man lag dem
Þ. auf dem halse“, d. h. man machte
ihm fortdauernd vorwürfe.

17. *rak—réttar*, „nicht dies recht
verfolgte“, d. h. sich in dieser sache
nicht recht verschaffte.   Hier fügt
die eine der zwei handschriften-
klassen der saga hinzu: *svá skyldr
sem hann var Eiði at frændsemi*.
Genauere auskunft über diese ver-
wandtschaft gibt die *Þórðar saga
hreðu*, in welche (am schluss der
saga) dieser abschnitt aus der Lax-
dœla saga aufgenommen ist.   Aus
der genannten quelle geht hervor,
dass *Þorkell Eyjólfsson* ein enkel
der *Hróðný*, der schwester des *Eiðr*,
war; vgl. c. 7, 25.   Auch Grettis saga
(c. 62) erwähnt den kampf zwischen
Grímr und Þ. E.

ok léttir eigi ferðinni, fyrr en hann kemr í Ás til Eiðs frænda Ld.
síns. 9. Eiðr tók við honum feginsamliga. Þorkell segir LVII.
honum sitt erendi, at hann vill leita til fundar við Grím,
skógarmann hans; spyrr þá Eið, ef hann vissi nǫkkut til, hvar
bœli hans mundi vera.   5

10. Eiðr svarar: „ekki em ek þess fúss, þykki mér þú
miklu til hætta, hversu ferðin tekz, en at eiga við heljarmann
slíkan, sem Grímr er. Ef þú vill fara, þá far þú við marga
menn, svá at þú eigir allt undir þér.“

11. „Þat þykki mér engi frami,“ segir Þorkell, „at draga 10
fjǫlmenni at einum manni, en þat vilda ek, at þú léðir mér
sverðit Skǫfnung, ok vænti ek þá, at ek skyla bera af ein-
hleypingi einum, þótt hann sé vel at sér búinn.“

12. „Þú munt þessu ráða,“ segir Eiðr, „en ekki kemr
mér á óvart, þóttu iðriz eitthvert sinn þessa einræðis; en með 15
því at þú þykkiz þetta gera fyrir mínar sakir, þá skal þér
eigi þessa varna, er þú beiðir, því at ek ætla Skǫfnung vel
niðr kominn, þóttu berir hann. 13. En sú er náttúra sverðs-
ins, at eigi skal sól skína á hjǫltin, ok honum skal eigi
bregða, svá at konur sé hjá. Ef maðr fær sár af sverðinu, 20
þá má þat sár eigi grœða, nema lyfsteinn sá sé riðinn við, er
þar fylgir.“

14. Þorkell kvaz þessa ætla vandliga at gæta ok tekr við
sverðinu, en bað Eið vísa sér leið þangat, sem Grímr ætti

---

4. *skógarmann hans*, den mann,
dessen ächtung er (*Eiðr*) vor gericht
durchgesetzt hatte.

6. *þess fúss*, „dazu geneigt“, d. h.
damit einverstanden, dass du die
reise unternimmst; eine von den
haupthandschriften (*C*) hat *fúss at
þú farir þessa ferð*.

6. 7. *þykki — tekz*, „es scheint mir,
dass du bei der reise, deren aus-
gang unsicher ist, viel aufs spiel
setzst“.

7. *en at eiga*, „(man hat) aber hier
zu tun“.

9. *eigir — þér*, „die entscheidung
ganz in deiner macht hast“.

12. *Skǫfnungr*, dieses schwert, das
dem berühmten dänischen sagen-
könig *Hrólfr kraki* angehört hatte,
und das *Skeggi*, der vater des *Eiðr*,
aus dem grabhügel dieses königs
geraubt haben soll (vgl. c. 78, 22),
wird in mehreren sagas erwähnt,
besonders in der Kormáks saga,
wo seine übernatürlichen eigen-
schaften noch ausführlicher be-
schrieben werden.

12. 13. *bera — einum*, „einen ein-
zelnen landstreicher überwinden“.

13. *vel — búinn*, „tüchtig“.

15. *einræðis*, „eigensinn“.

18. *niðr kominn*, „angebracht“.

21. *lyfsteinn*, „heilkräftiger stein“.

Ld.   bœli.   Eiðr kvaz þat helzt ætla, at Grímr ætti bœli norðr á
LVII. Tvídœgru við Fiskivǫtn. **15.** Síðan ríðr Þorkell norðr á
LVIII. heiðina þá leið, er Eiðr vísaði honum, ok er hann sótti á
heiðina mjǫk langt, sér hann hjá vatni einu miklu skála ok
5 sœkir þangat til.

Þorkell Eyjólfsson wird von Grimr besiegt und vergleicht sich mit ihm.
Die ehe von Þorkell und Guðrún wird durch Snorri goði eingeleitet.

LVIII, 1. Nú kemr Þorkell til skálans, ok sér hann þá,
hvar maðr sitr við vatnit við einn lœkjarós ok dró fiska; sá
hafði feld á hǫfði. Þorkell stígr af baki ok bindr hestinn
undir skálavegginum. Síðan gengr hann fram at vatninu, þar
10 sem maðrinn sat. **2.** Grímr sá skuggann mannsins, er bar á
vatnit, ok sprettr hann upp skjótt. Þorkell er þá kominn
mjǫk svá at honum ok hǫggr til hans; hǫggit kom á hǫndina
fyrir ofan úlflið, ok var þat ekki mikit sár. **3.** Grímr rann
þegar á Þorkel, ok takaz þeir fangbrǫgðum; kendi þar brátt
15 aflsmunar, ok fell Þorkell ok Grímr á hann ofan. **4.** Þá
spurði Grímr, hverr þessi maðr væri. Þorkell kvað hann engu
skipta.

Grímr mælti: „nú hefir ǫðruvís orðit, en þú mundir ætlat
hafa, því at nú mun þitt líf vera á mínu valdi.“
20 **5.** Þorkell kvaz ekki mundu sér friðar biðja, — „því at
mér hefir ógiptuliga tekiz.“

Grímr sagði œrin sín óhǫpp, þótt þetta liði undan, —

---

1. 2. *á Tvídœgru við Fiskivǫtn,*
Tvídœgra ist der name des nord-
östlich von der landschaft Borgar-
fjǫrðr belegenen hochlandes, das
den südwestlichen teil des islän-
dischen nordviertels mit den land-
schaften am Faxafjǫrðr verbindet;
die zahlreichen dort befindlichen
binnenseen führen den gemein-
schaftlichen namen *Fiskivǫtn.*
4. *skála*, hier „schuppen“. Dass
die ursprüngliche bedeutung des
wortes „primitive hütte“ ist, ent-
wickelt V. Guðmundsson, „Privat-
boligen på Island“, s. 207—8.

Cap. LVIII. 7. *lœkjarós,* „mündung
eines baches“.
8. *hafði — hǫfði,* „hatte den ärmel-
losen mantel wie eine decke über
sich geworfen“.
14. 15. *kendi ... aflsmunar,* „man
merkte ... den unterschied der
stärke“.
21. *mér — tekiz,* „ich habe kein
glück gehabt“, d. h. das glück hat
mich verlassen.
22. *œrin sín óhǫpp* (neutr. pl.),
„sein unglück sei hinlänglich gross“,
d. h. er habe mehr als genug un-
glück angerichtet.

„mun þér annarra forlaga auðit verða, en deyja á okkrum
fundi, ok vil ek þér líf gefa, en þú launa því, sem þú vill."

6. Standa þeir nú upp báðir ok ganga heim til skálans.
Þorkell sér, at Grím mœðir blóðrás; tekr þá Skǫfnungs-stein
ok ríðr ok bindr við hǫnd Gríms, ok tók þegar allan sviða 5
ok þrota ór sárinu. 7. Þeir váru þar um nóttina. Um morgin-
inn býz Þorkell í brott ok spyrr, ef Grímr vili fara með
honum. Hann kvez þat at vísu vilja. 8. Þorkell snýr þegar
vestr ok kemr ekki á fund Eiðs, léttir ekki, fyrr en hann
kemr í Sælingsdalstungu. Snorri goði fagnar honum með 10
mikilli blíðu. Þorkell sagði honum, at ferð sjá hafði
illa tekiz.

9. Snorri kvað hafa vel orðit, — „líz mér giptusamliga
á Grím; vil ek, at þú leysir hann vel af hendi. Væri þat nú
mitt ráð, vinr, at þú létir af ferðum ok feungir þér staðfestu 15
ok ráðakost ok geriz hǫfðingi, sem þú átt kyn til."

10. Þorkell svarar: „opt hafa mér vel gefiz yður ráð,"
ok spurði, ef hann hefði um hugsat, hverrar konu hann
skyldi biðja.

Snorri svarar: „þeirar skaltu konu biðja, er beztr kostr 20
er, en þat er Guðrún Ósvífrsdóttir."

11. Þorkell kvað þat satt vera, at ráðahagrinn var virðu-
ligr; „en mikit þykki mér á liggja ofstæki hennar," segir
hann, „ok stórræði; hon mun vilja hefna láta Bolla bónda
síns. 12. Þar þykkiz í ráðum vera með henni Þorgils Hǫllu- 25
son, ok má vera, at honum sé eigi allr getnaðr at þessu; en
vel er mér Guðrún at skapi."

13. Snorri mælti: „ek mun í því bindaz, at þér mun ekki
mein verða at Þorgísli, en meiri ván þykki mér, at nǫkkur
umskipti sé orðin um hefndina Bolla, áðr þessi missari sé 30
liðin."

14. Þorkell svarar: „vera kann, at þetta sé eigi tóm orð,
er þú talar nú; en um hefnd Bolla sé ek ekki líkligra nú en

---

4. *blóðrás*, „blutverlust".

13. 14. *líz — Grím*, „G. scheint
mir auszusehen wie ein mann, dem
das glück hold ist".

23. *mikit — liggja*, „grosse schwie-

rigkeiten scheinen mir (da)mit ver-
bunden zu sein".

ofstæki, „ungestüm".

24. *stórrœði*, „grosse pläne".

26. *getnaðr*, „gefallen".

Ld. fyrir stundu, nema þar snariz nǫkkurir enir stœrri menn
LVIII. í bragð."

15. Snorri mælti: „vel líkar mér, at þú farir enn utan í
sumar; sjám þá, hvat við berr."

5 Þorkell kvað svá vera skyldu, ok skiljaz þeir við svá
búit. **16.** Fór Þorkell vestr yfir Breiðafjǫrð ok til skips.
Hann flutti Grím utan með sér. Þeim byrjaði vel um sumarit,
ok tóku Nóreg sunnarla.

17. Þá mælti Þorkell til Gríms: „kunnigr er þér málavǫxtr
10 ok atburðir um félagskap okkarn, þarf þat ekki at tjá, en
gjarna vilda ek, at hann seldiz með minnum vandræðum út
en áhorfðiz um hríð; en at hraustum manni hefi ek þik reynt,
ok fyrir þat vil ek þik svá af hǫndum leysa, sem ek hafa
aldri þungan hug á þér haft. **18.** Kaupeyri mun ek þér fá
15 svá mikinn, at þú megir vel ganga í hraustra manna lǫg, en
þú nem ekki staðar norðr hér í landi, því at frændr Eiðs eru
margir í kaupfǫrum, þeir er þungan hug hafa á þér."

19. Grímr þakkaði honum þessi orð ok kvaz eigi beiða
mundu kunna jafnframarla, sem hann bauð. At skilnaði gaf
20 hann Grími góðan kaupeyri. Tǫluðu þat margir, at þetta
væri gǫrt allstórmannliga. **20.** Síðan fór Grímr í Vík austr
ok staðfestiz þar; hann þótti mikill maðr fyrir sér, ok endaz
þar frá Grími at segja. Þorkell var í Nóregi um vetrinn ok
þótti vera mikils háttar maðr; hann var stórauðigr at fé ok ·
25 enn mesti ákafamaðr. **21.** Nú verðr þar frá at hverfa um
stund, en taka til út á Íslandi ok heyra, hvat þar geriz til
tíðenda, meðan Þorkell er utan.

---

1. 2. *snariz ... í bragð*, „sich in
die angelegenheit mischen".

4. *hvat við berr*, „wie es geht".

8. *sunnarla* = *sunnarliga*.

11. *at hann (félagsskapr okkarr)
seldiz ... út*, „dass er enden (wörtl.
abgeliefert werden) könnte".

13. *hafa*, conjunctiv, weil der
nebensatz eine der wirklichkeit
widersprechende annahme enthält;
vgl. Lund, Ordföjningslære § 120;
Nygaard, Ark. 3, 17 fg.

14. *Kaupeyri*, „handelswaare",

die hier, wie öfter, die stelle des
baren geldes vertritt.

15. *lǫg*, „gesellschaft, verbindung".

22. 23. *ok — segja*, der hier er-
zählte vorfall zwischen Þorkell Ey-
jólfsson und Grímr wird auch in
der Grettis saga berührt, müsste
aber nach dieser quelle um das jahr
1024 stattgefunden haben (nach der
chronologie der Laxdœla saga, die
jedoch in diesem und den nach-
folgenden abschnitten recht ver-
worren ist, um 1018).

LIX, 1. Guðrún Ósvífrsdóttir fór heiman þat sumar at **LIX.** tvímánaði ok inn í Dali; hon reið í Þykkvaskóg. Þorleikr var þá ýmist í Þykkvaskógi með þeim Ármóðssonum Halldóri ok Ǫrnólfi, stundum var hann í Tungu með Þorgísli. **2.** Sǫmu nótt sendi Guðrún mann Snorra goða, at hon vill finna hann 5 þegar um daginn eptir. Snorri brá skjótt við ok reið þegar við annan mann, þar til at hann kom til Haukadalsár. **3.** Hamarr stendr fyrir norðan ána, er Hǫfði heitir; þat er í Lœkjarskógs landi. Í þeim stað hafði Guðrún á kveðit, at þau Snorri skyldu finnaz. Þau kómu þar mjǫk jafnsnemma. 10 **4.** Fylgði ok einn maðr Guðrúnu; var þat Bolli Bollason; hann var þá tólf vetra gamall, en fullkominn var hann at afli ok hyggju, svá at þeir váru margir, er eigi biðu meira þroska, þó at alrosknir væri; hann bar þá ok Fótbít. **5.** Þau Snorri ok Guðrún tóku þegar tal, en Bolli ok fǫrunautr Snorra sátu 15 á hamrinum ok hugðu at mannaferðum um heraðit. Ok er þau Snorri ok Guðrún hǫfðu spurz tíðenda, þá frétti Snorri at erendum, hvat þá hefði nýliga við borit, er hon sendi svá skyndiliga orð.

6. Guðrún mælti: „þat er satt, at mér er þessi atburðr 20 spánnýr, er ek mun nú upp bera, en þó varð hann fyrir tólf vetrum, því at um hefndina Bolla mun ek nǫkkut rœða; má þér þat ok ekki at óvǫrum koma, því at ek hefi þik á mint stundum. **7.** Mun ek þat ok fram bera, at þú hefir þar til heitit mér nǫkkurum styrk, ef ek biða með þolinmœði, en nú 25 þykki mér rekin ván, at þú munir gaum at gefa váru máli.

Cap. LIX. 3. 4. *ýmist ... stundum,* „bald ... bald". Anakoluthie; wörtl.: „wechselweise ... zuweilen".

4. 5. *Sǫmu nótt,* d. h. unmittelbar nach ihrer ankunft in Þykkviskógr.

7. *til Haukadalsár,* die *Haukadalsá* durchströmt, ungefähr parallel mit der *Laxá,* das südliche nachbartal.

8. *Hǫfði,* dieser felsen, innerhalb des zu dem hofe *Lœkjarskógr* gehörigen landes gelegen, am ufer der *Haukadalsá,* heisst gegenwärtig *Gálghamar.*

11. 12. *Bolli Bollason ... tólf vetra gamall.* Damit B. B., wie schon c. 55, 39 angedeutet wurde, der rächer seines vaters werden kann, ist diese begebenheit, die sicherlich früher stattfand, in der Laxdœla saga (so wie diese uns jetzt vorliegt) bis zu der zeit verschoben, wo der knabe sein 12. lebensjahr vollendete; dadurch aber wird die chronologie aller nachfolgenden begebenheiten gänzlich verrückt.

26. *rekin ván,* „jede hoffnung geschwunden". Vgl. c 48, 10.

Ld. Nú hefi ek beðit þá stund, er ek fæ mér skap til, en þó vilda
LIX. ek hafa heil ráð af yðr, hvar hefnd þessi skal niðr koma."

    8. Snorri spurði, hvar hon hefði helzt ætlat.

    Guðrún mælti: „þat er minn vili, at þeir haldi eigi allir
5 heilu Ólafssynir."

    9. Snorri kvaz þat banna mundu at fara á hendr þeim
mǫnnum, er mest váru virðir í heraði, — „en náfrændr þeira,
er nær munu ganga hefndunum, ok er allt mál, at ættvíg þessi
takiz af."

10   **10.** Guðrún mælti: „þá skal fara at Lamba ok drepa
hann; er þá af einn sá, er illfúsastr er.'

    Snorri svarar: „er sǫk við Lamba, þótt hann væri drepinn;
en eigi þykki mér Bolla hefnt at heldr; ok eigi mun þeira
Bolla slíkr munr gǫrr í sættum, sem vert er, ef þeim vígum
15 er saman jafnat."

    11. Guðrún mælti: ¦vera kann, at vér fáim ekki jafnmæli
af þeim Laxdœlum; en gjalda skal nú einnhverr afráð, í
hverjum dal sem hann býr; skal ok nú þar at snúa, er Þor-
steinn svarti er, því at engi hefir sér verra hlut af deilt
20 þessum málum en hann."

    12. Snorri mælti: „slíkt er Þorsteinn í sǫkum við yðr,
sem þeir menn, er í tilfǫr váru vígs Bolla ok unnu ekki á

---

4. 5. *haldi ... heilu* (dat. sg. n. von
heill), „ungeschädigt bleiben".

7. 8. *en—hefndunum*, „und über-
dies nahe verwandte solcher leute
sind, die eine nachdrückliche rache
nehmen würden".

8. *ættvíg*, „gegenseitige tötungen
von mitgliedern verwandter ge-
schlechter".

11. *er—einn*, „dann ist einer aus
dem wege geräumt".

illfúsastr, „der boshafteste".

12. *er sǫk við Lamba ... drepinn*,
„L. ist genügend mit schuld be-
laden, um getötet werden zu können
(hat den tod reichlich verdient)".

13. 14. *eigi—gǫrr* usw., „nicht
wird bei dem nachfolgenden ver-
gleiche ein solcher unterschied, wie
er gebührend wäre, zwischen Bolli

und Lambi gemacht werden, falls
die tötung des einen der des andern
gleich gerechnet wird'.

16. *jafnmæli*, „abmachung, bei der
keine von beiden parteien zu kurz
kommt"; *at vér fáim ekki j.*, „dass wir
nicht zu unserem rechte kommen".

17. 18. *í hverjum — býr*, anspielung
auf das mit einer ableitung von
dalr zusammengesetzte *Laxdœlum*
(z. 17).

19. *sér — deilt*, „sich einen schlim-
meren teil ausgewählt", d. h. sich
schwerer vergangen.

21. *slíkt — deilt*, „ebenso".

í sǫkum, „in schuld".

22. *vígs Bolla, vígs* ist von *tilfǫr*
regiert; *er—Bolla*, „die an dem
überfall gegen B. und an seiner
tötung teilnahmen".

honum; en þú lætr þá menn sitja hjá kyrra, er mér þykkir, Ld.
sem í meira lagi sé hefnd í, en hafi þó borit banorð af Bolla, LIX.
er Helgi er Harðbeinsson.“

13. Guðrún mælti: „satt er þat, en eigi má ek vita, at
þessir menn siti um kyrt allir, er ek hefi áðr þenna fjándskap 5 ⟋
miklat á hendr.“

14. Snorri svarar: „ek sé þar gott ráð til. Þeir Lambi
ok Þorsteinn skulu vera í ferð með sonum þínum, ok er þeim
Lamba þat makligt friðkaup; en ef þeir vilja eigi þat, þá mun
ek ekki mæla þá undan, at eigi skapi þér þeim slíkt víti, sem 10
yðr líkar.“ **15.** Guðrún mælti: „hverneg skal at fara at koma
þessum mǫnnum til ferðar, er þú hefir upp nefnt.“

Snorri mælti: „þat verða þeir at annaz, er fyrir skulu
vera ferðinni.“ **16.** Guðrún mælti: „þar munu vér hafa þína
forsjá á því, hverr ferðinni skal stjórna ok fyrir vera.“ 15

Þá brosti Snorri ok mælti: „hér hefir þú kyrit mann til.“
Guðrún mælti: „þetta muntu tala til Þorgils.“ Snorri segir
svá vera.

17. Guðrún mælti: „rœtt hefi ek þetta áðr við Þorgils, ok
er, sem því sé lokit, því at hann gerði þann einn kost á, er 20
ek vilda ekki á líta; en ekki fór Þorgils undan at hefna
Bolla, ef hann næði ráðahag við mik; en þess er borin ván,
ok mun ek því ekki biðja hann til þessarrar ferðar.“

18. Snorri mælti: „hér mun ek gefa ráð til, fyrir því at
ek fyrirman Þorgísli ekki þessar ferðar. Honum skal at vísu 25
heita ráðahag ok gera þat þó með undirmálum þeim, at þú
sér engum manni samlendum gipt ǫðrum en Þorgísli, ok þat

2. *banorð* = *banaorð*, „tod“. *bera*
b. af, „töten“.

4. *má ek vita*, „ertrage ich es zu
wissen“.

6. *miklat*, „vermehrt“, d. h. ge-
häuft.

9. *makligt friðkaup*, „passende
erkaufung des friedens“, d. h. eine
friedensbedingung, die nicht un-
billig ist (die so demütigend ist,
wie solche leute es verdienen).

10. *mæla þá undan*, „sie losreden“,
d. h. fürbitte für sie einlegen.

16. *kyrit* (häufiger *kørit*), part.
perf. von *kjósa*, „wählen“.

17. *þetta — til*, „hierdurch deutest
du auf . . . hin“.

22. *þess — ván*, „hierauf ist keine
hoffnung“; *borin*, „entfernt“.

25. *fyrirman Þ. ekki*, „misgönne
es dem Þ. nicht“, d. h. gönne dem
Þ.

26. *með — þeim*, „mit den hinter-
listigen worten“.

27. *samlendum*, der ausdruck ist
zweideutig; *maðr samlendr* bedeutet

Ld. skal enda, því at Þorkell Eyjólfsson er nú eigi hér á landi,
LIX. en ek hefi honum ætlat þenna ráðahag.“
LX. 　　19. Guðrún mælti: „sjá mun hann þenna krók.“

Snorri svarar: „sjá mun hann víst eigi, því at Þorgils er
5 meir reyndr at ákafa en vitsmunum. Ger þenna máldaga við
fára manna vitni; lát hjá vera Halldór fóstbróður hans, en
eigi Ornólf, því at hann er vitrari, ok kenn mér, ef eigi
dugir.“

20. Eptir þetta skilja þau Guðrún talit, ok bað hvárt
10 þeira annat vel fara; reið Snorri heim, en Guðrún í Þykkva-
skóg. 21. Um myrgininn eptir ríðr Guðrún ór Þykkva-
skógi ok synir hennar með henni; ok er þau ríða út eptir
Skógarströnd, sjá þau, at menn ríða eptir þeim. 22. Þeir ríða
hvatan ok koma skjótt eptir, ok var þar Þorgils Hölluson;
15 fagna þar hvárir öðrum vel. Ríða nú öll saman um daginn
út til Helgafells.

Guðrún reizt ihre söhne zur rache. Þorgils Hölluson übernimmt gegen
das versprechen die hand der Guðrún zu erhalten, die leitung des unter-
nehmens.

LX, 1. Fám nóttum síðar en Guðrún hafði heim komit,
heimti hon sonu sína til máls við sik í laukagarð sinn; en er
þeir koma þar, sjá þeir, at þar váru breidd niðr línklæði,
20 skyrta ok línbrœkr; þau váru blóðug mjök.

2. Þá mælti Guðrún: „þessi sömu klæði, er þit sjáið hér,
frýja ykkr föðurhefnda. Nú mun ek ekki hafa hér um mörg
orð, því at ekki er ván, at þit skipiz af framhvöt orða, ef þit
íhugið ekki við slíkar bendingar ok áminningar.“

---

nämlich 1. landsmann und 2. einen
mann, der sich gleichzeitig mit einem
andern in demselben lande aufhält.

3. krók, „haken“, hier „list“.

6. Halldór — hans, H. und Ornólfr,
die fóstbrœðr des Þorgils genannt
werden, waren eig. vettern seiner
mutter. Vgl. c. 33, 3 und 57, 1.

7. kenn — eigi, „gieb mir die
schuld, falls nicht“, d. h. ich stehe
dafür, dass.

11. myrgininn = morgininn.

13. Skógarströnd, bezirk an der
südseite des Hvammsfjörðr.

Cap. LX. 18 laukagarð, „gemüse-
garten“. Da gärten in Island nicht
vorkamen, scheint dieser zug eine
romantische ausschmückung des
verfassers zu sein.

19. línklæði, „leinene kleider“.
Vgl. c. 37, 11.

23. skipiz, „beeinflusst werdet“.
framhvöt orða, „aufreizung durch
worte“.

3. Þeim brœðrum brá mjǫk við þetta, er Guðrún mælti, Ld. LX. en svǫruðu þó á þá leið, at þeir hafa verit ungir til hefnda at leita ok forystulausir; kváðuz hvárki kunna ráð gera fyrir sér né ǫðrum, — „ok muna mættim vit, hvat vit hǫfum látit.“

4. Guðrún kvaz ætla, at þeir mundu meir hugsa um hesta- 5 víg eða leika. Eptir þetta gengu þeir í brott.

Um nóttina eptir máttu þeir brœðr eigi sofa. Þorgils varð þess varr ok spurði, hvat þeim væri. 5. Þeir segja honum allt tal þeira mœðgina ok þat með, at þeir mega eigi bera lengr harm sinn ok frýju móður sinnar; „viljum vér til hefnda 10 leita,“ sagði Bolli, „ok hǫfum vit brœðr nú þann þroska, at menn munu mjǫk á leita við okkr, ef vit hefjum eigi handa.“

6. Um daginn eptir taka þau tal með sér Þorgils ok Guðrún, en Guðrún hóf svá mál sitt: „svá þykki mér, Þorgils, sem synir mínir nenni eigi kyrrsetu þessi lengr, svá at þeir 15 leiti eigi til hefnda eptir fǫður sinn; 7. en þat hefir mest dvalit hér til, at mér þóttu þeir Þorleikr ok Bolli of ungir hér til at standa í mannráðum; en œrin hefir nauðsyn til verit at minnaz þess nǫkkuru fyrr.“

8. Þorgils svarar: „því þarftu þetta mál ekki við mik at 20 rœða, at þú hefir þvert tekit at ganga með mér. En allt er mér þat samt í hug ok fyrr, þá er vit hǫfum þetta átt at tala; 9. ef ek nái ráðahag við þik, þá vex mér ekki í augu at stinga af einnhvern þeira eða báða tvá, þá er næst gengu vígi Bolla.“ 25

10. Guðrún mælti: „svá þykki mér, sem Þorleiki virðiz engi jafnvel til fallinn at vera fyrirmaðr, ef þat skal nǫkkut vinna, er til harðræða sé; en þik er ekki því at leyna, at þeir

---

4. ok — vit, „erinnern könnten wir uns (daran)“.

5. 6. hestavíg, „pferdekampf“, d. h. der kampf zweier hengste gegen einander — ein in Island sehr beliebtes volksvergnügen.

12. á leita, „tadeln“.

18. standa í mannráðum, „sich mit totschlag abgeben“.

21. ganga með mér, „mit mir in den ehestand treten“.

24. stinga af, „töten“.

báða tvá, „alle beide“. Hier wird jedoch kaum an zwei bestimmte männer gedacht.

næst gengu, „am eifrigsten sich beteiligten.‘

27. skal, unpers.

28. er — sé, „das tatkraft erfordert“.

Ld. LX. sveinarnir ætla at stefna at Helga Harðbeinssyni, berserkinum,
er sitr í Skorradal at búi sínu ok uggir ekki at sér.“

11. Þorgils mælti: „aldregi hirði ek, hvárt hann heitir
Helgi eða ǫðru nafni, því at hvárki þykki mér ofrefli at eiga
5 við Helga eða einnhvern annan. Er um þetta mál allt rœtt
fyrir mína hǫnd, ef þú heitr með váttum at giptaz mér, ef ek
kem hefndum fram með sonum þínum.“
12. Guðrún kvaz þat efna mundu allt, er hon yrði á sátt,
þótt þat væri við fára manna vitni gǫrt, ok sagði hon, at
10 þetta mundi at ráði gǫrt. **13.** Guðrún bað þangat kalla Hall-
dór fóstbróður hans ok þá sonu sína. Þorgils bað ok Ǫrnólf
við vera. Guðrún kvað þess enga þǫrf, — „eru mér meiri
grunir á um trúleika Ǫrnólfs við þik, en ek ætla þér vera.“
Þorgils bað hana ráða. **14.** Nú koma þeir brœðr á fund
15 Guðrúnar ok Þorgils; þar var Halldórr í tali með þeim.

Guðrún segir þeim nú skyn á, at „Þorgils hefir heitit at
geraz fyrirmaðr ferðar þeirar at veita heimferð at Helga Harð-
beinssyni með sonum mínum at hefna Bolla; **15.** hefir Þorgils
þat til mælt ferðarinnar, at hann næði ráðahag við mik. Nú
20 skírskota ek því við vitni yðru, at ek heit Þorgísli at giptaz
engum manni ǫðrum samlendum en honum; en ek ætla ekki
at giptaz í ǫnnur lǫnd.‘
16. Þorgísli þykkir nú þetta vel mega fyrir bíta, ok sér
hann ekki í þetta. Slíta þau nú þessu tali. Þetta ráð er nú
25 fullgǫrt, at Þorgils skal til ferðar ráðaz. Býz hann frá Helga-
felli ok með honum synir Guðrúnar; ríða þeir inn í Dali ok
fyrst heim í Tungu.

---

1. *berserkinum*, hier nicht buch-
stäblich zu nehmen; „dem gewaltigen
kämpfer“.

2. *Skorradal*, tal im südwestlichen
Island, von der Borgarfjǫrðrland-
schaft ausgehend.

10. *mundi — gǫrt*, „abgemacht
werden sollte“.

13. *trúleika*, acc. pl. von *trúleikr*.

en — vera, „als ich bei dir ver-
mute“, d. h. (mein misstrauen gegen
die treue des Ǫ. ist grösser) als

das, welches ich bei dir zu finden
meine.

17. *veita heimferð at ehm*, „jmd.
in seinem hause überfallen“.

19. *þat — ferðarinnar*, „sich das
für die unternehmung ausbedungen“.

20. *skírskota*, „appellieren‘; *sk.
ek því við vitni yðru*, „ich nehme
euch zu zeugen‘.

21. *samlendum*, siehe zu c. 59, 18.

23. *fyrir bíta*, „genügend sein“.

23. 24. *sér — þetta*, „er durchschaut
es nicht“.

Þorgils Hǫlluson sammelt teilnehmer zu dem zuge gegen Helgi
Harðbeinsson.

LXI, 1. Enn næsta dróttinsdag var leið, ok reið Þorgils
þangat með flokki sínum. Snorri goði var eigi á leið; var
þar fjǫlmenni. **2.** Um daginn heimti Þorgils til tals við sik
Þorstein svarta ok mælti: „svá er, sem þér er kunnigt, at þú
vart í tilfǫr með Óláfssonum, þá er veginn var Bolli; hefir þú 5
þær sakir óbœtt við þá sonu hans. **3.** Nú þó at síðan sé
langt liðit, er þeir atburðir urðu, þá ætla ek þeim eigi ór
minni liðit við þá menn, er í þeiri ferð várn. **4.** Nú virða
þeir brœðr svá, sem þeim sami þat sízt at leita á við Óláfs-
sonu fyrir sakir frændsemi; er nú þat ætlan þeira brœðra at 10
venda til hefnda við Helga Harðbeinsson, því at hann veitti
Bolla banasár. **5.** Viljum vér þess biðja þik, Þorsteinn, at þú
sér í ferð þessi með þeim brœðrum ok kaupir þik svá í frið
ok í sætt.“

6. Þorsteinn svarar: „eigi samir mér þetta, at sæta vél- 15
ræðum við Helga mág minn; vil ek myklu heldr gefa fé til
friðar mér, svá at þat þykki góðr sómi.“

7. Þorgils segir: „lítit ætla ek þeim um þat brœðrum at
gera þetta til fjár sér. Þarftu ekki í því at dyljaz, Þorsteinn,
at þú munt eiga tvá kosti fyrir hǫndum, at ráðaz til ferðar 20
eða sæta afarkostum, þegar er þeir megu við komaz; **8.** vilda
ek ok, at þú tœkir þenna kost, þótt þér sé vandi á við Helga;
verðr hverr fyrir sér at sjá, er menn koma í slíkt ǫngþveiti.“

9. Þorsteinn mælti: „mun gǫrr fleirum slíkr kostr, þeim
er í sǫkum eru við sonu Bolla?“ 25

Þorgils svarar: „um slíkan kost mun Lambi eiga at kjósa.“

10. Þorsteinn kvaz þá betra þykkja, ef hann skyldi eigi
verða um þetta einlagi. Eptir þat kallar Þorgils Lamba til
móts við sik ok biðr Þorstein heyra tal þeira ok mælti:

Cap. LXI. 6. óbœtt, part. perf.,
hefir . . . óbœtt.

7. þeim, d. i. Bollasonum.

8. við, „was anbetrifft“.

9. leita á, „anfallen“.

15. 16. vélræðum, „heimtückischen
anschlägen“.

19. gera — sér, „sieh hierdurch
einen geldvorteil zu verschaffen“.

í — dyljaz, „darüber in unwissen-
heit gehalten zu werden“.

22. vandi, „verwandtschaft“.

23. ǫngþveiti, „klemme“, d. i.
schwierige lage.

28. einlagi (adjectiv), „allein“.

Ld.   **11.** „slíkt sama mál vil ek við þik rœða, Lambi, sem ek hefi
LXI. upp borit við Þorstein; hverja sœmð villtu bjóða sonum Bolla
fyrir sakarstaði þá, er þeir eigu við þik? því at þat er oss
með sǫnnu sagt, at þú ynnir á Bolla. **12.** Ferr þat saman, at
5 þú ert sakbitinn í meira lagi, fyrir því at þú eggjaðir mjǫk,
at Bolli væri drepinn; var ok við þik í meira lagi várkunn,
þegar er leið sonu Ólafs.“   **13.** Lambi spurði, hvers beitt
mundi vera.   Þorgils svarar, at slíkr kostr mundi honum gǫrr
sem Þorsteini, at ráðaz í ferð með þeim brœðrum. **14.** Lambi
10 segir: „illt þykki mér friðkaup í þessu ok ódrengiligt, em ek
ófúss þessar farar.“

   15. Þá mælti Þorsteinn: „eigi er einsætt, Lambi, at skeraz
svá skjótt undan ferðinni, því at hér eigu stórir menn í hlut
ok þeir, er mikils eru verðir, en þykkjaz lengi hafa setit yfir
15 skǫrðum hlut. **16.** Er mér sagt um sonu Bolla, at þeir sé
þroskavænligir menn ok fullir ofrkapps, en eigu mikils at
reka; megum vér ekki annat ætla en leysaz af nǫkkuru eptir
slík stórvirki. **17.** Munu menn ok mér mest til ámælis leggja
þetta fyrir sakir tengða með okkr Helga. Þykki mér ok, sem
20 svá verði flestum gefit, at allt láti fjǫrvi fyrri; verðr því vand-
ræði fyrst at hrinda, er bráðast kemr at hǫndum.“

   18. Lambi mælti: „auðheyrt er þat, hvers þú fýsir, Þor-
steinn; ætla ek þat vel fallit, at þú ráðir þessu, ef þér sýniz
svá einsætt, því at lengi hǫfum vit átt vandræðafélag mikit
25 saman. **19.** Vil ek þat til skilja, ef ek geng at þessu, at þeir
frændr mínir, Ólafssynir, siti kyrrir ok í friði, ef hefnd gengr
fram við Helga.“

   Þorgils játtar þessu fyrir hǫnd þeira brœðra. **20.** Réz nú
þetta, at þeir Þorsteinn ok Lambi skulu ráðaz með Þorgísli
30 til ferðar; kváðu á með sér, at þeir skyldu koma þriðja dag

---

3. *sakarstaði*, „anklagepunkte“.

4. *Ferr þat saman*, „dazu kommt“.

6. 7. *var — sonu Ólafs*, „du hattest
— nach den söhnen Ólafs — das
meiste recht auf mildere beurteilung“.

17. *leysaz af* (adv.) *nǫkkuru*, „durch
etwas (d. h. ein opfer) uns (aus der
schwierigkeit) retten“.

20. *at — fyrri*, „dass sie alles
lieber als das leben aufgeben“ —

sprichwörtlich: das leben wird nie
zu teuer erkauft.

24. 25. *átt — saman*, „alle gefahren
(schwierigkeiten) mit einander ge-
teilt“.

30. *þriðja dag*, vielleicht hier als
name des wochentages aufzufassen
(*þriðjadag* = dienstag), was mit
der angabe in § 1 stimmt.

snimma í Tungu í Hǫrðadal. Eptir þetta skilja þeir. 21. Ríðr Ld.
Þorgils heim um kveldit í Tungu. Líðr nú sjá stund, er þeir LXI.
hǫfðu á kveðit, at þeir skyldu koma á fund Þorgils, er til LXII.
ferðar váru ætlaðir með honum. Þriðja myrgininn fyrir sól
koma þeir Þorsteinn ok Lambi í Tungu; fagnar Þorgils 5
þeim vel.

Aufbruch des Þorgils Hǫlluson.

LXII, 1. Þorgils býz nú heiman, ok ríða þeir upp eptir
Hǫrðadal tíu saman. Þar var Þorgils Hǫlluson flokkstjóri.
2. Þar váru í ferð synir Bolla, Bolli ok Þorleikr, Þórðr kǫttr
var enn fjórði, bróðir þeira, fimti Þorsteinn svarti, sétti Lambi, 10
sjaundi ok átti Halldórr ok Ǫrnólfr, níundi Sveinn, tíundi
Húnbogi, þeir váru synir Álfs ór Dǫlum. Þessir váru allir
vígligir. **3.** Þeir ríða leið sína upp til Sópandaskarðs ok yfir
Langavatnsdal ok svá yfir Borgarfjǫrð þveran. Þeir riðu at
Eyjarvaði yfir Norðrá, en at Bakkavaði yfir Hvítá skamt frá 15
Bœ ofan. **4.** Riðu þeir Reykjardal ok svá yfir hálsinn til
Skorradals ok svá upp eptir skóginum í nánd bœnum at
Vatnshorni; stíga þar af hestum sínum; var þá mjǫk kveldit

Cap. LXII. 8. *flokkstjóri*, „führer
der schar“, d. h. leiter der unter-
nehmung.

12. *þeir*, d. i. Sveinn und *Hún-
bogi*; sie und der früh verstorbene
vater des Þorgils waren brüder.

13. 14. *til Sópandaskarðs — Langa-
vatnsdal*, S. ist ein pass, der den
L. (ein jetzt unbewohntes tal im
westlichen Island, umgeben von
den gebirgen, welche die täler am
Breiðifjǫrðr von der landschaft
Borgarfjǫrðr trennen) mit dem
Hǫrðudalr verbindet.

14. *Borgarfjǫrð*, die landschaft
B.

14—16. *at Eyjarvaði—ofan*, von
den beiden hier genannten strömen
ist die *Hvítá* der hauptfluss der
landschaft Borgarfjǫrðr, die *Norðrá*
der bedeutendste nebenfluss, den sie

von norden her aufnimmt; *Eyjarvað*
und *Bakkavað* sind zwei furten, von
welchen die lage der letzteren durch
die erwähnung des hofes *Bœr* —
am linken ufer der *Hvítá* — näher
bestimmt ist.

15. 16. *skamt — ofan*, „eine kurze
strecke oberhalb von B.“.

16. *Reykjardal*, R. oder R. enn
syðri (gegenwärtig *Lundareykja-
dalur*) ist ein tal im südwestlichén
Island, das dem südlicher gelegenen
Skorradalr parallel läuft.

17. 18. *bœnum at Vatnshorni*, der
hof *V.* ist benannt nach einem see
(*vatn*), an dessen südöstlicher spitze
er gelegen ist, und zwar südlich
von der in den see sich ergiessenden
Fitjá. Der vorher erwähnte *skógr*
ist natürlich nur ein birkengebüsch
(c. 55, 2).

Ld. á liðit. Bœrinn at Vatnshorni stendr skamt frá vatninu fyrir
LXII. sunnan ána. 5. Þorgils mælti þá við förunauta sína, at þeir
mundu þar vera um nóttina, — „ok mun ek fara heim til
bœjarins á njósn, at forvitnaz, hvárt Helgi sé heima. 6. Mér
5 er sagt, at Helgi hafi heldr fáment optast, en sé allra manna
varastr um sik ok hvíli í ramligri lokrekkju.“
7. Förunautar Þorgils báðu hann fyrir sjá. Gerir Þorgils
nú klæðaskipti, steypir af sér kápu blári, en tók yfir sik
váskufl einn grán. 8. Hann ferr heim til bœjarins, ok er
10 hann var kominn náliga at garði, þá sér hann mann ganga í
móti sér; ok er þeir finnaz, mælti Þorgils: „þér mun ek þykkja
ófróðliga spyrja, félagi; hvar em ek kominn í sveit, eða hvat
heitir bœr sjá, eða hverr býr hér?“
9. Maðrinn svarar: „þú munt vera furðu heimskr maðr
15 ok fávíss, ef þú hefir eigi heyrt getit Helga Harðbeinssonar,
ens mesta garps ok mikilmennis.“
10. Þorgils spyrr þá, hversu góðr Helgi væri viðtakna,
ef ókunnir menn koma til hans ok þeir, er mjök þurfa ásjá.
11. Hann svarar: „Gott er þar satt frá at segja, því at
20 Helgi er it mesta stórmenni bæði um manna viðtökur ok annan
skörungskap.“
12. „Hvárt er Helgi nú heima?“ segir Þorgils, „ek vilda
skora á hann til viðtöku.“
Hinn spyrr, hvat honum væri á höndum. 13. Þorgils
25 svarar: „ek varð sekr í sumar á þingi; vilda ek nú leita mér
trausts nökkurs til þess manns, er mikill væri fyrir sér; vilda
ek þar í mót veita honum fylgð mína ok þjónostu; skaltu nú
fylgja mér heim til bœjarins til fundar við Helga.“
14. „Vel má ek þat gera,“ segir hann, „at fylgja þér
30 heim, því at heimul mun þér gisting hér vera náttlangt; en
ekki muntu Helga finna, því at hann er eigi heima.“

---

9. *váskufl*, „regenmantel“. Der
kufl unterschied sich vom mantel
(*möttull*) dadurch, dass er vorn ge-
schlossen war. Siehe Grundriss II³,
s. 241.

17. *góðr* . . . *viðtakna* (gen. pl.),
„gut was die aufnahme betrifft“,
d. h. gastfrei.

19. *Gott — segja*, „davon ist wahr-
lich etwas gutes zu berichten“.

20. *stórmenni*, hier „hochsinniger
mann“.

24. *hvat — höndum*, „was er auf
dem herzen habe“.

15. Þá spyrr Þorgils, hvar hann væri. **Ld.**

Hann svarar: „Helgi er í seli sínu, þar er heitir í Sarpi." **LXII.**

16. Þorgils spyrr, hvar þat væri, eða hvat manna væri **LXIII.** með honum. Hann kvað þar vera son hans Harðbein ok tvá menn aðra, er sekir váru, ok hann hafði við tekit. 17. Þor- 5 gils bað hann vísa sér sem gegnst til selsins, — „því at ek vil þegar hitta Helga, er ek nái honum, ok reka erendi mitt."

Húskarlinn gørði svá, at hann vísaði honum leiðina, ok eptir þat skilja þeir. 18. Snýr Þorgils í skóginn ok til fóru- 10 nauta sinna ok segir þeim, hvers hann hefir víss orðit um hagi Helga; „munu vér hér dveljaz náttlangt ok venda ekki fyrr til selsins en á morgin."

19. Þeir gera, sem hann mælti fyrir. Um morgininn riðu þeir Þorgils upp eptir skóginum, þar til er þeir kómu skamt 15 frá selinu; þá bað Þorgils þá stíga af hestunum ok eta dagverð, ok svá gera þeir, dveljaz þar um hríð.

Die feinde des Helgi Harðbeinsson werden ihm von seinem schafhirten beschrieben.

LXIII, 1. Nú er at segja, hvat tíðenda er at selinu, at Helgi var þar ok þeir menn með honum, sem fyrr var sagt. 2. Helgi rœddi um morgininn við smalamann sinn, at hann 20 skyldi fara um skóga í nánd selinu ok hyggja at manna ferðum, eða hvat hann sæi til tíðenda, — „erfitt hafa draumar veitt í nótt."

3. Sveinninn ferr eptir því, sem Helgi mælti. Hann er horfinn um hríð, ok er hann kemr aptr, þá spyrr Helgi, hvat 25 hann sæi til tíðenda.

4. Hann svarar: „sét hefi ek þat, at ek ætla, at tíðendum muni gegna."

Helgi spyrr, hvat þat væri. Hann kvaz sét hafa menn eigi allfá, ok hygg ek vera munu utanheraðsmenn. 30

---

2. í *Sarpi*, *Sarp(u)r* ist jetzt der name eines hofes, der nördlich von Vatnshorn, jenseits des das tal durchströmenden flusses belegen ist.

6. *sem gegnst*, „den nächsten weg".

Cap. LXIII. 22. 23. *erfitt — veitt*, „die träume sind beschwerlich (d. h. unheilkündend) gewesen".

24. *eptir því*, „so".

Ld.   5. Helgi mælti: „hvar váru þeir, er þú sátt þá, eða hvat
LXIII. hǫfðuz þeir at, eða hugðir þú nǫkkut at klæðabúnaði þeira
eða yfirlitum?"

6. Hann svarar: „ekki varð mér þetta svá mjǫk um
5 felmt, at ek hugleiddak eigi slíka hluti, því at ek vissa, at
þú mundir eptir spyrja"; hann sagði ok, at þeir væri skamt
frá selinu, ok þeir átu þar dagverð. 7. Helgi spyrr, hvárt
þeir sæti í hvirfingi eða hverr út frá ǫðrum. Hann kvað þá
í hvirfingi sitja í sǫðlum.

10   8. Helgi mælti: „seg mér nú frá yfirlitum þeira; vil ek
vita, ef ek mega nǫkkut ráða at líkendum, hvat manna
þetta sé."

9. Sveinninn mælti: „þar sat maðr í steindum sǫðli ok í
blári kápu; sá var mikill ok drengiligr, vikóttr ok nǫkkut
15 tannberr."

10. Helgi segir: „þenna mann kenni ek gǫrla at frásǫgn
þinni. Þar hefir þú sét Þorgils Hǫlluson vestan ór Hǫrðadal;
eða hvat mun hann vilja oss, kappinn."

11. Sveinninn mælti: „þar næst sat maðr í gyldum sǫðli;
20 sá var í skarlats kyrtli rauðum ok hafði gullhring á hendi,
ok var knýtt gullblaði um hǫfuð honum. Sá maðr hafði gult
hár ok liðaðiz allt á herðar niðr. 12. Hann var ljóslitaðr, ok
liðr á nefi, ok nǫkkut hafit upp framan nefit, eygðr allvel,
bláeygr ok snareygr ok nǫkkut skoteygr, ennibreiðr ok fullr
25 at vǫngum; hann hafði brúnaskurð á hári, ok hann var vel
vaxinn um herðar ok þykkr undir hǫnd. 13. Hann hafði all-

---

1. 2. *hvat — at,* „womit beschäf-
tigten sie sich".

5. *ek hugleiddak = ek hugleidda-*
ek; der verbalform ist das personal-
pronomen angehängt; letzteres ist
also in dem satze zweimal vorhanden.

8. *í — ǫðrum,* „im kreise oder in
einer reihe nebeneinander".

9. *í sǫðlum,* „auf ihren sätteln".

14. *vikóttr,* „kahl oberhalb der
schläfen".

15. *tannberr,* „mit entblössten
zähnen".

21. *var knýtt* (unpers.) *gullblaði*
(dat. sg. neutr.).

23. *liðr* (scil. *var*) *á nefi,* „er hatte
eine krümmung an der nase", eine
gebogene nase.

framan, „vorne".

24. *skoteygr,* „mit unruhigen augen"!

24. 25. *fullr at vǫngum,* „mit
vollen wangen".

25. *hafði — hári,* „hatte den
brauenschnitt im haare", d. h. sein
haar hing über die stirne herab,
war aber oberhalb der augenbrauen
abgeschnitten.

26. *þykkr undir hǫnd,* „dick
unterhalb des armes", d. h. von
starkem leibe.

fagra hǫnd ok sterkligan handlegg, ok allt var hans látbragð **Ld.**
kurteisligt; ok því orði lýk ek á, at ek hefi engan mann sét **LXIII.**
jafnvaskligan at ǫllu. Hann var ok ungligr maðr, svá at
honum var ekki grǫn vaxin; sýndiz mér, sem þrútinn mundi
vera af trega."   5

14. Þá svarar Helgi: „vendiliga hefir þú at þessum manni
hugat; mun ok mikils um þenna mann vert vera, en ekki mun
ek þenna mann sét hafa. 15. Þá mun ek geta til, hverr hann
er; þat hygg ek, at þar hafi verit Bolli Bollason, því at þat
er mér sagt, at hann sé efniligr maðr."   10

16. Þá mælti sveinninn: „þá sat maðr í smeltum sǫðli;
sá var í gulgrœnum kyrtli; hann hafði mikit fingrgull á hendi.
Sá maðr var enn fríðasti sýnum ok mun enn vera á ungum
aldri, jarpr á hárslit ok ferr allvel hárit, ok at ǫllu var hann
enn kurteisasti maðr."   15

17. Helgi svarar: „vita þykkjumz ek, hverr þessi maðr
mun vera, er þú hefir nú frá sagt; þar mun vera Þorleikr
Bollason, ok ertu skýrr maðr ok glǫggþekkinn."

18. Sveinninn segir: „þar næst sat ungr maðr; hann var
í blám kyrtli ok í svǫrtum brókum ok gyrðr í brœkr. Sá 20
maðr var réttleitr ok hvítr á hárlit ok vel farinn í andliti,
grannligr ok kurteisligr."

19. Helgi svarar: „þenna mann kenni ek, ok hann mun
ek sét hafa, ok mundi þá vera maðrinn allungr; þar mun vera
Þórðr Þórðarson, fóstri Snorra goða, ok hafa þeir kurteist lið 25
mjǫk Vestfirðingarnir. Hvat er enn þá?"

20. Þá mælti sveinninn: „þá sat maðr í skozkum sǫðli,
hárr í skeggi ok skolbrúnn mjǫk, svartr á hár ok skrúfhárr

---

1. *látbragð*, „benehmen".

4. 5. *þrútinn . . . af trega*, „an-
geschwollen (d. h. erfüllt) von
sorge".

11. *smeltum*, „emailliert".

18. *skýrr*, „verständig".

20. *gyrðr í brœkr*, „in die hosen
gegürtet", d. h. er hatte den unteren
teil des rockes in die hosen ge-
steckt.

21. *hárlitr*, m., „haarfarbe".

26. *Vestfirðingarnir*, die bewohner
des westviertels (*Vestfirðinga fjórð-
ungr*) von Island.

27. *skozkum sǫðli*, „schottischem
sattel"; wie diese sättel beschaffen
waren, ist unbekannt.

28. *hárr*, „grauhaarig".

skolbrúnn, „dunkelbraun (von ge-
sichtsfarbe)".

skrúfhárr, „kraushaarig".

Ld.
LXIII. ok heldr ósýniligr ok þó garpligr; hann hafði yfir sér felli-
kápu grá."

21. Helgi segir: „glǫgt sé ek, hverr þessi maðr er; þar er
Lambi Þorbjarnarson ór Laxárdal, ok veit ek eigi, hví hann
5 er í fǫr þeira brœðra."

22. Sveinninn mælti: „þá sat maðr í standsǫðli ok hafði
yzta heklu blá ok silfrhring á hendi. Sá var búandligr ok
heldr af œskualdri, dǫkkjarpr á hár ok hrǫkk mjǫk; hann
hafði ørr í andliti."

10 23. „Nú vesnar mjǫk frásǫgnin," sagði Helgi, „þar muntu
sét hafa Þorstein svarta mág minn, ok víst þykki mér undar-
ligt, er hann er í þessi ferð, ok eigi munda ek veita honum
slíka heimsókn; eða hvat er enn þá?"

24. Hann svarar: „þá sátu tveir menn; þeir váru líkir
15 sýnum ok mundu vera miðaldra menn ok enir knáligstu, rauðir
á hárlit ok freknóttir í andliti ok þó vel sýnum."

25. Helgi mælti: „gørla skil ek, hverir þessir menn eru.
Þar eru þeir Ármóðs synir, fóstbrœðr Þorgils, Halldórr ok
Ǫrnólfr, ok ertu skilvíss maðr; eða hvárt eru nú taldir þeir
20 menn, er þú sátt?"

26. Hann svarar: „lítlu mun ek nú við auka. Þá sat þar
næst maðr ok horfði út ór hringinum; sá var í spangabrynju
ok hafði stálhúfu á hǫfði, ok var barmrinn þverrar handar
breiðr; hann hafði øxi ljósa um ǫxl, ok mundi vera alnar
25 fyrir munn. Sjá maðr var dǫkklitaðr ok svarteygr ok enn
víkingligsti."

---

1. *ósýniligr*, „hässlich" (kann auch
„unansehnlich" bedeuten).

1. 2. *fellikápu*, eine art mantel;
die bedeutung von *felli-* unsicher.

6. *standsǫðli*, wörtl. „standsattel"
— ein sattel, in welchem der reiter
mehr steht als sitzt (?)

7. *heklu*, oberkleid, wahrscheinlich
ohne ärmel und ziemlich kurz und
eng.

8. *hrǫkk*, „ringelte sich".

10. *vesnar* = *versnar*.

15. *miðaldra*, „von mittlerem
alter".

16. *freknóttir*, „mit sommer-
sprossen bedeckt".

vel sýnum, „von schönem aus-
sehen".

19. *skilvíss*, „zuverlässig".

22. *hringinum*, „dem kreise". Vgl.
c. 63, 7 *í hvirfingi*.

spangabrynju, wörtlich „platten-
panzer". Die gewöhnliche *brynja*
bestand aus geflochtenen eisenringen
(*hringabrynja*).

23. *barmrinn*, „die kante".

24. *øxi ljósa*, „eine blanke axt".

24. 25. *mundi — munn*, „deren

27. Helgi svarar: „þenna mann kenni ek glǫgt at frásǫgn Ld.
þinni; þar hefir verit Húnbogi enn sterki, son Álfs ór Dǫlum, LXIII.
ok vant er mér at sjá, hvat þeir vilja, ok mjǫk hafa þeir valða
menn til ferðar þessar.“
28. Sveinninn mælti: „ok enn sat maðr þar et næsta 5
þessum enum sterkliga manni; sá var svartjarpr á hár, þykk-
leitr ok rauðleitr ok mikill í brúnum, hár meðalmaðr.“
29. Helgi mælti: „hér þarftu eigi lengra frá at segja; þar
hefir verit Sveinn, son Álfs ór Dǫlum, bróðir Húnboga. **30.** Ok
betra mun oss at vera eigi ráðlausum fyrir þessum mǫnnum; 10
því at nær er þat minni ætlan, at þeir muni vilja hafa minn
fund, áðr þeir losni ór heraði, ok eru þeir menn í fǫr þessi,
er várn fund munu kalla skapligan, þó at hann hefði nǫkkuru
fyrr at hendi komit. **31.** Nú skulu konur þær, sem hér eru
at selinu, snaraz í karlfǫt ok taka hesta þá, er hér eru hjá 15
selinu, ok ríða sem hvatast til vetrhúsa; kann vera, at þeir,
sem nær oss sitja, þekki eigi, hvárt þar ríða karlar eða konur.
32. Munu þeir þurfa lítils tóms at ljá oss, áðr vér munum
koma mǫnnum at oss, ok er þá eigi sýnt, hvárra vænna er.“
33. Konurnar ríða í brott, fjórar saman. Þorgils grunar, 20
at njósn muni borin vera frá þeim ok til Helga ok bað þá
taka hesta sína ok ríða at sem tíðast, ok svá gerðu þeir; ok
áðr þeir stigi á bak, reið maðr at þeim þjóðsýnliga. **34.** Sá
var lítill vexti ok allkviklátr, hann var margeygr furðuliga ok ʳ
hafði fœriligan hest. Þessi maðr kvaddi Þorgils kunnliga. 25
Þorgils spyrr hann at nafni ok kynferði ok svá, hvaðan hann
væri kominn.
35. Hann kvez Hrappr heita ok vera breiðfirzkr at móður-
kyni, — „ok þar hefi ek upp vaxit; hefi ek nafn Víga-Hrapps
ok þat með nafni, at ek em engi dældarmaðr, þó at ek sé lítill 30

---

schneide ungefähr eine elle lang
war“.

3. *vant*, „schwierig“.

15. *karlfǫt*, „männerkleidung“.

16. *til vetrhúsa*, vgl. c. 35, 18.

19. *hvárra vænna er*, „für welche
von beiden parteien die aussichten
bessere sind“ (*vænna* ist nom. sg.
neutr.).

23. *þjóðsýnliga*, „augenscheinlich“
(sodass man nicht im zweifel sein
konnte, wohin er seinen ritt
lenkte).

24. *allkviklátr*, „sehr lebendig“.
margeygr, „mit unstätem blicke“.

25. *fœriligan*, „tüchtigen“.

29. *Víga-Hrapps*, siehe c. 10, 1 ff.

30. *dældarmaðr*, „umgänglicher
mensch“.

Ld.   vexti; 36. en ek em sunnlenzkr at fǫðurkyni, hefi ek nú dvaliz
LXIII. þar nǫkkura vetr; ok allvel hefir þetta til borit, Þorgils! er ek
LXIV. hefi þik hér ratat, því at ek ætlaða þó þinn fund at sœkja, þó
at mér yrði um þat nǫkkuru torsóttara. 37. En vandkvæði eru
5 mér á hendi. Ek hefi orðit missáttr við húsbónda minn; hafða
ek af honum viðfarar ekki góðar, en ek hefi þat af nafni, at ek
vil ekki sitja mǫnnum slíkar hneisur, ok veitta ek honum til-
ræði; en þó get ek, at annathvárt hafi tekit lítt eða ekki.
38. En lítla stund var ek þar til raunar síðan, því at ek þóttumz
10 hirðr, þegar ek kom á bak hesti þessum, er ek tók frá bónda."
39. Hrappr segir mart, en spurði fás; en þó varð hann
brátt varr, at þeir ætluðu at stefna at Helga, ok lét hann vel
yfir því ok sagði, at hans skal eigi á bak at leita.

Helgi Harðbeinsson wird getötet.

LXIV, 1. Þeir Þorgils tóku reið mikla, þegar þeir kómu
15 á bak, ok riðu nú fram ór skóginum. Þeir sá fjóra menn
ríða frá selinu; þeir hleypðu ok allmikit. 2. Þá mæltu sumir
fǫrunautar Þorgils, at ríða skyldi eptir þeim sem skjótast.
Þá svarar Þorleikr Bollason: „koma munu vér áðr til selsins
ok vita, hvat þar sé manna; því at þat ætla ek síðr, at hér sé
20 Helgi ok hans fylgðarmenn; sýniz mér svá, sem þetta sé
konur einar.“
3. Þeir váru fleiri, er í móti mæltu. Þorgils kvað Þorleik
ráða skyldu, því at hann vissi, at Þorleikr var manna skygn-
astr; snúa nú at selinu. 4. Hrappr hleypir fram fyrir ok dúði
25 spjótsprikuna, er hann hafði í hendi, ok lagði fram fyrir sik

---

1. *sunnlenzkr,* „aus dem südviertel
(*Sunnlendinga fjórðungr*) von Is-
land“.

2. *þar,* in dem südviertel (wozu
auch der *Skorradalr* gehört).

3. *ratat,* „getroffen“.

6. *viðfarar,* „behandlung“.
af nafni, „infolge meines namen“.

7. *sitja — hneisur,* „von den leuten
solche beschämungen ertragen“.

8. *tekit,* „getroffen“ (d. h. ver-
wundet).

9. *til raunar,* „um mich darüber
zu vergewissern“.

10. *hirðr,* „geborgen“, „in sicher-
heit“.

11. *fás,* „wenig“ (nach wenigen
dingen).

13. *hans — leita,* „ihn dürfe man
nicht hinten (im hintertreffen)suchen“.

Cap. LXIV. 18. *koma munu vér*
= *koma munum vér.*

24. *hleypir,* „reitet“.

25. *spjótsprikuna,* „speerschaft“.
Das wort *prika* (ἅπ. λεγ.) hat sicher-
lich dieselbe bedeutung wie *prik,*
„stab“.

ok kvað þá vera allt mál at reyna sik. 5. Verða þeir Helgi **Ld.**
þá eigi fyrr varir við, en þeir Þorgils taka á þeim selit. Þeir **LXIV.**
Helgi lúka aptr hurðina ok taka vápn sín. 6. Hrappr hleypr
þegar upp á selit ok spurði, hvárt skolli væri inni.

Helgi svarar: „fyrir þat mun þér ganga, sem sá sé nǫkkut 5
skæðr, er hér býr inni, at hann muni bíta kunna nær greninu“
— ok þegar lagði Helgi spjóti út um selsglugginn ok í gegnum
Hrapp; fell hann dauðr til jarðar af spjótinu.

7. Þorgils bað þá fara varliga ok gæta sín við slysum, —
„því at vér hǫfum œrin efni til at vinna selit ok Helga, þar sem 10
hann er nú kominn, því at ek hygg, at hér sé fátt manna fyrir.“

8. Selit var gǫrt um einn áss, ok lá hann á gaflhlǫðum,
ok stóðu út af ásendarnir, ok var einart þak á húsinu ok ekki
gróit. Þá mælti Þorgils, at menn skyldu ganga at ásendunum
ok treysta svá fast, at brotnaði eða ella gengi af inn rapt- 15
arnir; en sumir skyldu geyma duranna, ef þeir leitaði út.
9. Fimm váru þeir Helgi inni í selinu; Harðbeinn son hans
var þar — hann var tólf vetra gamall — ok smalamaðr hans
ok tveir menn aðrir, er þat sumar hǫfðu komit til hans ok
váru sekir; hét annarr Þorgils, en annarr Eyjólfr. 10. Þor- 20
steinn svarti stóð fyrir selsdurunum ok Sveinn, son Dala-Álfs,
en þeir aðrir fǫrunautar rifu af ræfrit af selinu, ok hǫfðu þeir

---

s. 194, 25. *lagði*, „stach“.

1. *allt — sik*, „die zeit gekommen
den mut zu erproben“.

2. *taka — selit*, „sie in der senn-
hütte umzingeln“. Vgl. c. 52, 10.

3. 4. *hleypr — selit*, „springt sofort
auf die sennhütte“, d. h. springt auf
das niedrige rasendach der hütte
hinauf (um durch das in dem dach-
first angebrachte licht- und rauch-
loch [*ljóri*] hinein zu rufen).

5. *fyrir — ganga*, „dir mag es da-
für gelten“, d. h. du wirst es schon
empfinden.

6. *skæðr*, „schädlich“, „gefährlich“

7. *selsglugginn*, „das sennhütten-
fenster“. Hier wahrscheinlich =
ljóri, siehe die note zu z. 3—4.

9. *við slysum*, „vor unfällen“.

10. *efni*, d. i. stärke.

12. *gǫrt — ás*, „über einen balken
gebaut“, d. h. das dach der senn-
hütte ruhte auf einem firstbalken
(*áss*).

á gaflhlǫðum, „auf den giebel-
wänden“.

13. *stóðu út af*, „ragten (über die
giebel) hinaus“.

einart þak, „ein einfaches dach“,
d. h. ein dach, das aus einer ein-
fachen rasenschicht besteht.

13. 14. *ekki gróit*, „(der rasen)
nicht zusammengewachsen“.

15. 16. *at — raptarnir*, „damit das
dachwerk zerbrochen oder (aus
dem firstbalken) einwärts losgelöst
würde“. Vgl. Grundriss II², s. 231.

22. *ræfrit*, „das dachwerk“.

þar skipt liði til. **11.** Tók annan ásenda Húnbogi enn sterki
ok þeir Ármóðssynir, en þeir Þorgils ok Lambi annan ásenda
ok þeir synir Guðrúnar. **12.** Treysta þeir nú fast á ásinn, ok
brotnaði hann í sundr í miðju; ok í þessi svipan lagði Harð-
5 beinn út atgeiri ór selinu, þar sem hurðin var brotin; **13.** lagit
kom í stálhúfu Þorsteins svarta, svá at í enninu nam staðar,
var þat mjök mikill áverki. Þá mælti Þorsteinn þat, er satt
var, at þar váru menn fyrir. **14.** Því næst hljóp Helgi út um
dyrrnar svá djarfliga, at þeir hrukku fyrir, er næstir váru.
10 Þorgils var þá nær staddr ok hjó eptir honum með sverði, ok
kom á öxlina, ok varð þat mikill áverki. **15.** Helgi sneriz þá
í móti ok hafði í hendi viðaröxi.

Helgi mælti: „enn skal þessi enn gamli þora at sjá í mót
vápnum," ok fleygði öxinni at Þorgísli, ok kom öxin á fót
15 honum, ok varð þat mikit sár. **16.** Ok er Bolli sá þetta, þá
hleypr hann at Helga ok hafði í hendi Fótbít ok lagði í
gegnum Helga, var þat banasár hans. Þeir fylgðarmenn Helga
hlaupa þegar ór selinu ok svá Harðbeinn. **17.** Þorleikr Bolla-
son víkr í móti Eyjólfi; hann var sterkr maðr. Þorleikr hjó
20 til hans með sverði ok kom á lærit fyrir ofan kné ok tók af
fótinn, ok fell hann dauðr til jarðar. **18.** En Húnbogi enn
sterki hleypr í móti Þorgísli ok hjó til hans með öxi, ok kom
á hrygginn ok tók hann sundr í miðju. **19.** Þórðr köttr var
nær staddr, þar er Harðbeinn hljóp út, ok vildi þegar ráða
25 til hans.

Bolli hleypr til, er hann sá þetta, ok bað eigi veita
Harðbeini skaða, — „skal hér engi maðr vinna klækisverk,
ok skal Harðbeini grið gefa."

20. Helgi átti annan son, er Skorri hét; sá var at fóstri
30 á Englandi í Reykjardal enum syðra.

---

5. *atgeiri, atgeirr* scheint einen
speer mit langer spitze zu be-
zeichnen.

7. 8. *Þá mælti — menn fyrir,* „da
sprach Þ., und mit gutem grund,
(man könne es merken) dass man
es mit männern zu tun habe" (wörtl.
„dass männer anwesend wären").

12. *viðaröxi,* „holzaxt".

14. *á fót,* das wort *fótr* bezeichnet
„fuss" und „bein" zugleich (wie
hond „hand" und „arm").

30. *á Englandi,* E. (d. i. „wiesen-
land") ist ein hof auf dem linken
ufer der *Tunguá (Borgarfjarðar-
sýsla).* Ueber den *Reykjardalr enn
syðri* siehe c. 62, 4.

Þorgils Hǫlluson wird vou Guðrún um das eheversprechen betrogen.

LXV, 1. Eptir þessi tíðendi ríða þeir Þorgils í brott ok
yfir hálsinn til Reykjardals ok lýstu þar vígum þessum; riðu
síðan ena sǫmu leið vestr, sem þeir hǫfðu vestan riðit, léttu
eigi sinni ferð, fyrr en þeir kómu í Hǫrðadal. **2.** Þeir segja
nú þessi tíðendi, er gǫrz hǫfðu í fǫr þeira. Varð þessi ferð 5
en frægsta, ok þótti þetta mikit stórvirki, er slíkr kappi hafði
fallit, sem Helgi var. **3.** Þorgils þakkar mǫnnum vel ferðina,
ok slíkt et sama mæltu þeir brœðr Bollasynir. Skiljaz þeir
menn nú, er í ferð hǫfðu verit með Þorgísli.

4. Lambi ríðr vestr til Laxárdals ok kemr fyrst í Hjarðar- 10
holt ok sagði þeim frændum sínum inniliga frá þessum tíðendum,
er orðit hǫfðu í Skorradal. Þeir létu illa yfir hans ferð ok
tǫlðu mjǫk á hendr honum, kváðu hann meir hafa sagz í ætt
Þorbjarnar skrjúps en Mýrkjartans Írakonungs.

5. Lambi reiddiz mjǫk við orðtak þeira ok kvað þá kunna 15
sik ógørla, er þeir veittu honum átǫlur, — „því at ek hefi
dregit yðr undan dauða,“ segir hann.

Skiptuz þeir síðan fám orðum við, því at hvárumtveggjum
líkaði þá verr en áðr. Ríðr Lambi heim til bús síns.

6. Þorgils Hǫlluson ríðr út til Helgafells ok með honum 20
synir Guðrúnar ok fóstbrœðr hans Halldórr ok Ǫrnólfr; þeir
kómu sílla um kveldit til Helgafells, svá at allir menn váru
í rekkjum. **7.** Guðrún ríss upp ok bað menn upp standa ok
vinna þeim beina; hon gengr til stufu ok heilsar Þorgísli ok
ǫllum þeim ok spurði þá tíðenda. **8.** Þorgils tók kveðju Guð- 25
rúnar, hann hafði þá lagt af sér kápuna ok svá vápnin ok
sat þá upp til stafa. **9.** Þorgils var í rauðbrúnum kyrtli ok

---

Cap. LXV. 11. *inniliga,* „ausführ-
lich“.

13. *tǫlðu — honum,* „wiesen ihn
scharf zurecht“.

sagz, „sich gesagt“, d. h. durch
das, was er getan hatte, zugehörig
erwiesen.

15. 16 *kunna sik ógørla,* „sich
unschicklich benehmen“.

16. *átǫlur,* „vorwürfe“.

22. *sílla = síðla,* „spät“.

24. *stufu = stofu.*

27. *sat — stafa,* „sass darauf gegen
die pfeiler gelehnt“. Die hier ge-
nannten *stafir* sind wahrscheinlich
die *útstafir* (die äusseren pfeiler),
die längs der seitenwände des ge-
bäudes standen und das dach trugen.
Siehe Grundriss II², s. 231 und be-
sonders V. Guðmundsson, Privat-
boligen på Island, s. 119—20.

Ld. hafði um sik breitt silfrbelti. Guðrún settiz niðr í bekkinn
LXV. hjá honum. **10.** Þá kvað Þorgils vísu þessa:

> **3.** „Sóttom heim at Helga.
> Hrafn létom ná svelga.
> Ruþom farrǫþuls eike,
> þás fylgþom Þorleike.
> Þría létom þar falla,
> þjóþnýta gǫrvalla,
> hjalms allkœna þolla.
> 10 Hefnt teljom nú Bolla.“

11. Guðrún spurði þá vendiliga at þessum tíðendum, er
orðit hǫfðu í fǫr þeira. Þorgils sagði slíkt, er hon spurði.
Guðrún kvað ferðina orðna ena snøfrligstu ok bað þá hafa
þǫkk fyrir. **12.** Eptir þat er þeim heini veittr, ok er þeir
15 váru mettir, var þeim fylgt til rekkna; sofa þeir af nóttina.
Um daginn eptir gengr Þorgils til tals við Guðrúnu ok mælti:
13. „svá er háttat, sem þú veizt, Guðrún, at ek hefi fram
komit ferðinni þeiri, er þú batt mik til, tel ek þat fullmann-
liga af hǫndum int; **14.** vænti ek ok, at ek hafa því vel vart;
20 þú munt þat ok muna, hverjum hlutum þú hefir mér heitit
þar í mót. Þykkjumz ek nú til þess kaups kominn.“
15. Þá mælti Guðrún: „ekki hefir síðan svá langt liðit,
er vit rœddumz við, at mér sé þat ór minni liðit; ætla ek ok
þat eina fyrir mér, at efna við þik allt þat, er ek varð á sátt;
25 eða hvers minnir þik um, hversu mælt var með okkr?“

---

3 — 10. Prosaische wortfolge:
*Sóttom heim at Helga. Hrafn
létom svelga ná. Ruþom farrǫþuls
eike, þá es fylgþom Þorleike. Þría
allkœna hjalms þolla, gǫrvalla þjóþ-
nýta, létom þar falla. Teljom nú
Bolla hefnt.* „Wir griffen Helgi in
seinem wohnsitz an. Wir liessen
den raben leichen verschlingen.
Wir röteten (die bäume der sonne
des schiffes [= des schildes] =)
die schwerter, als wir dem Þorleikr
folgten. Drei sehr tüchtige (bäume
des helmes =) krieger, alle vor-
züglich, liessen wir dort fallen. Nun
sehen wir Bolli als gerächt an“.

13. *orðna ena snøfrligstu*, „sehr
rasch ausgeführt“.

18. 19. *fullmannliga*, „völlig wie
es sich einem manne geziemt“.

19. *hafa — vart*, „dies (diese arbeit)
nicht umsonst ausgeführt habe“.

21. *til — kominn*, „den lohn ver-
dient zu haben“.

25. *hvers — okkr*, „wie steht es
mit deiner erinnerung an den wort-
laut unserer abmachungen“.

16. Þorgils kvað hana muna mundu.

Guðrún svarar: „þat hygg ek, at ek héta þér því, at giptaz engum manni samlendum ǫðrum en þér; eða villtu nǫkkut mæla í móti þessu?"

17. Þorgils kvað hana rétt muna.

„Þá er vel," segir Guðrún, „ef okkr minnir eins um þetta mál; vil ek ok ekki lengr draga þetta fyrir þér, at ek ætla þess eigi auðit verða, at ek sjá þín kona. **18.** Þykkjumz ek enda við þik ǫll ákveðin orð, þó at ek giptumz Þorkatli Eyjólfssyni, því at hann er nú eigi hér á landi." 10

19. Þá mælti Þorgils ok roðnaði mjǫk: „gǫrla skil ek, hvaðan alda sjá renn undir; hafa mér þaðan jafnan kǫld ráð komit. Veit ek, at þetta eru ráð Snorra goða."

20. Sprettr Þorgils upp þegar af þessu tali ok var enn reiðasti, gengr til fǫrunauta sinna ok sagði, at hann vill í 15 brott ríða. **21.** Þorleiki líkar illa, er svá var hagat, at Þorgísli var eigi geð á, en Bolli samþykkiz hér um vilja móður sinnar. Guðrún kvaz gefa skyldu Þorgísli góðar gjafir ok blíðka hann svá.

22. Þorleikr kvað þat ekki tjá mundu, — „því at Þorgils 20 er myklu skapstœrri maðr, en hann muni hér at smáhlutum lúta vilja."

Guðrún kvað hann ok þá heima huggaz skyldu. **23.** Þorgils ríðr við þetta frá Helgafelli ok með honum fóstbrœðr hans; kemr hann heim í Tungu til bús síns ok unir stórilla 25 sínum hlut.

Ósvífr und Gestr sterben.

LXVI, 1. Þann vetr tók Ósvífr sótt ok andaðiz. Þat þótti mannskaði mikill, því at hann hafði verit enn mesti spekingr. Ósvífr var grafinn at Helgafelli, því at Guðrún hafði þar þá látit gera kirkju. 30

2. Á þeim sama vetri fekk sótt Gestr Oddleifsson, ok er at

---

3. *samlendum*, vgl. c. 59, 18 und
60, 15.

12. *hvaðan alda sjá renn* (= *rennr*)
undir, „woher diese welle fliesst",
d. h. von wem diese list ersonnen
ist.

kǫld, „kalte", d. h. feindliche.

19. *blíðka*, „besänftigen".

21. 22. *at — lúta*, „sich mit kleinig-
keiten begnügen" (eigentl. „nach kl.
sich bücken").

23. *heima — skyldu*, „dass er in
seinem (eigenen) hause (d. h. selbst)
sich trösten müsse".

honum leið sóttin, þá kallaði hann til sín Þórð lága son sinn ok
mælti: 3. „svá segir mér hugr um, at þessi sótt muni skilja vára
samvistu. Ek vil mik láta fœra til Helgafells, því at sá staðr
mun verða mestr hér í sveitum; þangat hefi ek opt ljós sét.“
5　Eptir þetta andaðiz Gestr. 4. Vetrinn hafði verit kulða-
samr, ok váru íslǫg mikil, ok hafði langt lagt út Breiðafjǫrð,
svá at eigi mátti á skipum komaz af Barðastrǫnd. 5. Lík
Gests stóð uppi tvær nætr í Haga; en þá sǫmu nótt gerði á
veðr svá hvast, at ísinn rak allan frá landi; en um daginn
10　eptir var veðr gott ok lygnt. 6. Þórðr tók skip ok lagði á
lík Gests, ok fara þeir suðr um daginn yfir Breiðafjǫrð ok
koma um kveldit til Helgafells. Var þar vel tekit við Þórði,
ok er hann þar um nóttina. 7. Um morgininn var niðr sett
lík Gests, ok hvíldu þeir Ósvífr í einni grǫf. Kom nú fram
15　spásagan Gests, at skemra var í milli þeira en þá, er annarr
var á Barðastrǫnd, en annarr í Sælingsdal. 8. Þórðr enn lági
ferr heim, þegar hann er búinn; ena næstu nótt eptir gerði á
œðiveðr, rak þá ísinn allan at landi; helt því lengi um vetrinn,
at ekki mátti þar á skipum fara. 9. Þóttu at þessu mikil
20　merki, at svá gaf til at fara með lík Gests, at hvárki var fœrt
áðr né síðan.

Þorgils Hǫlluson wird getötet.

LXVII, 1. Þórarinn hét maðr, er bjó í Langadal; hann
var goðorðsmaðr ok ekki ríkr. Son hans hét Auðgísl; hann
var fráligr maðr. 2. Þorgils Hǫlluson tók af þeim feðgum
25　goðorðit, ok þótti þeim þat en mesta svívirðing. Auðgísl fór
á fund Snorra goða ok sagði honum þenna ójafnað ok bað
hann ásjá.

3. Snorri svarar vel at einu ok tók lítinn af ǫllu ok

Cap. LXVI. 4. *ljós sét*, „licht ge-
sehen“ — als zeichen der heiligkeit
der stelle. Die weissagung in z. 2 —
4 bezieht sich auf das zu Helgafell
im j. 1184 gestiftete kloster.

5. 6. *kulðasamr*, „reich an kälte“.

6. *hafði — út* (impers.), „war weit
belegt“.

15. *spásagan Gests*, vgl. c. 33, 29.

18. *helt því*, „es dauerte“.

19. 20. *Þóttu — merki* (neutr. pl.),
„dies schien sehr bedeutungsvoll“
— als zeugnis der frömmigkeit Gests.

Cap. LXVII. 22. *í Langadal*, L.
ist der name zweier paralleler,
kleiner täler — und zweier in diesen
belegener höfe — in dem bezirke
Skógarstrǫnd.

28. *vel — ǫllu*, vgl. c. 57, 3. *lítinn*
(acc. sg. msc.) steht adverbiell.

mælti: „geriz hann Hǫlluslappi nú framgjarn ok áburðar- **Ld.** mikill. Hvárt mun Þorgils enga þá menn fyrir hitta, at eigi **LXVII.** muni honum allt vilja þola? **4.** Er þat víst auðsætt, at hann er mikill maðr ok knáligr; en komit hefir orðit slíkum mǫnnum í hel, sem hann er." 5

Snorri gaf Auðgísli øxi rekna, er hann fór í brott. **5.** Um várit fóru þeir Þorgils Hǫlluson ok Þorsteinn svarti suðr til Borgarfjarðar ok buðu bœtr sonum Helga ok ǫðrum frændum hans. Var sæz á þat mál, ok var gǫr góð sœmð. Galt Þorsteinn tvá hluti bóta vígsins; en Þorgils skyldi gjalda þriðjung, 10 ok skyldi greiða á þingi. **6.** Þetta sumar reið Þorgils til þings; ok er þeir kómu á braunit at vǫllum, sá þeir konu ganga í móti sér; sú var mikil harðla. **7.** Þorgils reið í móti henni; en hon veik undan ok kvað þetta:

4. „Koste fyrþar, 15
    ef framer þykkjask,
    ok varesk viþ svá
    vélom Snorra;
    enge mun viþ varask,
    vitr es Snorre." 20

8. Síðan gekk hon leið sína.

Þá mælti Þorgils: „sjaldan fór svá, þá er vel vildi, at þú fœrir þá af þingi, er ek fór til þings."

Þorgils ríðr nú á þingit ok til búðar sinnar, ok var kyrt ǫndvert þingit. **9.** Sá atburðr varð einnhvern dag um þingit, 25 at fest váru út klæði manna til þerris. Þorgils átti blá heklu; hon var breidd á búðarvegginn. **10.** Menn heyrðu, at heklan kvað þetta:

---

1. *Hǫlluslappi*, schimpfwort. Vgl. neuisl. *slápr* (schweinigel).

9. *gǫr góð sœmð*, „eine ehren- volle busse gezahlt".

11. *ok skyldi greiða*, unpers.

12. *á — vǫllum*, „zu den die all- thingsebene umgebenden lava- feldern".

konu, diese frau ist die *fylgja* (der schutzgeist) des Þorgils.

15—20. „Die leute mögen sich mühe geben, wenn sie sich für

tüchtig halten, und vor den listen des Snorri sich in acht nehmen; (doch) keiner wird sich hüten, klug ist Snorri".

22. *þá er vel vildi*, „wenn es (das schicksal) günstig war", d. h. wenn ich aussichten auf glücklichen er- folg hatte.

s. 202, 1—4. „Sie hängt nass an der wand; die kapuze kennt einen hinterlistigen anschlag — deswegen nicht öfter trocken —, ja ich leugne

Ld.
LXVII.

5. „Hanger vǫt á vegg,
veit hattkílan bragþ,
þvíget optar þurr,
þeyge dyl ek, at hon vite tvau."

5 **11.** Þetta þótti et mesta undr. Enn næsta dag eptir gekk
Þorgils vestr yfir ána ok skyldi gjalda fé sonum Helga. Hann
sez niðr á hǫlknit fyrir ofan búðirnar; með honum var Hall-
dórr fóstbróðir hans, ok fleiri váru þeir saman. **12.** Þeir synir
Helga kómu til mótsins. Þorgils tekr nú at telja silfrit. Auð-
10 gísl Þórarinsson gekk þar hjá, ok í því, er Þorgils nefndi tíu,
þá hjó Auðgísl til hans, ok allir þóttuz heyra, at hǫfuðit
nefndi ellifu, er af fauk hálsinum. **13.** Auðgísl hljóp til •
Vatnsfirðingabúðar, en Halldórr hljóp þegar eptir honum ok
hjó hann í búðardurunum til bana. Þessi tíðendi kómu til
15 búðar Snorra goða, at Þorgils Hölluson var veginn.

---

nicht, dass sie zwei (anschläge)
kennt". Die hier genannte *hattkíla*
— ein sonst nicht vorkommendes
wort, das vielleicht eine enge kapuze
bedeuten kann, und dann wahr-
scheinlich mit (accentuiertem) *í* zu
schreiben ist — muss dasselbe sein
wie die § 9 genannte *blá hekla* des
Þorgils, und vielleicht die *blá kápa*
desselben mannes (c. 62, 7 u. 63, 9);
sowol *hekla* als *kápa* können mit
kapuze (*hǫttr*) versehen sein. *þvígit*
=*því-gi-at*. Das zweifache *bragþ*, das
in dem verse angedeutet wird, ist
1. der trug, durch welchen Þorgils
Hölluson sich zu dem zuge gegen
Helgi Harðbeinsson verlocken lässt,
2. der anschlag gegen das leben
des Þorgils — beide das werk des
Snorri. Die bedeutung des ein-
geschobenen satzes ist wahrschein-
lich, dass die kapuze, weil ihr
besitzer bald getötet werden wird,
nicht öfter von ihm gebraucht
werden, also auch nicht wider zum
trocknen aufgehängt werden wird.

6. *vestr yfir ána*, d. h. über den
die thingebene durchströmenden
fluss *Øxará* auf das westliche ufer
desselben. Die *búðir* der thingleute
lagen an beiden ufern, die bude des
Þorgils wahrscheinlich an der ost-
seite.
12. 13. *til Vatnsfirðingabúðar*,
diese bude, gewiss nach dem häupt-
lingsgeschlecht aus dem *Vatnsfjǫrðr*
im nordwestlichen Island benannt,
liegt auch nach der Njáls saga
(c. 145) an der westseite des
flusses.
14. 15. *til búðar Snorra goða*, die
bude des Snorri goði, die nach dem
zeugnisse der Njáls saga und Sturl-
unga saga den namen *Hlaðbúð*
führte, kann man mit ziemlicher
sicherheit an der westseite des
flusses, am eingange der schlucht
Almannagjá nachweisen; nördlich
von dieser bude, und zwar ganz in
der nähe derselben, hat man wahr-
scheinlich die stelle des *lǫgberg* zu
suchen.

14. Snorri segir: „eigi mun þér skiliz hafa, Þorgils Hǫllu-
son mun vegit hafa.“

Maðrinn svarar: „enda fauk hǫfuðit af bolnum.“

„Þá má vera, at satt sé,“ segir Snorri.

Sæz var á víg þessi, sem í sǫgu Þorgils Hǫllusonar segir. 5

Guðrúns vierte ehe (mit Þorkell Eyjólfsson).

LXVIII, 1. Þat sama sumar, er Þorgils Hǫlluson var
veginn, kom skip í Bjarnarhǫfn. Þat átti Þorkell Eyjólfsson.
Hann var þá svá auðigr maðr, at hann átti tvá knǫrru í
fǫrum; annarr kom í Hrútafjǫrð á Borðeyri, ok var hvárrtveggi
viði hlaðinn. 2. Ok er Snorri goði spurði útkvámu Þorkels, 10
ríðr hann þegar til skips. Þorkell tók við honum með allri
blíðu. Þorkell hafði ok mikinn drykk á skipi sínu; var veitt
allkappsamliga, varð þeim ok mart talat. 3. Spurði Snorri
tíðenda af Nóregi. Þorkell segir frá ǫllu vel ok merkiliga.
Snorri segir í mót þau tíðendi, sem hér hǫfðu gǫrz, meðan 15
Þorkell hafði utan verit.

4. „Sýndiz mér nú þat ráð,“ segir Snorri, „sem ek rœdda
fyrir þér, áðr þú fórt utan, at þú tœkir þik ór fǫrum ok settiz
um kyrt ok aflaðir þér kvánfangs þess ens sama, sem þá var
orði á komit.“ 20

5. Þorkell svarar: „skil ek, hvar þú ferr; ok allt er mér
slíkt et sama nú í hug, sem þá rœddum vit, því at eigi fyrir-
man ek mér ens gǫfgasta ráðs, ef þat má við gangaz.“

6. Snorri mælti: „til þess skal ek boðinn ok búinn at
ganga með þeim málum fyrir þína hǫnd; er nú ok af ráðinn 25
hvárrtveggi hlutrinn, sá er þér þótti torsóttligastr, ef þú skyldir
fá Guðrúnar, at Bolla er hefnt, enda er Þorgils frá ráðinn.“

7. Þorkell mælti: „djúpt standa ráð þín, Snorri, ok at
vísu vil ek at venda þessu máli.“

---

1. *eigi — hafa*, „du hast gewiss
nicht recht verstanden“.

5. *í — Hǫllusonar*, diese saga ist
nicht mehr vorhanden.

Cap. LXVIII. 12. *drykk*, „getränk“,
d. h. starke getränke (bier oder met)

18. *tœkir — fǫrum*, „mit deinen
reisen aufhörtest“.

21. *hvar þú ferr*, „was du meinst“.

24. *boðinn ok búinn*, alliterierende
formel.

27. *frá ráðinn*, „aus dem wege
geräumt“.

29. *at — máli*, „dieser sache (d. h.
dieser heirat) mich zuwenden“, d. h.
um diese partie mich bemühen.

Ld.
LXVIII. Snorri var at skipi nǫkkurar nætr. **8.** Síðan tóku þeir skip teinært, er þar flaut við kaupskipit, ok bjugguz til ferðar hálfr þriði togr manna. Þeir fóru til Helgafells. **9.** Guðrún tók við Snorra ágæta vel; var þeim veittr allgóðr beini, ok er 5 þeir hǫfðu verit þar eina nótt, þá kallar Snorri til tals við sik Guðrúnu ok mælti: **10.** „svá er mál með vexti, at ek hefi ferð þessa veitt Þorkatli Eyjólfssyni, vin mínum; er hann nú hér kominn, sem þú sér, en þat er erendi hans hingat at hefja bónorð við þik. **11.** Er Þorkell gǫfugr maðr; er þér ok 10 allt kunnigt um ætt hans ok athæfi; skortir hann ok eigi fé. Þykkir oss hann nú einn maðr líkastr til hǫfðingja vestr hingat, ef hann vill sik til þess hafa. **12.** Hefir Þorkell mikinn sóma, þá er hann er út hér; en miklu er hann meira virðr, þá er hann er í Nóregi með tignum mǫnnum.“ 15 **13.** Þá svarar Guðrún: „synir mínir munu hér mestu af ráða, Þorleikr ok Bolli; en þú ert svá enn þriði maðr, Snorri! at ek mun mest þau ráð undir eiga, er mér þykkja allmiklu máli skipta, því at þú hefir mér lengi heilráðr verit.“ **14.** Snorri kvaz einsætt þykkja at hnekkja Þorkatli eigi 20 frá. Eptir þat lét Snorri kalla þangat sonu Guðrúnar; hefir þá uppi við þá málit ok tjár, hversu mikill styrkr þeim mætti verða at Þorkatli fyrir sakir fjárafla hans ok forsjá, ok talði þar um mjúkliga. **15.** Þá svarar Bolli: „móðir mín mun þetta glǫggvast sjá 25 kunna; vil ek hér um hennar vilja samþykkja; en víst þykkir oss ráðligt at virða þat mikils, er þér flytið þetta mál, Snorri! því at þú hefir marga hluti stórvel gǫrt til vár.“ **16.** Þá mælti Guðrún: „mjǫk munum vér hlíta forsjá Snorra um þetta mál, því at oss hafa þín ráð heil verit.“ 30 Snorri fýsti í hverju orði, ok réz þat af, at ráðahagr skyldi takaz með þeim Guðrúnu ok Þorkatli. **17.** Bauð Snorri at hafa boð inni.

Þorkatli líkaði þat vel, — „því at mik skortir eigi fǫng til at leggja fram, svá sem yðr líkar.“

---

2. *skip teinært*, „ein fahrzeug mit zehn rudern“. Noch heutzutage nennt man in Island alle offenen bote mit sechs oder mehr rudern *skip* („schiffe“).

17. *at — eiga*, „dessen entscheidung ich am liebsten solche sachen überlassen werde“.

34. *leggja fram*, „zuschüsse leisten“, nämlich zu den kosten des gastmahls.

Þá mælti Guðrún: „þat er vili minn, at boð þetta sé hér **Ld.** at Helgafelli; vex mér ekki þat fyrir augum at hafa hér **LXVIII.** kostnað fyrir. Mun ek hvárki til þess krefja Þorkel né aðra **LXIX.** at leggja starf á þetta.“

18. „Opt sýnir þú þat Guðrún,“ segir Snorri, „at þú ert 5 enn mesti kvennskǫrungr.“

Verðr nú þat af ráðit, at brullaup skal vera at Helgafelli at sex vikum sumars. 19. Fara þeir Snorri ok Þorkell við þetta á brott; fór Snorri heim, en Þorkell til skips; er hann ýmist um sumarit í Tungu eða við skip. Líðr til boðsins. 10 Guðrún hefir mikinn viðrbúnað ok tilǫflun. 20. Snorri goði sótti þessa veizlu með Þorkatli, ok hǫfðu þeir nær sex tigu manna, ok var þat lið mjǫk valit, því at flestir menn váru í litklæðum. 21. Guðrún hafði nær hundrað fyrirboðsmanna. Þeir brœðr Bolli ok Þorleikr gengu í mót þeim Snorra ok 15 með þeim fyrirboðsmenn. Er Snorra allvel fagnat ok hans fǫruneyti. 22. Er nú tekit við hestum þeira ok klæðum. Var þeim fylgt í stufu; skipuðu þeir Þorkell ok Snorri bekk annan, þann er œðri var, en boðsmenn Guðrúnar enn óœðra bekk.

Þorkell und Guðrún entzweien sich vorübergehend wegen des Gunnarr
Þiðrandabani.

LXIX, 1. Þetta haust hafði Gunnarr Þiðrandabani verit 20 sendr Guðrúnu til trausts ok halds; hon hafði ok við honum tekit, ok var leynt nafni hans. 2. Gunnarr hafði sekr orðit um víg Þiðranda Geitissonar ór Krossavík, sem segir í sǫgu

---

2. *vex — augum*, ich fürchte mich
nicht davor.

8. *at — sumars*, vgl. c. 23, 21.

10. *í Tungu*, d. i. *í Sælingsdals-
tungu*, dem hofe des Snorri goði.

11. *tilǫflun* (= *tilaflan*), „das an-
schaffen (von lebensmitteln)“.

13. 14. *í litklæðum*, vgl. c. 44, 23.

14. *fyrirboðsmanna*, „im voraus
eingeladene leute“.

18. 19. *í stufu* (= *stofu*) ... *bekk
... er œðri var ... enn óœðra bekk*,
die *stofa* ward als das ansehnlichste
gebäude des hofes auch zu feier-

lichen gelagen verwendet. Von den
zwei langbänken längs der seiten-
wände war die vornehmere wahr-
scheinlich die zur rechten des ein-
gangs. Vgl. Grundriss II², 232—33.

Cap. LXIX. 23. *Krossavík*, hof an
der südseite des *Vápnafjǫrðr* im
nordöstlichen Island; der hier ge-
nannte *Þiðrandi* war der sohn eines
dort wohnenden häuptlings; *Gunnarr*,
der ihn erschlug, ein vor kurzem in
Island angekommener norwegischer
schiffsherr.

Ld.   Njarðvíkinga.   Fór hann mjǫk hulðu hǫfði, því at margir
LXIX.   stórir menn veittu þar eptirsjár. **3.** Et fyrsta kveld veizlunnar,
er menn gengu til vatns, stóð þar maðr mikill hjá vatninu;
sá var herðimikill ok bringubreiðr; sá maðr hafði hatt á
5 hǫfði. Þorkell spurði, hverr hann væri. Sá nefndiz svá, sem
honum sýndiz.

    4. Þorkell segir: „þú munt segja eigi satt; værir þú líkari
at frásǫgn Gunnari Þiðrandabana; ok ef þú ert svá mikil
kempa, sem aðrir segja, þá muntu eigi vilja leyna nafni þínu.“

10   **5.** Þá svarar Gunnarr: „allkappsamliga mælir þú til þessa;
ætla ek mik ok ekki þurfa at dyljaz fyrir þér; hefir þú rétt
kendan manninn, eða hvat hefir þú mér hugat at heldr?“

    6. Þorkell kvaz þat vilja mundu, at hann vissi þat brátt;
hann mælti til sinna manna, at þeir skyldu handtaka hann.

15   **7.** En Guðrún sat innar á þverpalli ok þar konur hjá henni
ok hǫfðu lín á hǫfði; en þegar hon verðr vǫr við, stígr hon
af brúðbekkinum ok heitr á sína menn at veita Gunnari lið;
hon bað ok engum manni eira, þeim er þar vildu óvísu lýsa.

---

s. 205, 23. 1. *ísǫgu Njarðvíkinga,* die
N.-saga ist ohne zweifel identisch
mit der unter dem namen *Gunnars
þáttr Þiðrandabana* bekannten er-
zählung. Der bei der hochzeit der
Guðrún sich abspielende auftritt
wird hier etwas anders erzählt;
Snorri tritt hier nicht als vermittler,
sondern als unbedingter bundes-
genosse der Guðrún auf. Dieser
erzählung zufolge kann die hoch-
zeit der Guðrún nur wenige jahre
nach 1005 stattgefunden haben, —
der zeitrechnung der Laxdœla saga
zufolge dagegen erst 1020. Tatsäch-
lich darf aber ihre vermählung nicht
später als 1007 angesetzt werden.

  2. *veittu þar eptirsjár,* „beküm-
merten sich um diese sache“, d. h.
stellten ihm wegen des totschlags
nach; vgl. *sjá eptir um eht* Egils
saga c. 70, 3.

  3. *gengu til vatns,* näml. um sich
zu waschen.

5. 6. *sem honum sýndiz,* „wie es
ihm einfiel“. Er gab also einen
falschen namen an.

  9. *kempa,* „held“.

  10. *mælir—þessa,* „forderst du dies“.

  12. *mér—heldr,* „deswegen mir
zugedacht“.

  15. *innar,* im inneren teil der
stube.

  á þverpalli, „auf der querbank“.
Diese längs der inneren querwand
angebrachte erhöhung war gewöhn-
lich den frauen vorbehalten.

  16. *lín,* wahrsch. eine von sämt-
lichen anwesenden frauen getragene
kopfbedeckung; anderswo (Þryms-
kviða) wird *brúðar lín* erwähnt.

  17. *brúðbekkinum,* d. i. dem *þver-
pallr* (z. 15).

  18. *þeim er . . . vildu,* plur., ob-
schon das vorhergehende *engum
manni* formaliter sing. ist.

  óvísu lýsa, „eine ungehörigkeit
begehen“.

8. Hafði Guðrún lið miklu meira; horfðiz þar til annars, en
ætlat hafði verit.

Snorri goði gekk þar í milli manna ok bað lægja storm
þenna, — „er þér, Þorkell! einsætt at leggja ekki svá mikit
kapp á þetta mál. **9.** Máttu sjá, hversu mikill skǫrungr Guðrún 5
er, ef hon berr okkr báða ráðum.“

Þorkell léz því hafa heitit nafna sínum Þorkatli Geitissyni,
at hann skyldi drepa Gunnar, ef hann kœmi vestr á sveitir,
— „ok er hann enn mesti vinr minn.“

10. Snorri mælti: „miklu er þér meiri vandi á at gera 10
eptir várum vilja; er þér ok þetta sjálfum hǫfuðnauðsyn, því at
þú fær aldri slíkrar konu, sem Guðrún er, þótt þú leitir víða.“

11. Ok við umtǫlur Snorra ok þat með, at hann sá, at
hann mælti satt, þá sefaðiz Þorkell, en Gunnari var í brott
fylgt um kveldit. **12.** Veizla fór þar vel fram ok skǫruliga, 15
ok er boði var lokit, búaz menn í brott. Þorkell gaf Snorra
allfémiklar gjafir ok svá ǫllum virðingamǫnnum. Snorri bauð
heim Bolla Bollasyni ok bað hann vera með sér ǫllum þeim
stundum, er honum þœtti þat betra. **13.** Bolli þiggr þat ok
ríðr heim í Tungu. Þorkell settiz nú at Helgafelli ok tekr 20
þar við búsumsýslu; þat mátti brátt sjá, at honum var þat
eigi verr hent en kaupferðir. **14.** Hann lét þegar um haustit
taka ofan skála, ok varð upp gǫrr at vetri, ok var hann
mikill ok risuligr. Ástir takaz miklar með þeim Þorkatli ok
Guðrúnu. Líðr fram vetrinn. **15.** Um várit eptir spyrr Guðrún, 25
hvat hann vili sjá fyrir Gunnari Þiðrandabana.

Þorkell kvað hana mundu fyrir því ráða, — „hefir þú
tekit þat svá fast, at þér mun ekki at getaz, nema hann sé
sœmiliga af hǫndum leystr.“

16. Guðrún kvað hann rétt geta. 30

„Vil ek,“ segir hon, „at þú gefir honum skipit ok þar
með þá hluti, sem hann má eigi missa at hafa.“

---

7. *Þorkatli Geitissyni; Þorkell,* ein
bruder des erschlagenen *Þiðrandi,*
ist ein bekannter häuptling, der be-
sonders in der Vápnfirðinga saga
eine rolle spielt, aber auch z. b. in
Droplaugarsona saga, Ljósvetn. saga
und Njáls saga vorkommt.

8. *ef — sveitir,* „falls er (aus dem
ostviertel, wo der totschlag be-
gangen war) nach dem westviertel
sich flüchten sollte“.

10. *vandi,* „verpflichtung“.

23. *skála,* hier wahrscheinl. durch
„schlafhaus“ zu übersetzen.

Þorkell svarar ok brosti við: **17.** „eigi er þér lítit í hug
um mart, Guðrún," segir hann, „ok er þér eigi hent at eiga
vesalmenni; er þat ok ekki við þitt œði; skal þetta gera eptir
þínum vilja."

5 Ferr þetta fram. **18.** Gunnarr tók við gjǫfinni allþakk-
samliga, — „mun ek aldri svá langhendr verða, at ek fá yðr
launat þann sóma allan, sem þit veitið mér."
19. Fór Gunnarr utan ok kom við Nóreg. Eptir þat fór
hann til búa sinna. Gunnarr var stórauðigr ok et mesta
10 mikilmenni ok góðr drengr.

Þorleikr Bollason besucht Norwegen. Heirat des Bolli Bollason.

LXX, 1. Þorkell Eyjólfsson gerðiz hǫfðingi mikill. Helt
hann sér mjǫk til vinsælda ok virðingar. Hann var maðr
heraðríkr ok málamaðr mikill; þingdeilda hans er hér þó ekki
getit. **2.** Þorkell var ríkastr maðr í Breiðafirði, meðan hann
15 lifði, þegar er Snorra leið. Þorkell sat vel bœ sinn, hann lét
gera ǫll hús at Helgafelli stór ok ramlig; hann markaði ok
grundvǫll til kirkju ok lýsti því, at hann ætlaði sér at sœkja
kirkjuviðinn. **3.** Þau Þorkell ok Guðrún áttu son, sá er nefndr
Gellir, hann var snemma enn efniligsti maðr. Bolli Bollason var
20 ýmist í Tungu eða at Helgafelli; var Snorra til hans allvel.
Þorleikr bróðir hans var at Helgafelli. **4.** Váru þeir brœðr
miklir menn ok enir knáligstu, ok hafði Bolli allt fyrir. Vel
var Þorkatli til stjúpbarna sinna. Guðrún unni Bolla mest

---

s. 207, 32. *missa*, „entbehren".

1. 2. *eigi — mart*, „du denkst nicht
kleinlich in vielen dingen".

3. *vesalmenni*, „ein erbärmlicher
mann", „ein lump".

6. *langhendr*, „langarmig", d. h. im
stande weithin zu reichen, leistungs-
fähig.

Cap. LXX. 11. 12. *Helt — til*, „er
liess es sich sehr angelegen sein zu
erlangen".

13. *heraðríkr*, „im bezirke ein-
flussreich".

málamaðr, „mann, der sich

mit rechtshändeln abgiebt", „sach-
walter".

15. *þegar — leið*, „nächst S.", „von
S. abgesehen".

sat vel, „hielt in gutem stande";
sitja hier trans.

16. *ǫll hús*, „alle häuser", d. h.
den ganzen hof — in Island ist
nämlich jedes zimmer gewöhnlich
ein haus für sich. Vgl. Grundriss
II², s. 230.

22. *hafði — fyrir*, „B. übertraf ihn
in jeder beziehung".

22. 23. *Vel var Þorkatli*, „þ. be-
handelte gut".

allra barna sinna. **5.** Bolli var nú sextán vetra, en Þorleikr **Ld.**
tuttugu. Þá rœddi Þorleikr við Þorkel stjúpfǫður sinn ok **LXX.**
móður sína, at hann vildi utan fara, — „leiðiz mér at sitja
heima sem konum; vilda ek, at mér væri fengin fararefni.“

6. Þorkell svarar: „ekki þykkjumz ek verit hafa mót- 5
gerðasamr ykkr brœðrum, síðan er tengðir várar tókuz. Þykki
mér þetta en mesta várkunn, at þik fýsi at kanna siðu
annarra manna, því at ek vænti, at þú þykkir vaskr maðr,
hvar sem þú kemr með dugandi mǫnnum.“

7. Þorleikr kvaz ekki mundu hafa mikit fé, — „því at 10
ósýnt er, hversu mér gætiz til, em ek ungr ok í mǫrgu
óráðinn.“

Þorkell bað hann hafa, svá sem hann vildi. **8.** Síðan
kaupir Þorkell í skipi til handa Þorleiki, er uppi stóð í Dǫg-
urðarnesi; fylgir Þorkell honum til skips ok bjó hann at ǫllu 15
vel heiman. Fór Þorleikr utan um sumarit. **9.** Skip þat
kemr til Nóregs, var þá lands hǫfðingi Óláfr konungr enn
helgi. Þorleikr ferr þegar á fund Óláfs konungs. Hann tók
vel við honum ok kannaðiz við kynferði hans ok bauð honum
til sín. **10.** Þorleikr þekðiz þat; er hann með konungi um 20
vetrinn ok gerðiz hirðmaðr hans, virði konungr hann vel.
Þótti Þorleikr enn vaskasti maðr, ok var hann með Óláfi
konungi, svá at vetrum skipti.

11. Nú er at segja frá Bolla Bollasyni. Þá er hann var
átján vetra gamall um várit, rœddi hann við Þorkel mág sinn 25
ok þau móður sína, at hann vill, at þau leysi fǫðurarf hans.
12. Guðrún spyrr, hvat hann ætlaðiz fyrir, er hann kallaði
til fjár í hendr þeim.

---

4. *sem konum*, dativ, weil das
zweite comparationsglied sich nach
dem ersten (*mér*) richtet.

5. 6. *mótgerðasamr ehm*, „wer
einem andern entgegenhandelt, seine
pläne durchkreuzt“.

11. *hversu—til*, „wie ich es hüten
soll“.

13. *svá*, „so viel“ (näml. geld).

14. *kaupir—skipi*, „kauft dem þ.
einen anteil an einem schiffe“.

19. *kannaðiz—hans*, „erinnerte
sich seines geschlechts“, d. h. er
äusserte, dass ihm Þ's geschlecht
bekannt sei. Vgl. Egils saga c. 33, 9.

23. *svá—skipti*, „mehrere jahre“.

25. *mágr*, hier „stiefvater“, be-
zeichnet jede art verschwägerung,
nicht aber blutverwandtschaft.

26. *leysa*, „auszahlen“.

27. *ætlaðiz fyrir* = *ætlaði fyrir
sér*.

Bolli svarar: „þat er vili minn, at konu sé beðit til handa
mér. Vilda ek, Þorkell mágr!" segir Bolli, „at þú værir mér
þar um flutningsmaðr, at þat gengi fram."

13. Þorkell spurði, hverrar konu hann vildi biðja.

5 Bolli svarar: „kona heitir Þórdís, hon er dóttir Snorra
goða; hon er svá kvenna, at mér er mest um at eiga, ok
ekki mun ek kvángaz í bráð, ef ek nái eigi þessu ráði. Þykki
mér ok mikit undir, at þetta gangi fram."

14. Þorkell svarar: „heimolt er þér, mágr! at ek ganga
10 með máli þessu, ef þér þykkir þat máli skipta. Vænti ek, at
þetta mál verði auðsótt við Snorra, því at hann mun sjá
kunna, at honum er vel boðit, þar er þú ert."

15. Guðrún mælti: „þat er skjótt at segja, Þorkell, at ek
vil til þess láta engan hlut spara, at Bolli fái þann ráðakost,
15 sem honum líkar; er þat bæði, at ek ann honum mest, enda
hefir hann øruggastr verit í því minna barna, at gera at
mínum vilja."

16. Þorkell léz þat ætla fyrir sér at leysa Bolla vel af
hendi, — „er þat fyrir margs sakir makligt, því at ek vænti
20 þess, at gott verði mannkaup í Bolla."

17. Lítlu síðar fara þeir Þorkell ok Bolli ok váru saman
mjǫk margir menn; fara, þar til er þeir koma í Tungu. Snorri
tók vel við þeim ok blíðliga, eru þar enar mestu ǫlværðir af
Snorra hendi. **18.** Þórdís Snorradóttir var heima með feðr
25 sínum, hon var væn kona ok merkilig; ok er þeir hǫfðu fár
nætr verit í Tungu, þá berr Þorkell upp bónorðsmálin ok
mælir til mægðar við Snorra fyrir hǫnd Bolla, en til samfara
við Þórdísi dóttur hans.

19. Þá svarar Snorri: „slíkra mála er vel leitat, sem mér
30 er at þér ván; vil ek þessu máli vel svara, því at mér þykkir
Bolli enn mannvænsti maðr, ok sú kona þykki mér vel gipt,
er honum er gipt; en þat mun þó mestu um stýra, hversu
Þórdísi er um gefit, því at hon skal þann einn mann eiga, at
henni sé vel at skapi."

35 **20.** Þetta mál kemr fyrir Þórdísi, en hon svarar á þá

---

6. *svá kvenna* (gen. plur.), „eine
solche frau"; vgl. Lund, Oldnord.
ordföjningslære § 58.

23. *ǫlværðir; ǫlværð = ǫlúð.*
29. *slíkra — leitat,* „dies ist ein
ehrenvoller antrag".

leið, at hon mundi þar um hlíta forsjá fǫður síns, kvaz fúsari Ld.
at giptaz Bolla í sinni sveit en ókunum manni lengra í brott. LXX.
21. Ok er Snorri fann, at henni var ekki þetta í móti skapi, LXXI.
at ganga með Bolla, þá er þetta at ráði gǫrt, ok fóru festar
fram. Skal Snorri hafa boð þat inni, ok skal vera at miðju 5
sumri. 22. Við þetta ríða þeir Þorkell ok Bolli heim til
Helgafells, ok er nú Bolli heima, þar til er at brullaupsstefnu
kemr. Búaz þeir nú heiman Þorkell ok Bolli ok þeir menn
með þeim, er til þess váru ætlaðir; var þar fjǫlmenni mikit
ok et skǫruligsta lið. 23. Ríða nú leið sína ok koma í Tungu; 10
eru þar allgóðar viðtǫkur. Var þar mikit fjǫlmenni ok veizla
en virðuligsta, ok er veizluna þrýtr, búaz menn í brott.
24. Snorri gaf Þorkatli gjafar sœmiligar ok þeim Guðrúnu
báðum, slíkt sama ǫðrum sínum vinum ok frændum; ríðr nú
hverr heim til síns heimilis þeira manna, er þetta boð hafa 15
sótt. 25. Bolli var í Tungu, ok tókuz brátt góðar ástir með
þeim Þórdísi. Snorri lagði ok mikla stund á at veita Bolla
vel ok var til hans hvar betr en til sinna barna. Bolli þekðiz
þat vel ok er þau missari í Tungu í góðu yfirlæti.

26. Um sumarit eptir kom skip af hafi í Hvítá. Þat skip 20
átti hálft Þorleikr Bollason, en hálft áttu norrœnir menn.
27. Ok er Bolli spyrr útkvámu bróður síns, ríðr hann þegar
suðr til Borgarfjarðar ok til skips; verðr hvárr þeira brœðra
ǫðrum feginn; er Bolli þar, svá at nóttum skiptir; síðan ríða
þeir báðir brœðr vestr til Helgafells. 28. Þorkell tekr við 25
þeim með allri blíðu ok þau Guðrún bæði, ok buðu Þorleiki
þar at vera um vetrinn, ok þat þiggr hann. Þorleikr dvelz
at Helgafelli um hríð, ríðr síðan til Hvítár ok lætr setja upp
skipit, en flytja vestr varnað sinn. 29. Þorleiki hafði gott
orðit til fjár ok virðingar, því at hann hafði gǫrz handgenginn 30
enum tígnasta manni, Óláfi konungi. Var hann nú at Helga-
felli um vetrinn, en Bolli í Tungu.

Vergleich der söhne Bollis mit den söhnen des Óláfr.

LXXI, 1. Þenna vetr finnaz þeir brœðr jafnan ok hǫfðu
tal með sér, ok hvárki hendu þeir gaman at leikum né annarri

---

2. *í sinni sveit*, „in ihrem eigenen   4. *ganga með*, „heiraten“.
bezirk“.   18. *hvar betr*, „viel besser“.

Ld. skemtan; ok eitt sinn, er Þorleikr var í Tungu, þá tǫluðu þeir
LXXI. brœðr, svá at dœgrum skipti. 2. Snorri þóttiz þá vita, at þeir
mundu stórt nakkvat ráða. Þá gekk Snorri á tal þeira brœðra.
Þeir fǫgnuðu honum vel ok létu þegar falla niðr talit. Hann
5 tók vel kveðju þeira.

3. Síðan mælti Snorri: „hvat hafi þit í ráðagerðum, er
þit gáið hvárki svefns né matar?“

Bolli svarar: „þetta eru ekki ráðagerðir, því at þat tal er
með lítlum merkjum, er vér eigum at tala.“

10 4. Ok er Snorri fann, at þeir vildu leyna hann því ǫllu,
er þeim var í skapi, en hann grunaði þó, at þeir mundu um
þat mest tala, er stór vandræði mundu af geraz, ef fram
gengi, — Snorri mælti til þeira: 5. „hitt grunar mik nú, sem
þat muni hvárki hégómi né gamanmál, er þit munuð lengstum
15 um tala, ok virði ek ykkr til várkunnar, þótt svá sé, ok gerið
svá vel ok segið mér ok leynið mik eigi; munu vér eigi allir
verr kunna um ráða þetta mál, því at ek mun hvergi í móti
standa, at þat gangi fram, er ykkarr sómi vaxi við.“

6. Þorleiki þótti Snorri vel undir taka, sagði hann í fám
20 orðum ætlan þeira brœðra, at þeir ætla at fara at þeim Óláfs-
sonum, ok þeir skyldi sæta afarkostum; 7. segja sik þá ekki
til skorta at hafa jafnan hlut af þeim Óláfssonum, er Þorleikr
var handgenginn Óláfi konungi, en Bolli kominn í mægðir við
slíkan hǫfðingja, sem Snorri er.

25 8. Snorri svarar á þá leið: „œrit hefir komit fyrir víg
Bolla, er Helgi var Harðbeinsson fyrir goldinn; eru helzti
mikil vandræði manna áðr orðin, þó at staðar nemi um síðir.“

9. Bolli segir þá: „hvat er nú, Snorri? ertu eigi jafnhvass
í liðveizlunni, sem þú léz fyrir lítlu? ok eigi mundi Þorleikr
30 þér enn þessa ætlan sagt hafa, ef hann hefði nǫkkut við mik
um ráðiz. 10. Ok þar er þú telr Helga hafa komit í hefnd

Cap. LXXI. 3. stórt nakkvat ráða,
„etwas grosses vorhaben“.

4. falla niðr, „aufhören“.

13. gengi, — Snorri mælti, anakolu-
thie; für Sn. m. erwartet man m. Sn.

14. lengstum, „gewöhnlich“.

22. hafa — þeim Ól., „sich mit den
söhnen Óláfs zu messen“.

26. var . . . fyrir goldinn, „war
als busse gezahlt“, d. h. hatte mit
dem leben büssen müssen. Durch
die etwas ungewöhnliche wort-
stellung er Helgi var Harðbeinsson
wird die nennung des namens em-
phatischer.

29. fyrir lítlu, „vor kurzem“.

fyrir Bolla, þá er mǫnnum þat kunnigt, at fé kom fyrir víg Ld.
Helga, en faðir minn er óbœttr." LXXI.

11. En er Snorri sá, at hann fekk þeim eigi talit hug-
hvarf, þá býz Snorri til at leita um sættir með þeim Óláfs-
sonum, heldr en manndráp tœkiz; ok því játta þeir brœðr. 5
12. Síðan reið Snorri í Hjarðarholt með nǫkkura menn. Hall-
dórr tók vel við honum ok bauð honum þar at vera.

Snorri kvaz heim mundu ríða um kveldit, — „en ek á
við þik skylt erendi."

13. Síðan taka þeir tal, ok lýsir Snorri yfir erendum 10
sínum, at hann kvaz þess orðinn varr, at þeir Bolli ok Þor-
leikr unðu eigi lengr, at faðir þeira væri bótlauss af þeim
Óláfssonum, — „en nú vilda ek leita um sættir ok vita, ef
endir yrði á ógiptu yðvarri frænda."

14. Halldórr tók þessu ekki fjarri ok svarar: „harðla 15
kunnigt er mér, at Þorgils Hǫlluson ok Bollasynir ætluðu at
veita mér árás eða brœðrum mínum, áðr en þú snerir hefnd-
inni fyrir þeim, svá at þaðan af sýndiz þeim at drepa Helga
Harðbeinsson; **15.** hefir þú þér deilt góðan hlut af þessum
málum, hvat sem þú hefir til lagt um en fyrri skipti vár 20
frænda."

16. Snorri mælti: „miklu þykki mér skipta, at gott verði
mitt erendi, ok hér kœmi því á leið, er mér er mestr hugr á,
at tœkiz góðar sættir með yðr frændum, því at mér er kunnigt
skaplyndi þeira manna, er málum eiga at skipta við yðr, at 25
þeir munu þat allt vel halda, er þeir verða á sáttir."

17. Halldórr svarar: „þessu vil ek játta, ef þat er vili
brœðra minna, at gjalda fé fyrir víg Bolla, slíkt, sem þeir
menn dœma, er til gerðar eru teknir; en undan vil ek skilja
sekðir allar ok svá goðorð mitt, svá staðfestu; **18.** slíkt et 30

---

3. 4. *at — hughvarf,* „dass er sie
nicht auf andere gedanken bringen
konnte".

19. 20. *hefir—málum,* „du hast dich
bei dieser sache trefflich benommen"
(eig. „du hast dir einen guten teil da-
bei ausgewählt"). Vgl. Egils s. c. 52,8.

20. 21. *hvat — vár* (gen. pl. von
vér) frænda, dies bezieht sich auf

die haltung Snorris nach der tötung
des Kjartan und Bolli; siehe c. 49, 30
und 56, 4 fg.

23. *kœmi,* unpers.

29. *til gerðar,* „um ein schieds-
richterliches urteil auszusprechen".

29. 30. *undan — allar,* „ausnehmen
will ich jede acht" (d. h. dass irgend
einer der schuldigen geächtet werde).

Ld. sama þær staðfestur, er brœðr mínir búa á, vil ek ok til
LXXI. skilja, at þeir eigi þær at frjálsu fyrir þessa málalykð. Taka
LXXII. ok sinn mann hvárir til gerðar.“

19. Snorri segir: „vel ok skǫruliga er þetta boðit; munu
5 þeir brœðr þenna kost taka, ef þeir vilja at nǫkkuru hafa
mín ráð.“

20. Síðan reið Snorri heim ok segir þeim brœðrum, hvert
orðit hafði hans erendi, ok svá þat, at hann mundi við skiljaz
þeira mál með ǫllu, ef þeir vildi eigi játa þessu.

10 21. Bolli bað hann fyrir ráða, — „ok vil ek, Snorri, at
þér dœmið fyrir vára hǫnd.“

Þá sendir Snorri orð Halldóri, at þá var ráðin sættin, bað
hann kjósa mann til gerðar til móts við sik. 22. Halldórr
kaus til gerðar fyrir sína hǫnd Steinþór Þorláksson af Eyri.
15 Sættarfundr skyldi vera at Drǫngum á Skógarstrǫnd, þá er
fjórar vikur eru af sumri. Þorleikr Bollason reið til Helga-
fells, ok var allt tíðendalaust um vetrinn. 23. Ok er leið at
þeiri stundu, er á kveðit var um fundinn, þá kom Snorri goði
með þeim Bollasonum, ok váru alls fimtán saman; jafnmargir
20 kómu þeir Steinþórr til mótsins. 24. Tóku þeir Snorri ok
Steinþórr tal ok urðu ásáttir um mál þessi. Eptir þat luku
þeir fésekð, en eigi er á kveðit hér, hversu mikit þeir gerðu;
frá því er sagt, at fé galz vel ok sættir váru vel haldnar.
25. Á Þórsnessþingi váru gjǫld af hendi int. Halldórr gaf
25 Bolla sverð gott, en Steinþórr Óláfsson gaf Þorleiki skjǫld,
var þat ok góðr gripr; ok var síðan slitit þinginu, ok þóttu
hvárirtveggju hafa vaxit af þessum málum.

Bolli Bollason beschliesst mit seinem bruder ins ausland zu reisen.

LXXII, 1. Eptir þat er þeir hǫfðu sæz Bolli ok Þorleikr
ok Óláfssynir, ok Þorleikr hafði verit einn vetr á Íslandi, þá
30 lýsti Bolli því, at hann ætlaði utan.

2. Snorri latti þess ok mælti: „oss þykkir mikit í hættu,

---

2. *Taka*, 3. pers. pl. pres. ind. mit
imperativischer bedeutung.
14. *Steinþór Þorláksson*, vgl. c. 3, 7
und 56, 7 wo sein geschlecht, die
Eyrbyggjar, erwähnt ist.

15. *at Drǫngum*, der hof *Drangar*
liegt an der südseite des *Hvamms-
fjǫrðr*.
22. *fésekð*, „geldbusse“.
á kveðit, „berichtet“.

hversu þér tekz; en ef þik fýsir fleira at ráða, en nú ræðr Ld.
þú, þá vil ek fá þér staðfestu ok gera þér bú ok þar með fá LXXII.
þér í hendr manna forræði ok halda þér til virðingar í ǫllu; LXXIII.
vænti ek, at þat sé auðvelt, því at flestir menn leggja góðan
hug til þín.“   5
    3. Bolli svarar: „þat hefi ek lengi haft í hug mér at
ganga suðr um sinnsakir. Þykkir maðr við þat fávíss verða,
ef hann kannar ekki víðara en hér Ísland.“
    Ok er Snorri sér þat, at Bolli hefir statt þetta fyrir sér,
at ekki mundi tjá at letja, þá býðr Snorri honum at hafa fé 10
svá mikit, sem hann vildi, til ferðarinnar. 4. Bolli játar því
at hafa féit mikit — „vil ek,“ segir hann, „engis manns
miskunnarmaðr vera, hvárki hér né utanlendis.“
    5. Síðan ríðr Bolli suðr til Borgarfjarðar ok til Hvítár ok
kaupir skip þat hálft at þeim mǫnnum, er þat áttu. Eiga 15
þeir brœðr þá saman skipit. Ríðr Bolli síðan vestr heim.
6. Þau Bolli ok Þórdís áttu eina dóttur, sú hét Herdís; þeiri
mey bauð Guðrún til fóstrs. Hon var þá vetrgǫmul, er hon
fór til Helgafells. Þórdís var ok lǫngum þar, var Guðrún ok
allvel til hennar.   20

Bolli und Þorleikr besuchen den norwegischen könig. Bolli fährt weiter nach Dänemark und Mikligarðr.

    LXXIII, 1. Nú fóru þeir brœðr báðir til skips. Bolli
hafði mikit fé utan. Þeir bjuggu nú skipit, ok er þeir váru
albúnir, létu þeir í haf. Þeim byrjaði ekki skjótt, ok hǫfðu
útivist langa; tóku um haustit Nóreg ok kómu norðr við
Þrándheim. 2. Óláfr konungr var austr í landi ok sat í 25

Cap. LXXII. 7. *ganga — sinnsakir*,
„einmal die südlichen länder zu be-
suchen“.
    9. *statt* (von *steðja*), „fest be-
schlossen“.
    10. *at*[1], parallel mit dem vorher-
gehenden *at*; „und“ kann einge-
schoben werden.
    13. *miskunnarmaðr*, „mensch, der
von der barmherzigkeit anderer ab-
hängig ist“.
    15. *skip þat*, vgl. c. 70, 26. Das

schiff hatte zur hälfte dem Þorleikr
gehört; jetzt kaufte Snorri für Bolli
die andere hälfte, so dass es aus-
schliessliches eigentum der beiden
brüder wurde.
    17. *Herdís, H.* heisst in der Land-
námabók eine schwester des Bolli
Bollason.

Cap. LXXIII. 25. *austr*, die rich-
tung ist tatsächlich mehr südlich als
östlich; vgl. *norðr* s. 216, 2 u. c. 73, 6.

Ld. Víkinni, ok hafði hann þar efnat til vetrsetu. Ok er þeir
LXXIII. brœðr spurðu þat, at konungr mundi ekki koma norðr til
Þrándheims þat haust, þá segir Þorleikr, at hann vill leita
austr með landi ok á fund Óláfs konungs.

5   3. Bolli svarar: „lítit er mér um þat at rekaz milli kaup-
staða á haustdegi; þykki mér þat mikil nauð ok ófrelsi. Vil
ek hér sitja vetrlangt í bœnum. Er mér sagt, at konungr
mun koma norðr í vár; en ef hann kemr eigi, þá mun ek
ekki letja, at vit farim á hans fund.‘

10   4. Bolli ræðr þessu; ryðja þeir nú skip sitt ok taka sér
bœjarsetu. Brátt fannz þat, at Bolli mundi vera maðr fram-
gjarn ok vildi vera fyrir ǫðrum mǫnnum; honum tókz ok svá,
því at maðrinn var ǫrlátr; fekk hann brátt mikla virðing í
Nóregi. 5. Bolli helt sveit um vetrinn í Þrándheimi, ok var
15 auðkent, hvar sem hann gekk til skytninga, at menn hans
váru betr búnir at klæðum ok vápnum en annat bœjarfólk;
hann skaut ok einn fyrir sveitunga sína alla, þá er þeir sátu
í skytningum. Þar eptir fór annat ǫrlæti hans ok stórmenska.
6. Eru þeir brœðr nú í bœnum um vetrinn. Þenna vetr sat
20 Óláfr konungr austr í Sarpsborg, ok þat spurðiz austan, at
konungs var ekki norðr ván. 7. Snemma um várit bjuggu
þeir brœðr skip sitt ok fóru austr með landi. Tókz þeim
greitt ferðin, ok kómu austr til Sarpsborgar ok fóru þegar á
fund Óláfs konungs; fagnar konungr vel Þorleiki hirðmanni
25 sínum ok hans fǫrunautum.

8. Síðan spurði konungr, hverr sá væri enn vǫrpuligi
maðr, er í gǫngu var með Þorleiki; en hann svarar: „sá er
bróðir minn ok heitir Bolli.“

„At vísu er hann skǫruligr maðr,“ segir konungr.

30   9. Eptir þat bauð konungr þeim brœðrum at vera með
sér; taka þeir þat með þǫkkum, ok eru þeir með konungi um
várit. Er konungr vel til Þorleiks sem fyrr, en þó mat hann

---

11. bœjarsetu, aufenthalt in der
stadt (Niðaróss).

13. ǫrlátr, „freigebig“.

14. sveit, „gefolge“, „leibwache“.

15. skytningr, „trinkgelage“.

17. skaut, „zahlte“.

18. Þar—stórmenska, „dem ent-
sprach auch sonst seine freigebig-
keit und generosität“.

20. Sarpsborg, stadt im südöst-
lichen Norwegen, an der ostseite
des flusses Glommen, unweit des
wasserfalles Sarpr.

Bolla miklu meira, því at konungi þótti hann mikit afbragð   **Ld.**
annarra manna.   **LXXIII.**

10. Ok er á leið várit, þá rœða þeir brœðr um ferðir
sínar; spurði Þorleikr, hvárt Bolli vili fara út til Íslands um
sumarit, — „eða villtu vera í Nóregi lengr?“   5
11. Bolli svarar: „ek ætla mér hvárki, ok er þat satt at
segja, at ek hafða þat ætlat, þá er ek fór af Íslandi, at eigi
skyldi at spyrja til mín í ǫðru húsi; vil ek nú, frændi! at þú
takir við skipi okkru.“

Þorleiki þótti mikit, ef þeir skulu skilja, — „en þú, Bolli! 10
munt þessu ráða sem ǫðru.“

12. Þessa sǫmu rœðu báru þeir fyrir konung, en hann
svarar á þá leið: „villtu ekki, Bolli! dveljaz með oss lengr?“
segir konungr, „þœtti mér hinn veg bezt, er þú dvelðiz með
mér um hríð; mun ek veita þér þvílíka nafnbót, sem ek veitta 15
Þorleiki bróður þínum.“

13. Þá svarar Bolli: „allfúss væra ek, herra! at bindaz
yðr á hendr, en fara vil ek fyrst þangat, sem ek hefi áðr
ætlat, ok mik hefir lengi til fýst; en þenna kost vil ek gjarna
taka, ef mér verðr aptrkvámu auðit.“   20

14. „Þú munt ráða ferðum þínum, Bolli!“ segir konungr,
„því at þér eruð um flest einráðir Íslendingar; en þó mun ek
því orði á lúka, at mér þykkir þú, Bolli! hafa komit merki-
ligastr maðr af Íslandi um mína daga.“

15. Ok er Bolli hafði fengit orlof af konungi, þá býz 25
hann til ferðar ok gekk á kugg einn, er ætlaði suðr til Dan-
merkr; hann hafði ok mikit fé með sér; fóru ok nǫkkurir
menn með honum af hans fǫrunautum. Skilðuz þeir Óláfr
konungr með mikilli vináttu; veitti konungr Bolla góðar gjafar
at skilnaði. **16.** Þorleikr var þá eptir með Óláfi konungi, en 30
Bolli fór ferðar sinnar, þar til er hann kemr suðr til Dan-
merkr; hann er þar um vetrinn í Danmǫrku ok fekk þar
mikinn sóma af ríkum mǫnnum; hann helt sik ok þar at engu
óríkmannligar, en þá er hann var í Nóregi. **17.** Ok er Bolli

---

6. *hvárki*, „keines von beiden
(keine der beiden alternativen)“.

8. *í ǫðru*, „im anderen“, d. h. im
nächsten; gemeint ist Island oder
die nachbarländer.

15. *nafnbót*, vgl. c. 70, 10. 29.

22. *einráðir*, „eigensinnig“.

23. *því — lúka*, „das sagen“.

26. *kugg*, „(geräumiges) handels-
schiff“.

Ld.
LXXIII.
LXXIV.

hafði verit einn vetr í Danmǫrku, þá byrjar hann ferð sína
út í lǫnd ok léttir eigi fyrr ferðinni, en hann kemr út
í Miklagarð. **18.** Hann var lítla hríð þar, áðr hann kom
sér í Væringjasetu; hǫfum vér ekki heyrt frásagnir, at neinn
5 Norðmaðr hafi fyrr gengit á mála með Garðskonungi en Bolli
Bollason. **19.** Var hann í Miklagarði mjǫk marga vetr ok
þótti enn hraustasti maðr í ǫllum mannraunum ok gekk jafnan
næst enum fremstum. Þótti Væringjum mikils vert um Bolla,
meðan hann var í Miklagarði.

Þorkell Eyjólfsson besucht mit seinem sohne Gellir
den norwegischen könig.

10   **LXXIV, 1.** Nú er þar til máls at taka, at Þorkell Eyjólfs-
son sitr í hǫfðingskap sínum. Gellir, son þeira Guðrúnar, óx
upp heima þar, hann var snemma drengiligr maðr ok vinsæll.
2. Þat er sagt eitt sinn, at Þorkell sagði Guðrúnu draum
sinn: „þat dreymði mik," segir hann, „at ek þóttumz eiga
15 skegg svá mikit, at tœki um allan Breiðafjǫrð."
3. Þorkell bað hana ráða draumrinn.
Guðrún spurði: „hvat ætlar þú þenna draum þýða?"
4. „Auðsætt þykki mér þat, at þar mun standa ríki mitt
um allan Breiðafjǫrð."

---

2. *út í lǫnd*, „nach fernen ländern".

3. *Miklagarð*, Konstantinopel.

3. 4. *kom—Væringjasetu*, „brachte
sich in die stellung der *Væringjar*",
d. h. liess sich unter die *Væringjar*
aufnehmen. Die ursprüngliche be-
deutung des wortes *Væringi*, später
ausschliesslich als benennung eines
kriegers von der nordischen leib-
wache des griechischen kaisers ge-
braucht, ist wahrsch. „schutzbürger"
(oder „fremder"); es ist von den
scandinavischen Russen zur be-
zeichnung ihrer Russland besuchen-
den stammverwandten aus Scandi-
navien gebildet. Vgl. V. Thomsen,
Der Ursprung des Russischen Staates
(Gotha 1879) und S. Bugge im Arkiv
f. nord. filol. II, 225.

5. *Norðmaðr*, der name bezeichnet
teils Nordleute im allgemeinen, teils
(und so wahrsch. hier) einen mann
aus Norwegen oder den von dort
kolonisierten ländern, teils endlich
einen Norweger im engeren sinne.

með Garðskonungi, „mit dem
könig in *Mikligarð*", d. h. mit dem
griechischen kaiser.

5. 6. *Bolli Bollason*, die angabe,
dass *B. B.* der erste norwegisch-
isländische *Væringi* gewesen sei,
steht mit den berichten der übrigen
sagas in widerspruch, nach welchen
er gerade von den Isländern, die in
dieser eigenschaft in der ersten
sagaperiode (bis j. 1030) genannt
werden, der allerletzte ist.

Cap. LXXIV. 18. *at—mitt*, „dass

„Vera má, at svá sé,“ segir Guðrún, „en heldr munda ek **Ld.**
ætla, at þar mundir þú drepa skeggi í Breiðafjǫrð niðr.“ **LXXIV.**
5. Þat sama sumar setr Þorkell fram skip sitt ok býr til
Nóregs. Gellir son hans var þá tólf vetra gamall, hann fór
utan með feðr sínum. Þorkell lýsir því, at hann ætlar at 5
sœkja sér kirkjuvið, ok siglir þegar á haf, er hann var búinn.
6. Hann hafði hœgja útivist ok eigi allskamma; taka þeir
Nóreg norðarla. Þá sat Óláfr konungr í Þrándheimi. Þorkell
sótti þegar á fund Óláfs konungs ok með honum Gellir son
hans. Þeir fengu þar góðar viðtǫkur. 7. Svá var Þorkell 10
mikils metinn af konungi þann vetr, at þat er alsagt, at kon-
ungr gaf honum eigi minna fé en tíu tigi marka brends silfrs.
Konungr gaf Gelli at jólum skikkju, ok var þat en mesta
gersemi ok ágætr gripr. 8. Þann vetr lét Óláfr konungr gera
kirkju í bœnum af viði; var þat stofnat allmikit mustari ok 15 ✓
vandat allt til. Um várit var viðr sá til skips fluttr, er kon-
ungr gaf Þorkatli. Var sá viðr bæði mikill ok góðr, því at
Þorkell gekk nær.
9. Þat var einn morgin snemma, at konungr gekk út við
fá menn. Hann sá mann uppi á kirkju þeiri, er í smíð var 20
þar í bœnum. Hann undraðiz þetta mjǫk, því at morni var
minnr fram komit, en smiðar váru vanir upp at standa.
10. Konungr kendi manninn, var þar Þorkell Eyjólfsson ok
lagði mál við ǫll en stœrstu tré, bæði bita ok staflægjur ok
uppstǫðutré. 25
11. Konungr sneri þegar þangat til ok mælti: „hvat er

---

es bedeutet, dass meine gewalt sich
erstrecken werde“.

2. *drepa skeggi . . . niðr*, „den
bart eintauchen“, d. h. ertrinken.

4. *tólf vetra gamall.* Wie in der
einleitung (§ 3) ausgeführt ist, stehen
die hier erzählten begebenheiten im
widerspruch mit den geschichtlich
sicheren nachrichten, da weder das
angebliche alter des Gellir noch die
geschilderte reise sich in irgend
eine vernünftige chronologie ein-
ordnen lässt.

12. *tíu — silfrs*, „100 ‚mark‘ silber“,

entspricht im werte ungef. 36 000 rm.;
brends bezeichnet das silber als un-
gemünztes.

15. *mustari*, „hauptkirche“.

18. *gekk nær*, „führte genaue auf-
sicht“.

21. 22. *morni — komit*, „der morgen
war weniger vorgeschritten“.

24. 25. *bita — uppstǫðutré*, „streck-
balken, wandbalken (längs der
inneren wandkante gelegt) und
träger“. Vgl. Grundriss II², s. 231,
und V. Guðmundsson, Privatboligen
på Island s. 122, 124.

Ld. nú, Þorkell! ætlar þú hér eptir at semja kirkjuvið þann, er
LXXIV. þú flytr til Íslands?"

Þorkell svarar: „satt er þat, herra."

12. Þá mælti Óláfr konungr: „hǫgg þú af tvær alnar
5 hverju stórtré, ok mun sú kirkja þó gǫr mest á Íslandi."

13. Þorkell svarar: „tak sjálfr við þinn, ef·þú þykkiz of-
gefit hafa, eða þér leiki aptrmund at; en ek mun ekki alnar-
kefli af honum hǫggva; mun ek bæði til hafa atferð ok eljun
at afla mér annan við."

10 14. Þá segir konungr ok allstilliliga: „bæði er, Þorkell!
at þú ert mikils verðr, enda geriz þú nú allstórr, því at víst
er þat ofsi einum bóndasyni at keppaz við oss; en eigi er þat
satt, at ek fyrirmuna þér viðarins, ef þér verðr auðit at gera
þar kirkju af, því at hon verðr eigi svá mikil, at þar muni
15 of þitt allt inni liggja. 15. En nær er þat mínu hugboði, at
menn hafi lítla nytsemð viðar þessa, ok fari því firr, at þú
getir gǫrt neitt mannvirki ór viðinum."

16. Eptir þat skilja þeir rœðuna, snýr konungr í brott, ok
fannz þat á, at honum þótti verr, er Þorkell vildi at engu
20 hafa þat, er hann lagði til. Lét konungr þat þó ekki við
veðri komaz; skilðuz þeir Þorkell með miklum kærleik.
17. Stígr Þorkell á skipfjǫl ok lætr í haf. Þeim byrjaði vel,
ok váru ekki lengi úti. Þorkell kom skipi sínu í Hrútafjǫrð.
Hann reið brátt frá skipi ok heim til Helgafells; allir menn
25 urðu honum fegnir. 18. Hafði Þorkell fengit mikinn sóma í
þessi ferð. Hann lét upp setja skip sitt ok um búa ok fekk
kirkjuviðinn til varðveizlu, þar er vel var kominn, því at eigi
varð norðan fluttr um haustit, því at hann átti starfsamt jafnan.
19. Þorkell sitr nú heima um vetrinn í búi sínu. Hann hafði
30 jóladrykkju at Helgafelli, ok var þar fjǫlmenni mikit, ok með

7. *aptrmund*, „sehnsucht"; *mér
leikr a. at*, „ich möchte etw. (ge-
schenktes) gerne wieder haben".

10. *allstilliliga*, „sehr sanftmütig".

14. 15. *at—liggja*, „dass dein
ganzer übermut darin platz haben
könnte".

16. *fari því firr*, „es wird bei
weitem nicht".

17. *mannvirki*, „gebäude".

19. 20. *vildi — til*, „sich nicht an
seine ratschläge kehrte".

20. 21. *Lét . . . ekki við veðri
komaz*, „liess sich nichts merken".

22. *á skipfjǫl*, näml. an bord;
fjǫl, „brett".

27. *þar — kominn*, „wo es (das
holz) sicher geborgen war".

ǫllu hafði hann mikla rausn þann vetr. 20. En Guðrún latti   Ld.
þess ekki ok sagði til þess fé nýtt vera, at menn miklaði sik LXXIV.
af, ok þat mundi ok á framreitum, er Guðrúnu skyldi til fá LXXV.
um alla stórmensku. Þorkell miðlaði marga góða gripi þann
vetr vinum sínum, er hann hafði út haft.   5

Þorkell Eyjólfsson und Þorsteinn Kuggason versuchen dem Halldórr
Óláfsson Hjarðarholt abzuzwingen.

LXXV, 1. Þenna vetr eptir jól bjóz Þorkell heiman norðr
til Hrútafjarðar at flytja norðan viðu sína Ríðr hann fyrst
inn í Dali ok þaðan í Ljárskóga til Þorsteins frænda síns ok
aflar sér manna ok hrossa. **2.** Hann ferr síðan norðr til
Hrútafjarðar ok dvelz þar um hríð ok hefir ætlan á um ferð- 10
ina, safnar at sér hestum þar um fjǫrð, því at hann vildi eigi
fleiri farar at gera, ef svá mætti takaz. **3.** Varð þetta ekki
skjótt. Þorkell var í starfi þessu fram á langafǫstu. Hann
kemr þessu starfi til vegar; hann dró viðinn norðan meir en
á tuttugu hestum ok lætr liggja viðinn á Ljáeyri. **4.** Síðan 15
ætlaði hann at flytja á skipi út til Helgafells. Þorsteinn átti
ferju mikla, ok ætlaði Þorkell þat skip at hafa, þá er hann
færi heimleiðis. Þorkell var í Ljárskógum um fǫstuna, því at
ástúðigt var með þeim frændum.

5. Þorsteinn rœddi við Þorkel, at þat mundi vel hent, at 20
þeir fœri í Hjarðarholt, — „vil ek fala land at Halldóri, því
at hann hefir lítit lausafé, síðan hann galt þeim Bollasonum
í fǫðurbœtr; en þat land er svá, at ek vilda helzt eiga.‘

2.3. *miklaði sik af*, „sich dadurch
ansehen verschafften“.

3.4. *þat mundi ok á framreitum*
(ἀπ. λεγ.), *er — stórmensku*, „das
musste auch in bereitschaft sein,
was Guðrún forderte um in jeder
hinsicht ein grosses haus zu führen“.

Cap. LXXV. 8. *Þorsteins frænda
síns*, Þorsteinn „Kuggason“ (d. i.
Þorkelsson kugga) und Þorkell
Eyjólfsson waren vettern, enkel
des Þórðr gellir. Ueber Þorsteinn
erzählt die Bjarnar saga Hítdœla-

kappa verschiedenes. Vgl. auch
Grettis saga c. 53.

10. *hefir ætlan á*, „entwirft den
plan“.

14. 15. *meir — hestum*, wenn 20
pferde das bauholz fortschaffen
konnten, ist die kirche nicht gross
gewesen (vgl. c. 74), selbst wenn
nach isländischer weise wände und
dach aus rasen hergestellt waren.

15. *Ljáeyri*, das ufer an der
mündung des flusses *Ljá*.

22. *galt*, als object ist *fé* zu er-
gänzen; siehe c. 71, 24.

Ld.
LXXV.

6. Þorkell bað hann ráða; fara þeir heiman ok váru saman vel tuttugu menn. Þeir koma í Hjarðarholt; tók Halldórr vel við þeim ok var enn málreifasti. 7. Fátt var manna heima, því at Halldórr hafði sent menn norðr í Steingríms-
5 fjǫrð; þar hafði komit hvalr, er hann átti í. Beinir enn sterki var heima. Hann einn lifði þá þeira manna, er verit hǫfðu með Óláfi fǫður hans.

8. Halldórr hafði mælt til Beinis, þegar er hann sá reið þeira Þorsteins: „gǫrla sé ek erendi þeira frænda, þeir munu
10 fala land mitt at mér; ok ef svá er, þá munu þeir heimta mik á tal. 9. Þess get ek, at á sína hǫnd mér setiz hvárr þeira, ok ef þeir bjóða mér nǫkkurn ómaka, þá vertu eigi seinni at ráða til Þorsteins en ek til Þorkels; hefir þú lengi verit trúr oss frændum. 10. Ek hefi ok sent á ena næstu
15 bœi eptir mǫnnum; vilda ek, at þat hœfðiz mjǫk á, at lið þat kœmi, ok vér slitim talinu.“

11. Ok er á leið daginn, rœddi Þorsteinn við Halldór, at þeir skyldu ganga allir saman á tal, — „eigum vit erendi við þik.“
20 Halldórr kvað þat vel fallit. 12. Þorsteinn mælti við fǫrunauta sína, at ekki þyrfti þeir at ganga með þeim, en Beinir gekk með þeim ekki at síðr, því at honum þótti mjǫk eptir því fara, sem Halldórr gat til. Þeir gengu mjǫk langt á brott í túnit. 13. Halldórr hafði yfir sér samða skikkju ok
25 á nist lǫng, sem þá var títt. Halldórr settiz niðr á vǫllinn, en á sína hǫnd honum hvárr þeira frænda, ok þeir settuz náliga á skikkjuna, en Beinir stóð yfir þeim ok hafði øxi mikla í hendi.

14. Þá mælti Þorsteinn: „þat er erendi mitt hingat, at ek

---

3. *enn málreifasti*, „sehr gesprächig“.

5. *átti í*, „hatte anteil an“. Der tote walfisch war also an einer stelle angetrieben, wo Halldórr strandgerechtigkeit besass. Das fleisch dieses tieres gilt als ein gutes nahrungsmittel.

15. *hœfðiz mjǫk á*, „genau zusammenträfe“.

23. *gat til*, „vermutete“.

24. *samða*, part. perf. von *sama* oder *semja*, „abgepasst“, „gut passend“. Oder ist *samða* verderbt aus *saumaða*?

25. *nist lǫng*, nist (fem. sg.) ist kaum = *nisti* (neutr.), „weiberschmuck“, eher darf man vielleicht vermuten, dass es „saum“ oder „naht“ bedeutet. Vgl. Arkiv f. nord. filol. IX, s. 89.

vil kaupa land at þér. Legg ek þetta því nú til umrœðu, at **Ld.**
nú er Þorkell frændi minn við; þœtti mér okkr þetta vel hent, **LXXV.**
því at mér er sagt, at þú hafir ógnóglig lausafé, en land dýrt
undir. Mun ek gefa þér í móti þá staðfestu, at sœmilig sé,
ok þar í milli, sem vit verðum á sáttir."   5

15. Halldórr tók ekki svá fjarri í fyrstu, ok intuz þeir
til um kaupakosti; ok er þeim þótti hann ekki fjarri taka, þá
feldi Þorkell sik mjǫk við umrœðuna ok vildi saman fœra
með þeim kaupit. Halldórr dró þá heldr fyrir þeim, en þeir
sóttu eptir því fastara, ok þar kom um síðir, at þess firr var, 10
er þeir gengu nær.

16. Þá mælti Þorkell: „sér þú eigi, Þorsteinn frændi!
hversu þetta ferr? Hann hefir þetta mál dregit fyrir oss í
allan dag, en vér hǫfum setit hér at hégóma hans ok ginningum;
nú ef þér er hugr á landkaupi, þá munum vér verða at ganga nær." 15

17. Þorsteinn kvaz þá vilja vita sinn hluta, bað nú Hall-
dór ór skugga ganga, hvárt hann vildi unna honum land-
kaupsins.

Halldórr svarar: „ek ætla, at ekki þurfi at fara myrkt
um þat, at þú munt kauplaust heim fara í kveld."   20

18. Þá segir Þorsteinn: „ek ætla ok ekki þurfa at fresta
því at kveða þat upp, er fyrir er hugat, at þér eru tveir kostir
hugðir, því at vér þykkjumz eiga undir oss hæra hlut fyrir
liðsmunar sakir. 19. Er sá kostr annarr, at þú ger þetta mál
með vild, ok haf þar í mót vinfengi várt; en sá er annarr, at 25
sýnu er verri, at þú rétt nauðigr fram hǫndina ok handsala
mér Hjarðarholts land."

20. En þá er Þorsteinn mælti svá framt, þá sprettr Hall-
dórr upp svá hart, at nistin rifnaði af skikkjunni, ok mælti:
„verða mun annat fyrr, en ek mæla þat, er ek vil eigi."   30

21. „Hvat mun þat?" spyrr Þorsteinn.

---

1. *því ... at*, „deswegen ... dass".
3. 4. *land dýrt undir*, „ein kost-
spieliges land zu bewirtschaften".
5. *þar í milli*, „überdies zur ent-
schädigung".
8 *feldi — umrœðuna*, „griff eifrig
in die unterhandlung ein".
11. *er þeir gengu nær*, „je mehr
sie auf ihn eindrangen".

19. 20. *at ekki—þat*, „dass es
unnötig ist, dass dieses unklar
bleibe".
22. *er fyrir er hugat*, „das voraus
beschlossen ist".
25. 26. *at—verri*, „die (nämlich
die alternative — *kostr*) beträchtlich
schlimmer ist".
29. *nistin*, vgl. § 13.

Ld.
LXXV.
LXXVI.

„Boløx mun standa í hǫfði þér af enum versta manni ok steypa svá lofsa þínum ok ójafnaði.“

22. Þorkell svarar: „þetta er illa spát, ok væntum vér, at eigi gangi eptir, ok œrnar kalla ek nú sakar til, þóttu, 5 Halldórr! látir land þitt ok hafir eigi fé fyrir.“

23. Þá svarar Halldórr: „fyrr muntu spenna um þǫngulshǫfuð á Breiðafirði, en ek handsala nauðigr land mitt.“

Halldórr gengr nú heim eptir þetta; þá drífa menn at bœnum, þeir er hann hafði eptir sent.

10 **24.** Þorsteinn var enn reiðasti ok vildi þegar veita Halldóri atgǫngu. Þorkell bað hann eigi þat gera, — „ok er þat en mesta óhœfa á slíkum tíðum; en þegar þessi stund líðr af, þá mun ek ekki letja, at oss lendi saman.“

25. Halldórr kvaz þat ætla, at hann mundi aldri van-15 búinn við þeim. Eptir þetta riðu þeir í brott ok rœddu mart um ferð þessa með sér.

26. Þorsteinn mælti, kvað þat satt vera, at þeira ferð var en dáligsta, — „eða hví varð þér svá bilt, Þorkell frændi! at ráða til Halldórs ok gera honum nǫkkura skǫmm?“

20 **27.** Þorkell svarar: „sáttu eigi Beini, er hann stóð yfir þér með reidda øxina, ok var þat en mesta ófœra, því at þegar mundi hann keyra øxina í hǫfuð þér, er ek gerða mik líkligan til nǫkkurs.“

Ríða þeir nú heim í Ljárskóga. Líðr nú fǫstunni, ok 25 kemr en efsta vika.

Þorkell Eyjólfsson ertrinkt.

LXXVI, 1. Skírdag snemmendis um morguninn býz Þorkell til ferðar. Þorsteinn latti þess mjǫk, — „því at mér líz veðr ótrúligt,“ sagði hann.

---

1. *Boløx mun standa* usw., hiermit wird auf den tod Þorsteins hingedeutet. Er wurde nach den Annalen im jahre 1027 getötet.

2. *ofsa . . . ok ójafnaði*, dieselbe allit. formel auch Egils s. c. 3, 11 und Eyrb. s. c. 25, 19.

6. 7. *spenna um þǫngulshǫfuð*, „nach den tangblasen greifen“, d. h. ertrinken.

12. *á slíkum tíðum*, d. h. in der heiligen fastenzeit.

13. *at—saman*, „dass wir unsere stärke prüfen“.

18. *en dáligsta*, „von sehr schlechtem erfolge“.

25. *en efsta vika*, „die letzte woche (der fasten)“.

Cap. LXXVI. 26. *Skírdag*, „gründonnerstag“.

2. Þorkell kvað veðr duga mundu et bezta, — „ok skaltu Ld.
nú ekki letja mik, frændi! því at ek vil heim fyrir páskana.‘ LXXVI.
Nú setr Þorkell fram ferjuna ok hlóð. 3. Þorsteinn bar
jafnskjótt af utan, sem Þorkell hlóð ok þeir fǫrunautar hans.
Þá mælti Þorkell: „hættu nú, frændi! ok hept ekki ferð 5
vára, eigi fær þú nú ráðit þessu at sinni.“
4. Þorsteinn svarar: „sá okkarr mun nú ráða, er verr
mun gegna, ok mun til mikils draga um ferð þessa.“
Þorkell bað þá heila hittaz. 5. Gengr Þorsteinn nú heim
ok er ókátr mjǫk. Hann gengr til stufu ok biðr leggja undir 10
hǫfuð sér, ok svá var gǫrt; griðkonan sá, at tárin runnu ofan
á hœgindit ór augum honum.
6. En lítlu síðar kom vindsgnýr mikill á stufuna; þá
mælti Þorsteinn: „þar megum vér nú heyra gnýja bana
Þorkels frænda.“ 15
7. Nú er at segja frá ferð þeira Þorkels. Þeir sigla um
daginn út eptir Breiðafirði ok váru tíu á skipi, veðrit tók at
hvessa mjǫk, ok gerði enn mesta storm, áðr létti. 8. Þeir
sóttu knáliga ferðina, ok váru þeir menn enir rǫskustu. Þorkell
hafði með sér sverðit Skǫfnung, ok var þat í stokki. Þeir 20
Þorkell sigla, þar til er þeir kómu at Bjarnarey; 9. sá menn
ferðina af hvárutveggja landinu; en er þeir váru þar komnir,
þá laust hviðu í seglit ok hvelfði skipinu. Þorkell druknaði
þar ok allir þeir menn, er með honum váru. 10. Viðuna rak
víða um eyjar, hornstafina rak í þá ey, er Stafey heitir síðan. 25
Skǫfnungr var festr við innviðuna í ferjunni, hann hittiz við
Skǫfnungsey. 11. En þat sama kveld, er þeir Þorkell hǫfðu
druknat um daginn, varð sá atburðr at Helgafelli, at Guðrún

---

8. til mikils draga, „verhängnis-
voll werden“.
10. leggja, als object ist hægindi
zu ergänzen.
13. vindsgnýr, „windstoss“.
18. hvessa, „stürmischer zu werden“:
áðr létti, „zuletzt“.
20. í stokki, „in einem kasten“.
21. Bjarnarey, insel im Hvamms-
fjǫrðr; der name ist nicht erhalten,
doch ist wahrsch. die insel gemeint,
welche heute Lambey heisst.

23. hviðu, „windstoss“.
24. Viðuna, näml. das bauholz.
25. hornstafina, „die eckpfosten“
(der projektierten kirche).
Stafey, insel im Hvammsfjǫrðr.
26. innviðuna, „die inneren quer-
hölzer“ (durch welche das fahrzeug
zusammengehalten wird).
27. Skǫfnungsey, unbekannt, wahr-
scheinlich in der nähe der Lambey
belegen.

Ld.   gekk til kirkju, þá er menn váru farnir í rekkjur, ok er hon
LXXVI. gekk í kirkjugarðshliðit, þá sá hon draug standa fyrir sér.
12. Hann laut yfir hana ok mælti: „mikil tíðendi, Guðrún!“
saðgi hann.

5   Guðrún svarar: „þegi þú yfir þeim þá, armi!“

13. Gekk Guðrún til kirkju, svá sem hon hafði áðr ætlat,
ok er hon kom til kirkjunnar, þá þóttiz hon sjá, at þeir
Þorkell váru heim komnir ok stóðu úti fyrir kirkju. Hon sá,
at sjár rann ór klæðum þeira. 14. Guðrún mælti ekki við
10 þá ok gekk inn í kirkju ok dvalðiz þar slíka hríð, sem henni
sýndiz; gengr hon síðan inn til stufu, því at hon ætlaði, at
þeir Þorkell mundu þangat gengnir; ok er hon kom í stufuna,
þá var þar ekki manna. 15. Þá brá Guðrúnu mjǫk í brún
um atburð þenna allan jafnsaman. Fǫstudag enn langa sendi
15 Guðrún menn sína at forvitnaz um ferðir þeira Þorkels, suma
inn á strǫnd, en suma um eyjar; var þá rekinn víða kominn
um eyjarnar ok svá til hvárrartveggju strandar. 16. Þvátt-
daginn fyrir páska spurðuz tíðendin ok þóttu vera mikil, því
at Þorkell hafði verit mikill hǫfðingi. Þorkell hafði átta
20 vetr ens fimta tigar, þá er hann druknaði, en þat var fjórum
vetrum fyrr, en enn heilagi Óláfr konungr fell. 17. Guðrúnu
þótti mikit fráfall Þorkels, en bar þó skǫruliga af sér. Fátt
eina náðiz af kirkjuviðinum. 18. Gellir var þá fjórtán vetra
gamall; hann tók þá til bús umsýslu með móður sinni ok tók
25 við manna forráði. Var þat brátt auðsætt á honum, at hann
var vel til fallinn til fyrirmanns. 19. Guðrún gerðiz trúkona

---

2. kirkjugarðshliðit, „eingang des
kirchhofs“.

5. armi, „elender“.

14. Fǫstudag enn langa, „char-
freitag“.

16. strǫnd = Skógarstrǫnd.
eyjar, näml. die inseln im Hvamms-
fjǫrðr.

17. til hvárrartveggju strandar, d. i.
an die beiden küsten des Hvamms-
fjǫrðr: Skógarstrǫnd (die südliche)
und (Meðal-)Fellsstrǫnd (die nördl.).

19. 20. hafði — tigar, „war 48 jahre
alt“.

21. Óláfr konungr fell, der heilige
Ó. fiel in der schlacht bei Stikla-
staðir in Norwegen 1030, und das
todesjahr des Þorkell ist hier — der
chronologie der saga zum trotze —
richtig angegeben.

22. bar — sér, „trug doch mit
seelenstärke ihren schmerz“.

23. fjórtán vetra, tatsächlich war
er damals wahrsch. 18 jahre alt.
Vgl. die einleitung § 3.

26. trúkona, „gottesfürchtiges
weib“.

mikil. Hon nam fyrst kvenna saltara á Íslandi. Hon var **Ld.**
lǫngum um nætr at kirkju á bœnum sínum. Herdís Bolla- **LXXVI.**
dóttir fór jafnan með henni um nætrnar. Guðrún unni mikit **LXXVII.**
Herdísi.

20. Þat er sagt einhverja nótt, at meyna Herdísi dreymði, 5
at kona kœmi at henni; sú var í vefjarskikkju ok faldin
hǫfuðdúki, ekki sýndiz henni konan sviplig.

21. Hon tók til orða: „seg þú þat ǫmmu þinni, at mér
hugnar illa við hana, því at hon brǫltir allar nætr á mér ok
fellir á mik dropa svá heita, at ek brenn af ǫll. **22.** En því 10
segi ek þér til þessa, at mér líkar til þín nǫkkuru betr, en
þó svífr enn nǫkkut kynligt yfir þik; en þó munda ek við
þik semja, ef mér þœtti eigi meiri bóta vant, þar sem
Guðrún er."

23. Síðan vaknaði Herdís ok sagði Guðrúnu drauminn. 15
Guðrúnu þótti góðr fyrirburðrinn. Um morgininn eptir lét
Guðrún taka upp fjalar ór kirkjugólfinu, þar sem hon var vǫn
at falla á knébeð. Hon lét grafa þar niðr í jǫrð. **24.** Þar
funduz undir bein, þau váru blá ok illilig; þar fannz ok kinga
ok seiðstafr mikill. Þóttuz menn þá vita, at þar mundi verit 20
hafa vǫluleiði nǫkkut. Váru þau bein fœrð langt í brott, þar
sem sízt var manna vegr.

Heimkehr des Bolli Bollason.

LXXVII, 1. Þá er fjórir vetr váru liðnir frá druknun
Þorkels Eyjólfssonar, þá kom skip í Eyjafjǫrð; þat átti Bolli

---

1. *fyrst kvenna saltara*, „als das erste weib die psalmen Davids".

2. *lǫngum*, „lange".
á bœnum sínum, „in gebet versunken".

6. *í vefjarskikkju*, „in wollenem mantel".

6.7. *faldin hǫfuðdúki*, „um den kopf ein kopftuch gewickelt".

7. *sviplig*, „von gefälligem aussehen".

9. *brǫltir*, „wälzt sich".

12. *svífr—þik*, „ist auch etwas sonderbares an dir". Wird hierdurch auf ihren nachkommen, den

abt Ketill (c. 78, 6), hingedeutet? oder nur auf ihren christlichen glauben?

12—14. *við þik — sem Guðrún er*, „mich mit dir verständigen, falls ich nicht an Guðrún mehr auszusetzen hätte".

16. *fyrirburðrinn*, „die erscheinung".

19. *kinga*, „weiblicher brustschmuck".

20. *seiðstafr*, „zauberstab".

21. *vǫluleiði*, „grab einer vǫlva (hexe)"; derselbe ausdruck Baldrs draumar 4, 2.

15*

Ld.
LXXVII.
LXXVIII.

Bollason; váru þar á flestir norrœnir hásetar. Bolli hafði
mikit fé út ok marga dýrgripi, er hǫfðingjar hǫfðu gefit
honum. 2. Bolli var svá mikill skartsmaðr, er hann kom út
ór fǫr þessi, at hann vildi engi klæði bera nema skarlats-
5 klæði ok pellsklæði, ok ǫll vápn hafði hann gullbúin; hann
var kallaðr Bolli enn prúði. 3. Hann lýsti því fyrir skip-
verjum sínum, at hann ætlaði vestr til heraða sinna, ok fekk
skip sitt ok varnað í hendr skipverjum sínum. 4. Bolli ríðr
frá skipi við tólfta mann, þeir váru allir í skarlatsklæðum
10 fylgðarmenn Bolla ok ríðu í gyldum sǫðlum; allir váru þeir
listuligir menn, en þó bar Bolli af. 5. Hann var í pells-
klæðum, er Garðskonungr hafði gefit honum; hann hafði yzta
skarlatskápu rauða; hann var gyrðr Fótbít, ok váru at honum
hjǫlt gullbúin ok meðalkaflinn gulli vafiðr; 6. hann hafði
ı 15 gyldan hjálm á hǫfði ok rauðan skjǫld á hlið, ok á dreginn
riddari með gulli; hann hafði glaðel í hendi, sem títt er í út-
lǫndum, ok hvar sem þeir tóku gistingar, þá gáðu konur engis
annars en horfa á Bolla ok skart hans ok þeira félaga.
7. Með slíkri kurteisi ríðr Bolli vestr í sveitir, allt þar til er
20 hann kom til Helgafells með liði sínu; var Guðrún allfegin
Bolla syni sínum. 8. Dvalðiz Bolli þar eigi lengi, áðr hann
reið inn í Sælingsdalstungu ok hittir Snorra mág sinn ok
Þórdísi konu sína. Varð þar mikill fagnafundr. Snorri bauð
Bolla til sín með svá marga menn, sem hann vildi. 9. Bolli
25 þekkiz þat, ek er hann með Snorra um vetrinn ok þeir menn,
sem norðan riðu með honum. Bolli varð frægr af ferð þessi.
Snorri lagði eigi minni stund nú á at veita Bolla með allri
blíðu en fyrr, er hann var með honum.

Snorri goði stirbt. Guðrún wird nonne und stirbt hochbetagt.
Der tod des Gellir Þorkelsson.

LXXVIII, 1. En er Bolli hafði verit einn vetr á Íslandi,
30 þá tók Snorri goði sótt. Sú sótt fór ekki ótt. Snorri lá mjǫk

---

Cap. LXXVII. 11. *listuligir*,
„schön“.

bar B. af, „übertraf B. (sie)“.

12. *Garðskonungr*, s. c. 73, 18.

yzta, acc. sg. fem., — appos. zu
skarlatskápu rauða.

15. *á dreginn*, „eingelegt“.

16. *glaðel*, „lanze“ (aus lat. *gladi-
olus*).

lengi, ok er sóttin óx, heimti Snorri til sín frændr sína ok Ld. nauðleytamenn. LXXVIII.

2. Þá mælti hann til Bolla: „þat er vili minn, at þú takir hér við búi ok manna forræði eptir dag minn; ann ek þér eigi verr virðingar en mínum sonum; er sá ok nú minn sonr 5 eigi hér á landi, er ek hygg, at þeira verði mestr maðr, er Halldórr er.“

3. Síðan andaðiz Snorri. Hann hafði þá sjau vetr ens sjaunda tigar. Þat var einum vetri eptir fall Oláfs konungs ens helga; svá sagði Ari prestr enn fróði. 4. Snorri var í 10 Tungu grafinn. Bolli ok Þórdís tóku við búi í Tungu, sem Snorri hafði mælt; létu synir Snorra sér þat vel líka. Varð Bolli mikilhæfr maðr ok vinsæll. 5. Herdís Bolladóttir óx upp at Helgafelli, ok var hon allra kvenna vænst; hennar bað Ormr, son Hermundar Illugasonar, ok var hon gefin 15 honum; þeira son var Koðrán, er átti Guðrúnu Sigmundardóttur. 6. Sonr Koðráns var Hermundr, er átti Úlfeiði, dóttur Rúnólfs Ketilssonar biskups; þeira synir váru Ketill, er áboti

---

Cap. LXXVIII. 7. *Halldórr. H. Snorrason* erwarb sich ruhm als teilnehmer an den kriegszügen des norwegischen königs Haraldr harðráði im dienste des griechischen kaisers.

8. 9. *hafði — tigar*, „war 67 jahre alt“.

9. 10. *einum vetri — helga*, d. h. im jahre 1031.

10. *Ari — fróði*, vgl. c. 4, 3. Dieser hinweis bezieht sich wahrscheinlich auf eine verlorene arbeit des Ari.

11. *tóku — Tungu*. Die Eyrbyggja saga erzählt, dass *Snorri, son Snorra goða bjó í Tungu eptir fǫður sinn* (c. 65); da dieser aber wahrscheinlich ein postumes kind war (s. zu c. 56, 9), so lassen sich die angaben vielleicht vereinigen. Die nachkommen des Bolli Bollason und der Þórdís nennt die Eyrbyggja saga *Gilsbekkingar*; vgl. *Gilsbekkingakyn* Laxd. c. 6, 3. Eine geschlechtstafel über

diese familie findet sich in der Sturlunga saga II (Oxford 1878) s. 486; vgl. Diplomat. Islandicum I, 189.

15. *Hermundar Illugasonar. H. I.* war ein bruder des bekannten dichters *Gunnlaugr ormstunga.*

15. 16. *gefin honum*, eine handschrift fügt hinzu *ok fór hon til bús með honum í Kalmanstungu.* K. liegt im westlichen Island, nicht weit von *Gilsbakki*, dem stammsitze des geschlechts.

17. 18. *Hermundr — biskups. Hermundr Koðránsson*, ein angesehener mann, der, wie es aus dem sogen. Einars þáttr Sokkasonar (Grœnlendinga þ., Flateyjarbók III) hervorgeht, Grönland besuchte, und in der Sturlunga saga mehrmals erwähnt wird, starb nach den Annalen 1197; sein schwiegervater *Rúnólfr*, ein hervorragender priester, starb 1186 (Dipl. Isl. I, 193); dessen vater, *Ketill Þorsteinsson*, war bischof zu

Ld.
LXXVIII.

var at Helgafelli, ok Reinn ok Koðrán ok Styrmir; dóttir
þeira var Þórvǫr, er átti Skeggi Brandsson, ok er þaðan komit
Skógverjakyn. 7. Óspakr hét son Bolla ok Þórdísar. Dóttir
Óspaks var Guðrún, er átti Þórarinn Brandsson; þeira son var
5 Brandr, er setti stað at Húsafelli; hans son var Sighvatr prestr,
er þar bjó lengi. 8. Gellir Þorkelsson kvángaðiz; hann fekk
Valgerðar, dóttur Þorgils Arasonar af Reykjanesi. Gellir fór
utan ok var með Magnúsi konungi enum góða ok þá af
honum tólf aura gulls ok mikit fé annat. 9. Synir Gellis
10 váru þeir Þorkell ok Þorgils; sonr Þorgils var Ari enn fróði;
son Ara hét Þorgils, hans son var Ari enn sterki. 10. Nú

Hólar 1122—45. K. war ein enkel
des *Eyjólfr halti* (c. 40, 2), über sein
verhältnis zur Íslendingabóc siehe
Aris 'vorwort'. Auch an dem Kristin-
réttr forni der Grágás hatte er an-
teil. — *Ulfeiði* eig. *Ulfheiði*.
s. 229, 18. *Ketill*, er war abt zu
Helgafell seit 1217. Dieser 1220 ge-
storbene mann wird also hier be-
reits als tot erwähnt. Er und sein
bruder *Koðrán* werden in der
Sturlunga saga (I, s. 78) als tüchtige
männer hervorgehoben. *Ketill*
kommt auch in dem Reykjaholts-
máldagi (II) vor.

1. *Reinn* (oder *Hreinn*) scheint
priester gewesen zu sein und starb
in Norwegen; über ihn siehe Ís-
lenzkar ártíðaskrár I, 41—42.
3. *Skógverjakyn*, ein nach dem
hofe *Skógar* in der *Eyjafjallasveit*
(im südlichen Island) benanntes ge-
schlecht. Vergl. Isl. ártíðaskrár
s. 136—37, wo als sohn des Skeggi
Bolli Skeggjason (ca. 1160—70) an-
geführt wird.
5. *setti—Húsafelli*, „aus *Húsafell*
ein pastorat machte". Der hof H.,
wo eine kirche gegenwärtig nicht
mehr besteht, liegt im südwest-
lichen Island (in der landschaft
Borgarfjǫrðr), tief im binnenlande.

Die errichtung dieser stiftung fand
um 1170 statt; s. Diplomatarium
Islandicum I, s. 217—18, 725. *Sig-
hvatr prestr* lebte also c. 1200.
7. *af Reykjanesi*, halbinsel im
nordwestlichen Island. Vgl. c. 6, 12.
Ueber die genealogie des *Þorgils
Arason* siehe Landnámabók II, 22
(wo jedoch seine tochter *Valgerðr*
nicht erwähnt wird).
7. 8. *Gellir—góða*. *Magnús*, sohn
des heiligen *Óláfr*, „der gute" ge-
nannt, war könig von Norwegen
1035—47. Von einem aufenthalt
des Gellir bei diesem könige ist
sonst nichts bekannt, dagegen
brachte er den winter 1025—26 am
hofe Óláfs des heiligen zu und be-
suchte diesen könig 1027 wieder.
9. *tólf aura gulls*, entspricht im
wert ungef. 4320 rm. Vgl. c. 13, 6.
9—11. *Synir Gellis—Ari enn
sterki*. Mit dieser genealogie vgl.
die geschlechtstafel Aris in der Ís-
lendingabók (anhang II). Von den
söhnen des Gellir erbte *Þorkell* von
seinem vater den hof Helgafell; er
war ein sehr kenntnisreicher mann
(vgl. unten § 23) und wird von seinem
neffen Ari als gewährsmann citiert.
Der zweite bruder *Þorgils* starb
früh (siehe ebenda), und sein im
jahre 1067 geborener kleiner sohn

tekr Guðrún mjǫk at eldaz ok lifði við slíka harma, sem nú **Ld.** var frá sagt, um hríð. Hon var fyrst nunna á Íslandi ok ein- **LXXVIII.** setukona; er þat ok almæli, at Guðrún hafi verit gǫfgust jafn- borinna kvenna hér á landi. **11.** Frá því er sagt eitthvert sinn, at Bolli kom til Helgafells, því at Guðrúnu þótti ávalt 5 gott, er hann kom at finna hana. Bolli sat hjá móður sinni lǫngum, ok varð þeim mart talat.

12. Þá mælti Bolli: „muntu segja mér þat, móðir, at mér er forvitni á at vita? hverjum hefir þú manni mest unt?"

13. Guðrún svarar: „Þorkell var maðr ríkastr ok hǫfðingi 10 mestr, en engi var maðr gerviligri en Bolli ok albetr at sér; Þórðr Ingunnarson var maðr þeira vitrastr ok lagamaðr mestr; Þorvalds get ek at engu."

14. Þá segir Bolli: „skil ek þetta gǫrla, hvat þú segir mér frá því, hversu hverjum var farit bœnda þinna, en hitt 15 verðr enn ekki sagt, hverjum þú unnir mest. Þarftu nú ekki at leyna því lengr."

15. Guðrún svarar: „fast skorar þú þetta, sonr minn,"

Ari wurde von seinem grossvater Gellir erzogen, bis dieser 1073 starb (s. § 21), worauf Ari (vgl. oben § 3 und c. 4, 3) seine jugend zu Haukadalr im südlichen Island verlebte, unter berühmten häuptlingen und gelehrten männern. Als erwachsener empfing er die priesterliche weihe, hat wahrscheinlich geheiratet und als goði den hof Staðr am Snæfellsnes im westlichen Island bis zu seinem tode 1148 bewohnt. Auch sein sohn *Þorgils* war priester (Diplom. Isl. I, 186; † 1170). Dessen sohn *Ari* hatte seinen beinamen *enn sterki* wegen seiner ungewöhnlichen körperkraft erhalten; er starb 1188 an den folgen einer übermässigen anstrengung, die er sich zugemutet hatte (Sturl. s. I, 197). Um von ihm seinen grossvater zu unterscheiden, ist dieser zuweilen *enn gamli* genannt worden. Ueber das leben des *Ari fróði* siehe, ausser

den in der einleitung zu Sagabibliothek I angeführten schriften, Tímarit X (1889), 214 ff.; Ísl. ártíðaskrár 111—12.

2. 3. *fyrst — einsetukona*, „einsiedlerin". Eigentlich nonne ist Guðrún nicht gewesen, da erst am schlusse des 12. jahrh. ein nonnenkloster in Island gegründet wurde. Der ganze ausdruck bezeichnet nur, dass G. ein besonderes zimmer bewohnte und sich hier nach vermögen von der aussenwelt absonderte. Ueber eine solche einsiedlerin aus der späteren zeit siehe Sturlunga saga I, s. 121. Vgl. Hist. eccl. IV, s. 21-22.

3. 4. *gǫfgust — kvenna*, „die ansehnlichste von den frauen gleiches standes".

13. *get — engu*, „nenne ich gar nicht".

15. *hversu — farit*, „wie jeder beschaffen war".

Ld.   segir Guðrún, „en ef ek skal þat nǫkkurum segja, þá mun ek
LXXVIII. þik helzt velja til þess.“
     Bolli bað hana svá gera.
     16. Þá mælti Guðrún: „þeim var ek verst, er ek unna
5 mest.“
     „Þat hyggjum vér,“ svarar Bolli, „at nú sé sagt alleinarð-
liga,“ ok kvað hana vel hafa gǫrt, er hon sagði þetta, er
hann forvitnaði.
     17. Guðrún varð gǫmul kona, ok er þat sǫgn manna, at
10 hon yrði sjónlaus.   Guðrún andaðiz at Helgafelli, ok þar
hvílir hon.
     18. Gellir Þorkelsson bjó at Helgafelli til elli, ok er mart
merkiligt frá honum sagt; hann kemr ok við margar sǫgur,
þótt hans sé hér lítt getit.   **19.** Hann lét gera kirkju at
15 Helgafelli virðuliga mjǫk, svá sem Arnórr jarlaskáld váttar í
erfidrápu þeiri, er hann orti um Gelli, ok kveðr þar skýrt á
þetta.   **20.** Ok er Gellir var nǫkkut hniginn á enn efra aldr,
þá býr hann ferð sína af Íslandi.   Hann kom til Nóregs ok
dvalðiz þar eigi lengi, ferr þegar af landi á brott ok gengr
20 suðr til Róms, sœkir heim enn helga Pétr postola.   **21.** Hann
dvelz í þeiri ferð mjǫk lengi, ferr síðan sunnan ok kemr í
Danmǫrk; þá tekr hann sótt ok lá mjǫk lengi ok fekk alla
þjónostu.   Síðan andaðiz hann ok hvílir í Róiskeldu.   **22.** Gellir
hafði haft Skǫfnung með sér, ok náðiz hann ekki síðan; en
25 hann hafði verit tekinn ór haugi Hrólfs kraka.   **23.** Ok er

---

4. *þeim*, näml. Kjartan.

6. 7. *alleinarðliga*, „sehr auf-
richtig“.

13. *hann — sǫgur*, G. Þ., der in
Heimskringla (Óláfs saga ens helga)
erwähnt wird, tritt ausserdem in
Ljósvetninga saga und Bandamanna
saga auf.

15. *Arnórr jarlaskáld*, ein sohn
des dichters *Þórðr Kolbeinsson* (einer
der hauptpersonen der Bjarnar saga
Hítdœlakappa), hatte seinen bei-
namen wegen der gedichte, in denen
er die fürsten der Orkney-inseln
besang; er dichtete aber auch auf
die norwegischen könige Magnús

góði und Haraldr harðráði. Seine
hier erwähnte *erfidrápa* ist nicht er-
halten. Vgl. Edda Snorra Sturlu-
sonar III, 559 ff.

16. 17. *kveðr — þetta*, „erwähnt
dort diesen umstand mit klaren
worten“.

20. *sœkir — postola*, „besucht das
grab des heiligen apostel Petrus“.

22. 23. *alla þjónostu*, „sämtliche
sterbesakramente“.

23. *Róiskeldu*, die stadt Roskilde
in Seeland.

25. *verit — kraka*, das schwert
Skǫfnungr wird als eigentum des
dänischen sagenkönigs *H. kr.* in

andlát Gellis spurðiz til Íslands, þá tók Þorkell son hans við
fǫðurleifð sinni at Helgafelli; en Þorgils, annarr son Gellis,
druknaði ungr á Breiðafirði ok allir þeir, er á skipi váru með
honum. Þorkell Gellisson var et mesta nytmenni ok var sagðr
manna fróðastr.

5

---

der nach ihm benannten saga (FAS
I, 93. 102. 109) erwähnt; das schwert
wurde nach der Landnámabók (III,
1) von *Skeggi* (dem vater des *Eiðr*),
der den grabhügel erbrach, geraubt.
Vgl. c. 57, 11.

4. *nytmenni*, „brauchbarer, tüchtiger mann".

5. *manna fróðastr*. Der mit diesen
worten endigende satz bildet einen
natürlichen abschluss der saga, auch
deutet alles darauf hin, dass die ursprüngliche, auf echter tradition beruhende Laxdœla saga hier abbrach.

[Bolla þáttr.]

Þórólfr sterti- (oder stœri-) maðr tötet den knaben Óláfr.

LXXIX, 1. Í þann tíma, er Bolli Bollason bjó í Tungu,
ok nú var áðr frá sagt, þá bjó norðr í Skagafirði á Miklabœ
Arnórr kerlingarnef, son Bjarnar Þórðarsonar frá Hǫfða.
2. Þórðr hét maðr, er bjó á Marbœli. Guðrún hét kona
5 hans; þau váru vel at sér ok hǫfðu gnótt fjár; son þeira hét
Óláfr, ok var hann ungr at aldri ok allra manna efniligastr.
3. Guðrún, kona Þórðar, var náskyld Bolla Bollasyni, var hon
systrungr hans; Óláfr, son þeira Þórðar, var heitinn eptir Óláfi
þá í Hjarðarholti.
10 **4.** Þórðr ok Þorvaldr Hjaltasynir bjuggu at Hofi í Hjalta-
dal, þeir váru hǫfðingjar miklir.

Cap. LXXIX. 2. *ok—sagt*, „und
über welche im vorhergehenden be-
richtet ist".

Skagafjǫrðr, bucht und landschaft
im nördlichen Island.

Miklibœr, ein gehöft an der ost-
seite des *Skagafjǫrðr*.

3. *kerlingarnef*, beiname, bedeutet
wörtlich „weibernase". *Arnórr k.*
war tatsächlich kein zeitgenosse des
Bolli Bollason; er gehört, wie die
übrigen in diesem abschnitt auf-
tretenden geschichtlichen personen
einer älteren zeit (dem 10. jahrh.)
an. Siehe Landnámabók III, 10 und
Kristni saga c. 1.

son — Hǫfða. B. Þ. war der sohn
eines der bekanntesten „landnáms-
menn" Islands, des *Hǫfða-Þórðr*,

der nach dem c. 20, 2 erwähnten
hofe *Hǫfði* benannt war.

4. *Marbœli*, hof an der ostseite
des *Skagafjǫrðr*, unweit von *Mikli-
bœr*.

7. *náskyld*, „nahe verwandt".

8. *systrungr*, „kind einer schwester
der mutter", also cousine. Mithin
müsste Guðrún Ósvífrsdóttir nach
dieser angabe eine schwester ge-
habt haben; hiervon verlautet je-
doch sonst nichts, und der bericht
ist wahrscheinlich erdichtet.

heitinn, „benannt".

10. *Hjaltasynir*, siehe c. 27, 7.

10. 11. *at—Hjaltadal.* Der *Hjalta-
dalr* ist ein tal im nordöstlichsten
teile der landschaft *Skagafjǫrðr*;
das gehöft *Hof* liegt am r. ufer der

5. Maðr hét Þórólfr ok var kallaðr stertimaðr, hann bjó Ld.
í Þúfum; hann var óvinveittr í skapi ok œðimaðr mikill; hann LXXIX.
átti griðung grán, ólman. 6. Þórðr af Marbœli var í fǫrum
með Arnóri. Þórólfr stœrimaðr átti frændkonu Arnórs, en
hann var þingmaðr Hjaltasona; hann átti illt við búa sína ok 5
lagði þat í vanda sinn; kom þat mest til þeira Marbœlinga.
7. Graðungr hans gerði mǫnnum mart mein, þá er hann
kom ór afréttum; meiddi hann fé manna, en gekk eigi undan
grjóti; hann braut ok andvirki ok gerði mart illt. Þórðr af
Marbœli hitti Þórólf at máli ok bað hann varðveita graðung 10
sinn, — „viljum vér eigi þola honum ofríki.“
8. Þórólfr léz eigi mundu sitja at fé sínu; ferr Þórðr
heim við svá búit. Eigi miklu síðar getr Þórðr at líta, hvar
graðungrinn hefir brotit niðr torfstakka hans. 9. Þórðr hleypr
þá til ok hefir spjót í hendi, ok er boli sér þat, veðr hann 15
jǫrð, svá at upp tekr um klaufir. Þórðr leggr til hans, svá
at hann fellr dauðr á jǫrð. Þórðr hitti Þórólf ok sagði honum,
at boli var dauðr.
10. „Þetta var lítit frægðarverk,“ svarar Þórólfr, „en gera
munda ek þat vilja, er þér þœtti eigi betr.“   20
Þórólfr var málóði ok heitaðiz í hverju orði.
11. Þórðr átti heimanferð fyrir hǫndum. Óláfr sonr hans
var þá sjau vetra eða átta; hann fór af bœnum með leik
sínum ok gerði sér hús, sem bǫrnum er títt, en Þórólfr kom
þar at honum; hann lagði sveininn í gegnum með spjóti. 25
12. Síðan fór hann heim ok sagði konu sinni.

---

das tal durchströmenden Hjalta-
dalsá.

1. *stertimaðr*, der beiname be-
zeichnet einen „putzsüchtigen men-
schen“; später wird þ. *stœrimaðr*,
d. h. „übermütiger mensch“ genannt.
2. *Þúfur*, hof an der ostseite des
Skagafjǫrðr, zwischen *Marbœli* und
Miklibœr.
œðimaðr, „hitzkopf“.
3. 4. *var — með A.*, „war gefährte
des A. auf dessen reisen (handels-
reisen ins ausland)“.

4. *stœrimaðr*, in dieser bedeutung
ein ἅπ. λεγ. Vgl. zu z. 1.
5. 6. *átti — Marbœlinga*, „lag mit
seinen nachbarn in streit und machte
eine gewohnheit daraus; es ging am
meisten über die bewohner des
hofes Marbœli her“.
8. 9. *gekk — grjóti*, „liess sich auch
nicht durch steinwürfe vertreiben“.
12. *sitja at*, „wache halten“.
14. *torfstakka*, „torfstapel“.
15. *boli*, „stier“ (nbd. bulle).
24. *gerði sér hús*, „erbaute sich
ein haus“.

Ld.   Hon svarar: „þetta er illt verk ok ómannligt; mun þér
LXXIX. þetta illu reifa.“

En er hon tók á honum þungt, þá fór hann í brott þaðan
ok létti eigi, fyrr en hann kom á Miklabœ til Arnórs.

5   **13.** Fréttuz þeir tíðenda. Þórólfr segir honum víg Óláfs,
     — „sé ek þar nú til trausts, sem þér eruð sakir mágsemðar.“

„Eigi ferr þú sjándi eptir um þenna hlut,“ sagði Arnórr,
„at ek muna virða meira mágsemð við þik en virðing mína
ok sœmð, ok ásjá áttu hér engrar ván af mér.“

10   **14.** Fór Þórólfr upp eptir Hjaltadal til Hofs ok fann þá
Hjaltasonu ok sagði þeim, hvar komit var hans máli, — „ok
sé ek hér nú til ásjá, sem þit eruð.“

     15. Þórðr svarar: „slíkt eru níðingsverk, ok mun ek enga
ásjá veita þér um þetta efni.“

15   Þorvaldr varð um fár.   Fær Þórólfr ekki af þeim at sinni;
16. reið hann í brott ok upp eptir Hjaltadal til Reykja, fór
þar í laug; en um kveldit reið hann ofan aptr ok undir virkit
at Hofi ok rœddiz við einn saman, svá sem annarr maðr væri
fyrir ok kveddi hann ok frétti, hverr þar væri kominn.

20   **17.** „Ek heiti Þórólfr,“ kvað hann.

„Hvert vartu farinn, eða hvat er þér á hǫndum?“ spyrr
launmaðrinn.

Þórólfr segir tilfelli þessi ǫll, eptir því sem váru; „bað
ek Hjaltasonu ásjá,“ segir hann, „sakir nauðsynja minna.“

25   **18.** Þessi svarar, er fyrir skyldi vera: „gengit er nú
þaðan, er þeir gerðu erfit þat et fjǫlmenna, er tólf hundruð

---

2. *illu reifa*, „ins unglück stürzen“.

7. *ferr — eptir*, „urteilst du ver-
ständig“.

16. *Reykja. Reykir* ist ein im
Hjaltadalr (ungefähr eine meile süd-
licher als *Hof*) belegener hof, in
dessen nähe sich eine heisse quelle
(*laug*) befindet.

17. 18. *virkit at Hofi*, es wird
häufig erwähnt, dass die höfe der
isländischen häuptlinge von einer
befestigung (*virki*) umgeben waren.

18. *rœddiz — saman*, „sprach mit
sich selbst“.

21. *hvat — hǫndum*, „was ist dein
gewerbe“ (was hast du hier zu
schaffen).

22. *launmaðrinn*, „der verborgene
mann“, d. h. die fingierte person,
mit der Þórólfr zu sprechen schien.

23. *tilfelli þessi ǫll*, „alles was
vorgefallen war“.

25. *er — vera*, „der angeblich da
war“.

25. 26. *gengit — þaðan*, „eine ver-
änderung ist nun geschehen“.

26. *erfit — fjǫlmenna*, siehe c. 27, 7.

manna sátu at, ok ganga slíkir hǫfðingjar mjǫk saman, er nú   Ld.
vilja eigi veita einum manni nǫkkura ásjá."   LXXIX.
  19. Þorvaldr var úti staddr ok heyrði talit. Hann gengr   LXXX.
þangat til ok tók í tauma hestsins ok bað hann af baki stíga,
— „en þó er eigi virðingarvænligt við þik at eiga fyrir sakir 5
fólsku þinnar."

Bolli Bollason führt die rechtssache gegen den mörder des Óláfr.

  LXXX, 1. Nú er at segja frá Þórði, er hann kom heim
ok frá víg sonar síns ok harmaði þat mjǫk.
  Guðrún kona hans mælti: „þat er þér ráð at lýsa vígi
sveinsins á hǫnd Þórólfi, en ek mun ríða suðr til Tungu ok 10
finna Bolla frænda minn ok vita, hvern styrk hann vill veita
okkr til eptirmáls."
  2. Þau gerðu svá, ok er Guðrún kom í Tungu, fær hon
þar viðtǫkur góðar. Hon segir Bolla víg Óláfs sonar síns ok
beiddi, at hann tœki við eptirmálinu.   15
  3. Hann svarar: „eigi þykki mér þetta svá hœgligt, at
seilaz til sœmðar í hendr þeim Norðlendingum; fréttiz mér ok
svá til, sem maðrinn muni þar niðr kominn, at ekki muni
hœgt eptir at leita."
  4. Bolli tók þó við málinu um síðir, ok fór Guðrún norðr 20
ok kom heim. Hon sagði Þórði bónda sínum, svá sem nú
var komit, ok líðr nú svá fram um hríð.
  5. Eptir jól um vetrinn var lagðr fundr í Skagafirði at
Þverá, ok stefndi Þorvaldr þangat Guðdala-Starra; hann var
vinr þeira brœðra. **6.** Þorvaldr fór til þingsins við sína menn, 25

---

1. *ganga — nú*, „es geht mit solchen
häuptlingen sehr zurück, wenn sie
jetzt".
5. *er eigi virðingarvænligt*, „wird
es (uns) wahrscheinlich nicht zur
ehre gereichen".

Cap. LXXX. 7. *er²*, „dass".
16. *hœgligt*, „leicht".
17. *Norðlendingum*, „bewohner
des isländischen nordviertels".
24. *Þverá*, gehöft im süden des

Skagafjǫrðr, das nach dem kleinen
flusse *Þverá* benannt ist, welcher in
den östl. mündungsarm des stromes
Héraðsvǫtn (im altertum *Jǫkulsá*
genannt) sich ergiesst.
  *Guðdala-Starra. Starri (Eireks-
son)*, nach seinem hofe *Guðdalir* im
süden der landschaft *Skagafjǫrðr*
(am l. ufer der *Vestri Jǫkulsá* be-
legen) benannt, war sohn eines be-
kannten landnámsmaðr. Siehe Land-
námabók III, 7 und Kristni saga c. 1.

Ld. ok er þeir kómu fyrir Urðskriðuhóla, þá hljóp ór hlíðinni
LXXX. ofan at þeim maðr; var þar Þórólfr, réz hann í ferð með þeim
LXXXI. Þorvaldi.

7. Ok er þeir áttu skamt til Þverár, þá mælti Þorvaldr
5 við Þórólf: „nú skaltu hafa með þér þrjár merkr silfrs ok
sitja hér upp frá bœnum at Þverá; haf þat at marki, at ek
mun snúa skildi mínum ok at þér holinu, ef þér er fritt, ok
máttu þá fram ganga. Skjǫldrinn er hvítr innan.“

8. Ok er Þorvaldr kom til þingsins, hittuz þeir Starri ok
10 tóku tal saman.

Þorvaldr mælti: „svá er mál með vexti, at ek vil þess
beiða, at þú takir við Þórólfi stœrimanni til varðveizlu ok
trausts. Mun ek fá þér þrjár merkr silfrs ok vináttu mína.“

9. „Þar er sá maðr,“ svarar Starri, „er mér þykkir ekki
15 vinsæll, ok óvíst, at honum fylgi hamingja; en sakir okkars
vinskapar þá vil ek við honum taka.“

„Þá gerir þú vel“, segir Þorvaldr.

10. Sneri hann þá skildinum ok frá sér hválfinu, ok er
Þórólfr sér þat, gengr hann fram, ok tók Starri við honum.
20 Starri átti jarðhús í Guðdǫlum, því at jafnan váru með honum
skógarmenn; átti hann ok nǫkkut sǫkótt.

Bolli Bollason führt die ächtung des Þórólfr durch.

LXXXI, 1. Bolli Bollason býr til vígsmálit Óláfs; hann
býz heiman ok ferr norðr til Skagafjarðar við þrjá tigi manna.
Hann kemr á Miklabœ, ok er honum þar vel fagnat; segir
25 hann, hversu af stóð um ferðir hans, — 2. „ætla ek at hafa
fram vígsmálit nú á Hegranessþingi á hendr Þórólfi stœri-
manni; vilda ek, at þú værir mér um þetta mál liðsinnaðr.“

---

1. *fyrir Urðskriðuhóla, U.* ist der
name einiger anhöhen im n. der
Þverá (zwischen den höfen *Hof-
staðir* und *Svaðastaðir*).

5. *þrjár merkr silfrs,* ungefähr
1080 rm. Siehe c. 12, 15.

18. *hválfinu. hválf* bedeutet eig.
„gewölbe“, hier die innere hohle
seite des schildes (= *holinu* § 7).

20. *jarðhús,* ein solches unter-
irdisches versteck kommt in ver-
schiedenen sagas vor.

Cap. LXXXI. 26. *á Hegranes-
þingi,* das *H-þing* war einer der
(13) plätze, an welchen die regel-
mässigen frühlingsthinge abgehalten
wurden. Es lag auf der insel
Hegranes, die von den mündungs-
armen des die landschaft *Skaga-
fjǫrðr* durchströmenden flusses
Héraðsvǫtn gebildet wird.

27. *liðsinnaðr,* „bereitwillig zu
helfen“.

3. Arnórr svarar: „ekki þykki mér þú, Bolli! vænt stefna   **Ld.**
út, er þú sœkir norðr hingat, við slíka ójafnaðarmenn sem hér **LXXXI.**
er at eiga. Munu þeir þetta mál meir verja með kappi en **LXXXII.**
réttindum, en œrin nauðsyn þykki mér þér á vera; munu vér
ok freista, at þetta mál gangi fram.“   5

4. Arnórr dregr at sér fjǫlmenni mikit, ríða þeir Bolli til
þingsins. Þeir brœðr fjǫlmenna mjǫk til Hegranessþings; þeir
hafa frétt um ferðir Bolla, ætla þeir at verja málit. 5. Ok er
menn koma til þingsins, hefir Bolli fram sakir á hendr Þórólfi,
ok er til varna var boðit, gengu þeir til Þorvaldr ok Starri 10
við sveit sína ok hugðu at eyða málinu fyrir Bolla með styrk
ok ofríki.

6. En er þetta sér Arnórr, gengr hann í milli með sína
sveit ok mælti: „þat er mǫnnum einsætt, at fœra hér eigi svá
marga góða menn í vandræði, sem á horfiz, at menn skyli 15
eigi ná lǫgum um mál sín; er ok ófallit at fylgja Þórólfi um
þetta mál; muntu, Þorvaldr! ok óliðdrjúgr verða, ef reyna skal.“

7. Þeir Þorvaldr ok Starri sá nú, at málit mundi fram
ganga, því at þeir hǫfðu ekki liðsafla við þeim Arnóri, ok
léttu þeir frá. 8. Bolli sekði Þórólf stœrimann þar á Hegra- 20
nessþingi um víg Óláfs frænda síns ok fór við þat heim.
Skilðuz þeir Arnórr með kærleikum. Sat Bolli í búi sínu.

Þórólfr wird von Bolli getötet.

LXXXII, 1. Þorgrímr hét maðr, hann átti skip uppi
standanda í Hrútafirði; þangat reið Starri ok Þórólfr við
honum.   25

Starri mælti við stýrimann: „hér er maðr, at ek vil, at
þú takir við ok flytir utan, ok hér eru þrjár merkr silfrs, er
þú skalt hafa ok þar með vináttu mína.“

---

1. 2. *vænt stefna út*, „einen glück-
lichen ausgang hoffen zu können“.

2. 3. *við—eiga*; *eiga* ist mit *við*
zu verbinden. Eigentlich ist nur
sem, mittelbar aber auch *slíka ó-
jafnaðarmenn* von *við* regiert.

10. *er — boðit*, „als die gerichtliche
verteidigung beginnen sollte“.

15. 16. *at — lǫgum*, „dass man hier

nicht sein recht bekommen kann“;
der satz ist apposition zu *vandrœði*.

16. *ófallit*, „unpassend“.

17. *óliðdrjúgr*, „nicht genügend
mit mannschaft versehen“.

20. *léttu þeir frá*, „sie zogen sich
zurück“.

Cap. LXXXII. 26. *at ek vil*, „für
den ich den wunsch hege“.

Ld.
LXXXII.
LXXXIII.

2. Þorgrímr mælti: „á þessu þykki mér nǫkkurr vandi, hversu af hendi verðr leyst; en við áskoran þína mun ek við honum taka; en þó þykki mér þessi maðr vera ekki giptuvænligr.“

5   3. Þórólfr réz nú í sveit með kaupmǫnnum, en Starri ríðr heim við svá búit. Nú er at segja frá Bolla. Hann hugsar nú efni þeira Þórólfs, ok þykkir eigi verða mjǫk með ǫllu fylgt, ef Þórólfr skal sleppa. Frétti hann nú, at hann er til skips ráðinn. 4. Bolli býz heiman; setr hann hjálm á
10 hǫfuð sér, skjǫld á hlið, spjót hafði hann í hendi, en gyrðr sverðinu Fótbít. Hann ríðr norðr til Hrútafjarðar ok kom í þat mund, er kaupmenn váru albúnir. Var þá ok vindr á kominn. 5. Ok er Bolli reið at búðardurunum, gekk Þórólfr út í því ok hafði húðfat í fangi sér. Bolli bregðr Fótbít ok
15 leggr í gegnum hann. Fellr Þórólfr á bak aptr í búðina inn, en Bolli hleypr á hest sinn. Kaupmenn hljópu saman ok at honum.

6. Bolli mælti: „hitt er yðr ráðligast, at láta nú vera kyrt, því at yðr mun ofstýri verða at leggja mik við velli; en vera má, at ek kvista einnhvern yðvarn eða alla tvá, áðr ek
20 em feldr.“

7. Þorgrímr svarar: „ek hygg, at þetta sé satt.“

Létu þeir vera kyrt, en Bolli reið heim ok hefir sótt mikinn frama í þessi ferð. Fær hann af þessu virðing mikla, ok þótti mǫnnum farit skǫruliga, hefir sekðan manninn í ǫðrum
25 fjórðungi, en síðan riðit einn saman í hendr óvinum sínum ok drepit hann þar.

Bolli besucht seine freunde im norden des landes.

LXXXIII, 1. Um sumarit á alþingi funduz þeir Bolli ok Guðmundr enn ríki ok tǫluðu mart. Þá mælti Guðmundr:

---

7. 8. *efni—fylgt,* „seine händel mit Þ. und meint, dass die sache nicht zu einem befriedigenden abschluss komme“.

8. 9. *er—ráðinn,* „platz auf einem schiffe bekommen hat“.

13. *at búðardurunum,* die kaufleute hatten also, wie dies gewöhnlich zu geschehen pflegte, eine rasenbude aufgeführt, die sie während ihres sommeraufenthaltes benutzten.

18. *ofstýri,* n., „eine zu schwierige (eure kräfte übersteigende) aufgabe“;

19. *at—tvá,* „dass ich einen von euch oder gar zwei fälle“. *kvista* bed. eig. „der zweige berauben, abästen“.

24. 25. *í ǫðrum fjórðungi,* Bolli war näml. aus dem westviertel.

Cap. LXXXIII. 28. *Guðmundr enn*

„því vil ek lýsa, Bolli! at ek vil við slíka menn vingaz, sem **Ld.**
þér eruð. Ek vil bjóða þér norðr til mín til hálfs mánaðar **LXXXIII.**
veizlu, ok þykki mér betr, at þú komir.“
2. Bolli svarar, at vísu vill hann þiggja sœmðir at slíkum
manni, ok hét hann ferðinni. Þá urðu ok fleiri menn til at 5
veita honum þessi vinganar mál. 3. Arnórr kerlingarnef bauð
Bolla ok til veizlu á Miklabœ. Maðr hét Þorsteinn, hann bjó
at Hálsi, hann var sonr Hellu-Narfa; hann bauð Bolla til sín,
er hann fœri norðan, ok Þórðr af Marbœli bauð Bolla. Fóru
menn af þinginu, ok reið Bolli heim. 10
4. Þetta sumar kom skip í Dǫgurðarnes ok settiz þar
upp. Bolli tók til vistar í Tungu tólf kaupmenn; váru þeir
þar um vetrinn, ok veitti Bolli þeim allstórmannliga. 5. Sátu
þeir um kyrt fram yfir jól, en eptir jól ætlar Bolli at vitja
heimboðanna norðr, ok lætr hann þá járna hesta ok býr ferð 15
sína, váru þeir átján í reið, váru kaupmenn allir vápnaðir.
6. Bolli reið í blári kápu ok hafði í hendi spjótit konungs-
naut et góða. Þeir ríða nú norðr ok koma á Marbœli til
Þórðar; var þar allvel við þeim tekit; sátu þrjár nætr í miklum
fagnaði. 7. Þaðan riðu þeir á Miklabœ til Arnórs, ok tók 20
hann ágætliga vel við þeim; var þar veizla en bezta.
Þá mælti Arnórr: „vel hefir þú gǫrt, Bolli! er þú hefir mik
heimsótt; þykki mér þú hafa lýst í því við mik mikinn félag-
skap. 8. Skulu eigi eptir betri gjafir með mér, en þú skalt
þiggja mega; mín vinátta skal þér ok heimol vera, en nǫkkurr 25

ríki, dieser aus vielen Íslendinga
sǫgur bekannte mann war um das
jahr 1000 einer der mächtigsten
häuptlinge des nordviertels († 1025).
Vgl. c. 40, 2 fussnote; c. 41, 16.
3. *þykki mér betr*, „ich werde
wert darauf legen“.
4. *at vísu*, „gewiss“; der satz
enthält oratio obliqua ohne von
einer conjunction eingeleitet zu sein.
6. *þessi — mál*, „solche beweise
(wörtl. „reden“) der freundschaft“.
8. *at Hálsi*, hof im *Svarfaðardalr*,
einem tal in der landschaft *Eyja-
fjǫrðr*, östlich vom *Skagafjǫrðr*.
sonr Hellu-Narfa, dieser *Narfi*,

der auch in der Landnámabók (III,
13) und Valla-Ljóts saga vorkommt,
ward nach seinem unfern vom *Svarf-
aðardalr* gelegenen hofe *Hella H.-
N.* genannt.
11. 12. *settiz þar upp*, „wurde auf
das land gezogen“ (zum über-
wintern).
12. *tólf kaupmenn*, „12 kaufleute“
— d. h. 12 mann von der bemannung
des handelsschiffes.
14. 15. *vitja — norðr*, „den ein-
ladungen nach dem nordviertel nach-
zukommen“.
15. *járna*, „beschlagen“.
23. 24. *félagskap*, „freundschaft“.

grunr er mér á, at þér sé eigi allir menn vinhollir í þessu
heraði; þykkjaz sviptir vera sœmðum. 9. Kemr þat mest til
þeira Hjaltasona. Mun ek nú ráðaz til ferðar með þér norðr
á Heljardalsheiði, þá er þér farið heðan."

5   **10.** Bolli svarar: „þakka vil ek yðr, Arnórr bóndi, alla
sœmð, er þér gerið til mín nú ok fyrrum; þykki mér ok þat
bœta várn flokk, at þér ríðið með oss; en allt hugðum vér at
fara með spekð um þessi heruð; **11.** en ef aðrir leita á oss,
þá má vera, at vér leikim þá enn nǫkkut í mót."

10   Síðan ræz Arnórr til ferðar með þeim, ok ríða nú veg sinn.

> Bolli entgeht glücklich einem hinterhalt. Während der reise wird er von
> Helgi á Skeiði beleidigt.

LXXXIV, 1. Nú er at segja frá Þorvaldi, at hann tekr
til orða við Þórð bróður sinn: „vita muntu, at Bolli ferr heðra
at heimboðum; eru þeir nú at Arnórs átján saman ok ætla
norðr Heljardalsheiði."

15   „Veit ek þat," svarar Þórðr.

2. Þorvaldr mælti: „ekki er mér þó um þat, at Bolli
hlaupi hér svá um horn oss, at vér finnim hann eigi, því at
ek veit eigi, hverr minni sœmð hefir meir niðr drepit en
hann."

20   **3.** Þórðr mælti: „mjǫk ertu íhlutunarsamr ok meir, en ek
vilda, ok ófarin mundi þessi, ef ek réða; þykki mér óvíst, at
Bolli sé ráðlauss fyrir þér."

„Eigi mun ek letjaz láta," svarar Þorvaldr, „en þú munt
ráða ferð þinni."

25   **4.** Þórðr mælti: „eigi mun ek eptir sitja, ef þú ferr, bróðir,

---

4. *Heljardalsheiði*, ein gebirgszug,
der den nordöstlichen teil des *Skaga-
fjǫrðr* von dem *Svarfaðardalr* trennt.

7. *allt*, „vollständig".

8. *leita á*, „verunglimpfen".

9. *at — mót*, „dass auch wir dann
einige vergeltung üben".

Cap. LXXXIV. 13. *at Arnórs*, ein
wort im dativ (*húsi, bœ*) ist zu
ergänzen.

17. *um horn oss*, „um die ecke
vor uns", d. h. an uns vorbei".

18. *veit eigi, hverr*, „weiss keinen,
der".

20. *íhlutunarsamr*, „geneigt (dich)
in die angelegenheiten anderer ein-
zumischen".

21. *þessi*, danach *fǫr* oder ein
anderes wort von gleicher bedeutung
zu ergänzen.

23. 24. *þú — þinni*, „es wird dir
überlassen bleiben, ob du an der
unternehmung teilnehmen willst".

en þér munu vér eigna alla virðing þá, er vér hljótum í þessi   **Ld.**
ferð, ok svá, ef ǫðruvís berr til."   **LXXXIV.**

5. Þorvaldr safnar at sér mǫnnum, ok verða þeir átján
saman ok ríða á leið fyrir þá Bolla ok ætla at sitja fyrir
þeim. Þeir Arnórr ok Bolli ríða nú með sína menn, ok er 5
skamt var í milli þeira ok Hjaltasona, 6. þá mælti Bolli til
Arnórs: „mun eigi þat nú ráð, at þér hverfið aptr? Hafi þér
þó fylgt oss et drengiligsta; munu þeir Hjaltasynir ekki sæta
fláráðum við mik."

7. Arnórr mælti: „eigi mun ek enn aptr hverfa, því at 10
svá er, sem annarr segi mér, at Þorvaldr muni til þess ætla,
at hafa fund þinn; eða hvat sé ek þar upp koma, blika þar
eigi skildir við? 8. ok munu þar vera Hjaltasynir; en þó
mætti nú svá um búaz, at þessi þeira ferð yrði þeim til engrar
virðingar, en megi metaz fjǫrráð við þik."   15

9. Nú sjá þeir Þorvaldr bræðr, at þeir Bolli eru hvergi
liðfæri en þeir, ok þykkjaz sjá, ef þeir sýna nǫkkura óhœfu
af sér, at þeira kostr mundi mikit vesna. Sýniz þeim þat
ráðligast at snúa aptr, allz þeir máttu ekki sínum vilja fram
koma.   20

10. Þá mælti Þórðr: „nú fór, sem mik varði, at þessi
ferð mundi verða hæðilig, ok þœtti mér enn betra heima setit.
Hǫfum sýnt oss í fjándskap við menn, en komit engu á leið."

11. Þeir Bolli ríða leið sína; fylgir Arnórr þeim upp á
heiðina, ok skilði hann eigi fyrr við þá, en hallaði af norðr. 25
Þá hvarf hann aptr, en þeir riðu ofan eptir Svarfaðardal ok
kómu á bœ þann, er á Skeiði heitir. 12. Þar bjó sá maðr,
er Helgi hét, hann var ættsmár ok illa í skapi, auðigr at fé;

---

4. *sitja fyrir*, „sich in den hinterhalt legen".

8. 9. *sæta fláráðum*, „hinterlistige
anschläge ins werk setzen".

11. *sem — mér*, „als ob mir jemand
sagte".

17. *liðfœri*, „von geringerer anzahl".

18. *vesna = versna.*

25. *en — norðr*, „als bis der weg
sich nordwärts senkte".

26. *Svarfaðardal*, dieses tal liegt

an der westseite der grossen bucht
Eyjafjǫrðr, die ungefähr den mittelpunkt der küste des nordviertels
bildet.

27. *á Skeiði*, hof in dem oberen
teile des *Svarfaðardalr*, an der südseite des das tal durchströmenden
flusses (*Svarfaðardalsá*).

28. *ættsmár*, „von geringer herkunft".

illa í skapi, „von schlechtem
charakter"; *illa* adv.

16*

Ld. hann átti þá konu, er Sigríðr hét, hon var frændkona Þorsteins
LXXXIV. Hellu-Narfasonar, hon var þeira skǫrungr meiri.

13. Þeir Bolli litu heygarð hjá sér; stigu þeir þar af
baki, ok kasta þeir fyrir hesta sína ok verja til heldr lítlu,
5 en þó helt Bolli þeim aptr at heygjǫfinni, — „veit ek eigi,“
segir hann, „hvert skaplyndi bóndi hefir.“

14. Þeir gáfu heyvǫndul ok létu hestana grípa í. A
bœnum heima gekk út maðr ok þegar inn aptr ok mælti:
„menn eru við heygarð þinn, bóndi! ok reyna desjarnar.“

10 **15.** Sigríðr húsfreyja svarar: „þeir einir munu þar menn
vera, at þat mun ráð, at spara eigi hey við.“

Helgi hljóp upp í óðafári ok kvað aldri hana skyldu
þessu ráða, at hann léti stela heyjum sínum. **16.** Hann hleypr
þegar, sem hann sé vitlauss, ok kemr þar at, sem þeir áðu.
15 Bolli stóð upp, er hann leit ferðina mannsins, ok studdiz við
spjótit konungsnaut; **17.** ok þegar Helgi kom at honum, mælti
hann: „hverir eru þessir þjófarnir, er mér bjóða ofríki ok stela
mik eign minni ok rífa í sundr hey mitt fyrir faraskjóta sína.“
Bolli segir nafn sitt.

20 **18.** Helgi svarar: „þat er óliðligt nafn, ok muntu vera
óréttvíss.“

„Vera má, at svá sé,“ segir Bolli, „en hinu skaltu mœta,
er réttvísi er í.“

Bolli keyrði þá hestana frá heyinu, ok bað þá eigi æja
25 lengr.

19. Helgi mælti: „ek kalla yðr hafa stolit mik þessu, sem
þér hafið haft, ok gǫrt á hendr yðr skóggangssǫk.“

20. „Þú munt vilja, bóndi!“ sagði Bolli, „at vér komim

---

2. *þeira — meiri,* „die tüchtigere“.
3. *heygarð,* „eine für heuschober
bestimmte einfriedigung“.
4. *kasta,* scil. *heyi.*
4. 5. *verja — heygjǫfinni,* „ver-
wenden ziemlich wenig, und doch
hielt Bolli sie zurück, dass sie (den
pferden) das heu nicht gäben“.
7. *heyvǫndul,* „heubüschel“.
grípa í, „davon zupfen“.

10. 11. *þeir — vera,* „dort sind ge-
wiss nur solche leute“.
11. *mun ráð,* „wird geraten sein“.
12. *í óðafári,* „in wütendem zorn“.
14. *áðu,* von *œja,* „rasten“.
18. *faraskjóta* (= *fararskjóta*),
„beförderungsmittel“, d. h. pferde.
20. *óliðligt,* „plump, hässlich“.
21. *óréttvíss,* „ungerecht“.
23. *réttvísi,* „gerechtigkeit“.

fyrir oss fébótum við þik, ok hafir þú eigi sakir á oss; mun **Ld.**
ek gjalda tvenn verð fyrir hey þitt." **LXXXIV.**

„Þat ferr heldr fjarri," svarar hann; „mun ek framar á
hyggja um þat, er vér skiljum."

21. Bolli mælti: „eru nøkkurir hlutir þeir, bóndi! er þú 5
vilir hafa í sætt af oss?"

„Þat þykki mér vera mega," svarar Helgi, „at ek vilja
spjót þat et gullrekna, er þú hefir í hendi."

22. „Eigi veit ek," sagði Bolli, „hvárt ek nenni þat til at
láta, hefi ek annat nøkkut heldr fyrir því ætlat; máttu þat ok 10
varla tala, at beiðaz vápns ór hendi mér. Tak heldr annat
fé, svá mikit, at þú þykkiz vel haldinn af."

23. „Fjarri ferr þat," svarar Helgi; „er þat ok bezt, at
þér svarið slíku fyrir, sem þér hafið til gørt."

Síðan hóf Helgi upp stefnu ok stefndi Bolla um þjófnað 15
ok lét varða skóggang. **24.** Bolli stóð ok heyrði til ok brosti
við lítinn þann.

En er Helgi hafði lokit stefnunni, mælti hann: „nær fórtu
heiman?"

25. Bolli sagði honum. 20

Þá mælti bóndi: „þá tel ek þik hafa á øðrum aliz meir
en hálfan mánuð."

Helgi hefr þá upp aðra stefnu ok stefnir Bolla um verð-
gang, **26.** ok er því var lokit, þá mælti Bolli: „þú hefir
mikit við, Helgi! ok mun betr fallit at leika nøkkut í móti 25
við þik."

Þá hefr Bolli upp stefnu ok stefndi Helga um illmæli við
sik ok annarri stefnu um brekráð til fjár síns. **27.** Þeir

---

1. *ok — oss*, „dass du nicht gegen
uns klagbar werdest".

3. 4. *mun - skiljum*, „ich werde auf et-
was ernsteres in dieser sache bedacht
sein, wenn wir uns (nun) trennen".

11. *tala, at beiðaz*, „so sprechen,
als ob du verlangst".

14. *svarið — gørt*, „für das, was ihr
getan habt, verantwortlich werdet".

17. *lítinn þann*, „ein wenig".

21. *á øðrum aliz*, „auf kosten
anderer gelebt".

23. 24. *verðgang*, „landstreicherei
und bettelei". Diese anklage des
Helgi bezieht sich auf die bestim-
mungen des gesetzbuches des frei-
staates *Grágás* (Havniæ 1829, I, s 163,
c. 59; Konungsbók, Kbh. 1852, c. 82):
*Ef maðr ferr vaflanar fǫrum hálfan
mánað eða lengr* usw.

25. *leika ... í móti*, vgl. c. 83, 10.

27. *illmæli*, kränkende worte".

28. *brekráð*, „schamlose ansprüche"
Siehe oben § 21.

Ld. mæltu, fǫrunautar hans, at drepa skyldi skelmi þann. Bolli
LXXXIV. kvað þat eigi skyldu. Bolli lét varða skóggang.
LXXXV.   **28.** Hann mælti eptir stefnuna: „þér skuluð fœra heim
húsfreyju Helga kníf ok belti, er ek sendi henni, því at mér
5 er sagt, at hon hafi gott eina lagt til várra haga.
     29. Bolli ríðr nú í brott, en Helgi er þar eptir. Þeir
Bolli koma til Þorsteins á Háls ok fá þar góðar viðtǫkur; er
þar búin veizla fríð.

Wegen seiner unversöhnlichkeit gegen Helgi á Skeiði wird Bolli mit
Þorsteinn á Hálsi verfeindet.

LXXXV, 1. Nú er at segja frá Helga, at hann kemr
10 heim á Skeið ok segir húsfreyju sinni, hvat þeir Bolli hǫfðu
við áz.
     „Þykkjumz ek eigi vita,“ segir hann, „hvat mér verðr til
ráðs at eiga við slíkan mann, sem Bolli er, en ek em mála-
maðr engi, á ek ok ekki marga þá, er mér muni at málum
15 veita.“
     2. Sigríðr húsfreyja svarar: „þú ert orðinn mannfóli
mikill, hefir átt við ena gǫfgustu menn ok gǫrt þik at undri;
mun þér ok fara, sem makligt er, at þú munt hér fyrir upp
gefa allt fé þitt ok sjálfan þik.“
20   **3.** Helgi heyrði á orð hennar, ok þóttu ill vera, en gruna-
ði þó, at satt mundi vera, því at honum var svá farit, at
hann var vesalmenni ok þó skapillr ok heimskr; sá hann sik
engi fœri hafa til leiðréttu, en mælt sik í ófœru; barz hann
heldr illa af fyrir þetta allt jafnsaman. **4.** Sigríðr lét taka
25 sér hest ok reið at finna Þorstein frænda sinn Narfason, ok
váru þeir Bolli þá komnir. Hon heimti Þorstein á mál ok
sagði honum, í hvert efni komit var.
     5. „Þó hefir slíkt illa til tekiz,“ svarar Þorsteinn.
     Hon sagði ok, hversu vel Bolli hafði boðit, eða hversu

---

5. *gott—haga*, „in unserer an-
gelegenheit nur gute ratschläge ge-
geben“.

Cap. LXXXV. 13. 14. *málamaðr*,
„processkundiger mann“.

16. *mannfóli*, „tor“.
17. *at undri*, „zum narren“.
22. *vesalmenni*, „memme“.
23. *leiðréttu*, „abhilfe“.
23. 24. *barz—af*, „ihm wurde sehr
übel zu mute“.

heimskliga Helga fór; bað hon Þorstein eiga í allan hlut, at **Ld.**
þetta mál greiddiz. 6. Eptir þat fór hon heim, en Þorsteinn **LXXXV.**
kom at máli við Bolla.

„Hvat er um, vinr!“ segir hann, „hvárt hefir Helgi af
Skeiði sýnt fólsku mikla við þik? Vil ek biðja, at þér leggið 5
niðr fyrir mín orð ok virðið þat engis, því at ómæt eru þar
afglapa orð.“

7. Bolli svarar: „þat er víst, at þetta er engis vert, mun
ek mér ok ekki um þetta gefa.“

„Þá vil ek“, sagði Þorsteinn, „at þér gefið honum upp 10
þetta fyrir mína skyld ok hafið þar fyrir mína vináttu.“

8. „Ekki mun þetta til neins váða horfa,“ sagði Bolli;
„lét ek mér fátt um finnaz, ok bíðr þat várdaga.“

9. Þorsteinn mælti: „þat mun ek sýna, at mér þykkir
máli skipta, at þetta gangi eptir mínum vilja; ek vil gefa þér 15
hest þann, er beztr er hér í sveitum, ok eru tólf saman
hrossin.“

10. Bolli svarar: „slíkt er allvel boðit, en eigi þarftu at
leggja hér svá mikla stund á; ek gaf mér lítit um slíkt, mun
ok lítit af verða, þá er í dóm kemr.“

11. „Þat er sannara,“ sagði Þorsteinn, „at hafa eigi hér
þessa gjǫf við, því at ek munda hafa gefit þér hrossin, þó at
eigi hefði þetta í orðit; vil ek nú selja þér sjálfdœmi fyrir málit.“

12. Bolli svarar: „þat ætla ek sannast, at ekki þurfi um
at leitaz, því at ek vil ekki sættaz á þetta mál.“　25

13. „Þá kýstu þat, er ǫllum oss gegnir verst,“ sagði Þor-
steinn; „þótt Helgi sé lítils verðr, þá er hann þó í venzlum
bundinn við oss; þá munu vér hann eigi upp gefa undir vápn
yðor, síðan þú vill engis mín orð virða. 14. En at þeim at-

---

1. *Helga fór* (unpers.)., „H. sich
aufgeführt hatte“.

4. *Hvat er um*, „wie verhält es
sich“.

5. 6. *leggið niðr*, „die sache fallen
lasst“.

6. 7. *ómæt — orð*, alliterierendes
sprichwort, „die worte eines toren
sind bedeutungslos“.

13. *bíðr þat várdaga*, „die sache
kann bis zum frühling warten“, d. h.

soll erst am frühlingsthing (das im
monat mai abgehalten wurde) ent-
schieden werden.

16. 17. *ok — hrossin*, „das ganze
gestüt besteht aus 12 pferden“ (zu
dem hengste gehören noch 11
stuten).

24. 25. *ekki — leitaz*, „es nütze
nicht sich darum zu bemühen“.

29. s. 248, 1. *at þeim — at*, „was
die ausdrücke betrifft, welche“.

kvæðum, at Helgi hafði í stefnu við þik, líz mér þat engi
sœmðar auki, þó at þat sé á þing borit."

Skilðu þeir Þorsteinn ok Bolli heldr fáliga; ríðr hann í
brott ok hans félagar, ok er ekki getit, at hann sé með
5 gjǫfum í brott leystr.

Nachdem Bolli den Guðmundr ríki besucht hat, kehrt er trotz
wiederholter warnungen auf demselben wege zurück.

LXXXVI, 1. Bolli ok hans fǫrunautar kómu á Mǫðru-
vǫllu til Guðmundar ens ríka; hann gengr í móti þeim með
allri blíðu ok var enn glaðasti. Þar sátu þeir hálfan mánuð
í góðum fagnaði.

10   **2.** Þá mælti Guðmundr til Bolla: „hvat er til haft um
þat, hefir sundrþykki orðit með yðr Þorsteini?"

Bolli kvað lítit til haft um þat ok tók annat mál.

3. Guðmundr mælti: „hverja leið ætlar þú aptr at ríða?"

„Ena sǫmu," svarar Bolli.

15   Guðmundr mælti: „letja vil ek yðr þess, því at mér er
svá sagt, at þit Þorsteinn hafið skilit fáliga; ver heldr hér
með mér ok ríð suðr í vár, ok látum þá þessi mál ganga til
vegar."

4. Bolli léz eigi mundu bregða ferðinni fyrir hót þeira, —
20 „en þat hugða ek, þá er Helgi fólit lét sem heimskligast ok
mælti hvert óorðan at ǫðru við oss ok vildi hafa spjótit
konungsnaut ór hendi mér fyrir einn heyvǫndul, at ek skylda
freista, at hann fengi ǫmbun orða sinna; **5.** hefi ek ok annat
ætlat fyrir spjótinu, at ek munda heldr gefa þér ok þar með

---

2. *sœmðar auki*, „vergrösserung
(deines) ruhmes".

sé — borit, „öffentlich auf dem
thing verhandelt wird".

4. 5. *er — leystr*, d. h. und er be-
kam beim abschiede nicht die ge-
wöhnlichen freundschaftsgaben.

Cap. LXXXVI. 6. 7. *á Mǫðruvǫllu*,
gehöft im süden des *Eyjafjǫrðr* —
nicht zu verwechseln mit dem in
derselben landschaft, aber im w.
der bucht gelegenen *M. í Hǫrgár-*

dal, wo später ein kloster gestiftet
wurde.

10. 11. *hvat — þat*, „wie verhält
sich mit dem gerücht".

16. *fáliga*, „unfreundlich".

17. *suðr*, obschon der hof des
Bolli im westviertel lag, wird er
hier, vom nordlande aus betrachtet,
als „südlich" bezeichnet. Vgl. c. 80, 1.

17. 18. *ganga til vegar*, „zur ver-
handlung (abmachung) kommen".

21. *óorðan*, „schimpf".

24. *at*, „nämlich dass".

gullhringinn þann, er stólkonungrinn gaf mér; hygg ek nú, at **Ld.**
gripirnir sé betr niðr komnir, en þá at Helgi hefði þá." **LXXXVI.**

6. Guðmundr þakkaði honum gjafir þessar ok mælti: „hér
munu smæri gjafir í móti koma, en verðugt er."

Guðmundr gaf Bolla skjǫld gulllagðan ok gullhring ok 5
skikkju, var í henni et dýrsta klæði ok búin ǫll, þar er bœta
þótti. Allir váru gripirnir mjǫk ágætir.

7. Þá mælti Guðmundr: „illa þykki mér þú gera, Bolli!
er þú vill ríða um Svarfaðardal."

Bolli segir þat ekki skaða munu. Riðu þeir í brott, ok 10
skilja þeir Guðmundr við enum mestum kærleikum.

8. Þeir Bolli ríða nú veg sinn út um Galmarstrǫnd. Um
kveldit kómu þeir á þann bœ, er at Krossum heitir. Þar bjó
sá maðr, er Óttarr hét. Hann stóð úti. Hann var skǫllóttr
ok í skinnstakki. **9.** Óttarr kvaddi þá vel ok bauð þeim þar 15
at vera. Þat þiggja þeir. Var þar góðr beini ok bóndi enn
kátasti; váru þeir þar um nóttina.

10. Um morgininn, er þeir Bolli váru ferðar búnir, þá
mælti Óttarr: „vel hefir þú gǫrt, Bolli! er þú hefir sótt heim
bœ minn; vil ek ok sýna þér lítit tillæti, gefa þér gullhring 20
ok kunna þǫkk, at þú þiggir; hér er ok fingrgull, er fylgja
skal."

11. Bolli þiggr gjafirnar ok þakkar bónda. Óttarr var á
hesti sínum því næst ok reið fyrir þeim leiðina, því at fallit
hafði snjór lítill um nóttina. Þeir ríða nú veg sinn út til 25
Svarfaðardals, ok er þeir hafa eigi lengi riðit, sneriz hann við
Óttarr ok mælti til Bolla: **12.** „þat mun ek sýna, at ek vilda,
at þú værir vin minn; er hér annarr gullhringr, er ek vil þér
gefa; væra ek yðr vel viljaðr í því, er ek mætta; munu þér
ok þess þurfa." 30

---

1. *stólkonungrinn*, „der thron-
könig", d. h. der griechische kaiser.

2. *þá at*, „wenn".

6. 7. *búin — þótti*, „an allen stellen
verziert (mit besatz versehen?), wo er
dadurch verschönert werden konnte".

12. *Galmarstrǫnd*, bezirk an der
westküste des *Eyjafjǫrðr*; *út um*
G., „nach G. hinaus", der ausdruck

ist gewählt, weil die reisenden vom
binnenlande her nach der küste hin
ihren weg nehmen.

15. *skinnstakki*, „lederjacke", ein
kleidungsstück das zur groben
arbeitstracht gehört.

20. *tillæti*, „anerkennung".

29. *væra — viljaðr*, „ich möchte
mein wohlwollen gegen euch zeigen";

Ld.
LXXXVI.
LXXXVII.

Bolli kvað bónda fara stórmannliga til sín, — „en þó vil ek þiggja hringinn." „Þá gerir þú vel," segir bóndi.

Bolli wird von Þorsteinn á Hálsi angegriffen; der kampf wird infolge des einschreitens des häuptlings Ljótr abgebrochen.

LXXXVII, 1. Nú er at segja frá Þorsteini af Hálsi. Þegar honum þykkir ván, at Bolli muni norðan ríða, þá safnar 5 hann mǫnnum ok ætlar at sitja fyrir Bolla ok vill nú, at verði umskipti um mál þeira Helga. Þeir Þorsteinn hafa þrjá tigi manna ok ríða fram til Svarfaðardalsár ok setjaz þar.

2. Ljótr hét maðr, er bjó á Vǫllum í Svarfaðardal, hann var hǫfðingi mikill ok vinsæll ok málamaðr mikill. **3.** Þat 10 var búningr hans hversdagliga, at hann hafði svartan kyrtil ok refði í hendi, en ef hann bjóz til víga, þá hafði hann blán kyrtil ok øxi snaghyrnda, var hann þá heldr ófrýnligr.

4. Þeir Bolli ríða út eptir Svarfaðardal; fylgir Óttarr þeim út um bœinn at Hálsi ok at ánni út. Þar sat fyrir þeim Þor-15 steinn við sína menn, ok þegar er Óttarr sér fyrirsátina, bregðr hann við ok keyrir hest sinn þvers í brott. **5.** Þeir Bolli ríða at djarfliga, ok er þeir Þorsteinn sjá þat ok hans menn, spretta þeir upp; þeir váru sínum megin ár hvárir, en áin var leyst með lǫndum, en íss flaut á miðri; hleypa þeir Þorsteinn 20 út á ísinn. **6.** Helgi af Skeiði var ok þar ok eggjar þá fast ok kvað nú vel, at þeir Bolli reyndi, hvárt honum væri kapp

---

Cap. LXXXVII. 6. *umskipti*, „entscheidung".

8. *Ljótr á Vǫllum* oder *Valla-L.*, wie er nach seinem hofe *Vellir* genannt wurde, ist die hauptperson in der nach ihm benannten saga, die seine händel mit Guðmundr ríki behandelt.

11. *refði*, wahrsch. ein beil mit langem stiel, sodass die waffe zugleich als stab dienen konnte. — Eine ganz ähnliche beschreibung des Ljótr findet sich in Valla-Ljóts saga c. 2, statt *refði* steht jedoch dort *bryntroll rekit*.

blán, blár bedeutet ungefähr „blankschwarz" und bezeichnet den stoff als einen künstlich gefärbten (*litklœði*), *svartr* dagegen bezeichnet die natürliche farbe der schwarzen wolle. Siehe Grundriss IIb, 236—37 und Arkiv f. n. filol. IX, 188—89.

12. *øxi snaghyrnda*, eine axt, die in zwei scharfe spitzen ausläuft.

14. *at ánni*, „nach dem (den *Svarfaðardalr* durchströmenden) flusse".

19. *leyst með lǫndum*, „an den ufern ohne eis".

hleypa, „reiten". Die andere haupthandschrift hat *hlaupa*.

sitt ok metnaðr einhlítt, eða hvárt nǫkkurir menn norðr þar
mundu þora at halda til móts við hann.

7. „Þarf nú ok eigi at spara at drepa þá alla; mun þat
ok leiða ǫðrum,“ sagði Helgi, „at veita oss ágang.“

Bolli heyrir orð Helga ok sér, hvar hann er kominn út 5
á ísinn. 8. Bolli skýtr at honum spjóti ok kemr á hann
miðjan; fellr hann á bak aptr í ána, en spjótit flýgr í bakkann
ǫðrum megum, svá at fast var, ok hekk Helgi þar á niðr í
ána. Eptir þat tókz þar bardagi enn skarpasti. 9. Bolli
gengr at svá fast, at þeir hrǫkkva undan, er nær váru. Þá 10
sótti fram Þorsteinn í móti Bolla, ok þegar þeir funduz, hǫggr
Bolli til Þorsteins á ǫxlina, ok varð þat mikit sár; annat sár
fekk Þorsteinn á fœti. Sóknin var en harðasta. Bolli varð
ok sárr nǫkkut ok þó ekki mjǫk.

10. Nú er at segja frá Óttari; hann ríðr upp á Vǫllu til 15
Ljóts, ok þegar þeir finnaz, mælti Óttarr: „eigi er nú setuefni,
Ljótr!“ sagði hann, „ok fylg þú nú virðing þinni, er þér liggr
laus fyrir.“

11. „Hvat er nú helzt í því, Óttarr?“

„Ek hygg, at þeir beriz hér niðri við ána Þorsteinn af 20
Hálsi ok Bolli, ok er þat en mesta hamingja at skirra vand-
ræðum þeira.“

12. Ljótr mælti: „opt sýnir þú af þér mikinn drengskap.“

Ljótr brá við skjótt ok við nǫkkura menn ok þeir Óttarr
báðir, ok er þeir koma til árinnar, berjaz þeir Bolli sem óðast. 25
13. Váru þá fallnir þrír menn af Þorsteini. Þeir Ljótr ganga
fram í meðal þeira snarliga, svá at þeir máttu nær ekki at
hafaz.

14. Þá mælti Ljótr: „þér skuluð skilja þegar í stað,“
segir hann, „ok er þó nú œrit at orðit. Vil ek einn gera 30

---

1. *einhlítt*, das genus des adj.
richtet sich hier nach dem ersten
der beiden durch *ok* verbundenen
substantive (*kapp*).

16. *setuefni*, „gelegenheit ruhig zu
sitzen“.

17. 18. *fylg — fyrir*, „gewinne nun
den ruhm, der leicht von dir zu er-
werben ist“.

19. *Hvat — því*, „wie verhält es
sich damit“.

27. *snarliga*, „schnell“.

27. 28. *nær — hafaz*, „beinahe
nichts vornehmen“.

30 — s. 252, 1. *gera milli yðvar*,
„den zwist unter euch abmachen“.

Ld. milli ýðvar um þessi mál; en ef því níta aðrirhvárir, þá skulu
LXXXVII. vér veita þeim atgǫngu.“
LXXXVIII.   **15.** En með því at Ljótr gekk at svá fast, þá hættu þeir
at berjaz, ok því játtu hvárirtveggju, at Ljótr skyldi gera um
5 þetta þeira í milli. Skilðuz þeir við svá búit. **16.** Fór Þor-
steinn heim, en Ljótr býðr þeim Bolla heim með sér, ok þat
þiggr hann; fóru þeir Bolli á Vǫllu til Ljóts. Þar heitir í
Hestanesi, sem þeir hǫfðu bariz. **17.** Óttarr bóndi skilðiz
eigi fyrri við þá Bolla, en þeir kómu heim með Ljóti. Gaf
10 Bolli honum stórmannligar gjafar at skilnaði ok þakkaði
honum vel sitt liðsinni; hét Bolli Óttari sinni vináttu. Fór
hann heim til Krossa ok sat í búi sínu.

Ljótr schlichtet als schiedsrichter den streit zwischen Bolli und Þorsteinn.

    LXXXVIII, 1. Eptir bardagann í Hestanesi fór Bolli
heim með Ljóti á Vǫllu við alla sína menn, en Ljótr bindr
15 sár þeira, ok greru þau skjótt, því at gaumr var at gefinn;
en er þeir váru heilir sára sinna, þá stefndi Ljótr þing fjǫl-
ment. **2.** Riðu þeir Bolli á þingit; þar kom ok Þorsteinn af
Hálsi við sína menn.

    Ok er þingit var sett, mælti Ljótr: „nú skal ekki fresta
20 uppsǫgn um gerð þá, er ek hefi samit milli þeira Þorsteins af
Hálsi ok Bolla. **3.** Hefi ek þat upphaf at gerðinni, at Helgi
skal hafa fallit óheilagr fyrir illyrði sín ok tiltekju við Bolla;
sárum þeira Þorsteins ok Bolla jafna ek saman, en þeir þrír
menn, er fellu af Þorsteini, skal Bolli bœta; en fyrir fjǫrráð
25 við Bolla ok fyrirsát skal Þorsteinn greiða honum fimtán
hundruð þriggja alna aura. Skulu þeir at þessu alsáttir.“

---

3. *gekk — fast*, „so eifrig drängte“.
7. 8. *í Hestanesi*, den ort, nun
Hestnesstangi benannt, zeigt man
im unteren teile des *Svarfaðardalr*,
an der ostseite des flusses.

Cap. LXXXVIII. 20. *uppsǫgn*,
„verkündigung“ (des urteils).
23. 24. *þeir þrír menn*, so die
beiden haupttexte, obgleich die
syntaktische verbindung eig. den
accusativ (*þá þrjá m.*) forderte.

25. 26. *fimtán — aura*, dieser be-
trag entspricht 15 *merkr silfrs* oder
hundrað (*aura*) *silfrs*, eine summe,
die das gewöhnliche manngeld aus-
machte, und in der sagazeit ca.
5400 rm., in der Sturlungenzeit (13.
jahrh.) ca. 5100 rm. gleichgesetzt
werden kann — siehe V. Guðmunds-
son „Manngjöld — hundrað“ (Germ.
abhandl., Göttingen 1893). Diese
stelle ist übrigens dadurch besonders
interessant, dass hier eine berech-

4. Eptir þetta var slitit þinginu. Segir Bolli Ljóti, at **Ld.** hann mun ríða heimleiðis, ok þakkar honum vel alla sína **LXXXVIII.** liðveizlu, ok skiptuz þeir fǫgrum gjǫfum við ok skilðu við góðum vinskap. 5. Bolli tók upp bú Sigríðar á Skeiði, því at hon vildi fara vestr með honum. Ríða þau veg sinn, þar 5 til er þau koma á Miklabœ til Arnórs. Tók hann harðla vel við þeim; dvǫlðuz þar um hríð, ok sagði Bolli Arnóri allt um skipti þeira Svarfdœla, hversu farit hafði.

6. Arnórr mælti: „mikla heill hefir þú til borit um ferð þessa við slíkan mann, sem þú áttir, þar er Þorsteinn var; er 10 þat sannast um at tala, at fáir eða øngvir hǫfðingjar munu sótt hafa meira frama ór ǫðrum heruðum norðr hingat en þú, þeir sem jafnmarga ǫfundarmenn áttu hér fyrir."

7. Bolli ríðr nú í brott af Miklabœ við sína menn ok heim suðr; tala þeir Arnórr til vináttu með sér af nýju at 15 skilnaði. 8. En er Bolli kom heim í Tungu, varð Þórdís húsfreyja hans honum fegin; hafði hón frétt áðr nǫkkut af róstum þeira Norðlendinga, ok þótti mikit í hættu, at honum tœkiz vel til; sitr Bolli nú í búi sínu með mikilli virðingu. 9. Þessi ferð Bolla var gǫr at nýjum sǫgum um allar sveitir, ok tǫluðu 20 allir einn veg um, at slík þótti varla farin hafa verit náliga; óx virðing hans af slíku ok mǫrgu ǫðru. Bolli fekk Sigríði gjaforð gǫfugt ok lauk vel við hana, ok hǫfum vér eigi heyrt þessa sǫgu lengri.

---

nung (*hundruð þriggja alna aura*) vorkommt, die nach V. Guðmundsson sich in den älteren Íslendinga sǫgur nicht nachweisen lässt, in der Sturlunga saga dagegen, die weit jüngere begebenheiten darstellt, alleinherrschend ist, so dass auch hierdurch der „Bolla þáttr" zeugnis davon ablegt, dass die erzählung später und ohne verbindung mit der älteren sagalitteratur entstanden ist.

4. *tók — Skeiði*, „nahm mit sich hausrat und vieh der Sigríðr á Skeiði".

10. *við — áttir*, vgl. c. 81, 3.

15. *suðr*, vgl. c. 86, 3.

17. *róstum*, „gewalttätigkeiten".

18. 19. *þótti — til*, „meinte dass ihr sehr vieles daran gelegen sei, wenn es ihm gut gienge".

20. *var — sǫgum*, „gab zu neuen erzählungen stoff".

21. *slík*, scil. *fǫr*.

23. 24. *ok — lengri*, dies ist eine schlussphrase, die hier nicht buchstäblich genommen werden darf, da die erzählung (c. 79—88) schwerlich auf echter tradition beruht.

Register.

1. Personennamen, samt namen der tiere und gegenstände.

Astríðr, die frau des Bárðr Hǫskuldsson c. 25, 2.
Atli Úlfsson c. 6, 12.
Auðgísl Þórarinsson c. 67, 1. 2. 4. 12. 13.
1. Auðr, die frau des Þórðr Ingunnarson c. 32, 13; 35, 5. 10—12. 16—19.
    22. 24—26. 28. 30; 48, 4. 6; 53, 2.
2. Auðr = Unnr, c. 6, 3.
1. Auðun Asgeirsson œðikolls c. 40, 2.
2. Auðun Asgeirsson Auðunarsonar Asgeirssonar œðikolls
    c. 40, 2.
3. Auðun festargarmr c. 51, 5. 7.
4. Auðun skǫkull (Bjarnarson) c. 40, 1.

Barði Guðmundarson c. 31, 3; 53, 11. 12; 54, 1. 2. 4—6. 12.
Bárðr Hǫskuldsson c. 9, 16. 19. 20; 20, 4. 20; 22, 15; 25, 2. 3; 26.
    1. 3. 8. 13.
Beinir enn sterki c. 24, 5; 75, 7. 12. 13. 27.
Bergþóra Óláfsdóttir pá c. 28, 2; 31, 7.
Bersi, Hólmgǫngu-B. (Véleifsson) c. 9, 21; 28, 3—6.
Bjarni Skeggjason c. 40, 25.
Bjǫrg Eyvindardóttir c. 6, 12.
1. Bjǫrn, s. Rauðabjǫrn.
2. Bjǫrn í Bjarnarfirði, landnámsmaðr, c. 9, 2—6. 10. 12.
3. Bjǫrn buna (Grímsson) c. 1, 1; 32, 1.
4. Bjǫrn Ketilsson enn austrœni, landnámsmaðr, c. 1, 2; 2, 6. 8;
    3, 4—6; 5, 3; 7, 8. 13. 15; 32, 1.
5. Bjǫrn, Sleitu-B. (Hróarsson) c. 20, 2.
6. Bjǫrn Þórðarson c. 79, 1.
Blund-Ketill (Geirsson) c. 7, 25.
Bollasynir s. Bolli Þorleiksson.
1. Bolli Bollason c. 56, 9. 11; 59, 4. 5; 60, 7; 62, 2; 63, 15; 64, 16.
    19; 65, 21; 68, 13. 15. 21; 69, 12. 13; 70, 3—5. 11. 16—22. 25. 27.
    29; 71, 3. 7. 9. 13. 21. 25; 72, 1. 3—6; 73, 1. 3—5. 8—19; 76, 19;
    77, 1. 2. 4. 6—9; 78, 1. 2. 4. 5. 7. 11. 12. 14—16; 79, 1. 3; 80, 1. 2.
    4; 81, 1. 3—5. 8; 82, 3—7; 83, 1—7. 10; 84, 1—3. 5. 6. 9. 11. 13.
    16—18. 20—27. 29; 85, 1. 4—8. 10. 12. 14; 86, 1—4. 6—8. 10—12;
    87, 1. 5—9. 11. 12. 16. 17; 88, 1—5. 7—9.
2. Bolli Þorleiksson c. 25, 11; 27, 12; 28, 1. 10; 30, 22; 33, 34. 35.
    40; 38, 22. 23; 39, 2. 3. 7; 40, 8. 13. 19. 21. 30. 31. 47. 48. 50—52.
    67. 72. 75—77. 79; 41, 17; 42, 1—4. 7—9; 43, 1. 3. 4. 6—12. 14. 15;
    44, 17. 20; 45, 1—3. 14; 46, 2. 27. 29. 32; 47, 5. 10. 13. 15—19. 22.
    34; 48, 12. 14—16; 49, 7. 8. 13. 17—22. 24. 26. 28. 29. 34. 35; 50, 7.
    9. 10. 12; 51, 3. 4. 8—10; 52, 1. 11. 12; 53, 5. 9. 10; 54, 1. 3. 5. 6.
    9. 11; 55, 2. 3. 5. 6. 8—12. 14—19. 21—26. 28; 56, 1—5. 9; 58, 11.
    13. 14; 59, 4. 6. 10. 12. 17; 60, 9. 14; 61, 2. 4. 9. 11. 12. 16; 62, 2;
    63, 15. 17; 64, 17; 65, 3. 10; 68, 6; 69, 12; 70, 3. 11—13. 15. 26;
    71, 8. 10. 14. 17. 22. 23; 73, 18; 75, 5; 77, 1; 78, 13; 79, 1. 3;
    81, 1.

2. Gjaflaug Kjallaksdóttir, die frau des Bjǫrn austræni c. 3, 6.

Glúmr Geirason, isl. dichter, c. 32, 12; 34, 12.

Greilǫð, die frau des Þorfinnr jarl, c. 4, 9.

Grettir Asmundarson c. 40, 1.

Gríma, die frau des Kotkell, c. 35, 1. 35; 37, 25. 26. 34. 35.

Grímr Helguson, ein geächteter, c. 57, 6. 7. 9. 10. 14; 58, 2—7. 9. 16.
    17. 19. 20.

1. Gróa Geirmundardóttir c. 30, 2. 14.

2. Gróa Kollsdóttir, die frau des Véleifr gamli, c. 9, 21.

3. Gróa Þorsteinsdóttir rauðs c. 4, 9.

Guðdala-Starri s. Starri.

Guðlaugr, schwestersohn des Ósvífr, c. 48, 15; 49, 13. 16; 51, 3.

1. Guðmundr, ein schiffbrüchiger, c. 18, 10. 12—14. 16. 18.

2. Guðmundr enn ríki (Eyjólfsson) c. 41, 16; 83, 1; 86, 1—3. 6. 7.

3. Guðmundr Sǫlmundarson c. 31, 1. 2; 44, 4. 13; 45, 6. 11. 24. 27;
    50, 2. 9; 53, 11. 12; 54, 12.

Guðný Bárðardóttir, die frau des Hallr Styrsson, c. 25, 3.

Guðríðr Þorsteinsdóttir, die frau des Þorkell trefill, c. 10, 5. 6; 18,
    11. 15.

1. Guðrún Guðmundardóttir c. 31, 4.

2. Guðrún á Marbœli c. 79, 2. 3; 80, 1. 2. 4.

3. Guðrún Óspaksdóttir, die frau des Þórarinn Brandsson, c. 78, 7.

4. Guðrún Ósvífrsdóttir c. 32, 5; 33, 4. 5. 7. 9. 10. 13. 16. 26—28.
    30; 34, 1—3. 5—11; 35, 4—9. 11. 14. 15. 20; 36, 2—5. 10. 14; 39,
    1. 3—5; 40, 14—16. 18; 42, 3—8; 43, 3—5. 8—10. 12. 15. 24; 44,
    3. 17—18; 45, 14; 46, 2. 3. 5. 6. 8. 9. 25. 34. 38; 47, 6. 8. 10. 13.
    15. 16. 22. 33. 34; 48, 7—9. 12—14; 49, 23. 25. 27. 29; 52, 1; 54, 2;
    55, 8. 10. 11. 25—28. 30; 56, 1—11; 57, 3; 58, 10. 12; 59, 1—6. 8.
    10. 11. 13. 15—17. 19—21; 60, 1—4. 6. 10. 12—14. 16; 64, 11; 65,
    6—9. 11—13. 15—17. 21. 22; 66, 1; 68, 6. 9. 13. 14. 16—19. 21. 22;
    69, 1. 7—10. 14—17; 70, 3. 4. 12. 15. 24. 28; 72, 6; 74, 1—4. 20;
    76, 11—15. 17. 19. 22. 23; 77, 7; 78, 10. 11. 13. 15—17.

5. Guðrún Sigmundardóttir, die frau des Koðrán Ormsson, c. 78, 5.

1. Gunnarr Hlífarson c. 7, 25.

2. Gunnarr Þiðrandabani c. 69, 1. 2. 4. 5. 7. 9. 11. 15. 18. 19.

Gunnbjǫrn Erpsson c. 6, 6.

Gunnhildr, norw. königin, c. 19, 2. 3. 5; 20, 10; 21, 4. 6—9. 12. 14. 44;
    22, 1. 3. 4.

Gunnlaugr Illugason ormstunga, isl. dichter, c. 6, 3,

Gǫngu-Hrólfr s. Hrólfr.

1. Hákon, norw. könig, c. 32. 2.

2. Hákon Aðalsteinsfóstri, norw. könig, c. 9, 1; 11, 10. 11; 12, 26.

3. Hákon jarl enn ríki c. 29, 2. 3. 6. 7; 40, 23.

Hákonarnautr, ein ring, c. 26. 6.

Halla Gestsdóttir, mutter des Þorgils Hǫlluson, c. 57, 1; 58, 12; 62, 1;
    63, 10; 65, 6; 67, 2. 5. 13. 14; 68, 1; 71, 14.

1. **Hermundr Illugason** c. 6, 3; 78, 5.
2. **Hermundr Koðránsson** c. 78, 6.
Hersteinn Þorkelsson c. 7, 25.
Hildr Þórarinsdóttir c. 18, 3. 14.
Hjaltasynir (Þórðarsonar) c. 27, 7; 79, 4. 6. 14. 17; 83, 9; 84, 5. 6. 8.
Hjalti Skeggjason c. 41, 9. 12. 13. 16. 17; 42, 1.
Hlíf, mutter des Gunnarr Hlífarson, c. 7, 25.
Hlǫðvir Þorfinnsson jarls c. 4, 10.
1. **Hólmgǫngu-Bersi** s. Bersi.
2. **Hólmgǫngu-Ljótr** s. Ljótr.
1. **Hrappr**, wird von Helgi Harðbeinsson getötet, c. 63, 35. 39; 64, 4. 6.
2. **Hrappr Sumarliðason**, Víga-H., c. 10, 1. 2. 8. 9; 11, 2; 17, 1—4.
    6—9; 24, 6. 24—26. 28. 29; 63, 35.
Hrefna Asgeirsdóttir, die frau des Kjartan, c. 40, 6; 44, 4. 5. 7. 9—11.
    13; 45, 12. 15—19. 25. 27; 46, 4. 6—9. 20—25. 36; 47, 5. 6. 8. 11;
    49, 27; 50, 13. 14.
Hreinn s. Reinn.
Hróðný Skeggjadóttir, die frau des Þórðr gellir, c. 7, 25.
1. **Hrólfr**, ein freigelassener, c. 25, 4.
2. **Hrólfr kraki**, dän. könig, c. 78, 22.
3. **Hrólfr Þórisson**, Gǫngu-H., c. 32, 2.
Hrútr Herjólfsson c. 8, 1. 3. 5. 7; 19, 1—20. 24. 25. 27—35; 20, 3;
    21, 4; 25, 4—6. 8—10; 37, 9—13. 15. 17—28. 30. 31. 33. 36. 39, 41;
    38, 19—21; 39, 1.
Hrýtlingar, nachkommen des Hrútr, c. 25, 4.
Húnbogi Álfsson enn sterki c. 62, 2; 63, 27. 29; 64, 11. 18.
Hundi, freigelassener der Unnr, c. 6, 8.
**Húsdrápa, ein gedicht, c. 29, 23.
Hǫlluslappi s. Þorgils Hǫlluson.
Hǫrðr, landnámsmaðr, c. 4, 6; 6, 1; 7, 9.
1. **Hǫskuldr Kollsson** c. 5, 11; 7, 27. 29—31; 8, 5—7; 9, 1. 4—10.
    12—16. 18—21; 10, 9; 11, 2. 7. 11; 12, 4—10. 12—16. 18—24. 26;
    13, 1—7. 9—12. 14. 16. 17. 19. 20. 22. 24—29. 31; 16, 9—12. 14. 15.
    17. 19. 22; 17, 7. 8; 19, 1. 8—14. 19. 21. 22. 26. 28—30; 20, 1. 4—8.
    14. 18—20; 21, 1. 45; 22, 1. 13. 15. 23. 25. 27. 28; 23, 1—6. 10—13.
    15. 16. 20. 22. 24; 24, 4. 12. 15. 19; 25, 1. 2. 4—7. 9. 10; 26, 1.
    5—7. 9. 14; 27, 2; 29, 23; ˙31, 1; 36, 8; 37, 30; 49, 34; 53, 1.
2. **Hǫskuldr Ólafsson pá** c. 28, 2; 54, 12.
Hǫskuldssynir s. Hǫskuldr Kollsson.

Illugi enn svarti (Hallkelsson) c. 6, 3; 78, 5.
1. **Ingibjǫrg** (Tryggvadóttir) c. 41, 18; 42, 5; 43, 22. 24. 26.
2. **Ingibjǫrg Ásbjarnardóttir**, die frau des Illugi svarti, c. 6. 3.
1. **Ingjaldr Fróðason** c. 1, 2.
2. **Ingjaldr Ólafsson feilans** c. 11, 3.
3. **Ingjaldr Sauðeyjargoði** c. 14, 1. 3. 6. 19. 30. 31. 33. 35. 36; 15, 1.
    3. 4. 6. 8. 9. 11. 14. 18—21. 27. 29—31. 34. 35. 37; 16, 1. 6.

1. Ljótr, Hólmgǫngu-L. (Þorgrímsson), c. 50, 3.
2. Ljótr á Vǫllum c. 87, 2. 10. 12—17; 88, 1. 2. 4.
Ljúfa, die frau des Bjǫrn í Bjarnarfirði, c. 9, 3.

Magnús enn góði, norw. könig, c. 78, 8.
Már Atlason c. 6, 12.
Meldun jarl c. 6, 5.
Melkorka Mýrkjartansdóttir c. 13, 25. 28—31; 16, 14; 20, 7—9. 11.
    13. 16. 21. 23; 21, 45. 52. 56—58. 66; 22, 18. 19. 21; 38, 16.
Miðfjarðar-Skeggi s. Skeggi.
Mýrkjartan Írakonungr c. 13, 26; 20, 11; 21, 7. 39. 41. 64; 22, 16;
    23, 8. 15; 28, 1; 65, 4.
Mýrkjartansnautr, ein schwert, c. 23, 25.
Mǫrðr gígja c. 19, 33.

Narfi, Hellu-N. (Asbrandsson), c. 83, 3; 84, 12; 85, 4.
Niðbjǫrg (Bjólansdóttir) c. 32, 2.
Njáll Helguson c. 57, 6.

Oddleifr (Geirleifsson) c. 33, 1; 36, 6; 57, 1; 66, 2.
1. Oddr, Tungu-O. (Qnundarson), c. 7, 25.
2. Oddr Þórhǫlluson c. 32, 7; 48, 15.
Óðinn, ein gott, c. 40, 62.
1. Óláfr enn helgi, norw. könig, c. 70, 9. 10. 29; 71, 7; 73, 4. 6. 7.
    15. 16; 74, 6. 8. 12; 76, 16; 78, 3.
2. Óláfr Hǫskuldsson pái c. 13, 18. 19. 23. 31. 32; 16, 13. 15. 16.
    20—22; 17, 2; 19, 26; 20, 6. 7. 11. 12. 14. 15. 17—21. 23; 21, 2—14.
    18. 19. 22. 25. 26. 28. 30. 32. 33. 36—39. 41—44. 47. 49—51. 54. 56—60.
    62—68; 22, 1—5. 7. 8. 10—14. 16—20. 22—24. 26—29; 23, 1—3. 5.
    6. 11—13. 15. 16. 18. 20. 25; 24, 1. 2—6. 8—16. 18—28; 26, 2—8. 11.
    13. 14; 27, 1. 4. 5. 8. 9. 12; 28, 1—3. 10. 11; 29, 1—8. 11. 12. 14.
    15. 17. 19—21. 23. 24; 30, 2—7. 22; 31, 1. 4. 7. 8. 11. 12. 14. 15;
    33, 30—32. 34—37; 37, 30—33. 39. 40. 42—43; 38, 3. 4. 6. 10. 17—19.
    23; 39, 2. 4. 5; 40, 7. 13. 19; 41, 16; 42, 2; 43, 1. 2. 4. 6. 7. 14. 15;
    44, 2. 3. 16. 19; 45, 1. 3. 4. 21. 23; 46, 1. 2. 8. 12. 19. 20. 27; 47, 1.
    4. 15. 30; 48, 12; 49, 30. 34. 35. 37. 40; 50, 1. 5—7. 10—12; 51,
    2—4. 8. 9; 52, 11; 53, 1. 7. 8. 10—12; 54, 12; 55, 7. 24; 59, 8;
    61, 2. 4. 12. 19; 71, 6. 7. 11. 13. 25; 72, 1; 75, 7; 79, 3.
3. Óláfr Ingjaldsson hvíti c. 1, 2.
4. Óláfr Tryggvason, norw. könig, c. 40, 23. 24. 28. 36. 43. 76. 77;
    41, 7. 8. 10. 13. 19; 42, 4; 43, 16. 18. 27; 44, 21; 45, 9. 26.
5. Óláfr Þórðarson c. 79, 2. 11. 13; 80, 2; 81, 1. 8.
6. Óláfr Þorsteinsson feilan c. 5, 1; 7, 1—4. 6. 7. 15. 19. 20. 22—26;
    11, 3; 13, 18.
Óláfssynir s. Óláfr Hǫskuldsson.
1. Ólof Guðmundardóttir c. 31, 3.
2. Ólof Þorsteinsdóttir rauðs c. 4, 11.

4. Þuríðr Óláfsdóttir pá c. 24, 5; 29, 17. 20. 22; 30, 1. 2. 7—9. 14.
    18. 22; 31, 2; 44, 4. 5. 7. 13; 45, 13. 17.

Qrn, schiffsherr, c. 20, 10. 20; 21, 2. 3. 5. 7. 11. 17. 19. 21. 24; 22, 2.
Qrnólfr Armóðsson c. 33, 3; 59, 1; 60, 13; 62, 2; 63, 25; 65, 6.

Øxna-Þórir s. Þórir.

2. Orts- und völkernamen
und von solchen abgeleitete adjectiva.

Agðanes, Norw., c. 40, 22.
Alptafjqrðr c. 41, 8.
Asbjarnarnes c. 31, 1; 45, 5. 17. 18.
Asbjarnarstaðir c. 6, 2.
Ásgeirsá c. 40, 1.
Áss c. 57, 6. 8.
austmaðr c. 30, 3.

Bakkavað c. 62, 3.
Barðastrqnd c. 33, 1; 57, 6; 66, 4. 7.
Barmr c. 55, 3.
Bjarnarey c. 76, 8.
Bjarnarfjqrðr c. 9, 2. 5.
Bjarnarhqfn c. 3, 6; 51, 5; 68, 1.
Bjarneyjar c. 14, 4. 6.
Bjqrgvin, Norw., c. 11, 9.
Bláskógaheiðr c. 35, 5.
Blqnduóss c. 11, 8.
Bollatoptir c. 55, 2.
Borðeyrr c. 20, 10. 11; 22, 12; 68, 1.
Borg c. 22, 25; 40, 7. 9. 13; 50, 1; 51, 1.
Borgarfjqrðr c. 22, 25; 37, 2; 40, 7. 21; 44, 1. 2; 57, 6. 8; 62, 3;
    67, 5; 70, 27; 72, 5.
Borgfirðingar c. 23, 23.
Breiðá c. 40, 25.
Breiðafjarðardalir c. 5, 8; 31, 10; 39, 1; 47, 21; 54, 7.
Breiðasund c. 19, 7.
breiðfirzkr c. 10, 7; 14, 7; 63, 35.
Breiðifjqrðr c. 3, 4; 5, 3. 6; 13, 8; 14, 1. 4; 18, 4; 19, 7; 24, 11;
    29, 14; 57, 8; 58, 16; 66, 4. 6; 70, 2; 74, 2. 4; 75, 23; 76, 7; 78, 23.
Brenna c. 38, 9.
Brenneyjar, Schw., c. 12, 1.
Búðardalr c. 13, 10.
Bœr c. 62, 3.

Dalaheiðr c. 36, 7.

Hafratindar c. 49, 1; 52, 3. 10.
Hagi c. 33, 1; 66, 5.
Hallsteinsnes c. 34, 13.
Háls c. 83, 3; 84, 29; 87, 1. 4; 88, 2.
Hamarengi c. 55, 4.
Harraból c. 31, 10.
Harrastaðir c. 31, 10.
Haugsgarðr c. 24, 3.
Haugsnes c. 35, 42.
Haukadalr c. 37, 35.
Haukadalsá c. 59, 2.
Hegranessþing c. 81, 2. 4. 8.
Helgafell c. 36, 3; 49, 30. 36; 56, 11; 57, 3; 60, 16; 65, 6. 23; 66, 1.
    3. 6; 68, 8. 17. 18; 69, 13; 70, 2. 3. 22. 27—29; 71, 22; 72, 6; 74,
    17; 75, 4; 76, 11; 77, 7; 78, 5. 6. 11. 17—19. 23.
Heljardalsheiðr c. 83, 9; 84, 1.
Hella c. 83, 3; 84, 12.
Hestanes c. 87, 16; 88, 1.
Hjaltadalr c. 79, 4. 14. 16.
hjaltneskr c. 11, 7.
Hjarðarholt c. 24, 17. 18. 20; 27, 12; 28, 7; 29, 15. 22; 30, 22; 31,
    10; 33, 30; 38, 10; 40, 19; 42, 2. 7; 43, 14; 44, 14. 15. 23; 45,
    20. 21; 46, 2. 5. 6. 31; 47, 4; 50, 12; 51, 1. 10; 52, 2. 5; 53, 12;
    54, 9; 55, 1; 56, 4; 65, 4; 71, 12; 75, 5. 6. 19; 79, 3.
Hjarðhyltingar c. 44, 16; 45, 4; 46, 37; 47, 11; 56, 7.
Hof c. 79, 4. 14. 16.
Hóll c. 32, 11; 33, 2; 35, 3; 48, 1.
Hólsmenn c. 35, 16.
Hrappsstaðir c. 10, 1; 17, 6. 8—10; 18, 2. 23; 24, 6.
Hraunfjorðr c. 3, 6.
Hrútafjorðr c. 20, 10; 22, 12. 13; 54, 5; 68, 1; 74, 17; 75, 1. 2   82,
    1. 4.
Hrútsstaðir c. 19, 32; 37, 9.
Hundadalr c. 6, 8; 38, 1. 4; 54, 7.
Húsafell c. 78, 7.
Hvalfjorðr c. 3, 8.
Hvammr c. 5, 9. 10; 7, 2. 7. 22. 24. 26.
Hvammsdalr c. 35, 16.
Hvammsfjorðr c. 5, 7; 30, 8; 33, 17. 25; 49, 37.
Hvammverjar c. 16, 8.
Hvítá c. 44, 1; 57, 6; 62, 3; 70, 26. 28; 72, 5.
Hvítidalr c. 47, 28; 48, 6.
Hofðamenn c. 6, 13.
Hofði (hof) c. 20, 2; 79, 2.
Hofði (felsen) c. 59, 3.
Horðabólstaðr c. 6, 1.
Horðadalr c. 6, 1; 7, 9; 57, 1; 61, 20; 62, 1; 63, 10; 64, 5.

Svignaskarð c. 10, 6.
Svínadalr c. 47, 26; 48, 6. 16; 49, 1.
Sælingsdalr c. 32, 3; 35, 4. 16; 46, 15; 47, 26; 48, 7; 54, 6; 55, 2;
    66, 7.
Sælingsdalsá c. 32, 3.
Sælingsdalsheiðr c. 35, 22; 47, 29.
Sælingsdalslaug c. 33, 4; 39, 3.
Sælingsdalstunga s. Tunga.
Sǫkkólfsdalr c. 6, 7.

Tjaldanes c. 35, 33.
Trollaskeið c. 19, 32.
Tunga (im Borgarfjǫrðr) c. 7, 25.
Tunga í Hǫrðadal c. 57, 1. 4; 59, 1; 60, 16; 61, 20. 21; 65, 25.
Tunga í Saurbœ c. 28, 3. 4.
Tunga í Sælingsdal c. 32, 3. 9; 46, 17; 47, 12. 13. 15. 23; 49, 24. 31;
    51, 9; 52, 1; 53, 3; 55, 14; 56, 5. 7. 11; 58, 8; 68, 19; 69, 13; 70,
    3. 17. 18. 23. 25. 29; 71, 1; 77, 8; 78, 4; 79, 1; 80, 1. 2; 83, 4;
    88, 8.
Tunguá c. 6, 6.
Tvídœgra c. 57, 14.

Urðir c. 35, 2.
Urðskriðuhólar c. 80, 6.

Vaðill c. 29, 1; 57, 6.
Vatnsdalr c. 45, 7.
Vatnsfirðingabúð, eine bude auf dem gesamtthingplatze c. 67, 13.
Vatnsfirðingakyn c. 31, 5.
Vatnsfjǫrðr c. 31, 5.
Vatnshorn c. 62, 4.
Vatnsnes c. 45, 7.
Vellir c. 87, 2. 10. 16; 88, 1.
Vestfirðingar c. 63, 19.
Vestfirðir c. 9, 3. 6.
Vestmanaeyjar c. 42, 1.
Víðdœlir (-ar) c. 50, 6. 8. 12; 53, 11.
Víðidalr c. 31, 1; 40, 1; 45, 5; 50, 2.
Vífilsdalr c. 6, 9.
Vík, Norw., c. 11, 10; 12, 3; 53, 20; 73, 2.
Vikrarskeið c. 5, 1.
Væringjar c. 73, 18. 19.

Þorskafjǫrðr c. 34, 13.
Þórsnes c. 10, 4; 18, 1.
Þórsnessþing c. 50, 5. 12; 51, 2; 71, 25.

Berichtigungen und nachträge.

a. Zum text.

Ferner bittet man zu beachten, dass, übereinstimmend mit den formen *gǫrr* usw., zu schreiben wäre *gǫrz* (28, 30), *gǫrvǫllu* (144, 2), *gǫrla* (190, 16; 231, 14); bisweilen ist der accent verloren gegangen, so in *Ásgautr* (34, 24), *Ásgeirs* (149, 13), *Alfdísar* (12, 1), *Ísland* (*Íslandi, Íslands*) (120, 16; 121, 14; 126, 1; 135, 8), *Nóreg* (*Nóregi*) (116, 28. 30; 120, 31; 121, 3. 4. 7; 126, 3. 15), *Óláfr* (*Óláfi, Óláfs*) (72, 1. 6. 11; 96, 1; 113, 10), *Ósvífr* (91, 1; 103, 19). In den ableitungen von *mann* ist die schreibung *nn* durchzuführen. In den wörtern *ódrengiliga aflat* (36, 15—18) ist der satz verschoben.

b. Zu den noten.

S. 30 b, z. 9. *hǫggjárn*. Wahrscheinlich eine art fischgabel — ungefähr wie neuisl. *goggur* zum einziehen des fanges verwendet? Vgl. *Grágás* (Kristinna laga þáttr c. 14).

„ 84 a, „ 12. Ueber den *Úlfr Uggason* weiss, ausser der Kristni saga auch die Njáls saga etwas zu berichten.

„ 87 a, „ 5. *Staðr*, scheint als norw. ortsname *Stað, Staði, Staðs* oder

Staðar flectiert zu werden; der nominativ (*Staðr*) ist jedoch
schwerlich belegt.

S. 97 a, z. 17.   *eigi jafnmenni*, d. h. Þorvaldr konnte sich überhaupt nicht
mit der Guðrún messen.

Kleinere ungenauigkeiten finden sich in *Breiðafjǫrð* (4 b, 22), *Skalla-
grimsson* (14 b, 21), *þó* (20 a, 14), *en* (25 b, 4), *Armóðsd.* (49 b, 9), *Óláfi*
(54 a, 2), *Ásbjarnarnes* (87 a, 9), übereinstimmend (89 b, 7), *háttð* (127 a, 1),
Ulfeiði (230 a, 6), *skarlats* (228 b, 2).

Im 3. band der Altnordischen Sagabibliothek (Egils saga Skallagríms-
sonar) s. 1, z. 3 ist *fǫður* statt *dóttur* zu lesen.

Druck von Ehrhardt Karras, Halle a. S.

ALTNORDISCHE

SAGA-BIBLIOTHEK

HERAUSGEGEBEN

VON

GUSTAF CEDERSCHIÖLD
HUGO GERING und EUGEN MOGK

HEFT 5

FLÓRES SAGA OK BLANKIFLÚR

HALLE a. S.

MAX NIEMEYER

1896

FLÓRES SAGA
OK BLANKIFLÚR

HERAUSGEGEBEN

VON

EUGEN KÖLBING

HALLE a. S.
MAX NIEMEYER
1896

KONRAD v. MAURER

DEM SENIOR DER DEUTSCHEN SKANDINAVISTEN

AN SEINEM 73. GEBURTSTAGE

VEREHRUNGSVOLL

DARGEBRACHT

VOM

HERAUSGEBER

Inhaltsverzeichnis.

Inhaltsverzeichnis.

Einleitung.

I. Die romantischen sagas oder Fornsǫgur suðrlanda.[1]

§ 1. An einer zusammenhängenden eingehenderen behandlung der romantischen sagas fehlt es zur zeit noch; Halfdan Einarsson hat in seiner Historia literaria Islandiae (Kjöb. 1786, s. 100 ff.) nur eine grosse menge von titeln aufgezählt, und ein alphabetisches register derselben hat P. E. Müller in seiner Sagabibliothek, 3. bind (Kjøb. 1818, s. 480 ff.) mitgeteilt; in Nyerup's bekanntem buche: Almindelig morskabslæsning i Danmark og Norge igjennem aarhundreder (Kjøb. 1816) wird nur ein kleiner teil derselben besprochen, und was die gesamtdarstellungen der nordischen litteraturgeschichte (vergl. N. M. Petersen, Bidrag til den oldnordiske literaturs historie. Kjöb. 1866, s. 303; R. Keyser, Nordmændenes videnskabelighed og literatur i middelalderen. Christiania 1866, s. 515 ff. und s. 526 ff.; E. Mogk in Paul's Grundriss der germanischen philologie II, 1, Strassburg 1893, s. 134 ff.) für diesen einen abschnitt bieten, kann naturgemäss selbst in bezug auf das gedruckte material nicht erschöpfend sein; vor allem aber mangelt es noch teils an zuverlässigen, das ganze handschriftenmaterial verwertenden ausgaben, teils an specialuntersuchungen über das verhältnis dieser sǫgur zu ihren quellen, soweit dieselben überhaupt noch nachweisbar sind.

§ 2. Unter Fornsǫgur suðrlanda verstehen wir hier specieller solche, in altnorwegischer oder altisländischer sprache ab-

---

[1] Diese bezeichnung rührt m. w. von Cederschiöld her, der die betreffenden litteraturproducte damit im gegensatz stellen wollte zu den Fornsǫgur norðrlanda, worunter man die auf skandinavischem boden entstandenen romantischen sagas zu verstehen pflegt.

gefasste prosawerke, welche auf romantische dichtungen in
französischer, ev. auch in lateinischer sprache als auf ihre
quellen zurück zu führen sind; es handelt sich also um die-
selben stoffgebiete, welche unsre mittelhochdeutschen höfischen
epiker behandelt haben, um dieselben erzählungen, welche
ihren weg auch nach England fanden, wo wir die einschlägigen
bearbeitungen als romanzen zu bezeichnen pflegen, nach den
Niederlanden nicht minder wie nach Italien, nach den ländern
slawischer zunge wie in die keltischen gebiete. Dieser teil
der nordischen litteraturgeschichte gehört also vielmehr der
geschichte der romantischen sagenkreise des mittelalters an
als jener im speciellen. Es ist nach dem eben gesagten hier
auszuscheiden erstens die Þiðreks saga, welche verschiedene
stoffe der deutschen heldensage in sich vereinigt, deren kenntnis
durch erzählung und vortrag von kaufleuten zu dem verfasser
gedrungen war; ferner die Heilagra manna sǫgur, die Postula
sǫgur und die Maríu saga, als rein geistlichen charakters; und
endlich die sogenannten lygisǫgur oder sǫgur lognar, die den
schauplatz der handlung allerdings auch mit vorliebe in süd-
europäische länder verlegen, aber nie oder höchstens in bezug
auf einzelne motive südliche quellen verwerten, und im übrigen
dem geschmack der verfasser und ihrer zeit — sie beginnen
etwa mit der zweiten hälfte des 14. jahrh. — wenig ehre
machen. Den breitesten raum nehmen in ihnen stereotyp ge-
schilderte kämpfe gewaltiger helden mit seeräubern, riesen,
drachen und sonstigen unholden ein, die durch zauberringe,
zauberschwerter und undurchdringliche panzerhemden gegen
verwundungen geschützt sind, oder durch zwerge, welchen sie
früher beigestanden haben, in ihrem vorhaben unterstützt
werden, und schliesslich die hand irgend welcher jungfräulichen
königin von Frankreich, Spanien oder Russland und damit ihr
reich gewinnen. Eine strenge scheidung zwischen diesen lygi-
sǫgur und den eigentlichen romantischen sagas ist nicht immer
leicht; manche von ihnen knüpfen direkt an übersetzungsprosen
an und geben sich den anschein, sie fortzusetzen, andere ahmen
wenigstens einzelne züge in ihnen nach.

§ 3. Um der aufgabe, ein altfranzösisches gedicht in alt-
nordische prosa zu übersetzen, genüge zu leisten, bedurfte es

vor allem eingehendster kenntnisse auf dem gebiete der fremden
sprache; und in der tat wurde im norden seit 1200 vielseitiges
sprachliches wissen als eine hervorragende forderung einer höheren
ausbildung angesehen. „Wenn du in der weisheit vollkommen
werden willst", sagt ein vater zu seinem sohne in der Konungs
skuggsjá, einem handbuche der höfischen sitte aus der ersten
hälfte des 12. jahrh., „so erlerne alle möglichen sprachen, vor
allem aber lateinisch und französisch, denn mit diesen lässt
sich am weitesten kommen. Aber freilich darfst du darüber
auch deine muttersprache nicht vergessen." Wenn aber hier,
wie aus dem wortlaute hervorgeht, nur von der praktischen
verwertbarkeit des sprachenstudiums die rede ist, so lag es
doch den gebildeten in einem lande mit einer so reichen ein-
heimischen litteratur auch nahe genug, die ausländischen
litteraturprodukte, insbesondere poetische werke, zu studieren
und in die muttersprache zu übertragen. Und dass dieses
studium ein ausserordentlich sorgfältiges und eindringliches
gewesen sein muss, wird niemand leugnen können, der die
eine oder andere von diesen übersetzungen genauer mit dem
original verglichen hat: meist ist der sinn sorgfältig wieder-
gegeben, missverständnisse finden sich nur selten; dagegen hat
die schlechte überlieferung der ausländischen texte oft genug
ungünstig auf die übertragung gewirkt. Auf welche weise
die altfranzösischen hss., welche den übersetzern vorlagen,
nach dem norden gekommen sind, wird m. w. nirgends auch
nur angedeutet; ich möchte glauben, dass vor allem gesandte,
welche in politischen missionen in das ausland geschickt wurden,
von seiten des hofes den nebenauftrag erhalten haben, hand-
schriften anzukaufen oder durch tausch zu erwerben, wenn sich
dazu gelegenheit bieten sollte. Auch pilger, die zu heiligen stätten
im auslande wallfahrteten, mögen dergleichen von ihren reisen
mitgebracht haben; endlich mögen manche mss. als geschenke
seitens vornehmer ausländer an den norwegischen hof gekommen
sein. Ebenso wenig sind wir über das schicksal der franzö-
sischen originale nach fertigstellung der übersetzung unterrichtet;
auf skandinavischen bibliotheken finden sich jetzt nur wenige
frz. hss., und die vermutung liegt nahe, dass man dieselben,
nachdem der zweck, für den man sie erworben, erfüllt war,
unbedenklich hat zu grunde gehen lassen.

§ 4. Wenden wir uns weiter zu den persönlichkeiten der
übersetzer, so erfahren wir, dass kein geringerer als der könig
Hákon Sverrisson gegen 1200 die Barlaams ok Josaphats saga
aus einer lateinischen fassung in die norwegische sprache über-
tragen hat. Damit war von höchster stelle ein beispiel ge-
geben, welches im laufe des 13. jahrhunderts vielfältige nach-
ahmung gefunden hat. Als der ausgangspunkt der übersetzungen
aus dem französischen ist etwa 1217, das jahr des regierungs-
antritts von Hákon Hákonarson (1217—63), anzusehen, welcher
für diese art litterarischer arbeit das wärmste interesse zeigte.
Auf seinen befehl hat im jahre 1226 ein mönch Robert das
frz. Tristangedicht eines Thomas übersetzt, und später, nach-
dem er zum abte aufgerückt, auch die chanson de geste von
Elie de St. Gille übertragen. Ueber die persönlichkeit dieses
mannes ist leider sonst nicht das mindeste bekannt. Ebenso
wird am schlusse der Ívents saga ausdrücklich gesagt, dass
Hákon der alte sie habe übersetzen lassen. Die übrigen zahl-
reichen romantischen sagas, die wahrscheinlich gleichfalls in
seine regierungszeit fallen, weisen dergl. vermerke wenigstens
in den uns erhaltenen hss. nicht auf, wie denn auch Robert
der einzige verfassername ist, welcher uns aus dieser zeit
entgegentritt. Ob er noch mehr geschrieben hat, als die beiden
oben erwähnten sagas, wie etwa die eben genannte Ívents
saga, oder die Mǫttuls saga, wissen wir nicht, und auch eine
— bis jetzt freilich noch nicht versuchte — inangriffnahme der
frage durch stilistische untersuchungen wird bei der typischen
darstellungsweise in diesen werken schwerlich zu gesicherten
resultaten führen. Dass dies der einzige autorname ist, der
genannt wird, kann uns nicht auffallend erscheinen, wenn wir
bedenken, dass auch fast sämtliche früher verfasste, einheimische
prosawerke anonym an die öffentlichkeit getreten waren: wie
viel mehr hier, wo es sich um die arbeit von gelehrten
geistlichen oder weltlichen standes handelt, welche vom könig
zu derselben berufen und wol aus seiner privatkasse dafür
bezahlt wurden. Auch die folgenden könige teilten dieses
interesse für die fremden litteraturen. Unter der regierung
des Eiríkr Magnússon (1280—99) fand, so wird uns im eingang
des Þáttr af frú Ólif ok Landres berichtet (Karl. s. s. 50),
Bjarni Erlingsson aus Bjarkey in Schottland, wohin ihn eine

politische sendung geführt hatte, ein ms. dieser erzählung
in englischer sprache, worunter nach Keysers vermuthung hier
vielleicht anglonormanisch zu verstehen ist, und liess sie, damit
sie den leuten verständlicher werde und sie mehr nutzen und
vergnügen davon haben möchten, ins norwegische übersetzen.
Vor allem aber ist hier Hákon Magnússon (1299—1319), zu nennen,
dessen gemahlin Eufemia eine deutsche grafentochter war. Im
eingang: der noch ungedruckten Saga af Victor ok Bláus wird von
ihm gesagt, dass er viele riddara sǫgur aus dem griechischen oder
französischen habe übersetzen lassen. Welche der uns vorliegen-
den sagas mit ausnahme des eben genannten textes in früherer zeit,
welche in des zuletztgenannten herschers regierungsperiode abge-
fasst sind, dafür fehlt wieder jeder äussere anhalt; nur soviel lässt
sich sagen, dass, wenn ein text, wie z. b. die Bevis saga, be-
sonders reich ist an stereotypen, formelhaften wendungen, seine
erste niederschrift in eine verhältnismässig späte zeit zu setzen
ist, insofern sein stil eine reiche belesenheit in der älteren
romantischen litteratur Norwegens zur voraussetzung hat. Be-
sonders wichtig für die geschichte des sagenstoffes, mit dem
wir uns hier spezieller zu beschäftigen haben werden, ist aber
die von der königin ausgehende litterarische anregung. Drei
schwedische gedichte in reimpaaren: Flores och Blanzeflor,
Herra Iwan Lejon-riddaren und Hertig Fredrik af Normandie,
deren autor resp. autoren wir nicht kennen, führen am schlusse
ihre abfassung auf den befehl dieser fürstin zurück. Auf die
frage nach den vorlagen der beiden zuerst genannten kommen wir
im verlaufe unserer erörterungen noch zurück; das dritte hat eine
jetzt verlorene mittelhochdeutsche quelle zur grundlage. Hákon
Magnússons tod bezeichnet in der hauptsache den endpunkt
der norwegischen übersetzungslitteratur.

§ 5. Handelte es sich in Norwegen, wie wir gesehen
haben, um eine ausgesprochen höfische prosadichtung, so
gewann dieselbe auf Island im laufe des 14. jahrhunderts
den rang einer allgemeinen unterhaltungslektüre. Hier tritt
vor allem éin autorname hervor, der des Jón Halldórsson, der
1322—39 bischof von Skálholt war; dieser, ein Norweger von
geburt, hatte in seiner jugend in Paris und Bologna theo-
logischen studien obgelegen, und sich nebenbei, wie es scheint,

auch lebhaft für die profane litteratur interessiert und eine
beträchtliche menge von kürzeren novellen, legenden und
märchen dem gedächtnis eingeprägt, um dieselben dann
im norden freunden und kollegen zu erzählen; gesammelt
wurden sie wol von diesen, nachdem sie dieselben aus der
erinnerung zu papier gebracht hatten. Nur in éinem grösseren
werke, der Clárus saga keisarasonar, ist Jón Halldorsson
selbst als autor aufgetreten, indem er sie aus der form eines
lateinischen gedichtes, das er in Frankreich gefunden, in
nordische prosa übertrug. Unzweifelhaft haben auch andere
direkt nach lateinischen oder französischen originalen riddara-
sǫgur verfasst, aber die entscheidung darüber, welche von
diesen spezifisch isländischen ursprungs sind, fällt darum
schwer, weil auch die in Norwegen verfassten vielfach in Is-
land abgeschrieben, umgearbeitet und verkürzt wurden. Diese
isländischen bearbeitungen haben es jedesfalls auch ver-
schuldet, dass von so sehr wenigen romantischen sagas alte
norwegische hss. existieren: der schwerpunkt des interesses
für sie war nach Island verlegt und hier verfügte man über
eigens für das volk hergerichtete versionen derselben. Natür-
lich war das mass der umarbeitung ein sehr verschiedenes;
am radikalsten ist wol der verfasser der jüngeren Tristrams
saga mit der norwegischen fassung umgegangen; aber auch
die beiden bearbeiter der Elis saga ok Rosamundu haben
ziemlich frei geschaltet, ja einzelne episoden ganz umgeformt,
und andere gewiss nicht minder, wo uns das material zur
vergleichung fehlt.

§ 6. Darauf blieb aber die reproduktive litterarische
tätigkeit der Isländer auf diesem gebiete nicht eingeschränkt.
Man machte sich daran, die meist aus dichtungen in prosa
übertragenen stoffe wiederum in poetische form zu kleiden,
und so entstand die romantische gruppe unter den isländischen
rímur, die zum tanze gesungen zu werden pflegten. In den
litteraturgeschichten von Petersen und Keyser ganz übergangen,
haben dieselben erst in den letzten jahrzehnten liebevollere
beachtung gefunden. Und doch geben die rímur oft genug
den inhalt einer saga treuer wieder als die uns erhaltenen
hss. der letzteren, ja müssen nicht selten direkt als ersatz für

eine verlorene saga gelten. Aber nicht nur in der in den
rímur gebotenen erzählung finden wir die helden romantischer
sagas wieder. Diese dichtungen bestehen nämlich aus einzelnen
abschnitten — daher die pluralform rímur —, deren jeder,
meist in einer besonderen strophenform gedichtet, durch einen
mansǫngr („mädchenlied") eingeleitet wird, dem lyrischen
elemente der ríma, in dem der dichter von sich selbst und
seiner unglücklichen liebe erzählt, freilich gewöhnlich in einer
so typischen weise, dass es bedenklich wäre, daraus schlüsse
auf wirkliche erlebnisse des autors zu ziehen; bisweilen steht
auch der inhalt des mansǫngr in engerer beziehung zu der
betreffenden ríma, etwa so, dass zwischen den helden anderer
erzählungen und den hier behandelten vergleiche angestellt
werden; gerade dabei zeigt der dichter öfters eine grosse
belesenheit in den romantischen sagas: Tristram, Ívent, Parta-
lopi, Mírmann u. a. werden hier mit vorliebe, sei es als un-
glücklich liebende oder als opfer von frauenlist genannt. Diese
rímur-poesie ist auf isländischem boden niemals ganz ins
stocken geraten, und noch in unserem jahrhundert haben
dichter, oder richtiger gesagt dichterlinge, sich in diesen
stoffen versucht. Erwähnenswert sind auch die nicht als
rímur zu bezeichnenden Kappakvæði, welche, vor 1500 ver-
fasst, 59 helden, vorwiegend romantischer sagas, verherrlichen.
Endlich bemerke ich noch, dass selbst in færöischen tanz-
liedern, die in ihrer jetzigen gestalt vielfach nicht vor mitte
des 16. jhs. entstanden und z. t. erst im letzten viertel des
vorigen jhs. aus dem volksmunde gesammelt worden sind,
diese romantischen stoffe neues leben erhalten haben. Ruf-
namen wie Tristram und Ívent sollen heute noch auf Island
wie auf den Færöer nicht zu den seltenheiten gehören — ein
beweis, wie zäh festgewurzelt auf diesen von der welt ab-
geschlossenen inseln jene alte poetische tradition fortlebt.

§ 7. Wenden wir uns nunmehr zum inhalte der roman-
tischen sagas, soweit dieselben auf französische quellen zurück-
zuführen sind, so wird es sich empfehlen, auf grund dieser
letzteren zu scheiden zwischen sagas, welche auf abenteuer-
romane in achtsilbigen, paarweise gereimten versen, und
solchen, welche auf chansons de geste, in tiradenform zurück-

gehen. Zu den ersteren gehören die bearbeitungen von werken
des Crestien de Troyes: Parcevals saga und Valvers þáttr,
welche zusammen den von Crestien selbst verfassten teil des
Perceval le vieil umfassen; Ívents saga Artúskappa, ent-
sprechend Crestiens Chevalier au lyon; endlich Erex saga
Artúskappa, eine übertragung von Erec et Enide. Weiter
nenne ich die Tristrams saga, welche den jetzt leider bis auf
einige bruchstücke verlorenen Tristan des Thomas vollständig
reproduziert und somit als ein inhaltlicher ersatz für jenen
gelten kann; die Partalopa saga, welche zusammen mit dem
bruchstück einer englischen version und einem spanischen
prosaroman auf eine vorstufe des jetzt allein erhaltenen alt-
französischen romans Partonopeus de Blois zurückweist. Dazu
sind ausser der uns hier spezieller beschäftigenden Flóres
saga ok Blankiflúr endlich noch zu rechnen Strengleikar eða
Ljóðabók, eine reproduktion der Lais der Marie de France,
sowie die übertragung eines fabliau: Le mantel mautaillé, die
den namen Mǫttuls saga führt. Unter den letzteren sind
hervorzuheben die schon früher gelegentlich erwähnte Elis
saga ok Rosamundu, die einzige übertragung des frz. epos
Elie de Saint Gille in eine fremde sprache; ferner die Fló-
vents saga Frakkakonungs, welche auf eine andere fassung des
Flóvent-stoffes zurückweist als die, welche in dem uns er-
haltenen frz. epos vorliegt; vor allem die wichtige cyklische
bearbeitung der sage von Karl dem grossen, die Karlamagnús
saga, welche aus frz. chansons de geste seines kreises sowie
aus der Pseudo-Turpin'schen Chronik geschöpft hat. Endlich
scheint die Mágus saga jarls eine compilation aus ganz ver-
schiedenen elementen zu sein; übersetzungen frz. chansons de
geste sind mit aufzeichnungen nach mündlicher überlieferung
verquickt.

·Einige andere beruhen auf lateinischen vorlagen; so
die vielleicht von dem bischof Brandr Jónsson von Hólar
verfasste Alexanders saga, welche die Alexandreis des Walter
von Chatillon zur quelle hat. Gleichfalls auf ein — jetzt
freilich verlorenes — lateinisches gedicht weist die schon oben
erwähnte Clárus saga keisarasonar zurück, auf lateinische
prosaschriften die Trójumanna saga und die Bretasǫgur; auch die
Mírmanns saga dürfte ein heute verschollenes lateinisches werk

in poesie oder prosa zur vorlage haben. Völlig unentschieden
ist vor der hand die frage nach der fremdländischen quelle
der Bærings saga, die sich ihrem stile nach gleichfalls als
übersetzung documentiert; dagegen ist die Konráðs saga keisara-
sonar wol als eine nordische originalschöpfung unter benutzung
fremder motive anzusehen. Auch bei der noch unedierten saga
Frá Hektor ok kǫppum hans hat man sicherlich nicht an eine
französische vorlage zu denken; sie charakterisiert sich als eine
erzählung, die sich vollständig in den stereotypen bahnen der
lygisǫgur bewegt. Eine nicht geringe anzahl weiterer harren
noch einer genaueren durchforschung.

§ 8. Für die beurteilung von stellung und wert jeder
einzelnen saga ist natürlich ihr verhältnis zur vorlage in erster
linie massgebend; hier fehlt es jedoch mehrfach noch an ein-
schlägigen vorarbeiten, die überdies durch den vorhin er-
örterten umstand, dass wir die meisten texte nur in mehr
oder minder stark gekürzter und sonst modifizierter form vor
uns haben, erheblich erschwert, ja in bezug auf ihre resultate
oft rein illusorisch werden. Denn es lässt sich unter solchen
umständen nicht ausmachen, ob etwa die den zusammenhang
schädigende auslassung einer wichtigen notiz oder die hinzu-
fügung eines momentes, welches mit sonstigen berichten in
der saga nicht übereinstimmt, der nachlässigkeit des saga-
schreibers oder der eines bearbeiters zuzurechnen ist. Be-
sonders zu berücksichtigen sind bei der vergleichung natürlich
abweichungen vom original und hinzufügungen, namentlich
wenn dieselben im interesse des nordischen lesers angebracht
sind oder nordischen sitten ihren ursprung verdanken.

II. Der sagenstoff von Floire et Blancheflor und seine entwickelung im skandinavischen norden.

§ 9. Die entwickelung der sage von Floire et Blanche-
flor ist in neuerer zeit zweimal monographisch behandelt
worden, von H. Herzog: Die beiden sagenkreise von Flore und
Blanscheflur (Germania XXIX, s. 137 ff.) und von Hausknecht:
Floris and Blauncheflur (Berlin 1885, s. 1 ff.). Des letzteren
darstellung ist klar und übersichtlich, die einigermassen ver-
wickelten ausführungen Herzog's sind ergebnisreicher, speziell

auch für die skandinavischen fassungen. Endlich ist hier noch
die schrift von C. Sundmacher: Die altfranzösische und mhd.
bearbeitung der sage von Flore und Blanscheflur (Göttingen
1872) zu nennen, auf die ich mich öfter zu beziehen haben
werde, trotzdem der autor die skandinavischen bearbeitungen
gänzlich unbeachtet gelassen hat. Indem ich für jede genauere
informierung auf diese untersuchungen verweise, begnüge ich
mich hier mit einer ganz kurzen allgemeinen orientierung, wie
sie zum verständnis alles folgenden unumgänglich nötig ist.

Wir können zwei hauptklassen der bearbeitungen unserer
sage unterscheiden. Zur ersten gehört, abgesehen von den
nordischen fassungen:

1. vor allem ein abenteuerroman von 2974 versen, nach
drei hss. ediert von Edélestand du Méril: Floire et Blanceflor,
Poèmes du XIII⁰ siècle etc., à Paris 1856, s. 1—124 (= frz. 1, in
meinen anmerkungen nur als frz. bezeichnet). Alle drei hss.
gehen auf eine urhs. zurück, welche schon eine hie und da
zusammengestrichene redaktion aufgewiesen haben muss; daher
kommt es, dass die auf dieser fassung beruhenden fremd-
ländischen bearbeitungen der sage nicht selten einzelne plus-
züge gemeinsam aufweisen, die sie, unabhängig von einander,
ausführlicheren frz. hss. entnommen haben. Oefters sind ferner
die lesungen der hs. B denen von A vorzuziehen.

2. Das am anfang des 13. jhs. abgefasste mittelhoch-
deutsche gedicht von Konrad Fleck: Flore und Blanscheflur,
herausgegeben von E. Sommer, Quedlinburg und Leipzig 1846
(= F); obwol vielfach wörtlich zum französischen stimmend,
ist dasselbe im ganzen als eine freie bearbeitung seiner vor-
lage anzusehen.

3. Die bruchstücke eines niederrheinischen Floyris, heraus-
gegeben von Steinmeyer, Ztschr. f. d. a. XXI, s. 307 ff. (= ndrh.).

4. Das mittelniederländische epos Floris ende Blancefloer
des Diederik van Assenede. Met inleiding en aanteekeninger
door H. E. Moltzer. Groningen 1879. Hie und da dem original
gegenüber etwas erweitert, folgt es demselben im allgemeinen
ziemlich genau (= D).

5. Die mittelenglische romanze Floris and Blaunscheflur,
herausgegeben von E. Hausknecht, Berlin 1885 (= engl.).

6. Das mittelniederdeutsche gedicht Flos unde Blankflos,

herausgegeben von St. Wätzoldt, Bremen 1880 (= nd.). Dazu kommen dann die später zu besprechenden skandinavischen fassungen.

Zum zweiten kreise gehört:

1. Eine zweite altfranzösische version; abgedruckt bei du Méril a. a. o. s. 125 ff. (= frz. 2.). Vgl. Hausknechts ausgabe des englischen gedichtes, s. 4 ff.

2. Das Cantare di Fiorio e Biancifiore, herausgegeben von Hausknecht, Archiv f. d. stud. d. neueren sprachen u. litteraturen, bd. 71, s. 1 ff.); vgl. auch Hausknecht a. a. o. s. 21 ff. (= Cant.).

3. Boccaccios Filocolo (= Bocc.).

4. Das neugriechische gedicht, Medieval Greek Texts etc., edited by W. Wagner, London 1870 (= gr.); vgl. Hausknecht a. a. o. s. 41 ff.

6. Der spanische prosaroman Flores y Blancaflor, zuerst gedruckt Alcala 1512; vgl. Hausknecht a. a. o. s. 50 ff.

In meinen noten werden von den hier aufgezählten fassungen in der hauptsache nur frz., F, D und engl. zur vergleichung herangezogen werden.

§ 10. Ueber die abfassungszeit der Flóres saga ok Blankiflúr ist aus dieser selbst etwas bestimmtes nicht zu ermitteln. Nur deutet das unten zu besprechende norwegische fragment darauf hin, dass die übertragung dieser dichtung in Norwegen vorgenommen ist, also unsern obigen erörterungen zufolge wol vor 1319. Von den anderen auf uns gekommenen hss. trägt die einzige vollständige schon ganz den charakter einer isländischen redaktion des alten textes an sich.

Der inhalt ist kurz folgender: Flóres, der sohn des königs Felix, der in Aples residiert, und Blankiflúr, die tochter einer auf einem beutezuge gefangenen christin, sind am gleichen tage geboren und mit einander aufgewachsen und unterrichtet worden. Als der könig bemerkt, dass die kinder eine tiefe zuneigung zu einander gefasst haben, will er, um seinen sohn vor einer nicht standesgemässen heirat zu bewahren, Blankiflúr töten, entschliesst sich aber auf den rat seiner gemahlin, Flóres allein zu seiner schwägerin Sibila nach Mintorie zu schicken, damit er Blankiflúr vergesse. Da aber auch dort die sehnsucht nach dem mädchen ihn verzehrt, und das schlimmste

.   b*

zu befürchten steht, willigt der könig in seine rückkehr, doch wird vorher Blankiflúr an kaufleute verhandelt, von welchen sie der admiral von Babylon erwirbt und sie in seinen jungfrauenturm in strenge bewachung gibt. Dem zurückgekehrten Flóres wird gesagt, sie sei gestorben, und ihm auch ihr grabmal gezeigt. Als ihn jedoch sein kummer zu einem selbstmordversuche treibt, erringt die königin von ihrem gemahl die erlaubnis, ihrem sohne die wahrheit zu entdecken, und dieser beschliesst nun sofort, nach Blankiflúr zu suchen, bis er sie sich zurückgewonnen habe. Mit kostbaren waaren und gefolge reich ausgestattet, und von seiner mutter mit einem wunderkräftigen ringe beschenkt, reist er als kaufmann über Beludátor (= Bagdad) nach Babylon, wohin die durch die wirte in den verschiedenen herbergen erhaltenen winke ihn führen. Hier wird er von dem brückenpächter Daires, an den ihn ein fährmann empfohlen hatte, über die verhältnisse in Babylon im allgemeinen und über den jungfrauenturm und die gepflogenheiten des admirals im besonderen unterrichtet, der jedes jahr seine gemahlin wechselt und die absicht hegt, für das nächste Blankiflúr zu wählen. Nachdem alles abmahnen von Daires' seite sich als fruchtlos erwiesen hat, gibt ihm dieser den rat, den sehr bösartigen türwächter des turmes wiederholt beim schachspiel gewinnen zu lassen und ihn schliesslich durch das geschenk eines kostbaren bechers, den die kaufleute ausser anderen wertgegenständen für Blankiflúr gegeben hatten, sich vollständig ergeben zu machen. Der plan glückt, Flóres wird in einem korbe, unter blumen versteckt, in den turm getragen, gerät jedoch zunächst versehentlich in das gemach von Blankiflúrs freundin Elóris, die nun die vertraute der liebenden wird. Als aber der admiral eines morgens Flóres auf Blankiflúrs lager in zärtlichster umarmung mit ihr überrascht, will er ihn sofort töten, lässt sich indessen bereden, die entscheidung über sein schicksal den grossen seines reiches, die sich demnächst in Babylon versammeln werden, zu überlassen. Nachdem diese verschiedene vorschläge gemacht haben, wird Flóres' anerbieten, für Blankiflúr und den türhüter einen zweikampf zu bestehen, angenommen: wird er überwunden, so soll er erschlagen werden, Blankiflúr und der türhüter aber den feuertod sterben; trägt er den sieg davon, so wird

Blankiflúr die seine, dem türhüter wird das leben geschenkt, und Flóres sollen vom könig alle kosten ersetzt werden, die er bei der reise aufgewendet hatte. Flóres besiegt nach hartem kampfe, in welchem der von seiner mutter ihm mit-gegebene ring ihn vor verwundungen schützt, den ihm gegen-über gestellten ritter. Er lehnt das vom könige ihm gebotene gold ab, sorgt aber dafür, dass alle diejenigen, welche sich ihm freundlich erwiesen haben, reiche belohnung erhalten. Nach einjährigem aufenthalte in Babylon kehrt das paar in die heimat zurück, wo inzwischen Flóres' eltern gestorben sind, und Flóres wird zum nachfolger seines vaters gewählt. Er vermählt sich mit Blankiflúr und sie beschenkt ihn im laufe der nächsten jahre mit drei söhnen. Da die königin den wunsch ausspricht, das stammland ihrer familie zu sehen, so reist Flóres mit ihr und zahlreichem gefolge zunächst zu schiffe nach Rom, dann weiter zu pferde nach Frankreich, wo sie ihre verwandten begrüssen. Hier stellt Blankiflúr ihrem gemahl die alternative, entweder seinerseits sich zum christen-tum zu bekehren oder sie zu verlieren, da sie für diesen fall gelobt habe, ins kloster zu gehen. Flóres wählt die erstere auskunft, das fürstliche paar lässt sich und sein gefolge taufen, und ebenso stellt Flóres nach seiner rückkehr seinen unter-tanen die wahl, das christentum anzunehmen oder den tod zu erleiden. Im alter von 70 jahren teilen sie das reich unter ihre söhne und ziehen sich aus dem weltleben zurück, er in ein mönchskloster, sie in ein nonnenkloster, um dort den rest ihres lebens in frommen übungen zuzubringen.

§ 11. Ich sehe hier ganz von der frage ab, ob dieser sage wirklich byzantinischer ursprung zuzuerkennen ist, wie zuerst du Méril und nach ihm die meisten anderen litterar-historiker angenommen haben, oder ob dieselbe in Südfrank-reich oder Spanien entstanden ist, wie Joh. Wehrle in der ziemlich unbeachtet gebliebenen einleitung zu seiner übersetzung von Flecks gedicht (Blume und Weissblume, eine dichtung des dreizehnten jahrhunderts, Freiburg 1856, s. XXIII ff.) nicht ohne geschick zu erweisen gesucht hat, und wende mich gleich der spezielleren frage nach der quelle der nordischen saga zu. Es unterliegt keinem zweifel, dass bis zu c. 22, 9 frz. 1 als die einzige

quelle der saga anzusehen ist, der sie mit ziemlicher genauigkeit
folgt. Im einzelnen hat der übersetzer oft gekürzt, aber kaum
ein wesentliches moment der erzählung übergangen; mancherlei
kürzungen fallen überdies der unheilvollen tätigkeit des is-
ländischen bearbeiters zur last. Von weglassung grösserer
stücke sind nur zu nennen frz. v. 517—538, ein gespräch des
königs mit seiner gemahlin, v. 541—648, die beschreibung von
Blankiflúrs grabmal, v. 653—662, das verbot des königs, Flóres
von dem schicksal des mädchens mitteilung zu machen, v. 1119
bis 1132, eine scene aus einem gastmahl. An auslassungen
im einzelnen fehlt es auch sonst nicht. Eigene zutaten sind
selten; ebenso selten sind änderungen; unter ihnen ist be-
merkenswert die abweichende schilderung der wasserleitung
im jungfrauenturme, die allerdings wol nur einer falschen les-
art im frz. texte ihren ursprung dankt (vgl. die anm. zu
c. 6, 8 ff.); bemerkenswert ist auch die mehrmalige bezeichnung
von kostbaren zeugen als „wendisch", wo im original andere
ursprungsländer genannt sind (vgl. zu c. 7, 3 und c. 10, 10);
hier macht sich das interesse des Norwegers für die handels-
verbindungen seiner heimat geltend.

Abweichend gestaltet sich der schluss. Den übrigen ver-
tretern der ersten gruppe zufolge werden die kinder zum
feuertode verurteilt. Jedes will dem anderen, um es zu
retten, den ring aufdrängen; Bl. lässt ihn fallen und ein herzog,
der ihr gespräch erlauscht hat, hebt ihn auf und berichtet
dem admiral von dem selbstlosen streite der liebenden. Dieser
erneuert sich, als der admiral, der von der scheiterhaufen-
strafe abgesehen hatte, sie mit dem schwerte töten will, das
schliesslich seiner hand entfällt. Endlich gewährt er, durch die
besänftigenden worte eines bischofs bestimmt, ihnen verzeihung;
und Fl. erzählt nun alle seine schicksale und bittet den ad-
miral, ihm Bl. zu überlassen. Dieser schlägt Fl. zum ritter
und vermählt ihn mit Bl., während er seinerseits Claris zur
gemahlin nimmt. Als Fl. vernimmt, dass sein vater gestorben
ist und man ihn zu dessen nachfolger zu machen wünscht,
lässt er sich nicht länger in Babylon halten, sondern kehrt
in die heimat zurück. Als sie hier angelangt sind, nimmt
Fl. seiner gemahlin zu liebe das christentum an und fordert
seine untertanen gleichfalls dazu auf.

Dass diese entwickelung der erzählung dem ganzen charakter des stoffes besser entspricht als die in der saga gebotene, wo aus dem zarten, frauenhaft geschilderten Flóres auf einmal ein gewaltiger recke wird, der dem besten ritter am hofe den sieg abgewinnt, liegt auf der hand, und die frage ist nur, ob diese letztere darstellung dem nordischen übersetzer zuzuschreiben oder schon in dessen vorlage vorauszusetzen ist. Storm in seiner gleich zu nennenden abhandlung s. 35 vertritt die erstere ansicht, Herzog a. a. o. s. 206 ist der umgekehrten meinung, dass bereits in der frz. vorlage der schluss der erzählung sich ebenso entwickelt habe; in der tat weist er nach, einmal, dass in frz. 2 sich an dieser stelle ein ähnlich verlaufender zweikampf findet, und ausserdem, dass der hierauf folgende rest des romans dem in Boccaccios Filocolo sehr ähnlich ist, der auch sonst viele berührungen mit frz. 1 zeigt.

§ 12.   Von der königin Eufemia sprachen wir oben.   Unter den drei dichtungen, deren abfassung sie veranlasste, interessiert uns hier nur Flores och Blanzeflor, ediert von G. E. Klemming, Stockholm 1844.   Am schlusse dieser fassung heisst es so, v. 2102 ff.:

> Nu hafuer thenne saghan ænda;
> Gudh os sina nadher sændæ!
> Then them loot vænda til rima,
> Eufemia drötning ij then sama tima,
> Litith för æn hon do,
> Gudh gifui henna siæll nadher ok ro,
> Swa ok them ther hænne giordhe
> Ok allom them ther bokena hördhe!

Da Eufemia 1312 starb, so muss diese version des stoffes etwa 1311 entstanden sein.   Ueber die weiteren, sich an dieselbe knüpfenden fragen ist viel hin und her gestritten worden (vgl. namentlich meine erörterungen über die quelle von Herr Ivan Lejon-riddaren in: Riddarasǫgur, Strassburg und London 1872, s. XII ff., G. Storm, Om Eufemiaviserne, Nordisk tidskrift for filologi og pædagogik, n. r. I, 1874, s. 22 ff., K. R. Geete, Studier rörande Sveriges romantiska medeltidsdiktning. I. Eufemia-visorna, Upsala 1875; O. Klockhoff, Studier öfver Eufemiavisorua, Upsala 1880; endlich H. Herzog a. a. o. pass.).   Es

dürfte jetzt als feststehend gelten, dass Fl. och Bl. ebenso wie
Herra Ivan nur auf grund der entsprechenden norwegischen
prosasagas in ihrer ursprünglichen form direkt in schwedischer
sprache abgefasst worden sind, zu einer zeit, als die schon
einmal aufgehobene verlobung des schwedischen herzogs Erich
mit Eufemias tochter Ingeborg wieder hergestellt war; über
den verfasser ist nichts bekannt. Insofern nun die visor sich
auf ältere und vollständigere hss. der sagas gründen, als in
denen sie uns jetzt vorliegen — der dichter der Flóres saga
hat ein, der urhs. der N-klasse nahestehendes ms. vor sich ge-
habt — können sie mit nutzen für die inhaltliche wieder-
herstellung des ursprünglichen textes verwendet werden.

Die schwedischen visor wurden weiter im letzten viertel
des 15. jhs. in dänische sprache umgesetzt; die dänische fassung
unseres gedichtes wurde nach einer hs. und einem alten druck
herausgegeben von C. J. Brandt, Romantisk digtning fra middel-
alderen, I., Køb. 1869, s. 285—356, und II., Køb. 1870, s. 289
bis 348. Da der übertragung eine gute schwedische hs. zu
grunde lag, so ist hie und da auch sie für die kritik der
saga von interesse.

Dass der anmutige sagenstoff von der liebe der beiden
kinder keinen isländischen dichter des 14. oder 15. jhs. zur
abfassung von Flóres rímur ok Blankiflúr veranlasst hat, ist
auffallend genug; nur einmal findet ihre geschichte erwähnung
in dem mansǫngr zur VII. Geirarðs ríma, str. 10 f.:

> Harma bann at Flóres fann
> Í frægðum trúr,
> Lék um hann, því brjóstit brann
> Fyrir Blankinflúr.
>   Sǫgð var dauð frá sínum auð
> En svinna meyja;
> Harmrinn bauð fyrir hjartans nauð
> Hilmi at þreyja.

Dagegen behandeln die Reinalds rímur, die ich in meinen
Beiträgen usw. s. 223 ff. kurz analysiert habe (vgl. auch Herzog
a. a. o. s. 152), einen namentlich in bezug auf den ersten teil
sehr ähnlichen stoff; sie dürften auf eine verschollene saga
zurückzuführen sein, die ihrerseits aus einem jetzt verlorenen
frz. abenteuerroman geschöpft hatte.

Es ist ferner von interesse, dass eine der lygisǫgur, Sagan af Sigurði þǫgula (Útgefandi: Einar Þórðarson, Reykjavík 1883) die heldin der erzählung aus der ehe zwischen Flóres und Blankiflúr entsprungen sein lässt. Es heisst da in cap. II (s. 5): Þenna tíma réð fyrir Frakklandi sá konungr, er Flóres hét. Þessi konungr hafði verit enn frægasti ok enn ágætasti, er í Frakklandi hefir ríkt. Hann var kynjaðr utan af Púli í fǫðurætt, en móðurkyn hans var allt komit frá Frakka-konunga hǫfðingjum. Faðir hans var Felix konungr af borg þeiri, er Aples hét. Hans dróttning hét Blantzeflúr, er vænni var hverri konu. Hon hafði verit flutt út í Babilón, ok þannig hafði Flóres konungr sótt hana með miklum ævintýrum, sem segir í sǫgu hans. Þau áttu eptir eina dóttur, er Sedentiana hét . . . ok varð hon eigi manni gefin, meðan faðir hennar ok móðir áttu fyrir at sjá. Nú var sá tími kominn, er konungrinn ok dróttningin vildu skiljaz frá ǫllu válki veraldarinnar ok þjóna sérliga guði, eptir því sem þau hǫfðu heitit, þá er þau hǫfðu verit í sinni harðri þvingan ok þrautum í Babilón; ok þóat Blantzeflúr fœddi þessa meyju með heiðnum þjóðum, þá hafði hon þó kennt henni kristilega trú leyniliga. Ok sem þau kómu aptr or Kaldealandi, or enni miklu Babilón, téði Blantzeflúr sínum unnusta Flóres margar rǫksemðir kristiligrar trúar, ok fyrir hennar áeggjan fór konungrinn Flóres út yfir hafit til Jórsala, ok varð víss sanninda um ǫll þau tákn, er várr herra Jesús Kristr gerði hér í heimi, ok eptir þat fór hann aptr ok tók heilaga trú, ok var þá fœdd Sedentiana, dóttir þeira. En áðr en konungr skilðiz við sitt ríki, fekk hann til eignar ok forræðis dóttur sinni bæði lǫnd ǫll ok lausafé, borgir ok kastala, með skǫttum ok skyldum, ok lét alla lands hǫfðingja sverja henni trúnaðareið, svá sem hon væri einvalds-konungr yfir ǫllu landinu . . . Eptir þetta allt fyllt ok framkvæmt skilz konungr við sína dóttur Sedentianam ok allt fólk ok leitaði sér leyniligra staða; en Sedentiana settiz í sína borg, ok snýz nú til hennar ǫll ríkisstjórn.

Es ergiebt sich aus diesem passus, dass der verfasser des vorliegenden nordischen abenteuerromans mit den tatsachen der Flóres saga ok Blankiflúr im allgemeinen wol vertraut ist. Freilich ist dort von drei söhnen des königspaares, hier nur von einer tochter die rede, denn dass nach den anderen fassungen des

ersten kreises Bertha, die mutter Karls des grossen, der ehe
von Flóres und Blankiflúr entsprosst, kommt in diesem zu-
sammenhange nicht in betracht. Auch von einer wallfahrt
nach Jerusalem seitens des Flóres weiss die saga nichts.

Schliesslich bemerke ich noch, dass ein moderner is-
ländischer dichter, Niels Jónsson, Rímur af Flóres ok Blanze-
flúr geschrieben hat, welche Akureyri 1858 im druck er-
schienen sind.

III. Die handschriften der saga.

§ 13. Von der Flóres saga ok Blankiflúr ist nur éine
vollständige pergamenthandschrift auf uns gekommen, A. M.
no. 489, 4⁰, jetzt no. 1261 (vgl. Kat. over den Arnamagnæanske
håndskriftsamling, förste bind, Køb. 1889, s. 662), wo sie auf
fol. 27b—36a enthalten ist = M. Leider repräsentiert die-
selbe eine vielfach gekürzte und abgeänderte redaktion des
textes; ganz gestrichen ist hier z. b. die beschreibung der
farbe und ausstattung des pferdes, welches könig Felix seinem
sohne auf die reise mitgiebt, in c. 10, 9 ff. Eine wertlose
kopie dieser hs. enthält die papierhs. 32 in Rasks sammlung
in Kopenhagen.

Von einer zweiten pergamenths., welche den ursprünglichen
text viel treuer und vollständiger gewahrt hat, sind in ms.
A. M. no. 575a, 4⁰, jetzt no. 1430, fol. 9a—16b (= N) nur drei
längere fragmente erhalten, s. 1, 1 — s. 23, 5, s. 26, 7 — s. 34, 12,
s. 41, 14 — s. 50, 14. Das ist folgendermassen zu erklären.
Die drei ersten folios bilden den zweiten teil einer lage von
acht blättern; das letzte derselben (fol. 12) ist auf der rück-
seite stark abgerieben. Von der folgenden lage, welche jetzt
nur vier blatt enthält, fehlen die beiden äusseren sowie die
beiden innersten blätter. Ueberdies sind eine anzahl blätter
stark eingerissen und die risse in neuerer zeit mit fliesspapier
verklebt worden, das nun natürlich auch manchen an sich
noch lesbaren buchstaben zugedeckt hat. Von der freundlichst
erteilten erlaubnis, in solchen fällen das papier behutsam zu
entfernen, habe ich überall da, wo es nötig erschien, gebrauch
gemacht.

Ein blatt in altnorwegischer sprache, enthaltend s. 54, 2—

s. 58, 1 meiner ausgabe der saga, im „Norske rigsarchiv" (= R), wurde zuerst erwähnt von P. A. Munch, in Norsk tidsskrift for videnskab og literatur, Christiania 1847, s. 38, der dasselbe in das 14. jhs. setzt. Veröffentlicht wurde das fragment erst von Gustav Storm in Nord. tidskr. for filol., n. r. I (1874) s. 24—28. Es enthält den text nicht nur in einer sprachlich alten, sondern auch inhaltlich sehr vollständigen form. Leider fehlt ein viertel des betr. blattes und mit ihm eine grössere anzahl von wortgruppen.

Diese drei hss. sind von einander durchaus unabhängig. Dass M nicht eine kopie von R ist, ergiebt sich daraus, dass ersteres ms. an drei stellen eine vollständigere lesung bietet. Ebenso wird auch N hie und da durch M ergänzt oder verbessert, woraus erhellt, dass letzteres auch jener hs. gegenüber eine selbständige stellung einnimmt.[1])

IV. Ausgaben.

Von unserer saga war bisher nur éine ausgabe erschienen, in den Annaler for nord. oldk. og hist. 1850, s. 3 ff., besorgt von dem Isländer Brynjólfr Snorrason. Hier ist zunächst M vollständig abgedruckt, s. 6—66, mit beigefügter dänischer übersetzung. Darauf folgen die bruchstücke von N, s. 68—84. Den schluss bilden die „Anmærkninger", welche das enthalten, was wir in das litterarhistorische capitel der einleitung verweisen würden; dieser abschnitt der publikation ist nach Brynjólfr Snorrasons frühem tode von Gísli Brynjúlfson abgefasst worden. Die resultate einer genauen nachkollation der texte habe ich im Archiv f. d. stud. d. n. spr., band 93, s. 117—122 mitgeteilt; es ergibt sich, dass Brynjólfr Snorrason wol im allgemeinen nicht unsorgfältig gearbeitet hat, dass aber doch an einer ganzen anzahl von stellen versehen, z. t. auffälliger art untergelaufen sind.

In der hier gebotenen neuen ausgabe habe ich es für richtig gehalten, zunächst den besten und vollständigsten text vorzuführen, welcher sich mit dem auf uns gekommenen handschriftenmaterial gewinnen liess. Die hs. N wurde für alle

---

[1]) Eine eingehende erörterung des verhältnisses der drei hss. zum frz. original gedenke ich demnächst in einer fachzeitschrift vorzulegen.

die teile der saga zu grunde gelegt, welche in den drei frag-
menten erhalten sind; von dem schlusse des letzten derselben
ist nur durch ein kurzes stück getrennt das alte fragment R,
welches nun ebenfalls in den haupttext aufgenommen wurde.
Die lücken zwischen den vier bruchstücken, sowie der ganze
schlussteil der saga von dem ende von R ab, mussten durch
die minderwertige hs. M ausgefüllt werden. Endlich aber erschien
es, da N und M, wie schon bemerkt, von einander unabhängig
sind, insofern letztere hs. trotz ihres inferioren wertes im all-
gemeinen doch an verschiedenen stellen ausführlichere oder
bessere lesungen enthält wie N — Herzog a. a. o. s. 171 glaubt,
freilich irrtümlicher weise, sogar, M stehe der urform der saga
näher wie N — dringend wünschenswert, besonders für die
zwecke des litterarhistorikers, abweichend von dem sonstigen
prinzipe dieser sammlung, auch die für den haupttext nicht ver-
werteten stücke von M mitzuteilen, statt den interessenten auf
den schwer zugänglichen abdruck in den Annaler zu verweisen.
Dieselben sind also anhangsweise in petitdruck beigefügt mit
sperrung derjenigen worte und sätze, welche, dem ergebnis
der untersuchung zufolge, den wortlaut des ursprünglichen
sagatextes repräsentieren. Dieselben in den haupttext ein-
zufügen, wäre zwar wol an den meisten stellen angängig ge-
wesen, an manchen jedoch infolge der verschiedenheit der satz-
konstruktion wieder nicht, so dass konsequenz in der behandlung
der betreffenden stellen sich nur auf diesem wege erreichen
liess. Da bei dieser sammlung die beigabe von textkritischem
apparat grundsätzlich ausgeschlossen ist, so muss ich die unter
meinen lesern, welche sich über korrekturen, verschreibungen
einzelner buchstaben oder ausfall derselben infolge von ver-
letzungen im pergamente unterrichten wollen, auf Snorrason's
noten sowie auf meine oben erwähnte abhandlung im Archiv
verweisen. In der hier beigefügten anmerkung[1]) verzeichne

---

[1]) s. 2, 7 vér] verloren. s. 3, 1 upp á] verloren. s. 5, 8 sinni móður]
nur dur erhalten. s. 8, 9 skóla] þess skóla N. s. 9, 8 vissi] ergänzt. 10 at]
ergänzt von Sn. s. 12, 9 sakir] sakir er(?) N. s. 13, 1 þó] þa N. 16
hennar] ergänzt von Sn. s. 16, 1 Malter] liesse sich auch Maltus lesen.
4 fór] ergänzt von Sn. 6 eigi ergänzt. 13 fýstiz] fysist N. s. 18, 4 fyrir]
⤬ N. s. 19, 3 hann gaf] seldu N. s. 20, 1 Babilón] keisari fügt N hinzu.
hana] ergänzt. 6 steinþró] ergänzt von Sn. 12 hennar] sinnar N. s. 21,

ich nur die stellen, wo ganze worte oder wortreihen ergänzt resp. gestrichen worden sind, wo es nötig erschien, mit beigefügter motivierung. Die anmerkungen endlich enthalten nicht

---

12 *hon*] *hann* N. s. 22, 17 *getinn maðr*] sehr erloschen in N. s. 23, 2 *lofs*] unsicher. *verð ok*] unlesbar. 3 *sá — elskaði þik*] unlesbar. 10 *er*] ergänzt von Sn. 12 *En*] verloren. *senniliga*] so Sn.; *seinliga* M. 13 f. *hindrat hann*] ergänzt. 17 *min*(2)] ergänzt von Sn. s. 24, 6 *átt*] ergänzt von Sn. 16 *má*] ergänzt von Sn. s. 25, 4 *Huggaztu*] *hyggattu* oder *hygnattu* M. s. 27, 17 *hann*] *hon* N. s. 28, 17 *látir*] *latit later* N. s. 30, 4 *virt*] *vert* N. *helzt*] *heldr* zu lesen? s. 31, 10 *var*] verloren. s. 33, 14 *ek*(2)] verloren. s. 35, 6 *var*] ergänzt von Sn. s. 36, 3 *þá*] *þo* M. 6 f. *drakk*. *Þá*] bis auf *d* verloren. 8 *vegna*] verloren. 13 *á*] verloren. s. 37, 3 *Þigg þú*] verloren. 7 *þeir*(1)] verloren. s. 38, 5 *svá*] ergänzt von Sn. 6 *farhirðir*] so Sn.; *flarhirder* M. s. 39, 1 *Farhirðir*] so Sn.; *flarhirder* M. 7 *farhirðinum*] so Sn.; *fehirdinum* M. 8 *farhirði*] so Sn.; *fehirdi* M. 11 *Farhirðir*] so Sn.; *fehirder* M. 15 *Vit erum helmingar*] nur *ar* erhalten. 16 *er*(2)] ergänzt. s. 40, 1 *fingrgull*] *fingr* verloren. 4 *fundu þann er*] verloren. 10 *ríkr*] verloren. 13 *þar*] verloren. 14 f. *Ek em einn*] verloren. s. 41, 2 *erindi*] verloren. 4 *varr*] verloren. 9 *hér*] verloren. *at*] *er* M. s. 42, 16 *œttingi*] *œ* N. s. 45, 9 *VI*] schwerlich *III* zu lesen. s. 47, 2 *nóttina*] verloren. *maðr*] *mann* N. s. 48, 2 *enu*] *hina* N. s. 49, 11 *þeir*] so Sn.; *þêr* N. 14 *býðr*] liesse sich auch *býði* lesen. s. 50, 1 *vald*] verloren. 2 *IIII*] könnte vielleicht auch *VII* gelesen werden. s. 54, 2 *þvíat hann*] ergänzt. Die folgenden ergänzungen zu R stammen meist von Unger her; zuweilen jedoch weiche ich von ihm ab; für die motivierung bin ich stets allein verantwortlich. 2 f. *þér — en* ergänzt; vgl. M: *með þér C merkr brends silfrs ok legg við, en*; schw. v. 1178 f.: *Thu haff een œrlik posa full, Ther ij hundradha öra gull*, und frz. v. 1875 f.: *Et vous, en vostre mance avez Cent onces d'or, qu'a li metrez*. 4 f. *fe*]*nu — e*[*f* ergänzt; vgl. M.: *fénu máttu blekkja hann, ef svá er, sem ek œtla. Ok ef*, und frz. v. 1879 f.: *Car a engien, si com j'espoir, Le decevrez par vostre avoir*. 6 *aptr*—*bar*[*t* ergänzt; vgl. M: *aptr ok þat með, er þu hafðir*, und frz. v. 1881 f.: *tout li rendez Et vos cent onces li donez*; schw. v. 1185 umgekehrt: *Thit eghith ok thz han bœr til*. 7 f. *hann — þakka* ergänzt; vgl. schw. v. 1187: *Tha vndra han thz sannelik*; M: *en hann mun mjọk þakka*, und frz. B v. 1883 f.: *Et il moult s'esmerveillera Et du don graces vos rendra*. 8 f. *þik — eptir* ergänzt; vgl. schw. v. 1188: *Ok bidher thik thiit ater ga*, und frz. B v. 1883²ff.: *Au departir vos proiera . . . Et l'endemain la repairiez*. 10 *tak — ef þu* ergänzt; vgl. frz. 1887 ff.: *Au ju a double porterez. Si gaaigniez*; schw. C v. 1191 etwas anders: *Annat slikt gwl thu medh thik bœr*. 11 f. *þvi — Ok* ergänzt; frz. v. 1890 dürfte in der dem sagaschreiber vorliegenden hs. diesen inhalt geboten haben. 13 *þik — v*[*ill* ergänzt; vgl. schw. v. 1195 f.: *Bidher thik ater koma ther. Tha sigh at thu thz gerna vil*, und frz. v. 1892 f.: *Del revenir vous proiera. Vous li direz*. 14 f. *þu góðr—m*[*ik* ergänzt; vgl. M: *þu góðr maðr, en mik skortir hvárki gull né silfr*; s. auch schw. v. 1196 f. und frz. v. 1693—5.

nur alles, was inhaltlich und sprachlich der erläuterung bedürftig ist und führen alle die worte auf, welche in dem Altnordischen glossar von Möbius fehlen, sondern heben auch stellen hervor, wo

---

15 f. *því—mik[la* ergänzt; vgl. M: *þviat þú hefir við mik kurteisliga gǫrt*, und frz. v. 1897: *Car vous m'avez bien accuelli.* 17 *haf—t[aflsins* ergänzt; vgl. M: *haf með þér C merkr gulls til tafls;* schw. v. 1202 abweichend: *Tha skal thu siœxtighi mark til bœra;* frz. v. 1899 wieder anders: *Quatre onces d'or.* 18 f. *þú—b[œði* ergänzt; vgl. M: *ef þu vinnr enn, þá gef honum* = schw. v. 1204: *Kan thu vinna œn tafflith tha* = frz. v. 1902: *S'il vous avient a gaaignier.* 19 f. *þú—leggja* ergänzt; vgl. M: *þá mun hann biðja þik, at þú leggir við kerit,* und frz. v. 1905: *Dont volra que por li juëz.* 21 *e]igi — lei[ka* ergänzt; vgl M: *en þú seg, at þér leiðiz at tefla,* und frz. v. 1907: *Et vous ne volrez mais juër.* 22 *náttverð]ar—m[un* ergänzt; vgl. M: *en þú þigg, þviat hann mun;* s. auch schw. v. 1207 ff. 24 *ok—sœ[m[a* ergänzt; vgl. frz. v. 1911: *Honorra vous.* s. 55, 10 *Flóres]* *Floires* R, und so stets. s. 56, 3 f. *Flór]es—ge[ra* ergänzt nach M. 4 f. *he]im—hann* ergänzt; vgl. M: *heim. Ok er dyrvǫrðr heyrði.* 6 *góðf.— gǫfugs]* unsicher ergänzt; vgl. frz. v. 1948: *Et cil le vit tant bel et gent.* 8 f. *at—vil[da* ergänzt; vgl. schw. v. 1251: *Vil thu skaktafuil leka?* 10 *Hversu — sagði* ergänzt nach M. 11 f. *Fló]res — vinnr* dem zusammenhange nach ziemlich sicher ergänzt; M, schw. und frz. vac.; doch vgl. D v. 2697: *Doe loefden siit bede gemene.* 13 *reis]ti—hvárr* wol sicher ergänzt. 14 f. *En—durv.* ergänzt; vgl. M: *gaf honum aptr.* 15 f. *ha]nn—þak[kaði* ergänzt nach frz. v. 1955: *moult s'en merveilla, Et por le don l'en-mercia.* 17 *kom]a—eptir* ergänzt; vgl. M: *koma til sin á morgin.* 18 *sk]undar í brott* ergänzt 19 f. *gul]ls—fram* ergänzt; vgl. frz. v. 1961: *Et cil en i remist deus cens.* 20 f. *Flóres—be[ggia* ergänzt; vgl. frz. B v. 1962: *Flore du gaaignier n'est lens,* M: *at Flóres gaf honum aptr.* 22 *geysigl. ok orðl.* ergänzt; vgl. D v. 2718 ff.: *doe was die man So blide, dat hi in diere stonde Een wort gespreken niet ne conde;* dafür, dass auch nach der saga der thürhüter als sprachlos geschildert werden soll, spricht *ok siðfremi* (s. Germ. XX, s. 228). s. 57, 1 *k]vað—er* unsichere ergänzung. 2 *hann— morgun[inn* ergänzt; vgl. die note zu 1—4. 3 *enn] þui* R. 10 *hann* (2) fehlt in R. 14 *hugr] hugar* R. 15 *sé]r — vildi* ergänzt. 23 *var] ok al* fügt R hinzu. s. 58, 1 *Siðan] tók hann við kerinu ok* fügt M hinzu. *hann]* ergänzt. s. 59, 9 *handar* (1)] *handan* M. s. 60, 7 *annarri]* so Sn.; *annat* (?) M. 8 *veggrinn] vegrinn* M. s. 61, 6 *Elóris] Elores* u. s. ö. s. 64, 6 *ek fyrir hana]* ergänzt. s. 70, 1 *er]* ergänzt von Sn. s. 71, 7 *variz]* ergänzt von Sn. s. 72, 12 *komt þú] þu komt* M. 16 *vita]* ergänzt von Sn. s. 73, 6 *farhirðinum] fehirdinum* M. s. 74, 20 *Far- hirðinum] flarhirdinum* M. s. 75, 2 *er]* ergänzt. 12 *konungs rikis]* ergänzt. s. 76, 15 *þau] þa* M. 20 *þeir]* ergänzt von Sn. s. 79, 10 *tǫlðu] tauludu* M. 15 *þau] þa* M. 47 *þa er]* ergänzt von Sn. s. 80, 2 *sé] er se* M. 27 *at]* verloren. 31 *Með slikum]* nur *um* erhalten. 41 *Herra]* verloren. s. 81, 7 *ok á]* verloren. 15 *fugl]* sehr unsicher; *dreki?* 16

das aus einer älteren, verlorenen sagahs. geflossene altschwedische
gedicht züge bietet, welche durch vergleichung mit dem frz.
original oder den anderen bearbeitungen sich als auch dem
ältesten sagatexte angehörig erweisen, der auf diese art,
soweit möglich, inhaltlich rekonstruiert wird. Dass nach dieser
methode auch bei einer neuausgabe des französischen gedichtes
verfahren werden sollte, habe ich schon Germ. XX, s. 228 an-
gedeutet. Ferner habe ich die stellen namhaft gemacht, wo
eine lesung der saga sich nicht an die frz. hs. A, sondern an
B anschliesst. Endlich habe ich einer besprechung der realien
eine besondere aufmerksamkeit gewidmet. Wenn nach alledem
die noten zu dieser saga ein etwas anderes gepräge tragen,
als die zu den bereits in dieser sammlung veröffentlichten
Íslendinga sǫgur, so liegt darin nicht sowol eine tadelnswerte
inkonsequenz, als vielmehr eine billige rücksichtnahme auf die
bedeutung dieser romantischen sagas für die vergleichende
litteraturgeschichte des mittelalters, wie ich sie Beitr. XIX,
s. 3 ff. zu charakterisieren versucht habe.

Jedesfalls aber bin ich herrn prof. Gering dafür zu grossem
danke verpflichtet, dass er nicht nur in bezug auf die ein-
richtung meiner ausgabe unter berücksichtigung dieser gesichts-
punkte mir so vollständige freiheit gelassen, sondern auch
durch mitteilung seiner ansichten über einzelne schwierige
stellen sowie durch sonstige zutaten mein ms. verbessert und
mich bei der lesung der korrektur unterstützt hat.

Auch zwei skandinavische gelehrte haben sich um das
kleine buch verdient gemacht. Herr docent dr. Finnur Jónsson

---

gǫrt i] verloren.   19 *ok*] verloren.   20 *þeir*(2)] verloren.   21 *stundu*]
verloren.   22 *jungfrú*] nur *i* erhalten.   25 *hana, svá*] verloren.   26 *Hér*]
verloren.   27 *eptir*] verloren.   30 *hvar*] verloren.   46 *væri*] ergänzt
von Sn.   s. 82, 11 *af*] verloren.   13 *hann*(2)] ergänzt von Sn.   35
hestrinn] *hestinn* M.   38 *vatn ok sd*] verloren.   39 *hefir*] *er hefir* M.
44 *kómu þar*] ergänzt von Sn.   *þeir*(2)] ergänzt von Sn.   45 *kvǫðuz*]
nur *k* erhalten.   s. 83, 1 *buðu*] verloren.   2 *silfrkerum*] *kerum* verloren.
3 *fór*] verloren.   4 *hvárki*] verloren.   7 *hon*(1)] ergänzt.   23 *nǫkkurr*] *nockut*
M.   38 *Blankiflúr muni elska*] nur reste der lettern erhalten.   40 *Ok*] ver-
loren.   42 *at þessi*] verloren.   s. 84, 1 *sakir*] verloren.   *vil*] ergänzt von
Sn.   2 *til þess at*] verloren.   4 *en ek*] verloren.   5 *veit*] verloren.   8 *hvárki*
granda] nur *h* und *da* erhalten.   13 *ok*(1)] verloren.   16 *hann*] verloren.
32 *friðust*] *friduzta* M.   s. 85, 33 *gulls*] *gull* M.

in Kopenhagen hatte die güte, eine sehr schwer lesbare stelle
in N, s. 22, 17 — s. 23, 4, nochmals nachzuprüfen und mir seine
lesung mitzuteilen, während herr dr. A. Taranger in Christiania
eine neue collation des fragments R beigesteuert hat.

Endlich fühle ich mich verpflichtet, der verwaltung der
universitätsbibliothek in Kopenhagen meinen wärmsten dank
auszusprechen für die liberalität, mit der sie mir nicht nur
während meines kurzen dortigen aufenthaltes im sommer 1893
die benutzung der hss. selbst ausserhalb der amtsstunden er-
möglicht, sondern auch M und N auf längere zeit für meinen
gebrauch an die hiesige königliche bibliothek geliehen hat.

Breslau, im april 1896.

E. Kölbing.

Flóres saga ok Blankiflúr.

Die wikingerfahrt des königs Felix.

I, 1. Felix hét konungr í borg þeiri, er Aples heitir, Flor. I. ágætr at fé ok liði; en hann var heiðinn. **2.** Hann bauð út leiðangri ok fór með her mikinn ok skipum til Jacobs-lands, at brenna ok bæla ok herja á kristna menn. **3.** En hann

---

Cap. I. 1. *Felix hét konungr.* Es ist eine bemerkenswerte eigentümlichkeit des sagastils, den namen des helden in dieser weise an die spitze des ersten satzes zu stellen; vgl. z. b. Bevis saga c. 1 (FSS s. 209²): *Guion hét einn ríkr jarl á Englandi;* Magus saga c. 1 (FSS s. 1¹): *Játmundr hefir keisari heitit; hann réð fyrir Vernizuborg á Saxlandi.* Die frz. vorlage bot dazu wenigstens hier keine veranlassung.

Aples. Welche stadt hierunter zu verstehen sei, ist bis jetzt nicht genügend aufgehellt. Der schwedische dichter behielt *Apples* bei (vgl. dän. v. 6), das dann durch abschreiber in *Apolis* (BC) oder gar in *Apulia* (A) entstellt wurde; der frz. text bietet v. 119 dafür *Naples,* das noch Storm (Nord. tidskr. for filol. I, s. 30) mit Neapel zu identificieren scheint, während Sommer (Flore und Blanscheflur s. 285) schon richtig gesehen hat, dass das nicht angeht, da es frz. v. 55 ausdrücklich heisst: *Uns rois estoit issus d'Espaigne.*

2. 3. *Hann bauð út leiðangri,* „er rief das volk zu den waffen"; ein alter norwegischer rechtsausdruck, auf den der urtext den übersetzer nicht geführt haben kann. Näheres über denselben giebt Finnur Jónsson zu Egils s. c. 9, 1.

3. *til Jacobs-lands,* nach Galizien in Nordspanien; frz. v. 58 bietet dafür *Galisse.* Vgl. Sommer zu Fleck v. 429 und Karl. s. s. 264 ¹⁷ f.: *Virðuligr guðs postoli Jacobus predikaði fyrst kristni í Galicia;* s. 126⁶ ff.: *En fyrir því frelsti guð með styrkum armlegg Hispaniam, at þat ríki hafði hann fyrirætlat til einsligrar ok æfinligrar virðingar sínum signaða vin, Jacobo postola, Jóns bróður.*

4. *at brenna ok bæla,* „um zu sengen und zu brennen", eine stehende alliterierende phrase; vgl. Sigurðar s. þögla s. 67¹⁷ ff.: *En er þeir koma við land, brenna þeir allt ok bæla, drepa menn, en ræna fé;* Tristr. s. B s. 26³¹ ff.: *síðan ferr hann í Spán ok herjar á landit, brennir allt ok bælir, hvar sem hann*

Flor. I. var þar með lið sitt VI vikur, ok var engi sá dagr, er hann
reið eigi upp á land ok brendi borgir ok rænti fé ok flutti
til skipa; ok XXX rasta frá strǫndinni stóð hvárki bœr né
borg, ok eigi gó hundr ok eigi gól hani, svá hafði hann eytt
5 allt. **4.** En er Felix konungr vildi fara heim aptr, þá kallaði
konungr til sín einn riddara, ok bað þá herklæðaz ok mælti
svá: „Farið upp til vegarins ok mœtið pílagrímum þar, en vér
munum hlaða skipin meðan".

---

kemr, ok eyðir bygðina. S. auch
Fms. IV, 142[34] und VI, 176[19]. Zum
wórtlaute vgl. ferner Bret. s. c. 8 (Ann.
1848, s. 136[1] ff.): *þeir Brútus ok Kor-
inéus lǫgðu nálega allt Eqvitaniam
undir sik, brendu borgir ok drápu
menn, en rǽntu fé;* vgl. das. s. 146[8].

2. 3. *ok flutti til skipa;* nach *flutti*
ist *allt* ausgefallen; vgl. schw. v. 12:
The loto thz a l t til skipin fóra =
frz. v. 68: *Et a ses nes t o u t con-
duisoit.*

3. *XXX rasta.* Die zahlenangabe
geht hier in den verschiedenen ver-
sionen auseinander; zur sache stimmt
ausser schw. v. 14: *thrǽtighi mila*
auch D v. 108: *Binnen dertich
milen;* frz. v. 69 dagegen spricht nur
von *quinze liues;* F v. 387 steht in
der mitte mit *innen zwênzec milen.*

3. 4. *hvárki bœr né borg.* Die
fassung von M: *hvárki borg né kast-
ali* steht dem frz. gedichte v. 71:
Ne castel ne vile, näher.

4. *gól,* „krähte".

eigi gó hundr ok eigi gól hani;
für diese zweifache alliterierende
bindung vgl. Strengl. s. 17[22] f.: *þá
heyrði hon mjǫk fjarri á hœgri hǫnd
hunda gauð ok hana galdr;* frz. v. 70
drückt sich ganz anders aus: *Ne re-
manoit ne bués ne vache.*

5. Nach *þá* wird in N ausgefallen

sein: *bauð hann, at skipin skyldu
ǫll hlaðaz ok;* vgl. M: *ok bauð at
skipin skyldu ǫll,* wo trotz des
vorhergehenden hilfsverbums (vgl.
Lund, Oldn. ordf. § 185, 1, a) ein
so gewichtiger infinitiv wie *hlaðaz*
schwerlich ausfallen konnte, und
schw. v. 17 f.: *Tha bödh konungin
allum them, Ladha siin skip ok fara
heem* = frz. v. 76: *Ses nes comman-
da a chargier.*

6. Auch unter beibehaltung der
lesart von N würde man für *konungr*
hier *hann* erwarten, da dies wort
schon im vordersatze stand.

Dass *einn riddara* sich mit *bað þá*
nicht verträgt, hat der schreiber von
M, der in seiner vorlage ungefähr
dieselbe lesung vorgefunden haben
muss, richtig gesehen und deshalb
jarl ok nǫkkura eingefügt; es ist
aber vielmehr *einn* in *XL* zu ändern;
vgl. dän. v. 19: *Fyretywe ridder han
kallæ badh* mit frz. v. 77 f.: *Puis
apela de ses fouriers Dusqu'a qua-
rante chevaliers.*

Nach *herklæðaz* ist *þegar* zu sup-
plieren; vgl. schw. v. 20: *ij stadh*
= frz. v. 79: *Esranment.*

7. *mœtið.* Die lesart von M: *sœtið*
verdient hier wol den vorzug; vgl.
frz. v. 82: *Gaitier.*

pílagrímum, „den pilgern".

5. Ok þeir gerðu svá ok fóru upp á veginn; en vegrinn **Flor. I.**
lá um fjall eitt, ok sá þeir niðr yfir fjallssléttu eina, hvar
pílagrímar margir fóru upp á þenna sama veg. En þeir riðu
þegar á þá með vápnum, þvíat sverð þeira bitu betr en píla-
grímsstafir. 6. En í ferð með pílagrímum var einn valskr 5
maðr, ok var riddari frægr ok kurteiss, ok hafði heitit ferð
sinni til ens helga Jacobs, ok hafði með sér dóttur sína ólétta,
þvíat hon vildi efna heit bónda síns, er þá var andaðr, er
hann hét fyrir sér, meðan hann lifði. 7. Hennar faðir vildi
heldr deyja með sœmð, en í vald gefaz þeim, ok þeir drápu 10
hann, en þeir leiddu hana til skipa ok gáfu konungi. 8. En

---

1. 2. *en vegrinn lá um fjall eitt.*
Es ist vielleicht mit M *yfir* statt *um*
zu lesen; vgl. schw. v. 25: *Ouer eet*
bergh ther væghin la = frz. v. 83:
Dont s'en vont cil en la montaigne.
Doch kann *um* allerdings wol die-
selbe bedeutung haben.

2. *fjallsslétta* (nicht *fjallslétta*, wie
Cleasby-Vigf. s. 156a und Fritzner² I
s. 423a schreiben), „hochebene"; bis-
her nur für diese stelle nachgewiesen.

4. Nach *vápnum* ist ausgefallen:
ok sigruðuz á þeim, wie M bietet,
denn nur so ist das folgende *þvíat*
zu verstehen.

4. 5. *þvíat sverð þeira bitu betr en*
pílagrímsstafir, „denn ihre schwerter
waren besser geeignet wunden zu
schlagen als die pilgerstäbe": ein
humoristisch gefärbter zusatz des
sagaschreibers. Indessen waren ge-
wisse arten von pilgerstäben sehr
wol als verteidigungswaffen brauch-
bar. Vgl. Bev. s. c. 33 (FSS 259¹²f.):
hljóp þá herra Sabaoth á bak honum
ok rak pikstafinn milli herða honum,
ok gekk út um brjóstit, ok fell hann
dauðr niðr; s. auch das. s. 247⁵⁰ f.
C und A. Schultz, Höf. leb. I² s. 525:
„Die palmenstücke waren zuweilen
so stark, dass man ein schwert in
ihnen verbergen konnte".

5. *i ferð með pílagrímum*, „in der

gesellschaft der pilger"; vgl. frz. v. 91:
En la compaigne.

8. 9. *þvíat — lifði.* Vgl. frz. B
v. 95 ff.: *Qui a l'Apostle s'ert vouée*
. . . Por son mari qui mors estoit.
Der übersetzer hat die worte *Por*
son mari so aufgefasst, als ob die
frau mit dieser pilgerfahrt ein ge-
löbnis ihres verstorbenen gatten habe
einlösen wollen, während doch wol
nur gemeint ist, dass sie für das
heil seiner seele dieselbe unternimmt;
schw. v. 34 f.: *Hon hafdhe thz for*
sin bonda iæt, Tha han do, hon
skulde thiit fara, liesse sich dem
wortlaute nach ebensogut auf den
frz. text wie auf die nordische prosa
zurückführen.

9. *faðir.* Nach diesem worte ist
vermutlich schon in der vorlage von
N und M etwas ausgelassen, vielleicht:
vildi verja sik vaskliga, þvíat hann;
vgl. schw. v. 37: *Hænna fadher vardhe*
sik som een man = frz. B v. 99: *Li*
chevaliers se veut deffendre. Durch
den nächsten satz erhält dieser be-
schluss seine begründung, der auf
eine uns nicht erhaltene variante von
frz. v. 100: *Ne chaut a aus de lui*
vif prendre, zurückzuweisen scheint.

11. Das *þeir* ist stilistisch hart
und wol nur versehentlich einge-
setzt.

Flor. I. II. hann sá á hana ok kvez vita, at hon mundi vera góðra manna,
ok kvez skyldu føra hana dróttningu: „þvíat hon bað mik
þess, er ek fór heiman".

9. Síðan fóru þeir á skip ok drógu upp segl sín ok sigldu
5 heim með mikilli gleði; en áðr þeir hǫfðu siglt full IIII dœgr,
þá sá þeir sitt eigit land ok sigldu eitt dœgr síðan, áðr þeir
næði landi. **10.** En þá koma þau tíðindi til Aples-borgar, at
konungr var kominn heim með mikinn sigr; en því fǫgnuðu
bæði karlar ok konur ok fóru í mót honum með mikilli gleði
10 ok fǫgnuðu honum, sem bezt máttu þeir.

Geburt und auferziehung von Flóres und Blankiflúr.

II, 1. En síðan, sem konungr kom heim, þá lét hann
kalla saman alla sína fylgðarmenn ok skipti herfangi þeira vel

---

1. *sd.* Hierauf ist aus M *fast* einzusetzen; vgl. frz. v. 104: *Et il l'a forment esgardée.*

ok kvez vita. Statt dessen liest M: *ok þóttiz hann þat með sér kenna,* was dem frz. v. 105: *Bien apercoit* näher steht; schw. v. 44 stellt sich allerdings zu N.

at hon mundi vera góðra manna, „dass sie aus guter familie stamme".

2. Schw. C v. 47: *om wi ma liffua* stellt sich zu frz. v. 107: *s'il puet;* die sagatexte bieten nichts entsprechendes.

2. 3. *þvíat hon bað mik þess,* übergang von indirekter rede zu direkter, mitten im satze, wie in nordischer prosa oft; vgl. Boer zu Ǫrv. s. c. 1, 7; weitere litteratur über diese erscheinung in den übrigen germanischen sprachen gibt Martin, zu Gudrun str. 62, 4 an. Frz. führt v. 107 f. die or. ind. weiter, schw. bietet von anfang an or. dir. Im übrigen ist dieser ausdruck auffallend unbestimmt; aber auch frz. v. 109 drückt sich allgemein aus: *Car de tel chose li préa;* indessen dürfte

hier sowol N wie frz. gekürzt sein, denn die ausführlichere fassung M: *þvíat hon bað mik gefa sér eina kristna konu* = schw. C. v. 50: *fóra sik hædhan ena cristna quinna,* stellen sich zu D. v. 161 f.: *Dat soe seide hoe gerne soe name Een kerstiin joncfrouwe, of hire an came, Dat hise vinge ende heer brachte.*

5. *IIII dœgr* = schw. v. 55: *fyra dagha;* frz v. 115 spricht nur von *deus jors.*

Der zug, dass die reisenden nach viertägiger fahrt nur die küste ihrer heimat sehen, am fünften erst anlangen, findet sich bloss hier, schw. v. 55 ff. hat gekürzt; frz v. 116 nur: *Qu'en lor pais sont arrivé.*

8. *með mikinn sigr* = schw. v. 61 findet sich nur in diesen texten.

því fǫgnuðu, „darüber freuten sich"; gleich darauf wird *fagna ehm* in dem sinne von „jem. bewillkommnen" gebraucht.

Cap. II. 12. *ok—þeira.* Zum wortlaute vgl. Alex. s. s. 84 [15] f.: *Þat er nú at segja frá Alexandro konungi, at hann skiptir herfangi með liði sínu;*

ok sœmiliga; en dróttningu gaf hann konuna at sínum hlut, Flor. II.
þá ena herteknu. **2.** Dróttning varð því fegnari en engri
gjǫf fyrri, ok bað hana vera sína fylgiskonu ok gæta kristni
sinnar; bað hon vel veita henni, ok bað aðra henni þjóna, lék
opt við hana ok mælti gaman við hana, ok lét kenna henni 5
valska tungu, ok kendi henni aðrar. **3.** Konan var kurteis
ok prúð, ok gerði sér hvern mann at vin. Svá þjónaði hon
dróttningunni, sem sinni móður skyldi þjóna. **4.** Einn dag var
hon í herbergi dróttningar. Þá tekr hon merki konungs ok

---

s. auch s. 88 ²⁷ ff.: *Borgarmenn gefa
staðinn upp fyrir honum, ok fær
þar of fjár; ok enn sem fyrr skiptir
hann því ǫllu með liði sínu.* Vgl.
H. Lehmann, Germ. XXXI s.
491: „Der ansehnlichste teil der beute
wurde dem königsschatze einverleibt,
... der rest aber wurde auf dem
schlachtfelde den kriegern für ihre
teilnahme überlassen".

1. *sœmiliga*, „in ehrenvoller weise".
at sinum hlut = frz. v. 131: *por
sa part.*

2. 3. *Dróttning — fyrri.* Vgl. zum
ausdruck Valv. þ. c. 2 (Ridd. s. 62¹³ ff.):
*Hann hljóp þá upp á hertekinn hest
sinn, ok varð hann þá fegnari en
nǫkkurn tíma fyrr jafnlitlum hlut.*

3. *fylgiskonu*, „dienerin".

3. 4. *gæta kristni sinnar*, „sich ihr
christentum wahren, es beibehalten".

4. *sinnar.* Wenn M nach diesem
worte hinzufügt: *ef henni likaði*, so
stimmt dazu inhaltlich schw. v. 78:
Om henne siælfue thykkir swo; frz.
v. 135 nur: *Sa loi li laisse bien
garder.* Es scheint sich also um
einen zusatz des sagaschreibers
zu handeln, der in N wieder ge-
strichen ist.

vel veita henni, „ihr freundlich zu
begegnen".

4. 5. *lék opt við hana ok mælti
gaman við hana*, „scherzte oft mit

ihr und vergnügte sie durch ihre
unterhaltung".

5. 6. *ok lét kenna henni valska
tungu* kann doch wol nur heissen:
„und liess sie die französische
sprache lehren", nicht: „sich von
ihr", wie es der zusammenhang ver-
langt, daher die lesung von M: *nam
hon at henni v. t.* als die richtige
anzusehen ist.

6. *ok kendi henni aðrar*, „und lehrte
ihr andere", näml. sprachen. Der
plur. ist auffällig, da es sich doch
wol bloss um die muttersprache der
königin, das spanische, handeln
kann, daher *aðra* in M vorzuziehen
ist; dieser zusatz findet sich übrigens
bloss im nordischen texte.

8. *sinni móður* dürfte richtig er-
gänzt sein, doch erscheint *sem sinni
frú* in M besser; vgl. frz. B v. 142:
Comme cele cui ele estoit; zu der
ersteren lesung vgl. Alex. s. 45 ⁶ ff.:
*Svá var mikil mildi konungs, at
hann var þannug til móður Darii,
sem hann mundi til sinnar móður,
ef hon væri þar;* s. auch das. s. 91 ⁷ f.

9 — s. 6, 1. *Þá tekr hon merki
konungs ok gyrðir sik með.* Die
darstellung in der saga ist in sofern
sehr ungeschickt, als man nicht er-
fährt, wie die christin zu einer fahne
des königs kommt; das wird der
grund sein, weshalb der schreiber

Flor. II. gyrðir sik með, ok tók at kasta hǫndum ok andvarpaði mjǫk, gerðiz stundum bleik, en stundum rjóð. 5. Þetta sá dróttning ok þóttiz vita, at hon var ólétt, ok spurði, nær hon tók við hǫfn, ok hon sagði henni réttan dag. „Þann sama
5 dag tók ek við hǫfn", sagði dróttning, ok þá tǫlðu þær til, nær þær skyldu fara at hvíla. 6. Ok fœddi dróttning son, en en kristna kona dóttur, ok var báðum bǫrnunum gefit nafn á þeim degi, er þau váru fœdd. 7. En pálmsunnudagr heitir blómapáskir á útlǫndum, þvíat þá bera menn blóm sér í hǫndum.

von M dafür *einn dúk* einsetzte. Indessen ist frz. v. 143 ff. wirklich von einer fahne die rede, an der sie arbeitet; dass sie sich mit einem fahnentuch umgürtet, steht freilich sonst nirgends; nach der meinung des übersetzers soll die fahne doch wohl hier den zweck versehen, für den man heute sog. umstandsbinden verwendet.

1. *at kasta hǫndum*, „die hände hastig bewegen, mit den händen schlagen"; vgl. frz. A v. 149: *Et a ses flans ses mains jeter*.

1. 2. *ok andvarpaði mjǫk* stellt sich zu frz. B v. 150: *Et sospirer*.

5. *þá tǫlðu þær til*, „da rechneten sie es sich aus"; vgl. F v. 572: *Und rechenten vil rehte dô Bi der mânôte zal;* frz. v. 159 f.: *Dont sorent bien, sans deviner, Le terme de lor enfanter,* steht ferner.

6. *nær þær skyldu fara at hvíla*, „wann sie sich ins kindbett legen würden".

Nach *hvíla* ist aus M einzusetzen: *en þat var pálmsunnudag. Nú kom at þeim degi, ok þá fóru þær at hvíla:* der schreiber von N ist von dem ersten *hvíla* auf das zweite mit dem auge abgeirrt; vgl. schw. v. 95: *Palmesunnodagh thz sama aar* = frz. v. 161 ff.: *Le jor de la Pasque-florie ... Vint li terme qu'eles devoient Enfanter cou que pris avoient*.

7. 8. *af þeim degi* möchte ich mit M lesen nach frz. v. 170: *De la feste furent nomé*. An und für sich wäre ja auch gegen die lesung von N: *á þeim degi*, nichts einzuwenden, denn es entspricht sonstiger skandinavischer gewohnheit, dem kinde schon am tage seiner geburt den namen zu geben; vgl. Weinhold, Altn. leben, s. 262: „Hatte der vater das kind aufgenommen, so ward er sogleich gefragt, wie es heissen solle"; s. auch Kålund, Aarb. 1870 s. 272.

8. *pálmsunnudagr*, „palmsonntag".

9. *blómapáskir* ist ἅπαξ λεγόμενον, eine übersetzung des frz. *Pasque-florie* (= ital. *Pasqua fiorita*, wofür Fritzn.[2] I s. 158 s. v. auf Jahrb. f. rom. und engl. lit. V s. 385[6] und s. 372[1] ff. verweist. Vgl. auch Sommer zu Fleck v. 595.

á útlǫndum, „in fremden ländern", d. h. ausserhalb der skandinavischen reiche.

sér í hǫndum, „in den händen", für das gewöhnlichere *í sinum hǫndum*.

8—s. 7. 1. *En pálm.—kallat blómi*. Dieser passus findet sich natürlich nur im nordischen texte; schwed. v. 99 f.: *Man gaff them nampn ij sama riidh, Thy thz var tha mot somars tiidh*, verwischt die speciellere beziehung auf ostern ganz; vgl. Storm, Tidskr. f. fil. I, s. 31 f.

En blómi ǫr flúr á vǫlsku, ok váru þau af því kallat blómi.Flor. II.
8. Hann var kallaðr Flóres, en hon Blankiflúr; þat þýðir svá,
sem hann héti blómi, en hon hvíta blóma; en konungr vildi
því svá sinn son kalla, at en kristna kona hafði sagt honum,
af hverju kristnir menn heldu þá hátíð. 9. En fyrir því at 5
en kristna kona var svá vitr, þá fengu þau henni sveininn at
fóstra at ǫllu, nema eigi vildu þau, at hann drykki kristinnar

---

1. *flúr* (= frz. *flor, flur*) wird auch
sonst in romantischen sagas öfters
für das gewöhnliche *blómi* gebraucht;
hier wird es ja vom übersetzer aus-
drücklich als lehnwort bezeichnet.

á vǫlsku, „in französischer sprache“.

blómi. Man erwartet *blómar*, wie
M wirklich bietet. Der sing. steht,
als ob vorausginge *hvárt þeira*.

2. 3. *þat þýðir svá, sem*, „das be-
deutet soviel als ob“.

3. *hvíta blóma*, „weissblume“. Doch
ist dafür wol mit M *hvítablóm* zu
lesen, da eine femininform *blóma*
sonst nirgends vorzukommen scheint.

Der autor der dänischen version
hat sich offenbar daran gestossen,
dass 'blume' und 'weissblume' keine
gegensätze sind und deshalb Flores
als rotblume gedeutet, v. 103 f.: *Hans
naffn en rød blomme lyder, Hennes
naffn eth hwit blomster tyder.* Na-
türlich ohne berechtigung.

Derartige erklärungen ausländi-
scher worte finden sich in den ro-
mantischen sagas öfters; vgl. Flóvents
saga c. 6 (FSS s. 129⁴⁸ f.): *En sverð
þetta heitir Jovise; þat er fagnaðr;
því er þat nafn gefit, at sá, er þat berr,
skal jafnan sigri fagna ok engan hlut
óttaz*; Clar. s. s. 1²³ ff.: *Þau keisari ok
dróttning hǫfðu átt sín í meðal einn
son; sá er Clarus nefndr. Réttli-
liga ok viðrkœmiliga fekk hann
þat nafn, þvíat Clarus þýðiz upp
á várt mál 'bjartr', sakir þess, at í*

þann tíma var engi vænni maðr í
verǫldu með hold ok blóð.

Vergleichen lässt sich endlich ein
passus in der ungedruckten Gibbons
saga (AM. 575 a, jetzt 1430, Katal.
s. 736) wo es von Florencia, der
tochter des königs Agrippa von In-
dien, heisst: *Vel má hon þat nafn
bera, þvíat hon má blóm kallaz ok
apaldr yfir allar meyjar þær er í
verǫldinni eru.*

3—5. *en konungr—hátíð;* dem zu-
sammenhange nach möchte ich der
lesung von M, das *kalla* für *heldu*
bietet, vorziehen. Im übrigen findet
sich dieser zug, dass der könig sich
bei der wahl des namens für seinen
sohn von der christin beeinflussen
lässt, nur hier; frz. v. 173 heisst es
bloss: *Li rois noma son chier fil
Floire.*

5. *af hverju*, „aus welchem grunde“.

7—s. 8,1. *nema—heiðna konu.* Diese
vorsicht in der auswahl der amme
erinnert an einen passus im Roman
des sept sages, wo der dichter
sagt, dass zwar „in der guten
alten zeit man in der auswahl der
ammen sehr strenge gewesen sei,
da sei ein königskind von einer
herzogin, ein herzogskind nur von
einer gräfin, ein bürgerkind von
einer bäuerin gesäugt worden, aber
in seiner zeit nehme man dienerinnen
und schäferinnen zu ammen, um geld
zu sparen, und damit werde das echt-
adlige blut verdorben“ (A. Schultz

Flor. konu brjóst, ok fengu til þess heiðna konu; en annars konar
II. III. fœddiz hann upp við kristinn sið allan.

Die kinder werden zur schule geschickt und verlieben sich in einander.

III, 1. Hon fœddi þau IIII vetr svá at æ áttu þau bæði
samt drykki ok svefn; en aldri vissi hon, hváru hon unni betr.
5 **2.** En þá er þau váru V vetra gǫmul, þá sýnduz þau meiri
vexti en þeira jafnaldrar, ok fríðari en fyrr hefði bǫrn verit.
3. En þá er konungrinn sá son sinn svá fríðan, ok á þeim
aldri, sem hann mátti vel til bœkr setja, þá lét hann fœra
hann til skóla í þann stað, er á Vísdon heitir; en meistari
10 hans hét Góridas, sá enn bezti klerkr, er menn vissu þá vera.
4. Nú ræðr konungr syni sínum, at nema þá bók, er heitir
grammaticam; en hann grét ok svaraði: „Lát Blankiflúr nema

a. a. o.³ I s. 151). So befürchtete man
hier, dass die milch einer christin dem
heidenkinde schaden könnte. Vgl.
hierüber auch Herzog a. a. o. s. 158 f.
1. *annars konar*, „in jeder anderen
beziehung“.

Cap. III. 3. *IIII vetr* = schw.
v. 111: *fyra vintre;* frz. A v. 186⁴
liest dafür *deus ans.* Ueber *vetr*
= „jahr“ vgl. Finnur Jónsson zu
Egils s. c. 3, 6.
3. 4. *æ—svefn.* Die lesung von
M: *jafnan átu þau ok drukku ok
sváfu bæði saman* stimmt nicht nur
zu schw. v. 112 f.: *At huart ij sæng
mz annath la; The ato ok drukko
badhin saman,* sondern auch zu frz.
v. 189 f.: *En un lit tout seul les
couchoit; Andeus paissoit et abevroit,*
genauer als N, wo vor allem der
begriff des essens fehlt.
4. *hváru hon unni betr,* „welches
von beiden sie mehr liebte“.
6. *ok—verit.* Die lesart von M:
ok fríðari en flest ǫnnur steht frz.
v. 194: *Plus biaus enfans n'estéut
querre* näher.

8. *til bœkr setja,* „unterrichten
lassen“; über *bœkr* als form des gen.
sing. vgl. Norreen, Altn. gr.², § 346, 1.
9. *i þann stað, er á Vísdon heit-
ir;* dieser namensform am nächsten
steht schwed. v. 121 B: *Gwisdom;*
M liest dafür ganz abweichend *Gir-
illdon,* schwed. F = dän. *Drwssen-
borigh.* Die übrigen versionen nennen
hier überhaupt keinen ortsnamen.
10. *Góridas.* M bietet dafür die
namenform *Geides,* welche dem frz.
v. 199: *Gaidon* näher steht; schwed.
v. 124 C hat die form *Gredes.* Der
zusatz: *sá—vera* schliesst sich an
frz. B v. 200 an: *Moult iert bons
clers et de bon estre.* Vgl. Sund-
macher a. a. o. s. 19.
12. *grammaticam,* in der hs. steht
giram, was sicherlich nur als eine un-
gewöhnlich starke abkürzung anzuse-
hen ist; vgl. z. b. Mírm. s. s. 141, 28 ff.:
*Síðan setti hon fram fyrir hann lat-
ínubœkr, sem hon átti ok á váru
margar listir, þessi en fyrsta, er
grammatica heitir, ok margar aðrar
fornar bœkr.* Weder in M noch in
irgend einer anderen redaktion ist

með mér, þvíat ek fæ eigi numit, nema hon nemi með mér, Flor. III.
ok engan lærdóm fæ ek numit, ef ek sé eigi hana“.

5. Konungr segir, at hann vill, at hon nemi fyrir hans
sakir: „ef þú leggr þá meira hug á en áðr“.

6. En þá bauð hann meistaranum at kenna þeim, ok yfrit 5
váru þau skilin at máli, ok námu þau svá, at hverjum manni
þótti furða at, er vissi. 7. En þau váru mjǫk lík at vitrleik
ok fríðleik, ok unnuz þau svá vel, at þegar er annat vissi
nǫkkurn hlut, þá sagði hvárt ǫðru. 8. En þegar er þau hǫfðu
aldr til ok nattúru, þá tóku þau at elskaz af réttri ást. 10

9. En þau námu þá bók, er heitir Óvidíus de arte amandi: en

---

hier von einem bestimmten buche
die rede.

Vgl. zu diesem ganzen passus Clar.
s. s. 1³¹ ff.: *Ok þat fyrsta, er hann
hefir aldr til, er hann til bœkr settr,
eptir því sem ríkra manna siðr er
til í þeim lǫndum með sína sonu,
at svara ok spyrja af sjaufaldri
list, ok til fenginn sá vildasti meist-
ari, sem í beið keisarans ríki, hon-
um at kennaz.*

2. *ok engan lærdóm fæ ek numit,*
„und keine kenntnisse kann ich mir
aneignen“.

5. 6. *ok yfrit váru þau skilin at
máli,* „und ausserordentlich geschickt
zeigten sie sich zum lernen“.

8. 9. Zu *at—hlut* vgl. frz. v. 219 f.:
Nus d'aus deus chose ne savoit.

10. *nattúru,* hier etwa mit ‘reife’
wiederzugeben; vgl. frz. v. 221: *Au
plus tost que souffri nature.*

11. *Óvidíus de arte amandi* =
schw. FE v. 145: *Ovidium.* Schon
Bartsch, Albrecht von Halberstadt
und Ovid im mittelalter (Quedlin-
burg 1861) s. XXXVII f. hat darauf
hingewiesen, dass im ma. die *Ars
amandi* das beliebteste und ge-
lesenste gedicht Ovids gewesen sei;
dass das auch für die skandina-
vischen länder gilt, ergiebt sich aus
mancherlei zeugnissen. In der Jóns
saga helga wird uns folgender zug
von diesem bischof berichtet (Bis-
kupa sögur I s. 237 f.): *Þat er sagt,
at enn heilagi Jón biskup kom at
einn tíma, er einn klerkr, er Klœngr
hét . . . las versabók þá, er heitir
Óvidíus de arte. En í þeiri bók
talar meistari Óvidíus um kvenna
ástir, ok kennir, með hverjum hœtti
menn skulu þær gilja, ok nálgaz
þeira vilja. Sem enn sœli Johann-
es sá ok undirstóð, hvat hann las,
fyrirbauð hann honum at heyra* (l.
*lesa) þesskáttar bók, ok sagði, at
mannsins breysklig nattúra væri
nógu framfús til munuðlifis ok
holdligrar ástar, þó at maðr tendr-
aði [eigi] sinn hug upp með sauru-
gligum ok skynsamligum diktum.*
Vgl. auch das. s. 165 f., wo dasselbe
geschichtchen mit etwas anderen
worten erzählt wird. S. auch Sigurð-
ar s. þǫgla s. 112 ff., wo es sich um
sinnliche ausschreitungen einer frau
handelt: *Kann vera, at þat birtiz
hér, sem meistari Óvidíus segir ok
margir aðrir frœðimenn, at um slíkt
mundi fám trúa mega.* Einige wei-
tere belege habe ich in meinen Bei-
trägen zur vergleichenden geschichtr

Flor. hon er gerð af ást, ok þótti þeim mikil skemtan ok gleði af,
III. IV. þvíat þau fundu þar með sína ást. **10.** At fjórðu jafnlengð
námu þau svá, at þau tǫluðu latínu djarfliga fyrir hverjum
meistara, er við þau talaði.

Der könig Felix bemerkt die zuneigung der kinder und schlägt seiner
gemahlin vor, Blankiflúr töten zu lassen.

5   **IV, 1.** Nú þóttiz konungr vita víst ást þeira ok óttaðiz
þat, at hann mundi ætla hana sér til konu, þegar hann væri

---

usw. s. 150 f. beigebracht; so heisst
es in dem mansǫngr zur Geirarðs
ríma VIII, v. 1 ff.: *Óvidíus fann eina
bók, Qll var listum slungin; Þau eru
flest ǫll kvæðin klók Af kvenna lof-
inu sungin.* Ferner in der Hektor's
ríma XI v. 2 f.: *Óvides gaf ýtum ráð,
Allvel má þat skilja, Hversu skýra
skallaz láð Skatnar ætti at gilja.
Hverr sem fær þat letrit lært Af
lindi ægis bríma, Þeim mun vífit
verða kært Visliga allan tíma.* So-
mit ist es schwer zu entscheiden,
ob dieser eine autorname als zusatz
des nordischen übersetzers anzusehen
ist, oder sich bereits in seiner vor-
lage fand. Der jetzige frz. text
spricht v. 225 f. nur im allgemeinen
von *livres paienors, Ou ooient parler
d'amors,* während in D v. 334 f. ausser
Ovid noch zwei andere klassiker ge-
nannt werden: *In Juvenale ende in
Panflette* (entstellung aus *Pamphi-
lus*), *Ende in Ovidio de arte amandi;*
sogar in Boccaccio's Filocolo I, 76,
der einer ganz anderen gruppe an-
gehört wie die obigen texte, wird
berichtet, dass die kinder ausser
dem Psalter das buch von Ovid
lesen, *nel quale il sommo poeta
mostra come i santi fuochi di Ve-
nere si deano ne'freddi cuori con
sollecitudine accendere"* (vgl. du Mé-

ril s. XLIX; Gaspary, Giorn. di fil.
rom. IV, s. 1 f.; Kölbing, Engl. stud.
IX, s. 93 f.).

2. *þvíat þau fundu þar með sína
ást,* „denn auf diese weise wurde
ihnen ihre liebe zu einander klar".
Ein hübscher gedanke, der doch
wol auf frz. v. 229 f.: *Cil livres . . .
Dona lor sens d'aus entramer* beruht.
Indessen entspricht auch M: *þvíat
þau fundu þar í ást ok kærleik,* dem
frz. v. 227 f.: *En cou forment se
delitoient Es euvres d'amor qu'il tro-
voient.* Der urtext scheint also beides
geboten zu haben.

At fjórðu jafnlengð, „nach verlauf
von vier jahren"; frz. B v. 261 bietet
statt dessen: *En seul cinq ans et
quinze dis.*

3. *tǫluðu.* Die lesart von M: *kunnu
þau at tala* stimmt genauer überein
mit frz. v. 263: *Que bien sorent par-
ler latin.*

4. *talaði.* Statt dieses wortes würde
man besser mit M *átti* lesen.

2—4. Dieser passus ist frz. v. 265 f.
etwas anders gefasst, als hier. Wäh-
rend die kinder hier mit einem ge-
lehrten lateinisch conversieren, unter-
halten sie sich dort mit einander so
gewandt in dieser sprache, dass sie
niemand versteht. Im übrigen ist
es auffällig, dass weder A. Schultz

vaxinn, ok gekk í herbergi til dróttningar, at taka ráð af Flor.IV.V.
henni. **2.** Nú kallar hann dróttninguna á eintal, en hon sá á
honum mikla reiði fyrir því at hann var rauðr sem karfi, ok
mælti svá við hana: **3.** „Eigi sýniz mér sonr okkarr vel fara
með sér nú, ok vit þat fyrir víst, ef vit setjum eigi skjótt ráð 5
við, þá munu vit skjótt týna honum.“
4. „Meðr hverjum hætti er þat?“ segir hon.
5. „Meðr þeim hætti“, segir hann, „at hann ann svá mikit
Blankiflúr, dóttur þessa veslings, er hér er með oss, at þat
segja allir, at hann mun hana aldri fyrirláta né aðra konu 10
hafa vilja. **6.** En ef svá er, þá er hann fyrirlátinn ok allt
várt kyn. Vil ek heldr láta drepa hana ok leita syni mínum
þeirar konu, er konungborin er í allar ættkvíslir, sem hann
er sjálfr.“

Die königin rät davon ab und schlägt vielmehr vor, Flóres allein nach
Mintorie zu ihrer schwester Sibila zu senden.

V, 1. Þá hugði dróttning at enu bezta ráði, hversu hon 15
mætti bæði frjálsa Blankiflúr frá dauða ok ráða konungi þat
ráð, er honum vel líkaði, ok mælti þá sem vitr kona skyldi
ok til byrjar:

---

a. a. o. I² s. 157, noch Weinhold, Die
deutschen frauen² I s. 137 ff. auf den
vorliegenden romanstoff verweisen.

Cap. IV. 2. *á eintal,* „zu einem ge-
spräche unter vier augen“.

3. *sem karfi,* „wie ein rotfisch“;
diesen vergleich hat der sagaschrei-
ber hinzugefügt; vgl. frz. v. 281: *Car
de sanc ot le vis vermeil.*

4. 5. *Eigi sýniz mér sonr okkarr
vel fara með sér nú,* „nicht scheint
mir unser sohn jetzt auf guten wegen
zu sein“.

5. 6. *ef vit setjum eigi skjótt ráð
við,* „wenn wir nicht rasch gegen-
massregeln treffen“.

9. *dóttur þessa veslings,* „die toch-
ter dieses elenden geschöpfes“, d. h.
der christin.

9. 10. *at þat segja allir* stellt sich
zu frz. B v. 290: *Que tout dient.*

11. *fyrirlátinn* ist wahrscheinlich
ein durch das in der vorigen zei-
le stehende *fyrirláta* veranlasster
schreibfehler; es wird daher mit M:
fyrirfarinn, „verdorben, verloren“,
zu lesen sein, frz. v. 293: *aviliée.*

13. *er konungborin er i allar
ættkvíslir,* „die von allen seiten her,
d. h. von väterlicher und mütterlicher
seite, von königlichem geschlechte
ist“; vgl. Karl. s. s. 400²⁵: ... *ek em son
Pippins konungs ok borinn frá pús-
aðri konu, þeiri er konungborin var
i allar ættir.*

Cap. V. 16. *frjálsa,* „befreien, retten“.

2. „Herra“, segir hon, „vit skulum gæta sonar okkars: fyrir-
látið eigi landit ok týnið eigi sœmð yðvarri fyrir ástar sakir
við Blankiflúr! 3. En þat sýniz mér, at hezt væri, ef svá gæti
vit skilit hann frá henni, at eigi væri lífi hennar týnt.“

5   4. Konungr svaraði: „Sjá nú ráð fyrir okkr báðum!“

5. Þá svarar hon: „Sendum son okkarn til Mintorie til
náms! Þar er Sibila, systir mín, kona jarlsins, er þar ræðr
fyrir, ok mun hon verða honum mjǫk fegin; ok þegar hon veit,
fyrir hverjar sakir hann er þangat sendr, þá man hon finna

10 nǫkkut ráð til at skilja ást þeira Blankiflúr. 6. En meistari
þeira skal segjaz sjúkr, ok megi því eigi kenna honum lengr,
fyrir því at ella mundi Flóres gruna, ef meistari hans væri
heill. 7. En hann man vera hryggr af þeim tíðendum, nema
Blankiflúr fylgi honum; þá skal móðir hennar bregða sér sjúkri,

15 en hon skal vera hjá henni, ok heit þeim því, at hon skal
koma á hálfsmánaðarfresti eptir honum!“

8. En síðan allt var við búit ok allt við varat, þá kallaði
konungr son sinn til sín ok bað hann fara, eptir því sem áðr
var ráð fyrir gǫrt.

Flóres stirbt in Mintorie fast vor sehnsucht nach Blankiflúr und muss
zurück berufen werden. Der könig beschliesst aufs neue, das mädchen
töten zu lassen.

20   VI, 1. Þá svarar Flóres: „Hversu má þat vera, at ek
skiljumz við Blankiflúr ok meistara minn?“

---

1. 2. *fyrirlátið eigi landit ok
týnið eigi sœmð yðvarri* ist ver-
dorben aus: *at hann fyrirláti eigi
landit ok týni eigi sœmð sinni;* vgl.
frz. B v. 306 f.: *Comment nostre fius
tiegne terre, Et qu'il ne perde pas
s'honor;* M und schwed. v. 173 f. be-
tonen nur den zweiten punkt.

6. *Mintorie* entspricht frz. v. 316:
Montoire, eine stadt in Andalusien,
zehn stunden südlich von Cordova
gelegen (vgl. Sommer zu Fleck v. 498).

7. Zu dem namen *Sibila* vgl. Kon-
ráðs saga s. 55²⁰ ff. B: *ok lét ek hann
lǫngum tala við Siuiliam, systur mína.*

12. *gruna,* „argwohn fassen“, also
absolut gebraucht, wie frz. v. 330:
s'apercevroit.

14. *bregða sér sjúkri,* „sich krank
stellen“.

16. *á hálfsmánaðarfresti,* „nach
14 tagen“; dies wort findet sich zwar
in keinem wörterbuche, ist aber
ebenso gebildet, wie das von Fritz-
ner² I s. 706 angeführte *hálfsmán-
aðarstefna.*

17. *ok allt við varat,* „und alle
vorsichtsmassregeln getroffen“.

Cap. VI. 21. *ok meistara minn* =

2. En þó at honum væri þetta nauðigt, þá játaði hann; Fler. **VI.**
en konungr játaði honum, at Blankiflúr skyldi koma á hálfs-
mánaðarfresti til hans, hvárt sem móðir hennar lifði eðr eigi.
3. En þá kallaði konungr herbergissvein sinn, at fara með
honum, ok fekk honum marga menn ok fé mikit; kómu þeir 5
síðan til Mintorie, en þar fundu þeir jarlinn Goneas, bónda
Sibilu; en þau fǫgnuðu honum vel með mikilli gleði ok sœmð;
en ávalt þótti honum þat ógleði vera, er hann sá eigi Blanki-
flúr. 4. Nú leiddi Sibila hann í skóla þar sem fegrstar meyjar
váru í, at hann skyldi þar gleyma Blankiflúr ok elska aðra; 10
en honum þótti æ því verra, er hann sá þær fleiri; yfrit var
honum kent, en ekki fekk hann numit. 5. Þá eina huggan
hafði hann, er honum kom í hug Blankiflúr; en þat þótti hon-
um sœtara en nǫkkurr ilmr. 6. Um nætr dreymdi hann, at
hann þóttiz kyssa Blankiflúr; en þá er hann vaknaði, þá misti 15
hann hennar. 7. En með slíkum harmi beið hann eindagans;
en þá sá hann, at hann var gabbaðr, er hon kom eigi, ok
hræddiz hann þá, at hon mundi vera dauð, ok mátti hann þá
hvárki eta né drekka, sofa né sitja, útan grátandi, ok óttaðiz
hann, herbergissveinninn, at hann mundi týnaz, ok sendi kon- 20
ungi orð. 8. En hann varð mjǫk hryggr, er hann spurði þat,
ok gaf honum leyfi til heim at fara; en í þeiri reiði gekk
hann til dróttningar ok segir svá:

---

schw. v. 207: *min mœstara*. Der über-
setzer hat in seiner vorlage v. 346
natürlich gelesen: *et mon mestre*,
für *estre*.

1. *En þó at honum væri þetta
nauðigt*, „aber obwol ihm dies sehr
widerstrebte".

4. *herbergissveinn*, „kammerdie-
ner".

6. *Mintorie*. Nach diesem worte
scheint in beiden hss. eine apposition,
wie *ennar sterkustu borgar*, ausge-
fallen zu sein; vgl. schw. v. 218: *The
stolta borgh Mortarie* = frz. v. 355 f.:
au castel De Montoire, le fort, le bel.
' *Goneas*, vgl. frz. v. 357: *Joras*, dem
Ligoras in M näher steht.

9. *fegrstar meyjar* entspricht schw.

v. 226: *vænasta iomfrur;* M bietet
flestar für *fegrstar*, frz. v. 364 keines
von beiden: *O les puceles de la vile.*

11. *en honum — fleiri* = schw.
v. 229 f., anders gefasst als frz.
v. 367 f.

15. 16. *þá — hennar*, ebenfalls ab-
weichend von frz. v. 371 ff.

20. *herbergissveinninn*, also der-
selbe kammerdiener, der ihn nach
Mintorie gebracht hat; dazu stimmen
auch engl. v. 131 und D v. 548; nur
frz. v. 391 steht hier auffälliger weise
Li senescaus für das zu erwartende
Le cambrelenc.

21. *hryggr*. Hiernach ist *ok reiðr*
einzufügen nach M: *varð hann ákaf-
liga reiðr*, wo das erste adj. aus-

Flor.   9. „Illu heilli urðu þessi tíðindi, er Blankiflúr kom hér,
VI. VII. þvíat þetta er ekki gerningalaust, er hon hefir slíka ást sonar
míns; ok kallið hana nú skjótt, ok skal ek lata hǫggva af henni
hǫfuð, þvíat þá má hann litla stund gleyma henni, síðan er
5 hann veit hana dauða, ok væri þat betr fyrr gǫrt.“

Auf den rat der königin wird Blankiflúr an reiche kaufleute aus Babylon
verkauft. Blankiflúr's mutter giebt dem zurückgekehrten Flóres gegenüber
vor, seine freundin sei aus liebe zu ihm gestorben.

VII, 1. Þá svarar dróttning: „Herra, miskunn!“, segir hon.
„Takið heldr annat ráð! Látið flytja hana ofan til skipa! Þar
eru ríkir kaupmenn af Babílon, þeir er gjarna munu vilja
kaupa hana fyrir fríðleik hennar, ok munu þeir gefa mikit fé
10 fyrir hana ok flytja hana svá í brott, at vér munum aldri til
hennar spyrja síðan.“
2. Ok þá játaði konungr því, ok þó nauðuliga, ok lét gera
eptir einum kaupmanni ríkum, ok bað hann flytja hana ok

---

gefallen ist; vgl. frz. v. 392: *Il en ot*
doel et ire grande.
  1. *Illu heilli urðu þessi tíðindi,*
„Zum unglück ist es ausgeschlagen“;
frz. v. 395 f. etwas anders gefasst.
  2. *þvíat þetta er ekki gerninga-*
laust, „denn es steckt zauberei da-
hinter“; ein typischer ausdruck; vgl.
Mírm. s. s. 197[9]: *ok svá er sagt, at þat*
mundi varla vera gerningalaust;
Tristr. B s. 14[1] f.: *Nú finnr hann*
at henni er þetta brjóstfast, svá at
varla liz honum gerningalaust vera.
  4. *litla stund* kann nur heissen:
„für eine kurze zeit“, nicht, was hier
verlangt wird, „in kurzer zeit“; vgl.
frz. v. 402: *En peu de tans,* was *á*
lítilli stundu heissen müsste; M
schreibt dafür *þegar.*
  5. Die worte *ok væri þat betr*
fyrr gǫrt, „und das wäre besser
schon früher geschehen“ sind ein
nicht unpassender zusatz des saga-
schreibers.

Cap. VII. 7. *Takið—ráð.* Vgl. schw.
v. 261 f. Hierfür findet sich frz. nach
v. 404 keine entsprechung. Da aber der
inhalt von v. 405 sehr unvermittelt
folgt, und auch D v. 586 ff. sowie F
v. 1501 ff. einleitende worte bieten, so
dürften zwei zeilen ausgefallen sein.
  12. *nauðuliga,* „widerwillig, not-
gedrungen“.
  12. 13. *ok lét gera eptir einum*
kaupmanni ríkum, „und schickte
nach einem reichen kaufmann“. Nach
frz. v. 414 f. ist es ein *borgois, Qui*
de marcie estoit moult sages. Nach
ríkum ist aus M einzufügen: *[er]*
kunni margar tungur at tala; vgl.
schw. v. 275: *Ther kunne margha*
handa maal = frz. v. 416: *Et sot*
parler de mains langages. Ver-
schiedene sprachen sprechen zu kön-
nen, wurde für einen grossen vorzug
angesehen, dessen sich der betref-
fende gern rühmte; vgl. Mágus s. c. 19
(FSS 35[11] ff.): *Keisari mælti: Hverjar*

selja hana; en eigi gerði hann þat fyrir fjár sakir, heldr heipt- Flor. VII.
ar. 3. Nú flutti hann hana til skipa, ok þar fann hann þá,
er gjarna vildu kaupa hana, ok seldi hann hana fyrir XXX
marka gulls ok XX marka silfrs, ok XX pell af Beramunt,
ok X mǫtla af silki, ok undir safalaskinn, ok X kisla af 5
vindverskum guðvef, ok ker eitt af gulli, þat er ekki var slíkt

---

eru þinar íþróttir? Enn hálflitimaðr
segir: Ek kann allar tungur tala,
svá at þess kem ek hvergi í verǫld-
inni, at ek þurfa túlk fyrir mér
at hafa; Konraðs s. s. 43 [10] ff.: Róð-
geirr hét einn gǫfugr jarl. Hann
var enn mesti spekingr ok enn
bezti klerkr; hann kunni allra þjóða
tungur náliga í heiminum (vgl. auch
das. s. 44 [25] ff.); Karl. s. s. 378 [11] f.:
Ek bjóðumz til at fara í þá sendi-
fǫr, ef þér vilið, konungr, því
ek kann allar tungur at skilja;
þjal. s. s. 5 [11] ff. heisst es von dem
prinzen Eirikr, er sei gewesen vel
á sik gǫrr um allar íþróttir, er list-
ugan karlmann mátti prýða; margar
tungur kunni hann, sem gengu í
nálægum lǫndum; s. auch das. s. 19 [22] ff.
und s. 35 [17] f.

3. 4. fyrir XXX marka gulls ok
XX marka silfrs = frz. v. 427: Trente
mars d'or et vint d'argent. Ueber
den wert einer mǫrk vgl. Golther
zu Ísl. bók c. 1, 5 und Finnur Jóns-
son zu Egils s. c. 7, 10.

4. pell ist ein kostbarer seiden-
stoff; vgl. Regel, Germanistische stu-
dien I s. 192 f., Fritzner [2] II s. 932 s. v.

Beramunt. Welchen ort sich der
sagaschreiber oder wenigstens der
schreiber von N (in M und schw.
v. 284 ist überhaupt kein ortsname
genannt) hierunter vorgestellt hat,
vermag ich nicht zu sagen; frz.
v. 428 liest dafür Bonivent, das
A. Schultz a. a. o.[2] I, s. 337 richtig auf
Benevent deutet, und Otinel s. 57 ver-

gleicht: D'un drap de soie qui fu
de Bonivent. Ueber Beneventer sei-
denwebereien habe ich nichts nähe-
res ermitteln können.

5. ok undir safalaskinn, „und
zobelpelz darunter", d. h. mit zobel-
fellen gefüttert; El. s. D s. 73 heisst es
von der kleidung Rosamunda's: hon
var klædd með enum dýrustum saf-
alaskinnum, worunter doch wol
auch ein mit pelz gefütterter und
besetzter mantel zu verstehen ist.
A. Schultz bemerkt a. a. o.[2] I s. 271:
„Auch die fütterung des mantels
war überaus kostbar, gewöhnlich
hermelin" und bringt dafür eine
ganze anzahl belege bei; vgl. auch
M. Winter, Kleidung und putz der
frau, Marburg 1886, s. 29; frz. v. 429
entspricht: Et vint mantiaus vairs
osterins.

kisla, acc. pl. von kisill, findet sich
bloss an dieser stelle und ist noch
unerklärt; Fritzner [2] II, s. 289a meint,
kisla stehe vielleicht für kyrtsla =
kyrtla, was auch wenig befriedigt.

5. 6. af vindverskum guðvef, „von
wendischem kleiderstoffe". Ueber
guðvef vgl. die zusammenstellungen
bei Fritzner a. o.[2] I, s. 660[2], aus denen
hervorgeht, dass unter diesem namen
verschiedene zeuge verstanden wer-
den können; durch guðvefjarmǫttull
wird z. b. Stjórn s. 355 [40] das lat.
pallium coccineum wiedergegeben.
Die bezeichnung als wendische
stoffe gehört dem sagaschreiber an,
denn frz. v. 430 entspricht: Et vint

Flor. VII. áðr né síðan. Malter hét sá er gerði af ǫllum hug. **4.** En í
kerinu var bardaginn fyrir Trója, hversu Grizkir brutu borgar-
veggina, ok hinir vǫrðuz innan, ok hversu Paris jarl leiddi
Helenam, en bóndi hennar fór eptir henni ok fekk hana eigi.
5 **5.** Þat var ok á, hversu Grizkir reru yfir hafit, en Agamemnon
leiddi þá, ok mart annat, þat er hér er eigi talt. **6.** En á
lokinu var grafit, hversu þær Venus ok Pallas ok Júnó fundu
gullepli eitt, ok ritat á, at sú skyldi hafa, sem fríðust væri,
ok hversu þær fœrðu Paridi, þá er þær urðu eigi ásáttar, ok
10 hvat hver þeira gaf honum til at heita fríðust. **7.** Júnó hét
honum nógt fé, en Pallas vizku ok fríðleik yfrinn, en Venus
þeiri konu, er gimsteinn væri allra; ok jáði hann henni,
þvíat til þess fýstiz hann mest, ok bað hana skunda at.

---

bliaus indes porprins. Es handelt
sich um fabrikate der nordischen
Hansa, als deren hauptvertreter Lü-
beck, Rostock und Wismar anzu-
sehen sind; dass vor allem Lübeck
zu dem skandinavischen norden in
engen beziehungen gestanden hat,
ist ja bekannt. Ueber die endung
-verskr vgl. Finnur Jónsson zu Egils
s. c. 18, 1. Für *X* sollte beide
male *XX* stehen; vgl. schw. v. 287 f.:
*Tiwghu kiortla aff examit vidha Ok
mantla aff biald öfrith sidha.*

1. N: *Malter*, M: *Ullius* entspricht
frz. *Vulcans* v. 438; schw. B v. 289:
Walkis, F: *Walkas;* die anderen hss.
stehen ferner.

af ǫllum hug, „mit grösster sorg-
falt“.

3. *leiddi,* „entführte“, = frz. v. 444:
en-meine.

5. *Grizkir,* aus *Grikkskir,* „die
Griechen“.

6. *ok—eigi talt* nur hier.

7. *grafit,* „eingraviert“.

8. *gullepli eitt,* „einen goldenen
apfel“.

11. 12. *en Venus þeiri konu;* es
ist auffällig, dass *heita* in den beiden

vorhergehenden fällen den acc., hier
den dativ regiert.

12. *er gimsteinn væri allra,* eine
genaue übersetzung aus frz. v. 468:
Qui de toutes autres iert geme. Vgl.
Tristr. s. s. 8 ²²: *Þessi enn ágœti gim-
steinn váttar sér þat sjálf djarfliga,*
wo von Markis’ schwester Blensin-
bil die rede ist. S. auch Martin’s
note zu Gudrun str. 395, 4.

ok jáði hann henni, „und er sprach
ihr zu“, näml. den apfel.

13. *skunda at,* „sich damit zu be-
eilen“.

Dieselbe scene wird Trój. c. 7 (Ann.
1848 s. 18 ²⁷ ff.) folgendermassen er-
zählt: *hon tók upp eitt gullepli; á því
var þat ritat, at sú skyldi eignaz,
er fegri væri, ok var því kastat millim
þeira Freyju ok Sif ok Gefion. . . . Ok
einn dag, er hann* (sc. *Paris) fór á
Ídus skóg, þar sem hann hafði
hjǫrð haldit, sýndiz honum í svefni,
sem Satúrnus leiddi at honum kon-
ur III: Sif ok Freyju ok Frigg,
ok bað hann segja, hver þeira vænst
væri; honum þótti Freyja lúta at
sér, ok bað hann þat segja, at hon
væri vænst, en hon kvez mundu
launa honum, at vera þess ráðandi*

8. Ok þetta var allt á kerinu grafit, ok enn mart fleira; en knappr- **Flor. VII.**
inn var af karbunculo, þeim steini, sem meira ljós gefr af sér,
en mǫrg ǫnnur brennandi kerti; en á knappinum ofan var eihn
fugl af gulli, ok hafði grœnan gimstein í klóm sér, ok sýndiz

---

*at fá honum þá konu af Girklandi,
er vænst væri. Þá gekk at honum
Sif ok bað, at hann skyldi hana
vænsta dœma, en hon kvez mundu
gefa honum mikit veraldar-ríki ok
tign. Ok er hann dœmir eigi, þá
gengr Frigg at honum, ok býðr
honum mikla speki ok sigr í orrost-
um (hon var orrostu-guð), ef hann
segði hana fegrsta; ok dœmir hann
eigi. Nú kemr Freyja at honum ok
mælti: Minnztu nú, hverju þú hefir
mér heitit? Hon beraði líkam sinn:
þá dœmir hann hana fegrsta. Því
var Sif síðan í fjándskap við Tróju-
menn.*

1. *Ok þetta — fleira* ist ebenso hin-
zufügung des sagaschreibers wie o.
s. 16, 6: *ok mart — talt;* hier bezieht
sich die notiz vielleicht auf die auslas-
sung von frz. v. 473—476, die ein
weiteres moment der schilderung
enthalten.

1. 2. *knapprinn,* „der knopf", =
frz. B v. 477: *poumel,* nach du Mé-
ril s. v. die erhöhung in der mitte
des deckels.

A. Schultz a. a. o. I², s. 380 weist
darauf hin, dass könig Ludwig VIII.
von Frankreich einen ganz ähnlichen
becher besessen habe, der in den
Gesta Ludov. VIII. bei Duchesne
V, 292 geschildert wird. Auch auf
diesem war u. a. das urteil des
Paris, der raub der Helena und der
kampf um Troja abgebildet.

2. *var af karbunculo,* „wurde von
einem karfunkel gebildet". Fritzner
weist a. a. o.² II, s. 257a s. v. *kar-
bunkulisteinn* darauf hin, dass *car-*

bunculus im altn. immer lateinisch
dekliniert werde.

sér. Hiernach ist wahrscheinlich
aus M *í myrkri* einzusetzen; vgl.
schw. v. 298: *Lius som sool ij myrkir
skeen.*

3. *ǫnnur* ist vergleichend ge-
braucht; Zupitza zitiert in der anm.
zu Guy of Warwick, London 1875/6,
v. 559, Þrymskviða str. 14, 1 ff.: *Þá
kvaþ þat Heimdallr, hvítastr ása, Visse
hann vel fram, sem vaner a p r e r,* da
doch H. nicht zu den wanen gehört;
auch weitere verweise in bezug auf
diese verwendung von *annarr* finden
sich a. a. o.; s. ferner Martin zu Gudrun
str. 82, 1.

2. 3. *sem — kerti* weicht von frz.
v. 479 ff. ab. Im übrigen begegnet
der hinweis auf den hellen glanz
des karfunkels öfters in den roman-
tischen sagas; vgl. u. c. 16, 7, Bev. s.
c. 10 (FSS s. 223 z. 40 ff.) und meine
anm. z. d. st., Beitr. 19, 83; ferner
Mág. s. B s. 13⁸ f. und s. 29⁸ ff.

4. *ok hafði grœnan gimstein í
klóm sér.* Aus diesem wortlaute
würde man schliessen, dass es sich
um einen, von dem vorher genann-
ten karfunkel verschiedenen, grünen
edelstein handle; aus frz. v. 485: *Qui
en son pié tenoit la geme* geht aber
hervor, dass dort wenigstens der-
selbe gemeint ist.

4 — s. 18, 1. *ok sýndiz lifandi.* Vgl.
Tristr. s. s. 93²⁶ f., wo erzählt wird,
dass die statue der Ísond in der
rechten hand ein goldnes scepter
trägt: *en á enu efra laufi vandarins
var skorinn fugl með fjǫðrum ok*

2

Flor. VII. lifandi. **9.** En kerit var gǫrt í Trója, ok bar Eneas jarl þá kerit ok gaf Laurínu, unnustu sinni, í Lyngbarði. En síðan tók hverr keisari eptir annan, allt til þess er sá þjófr stal frá Césare, er síðan seldi þeim kaupmǫnnum, er fyrir Blankiflúr gáfu;

---

allskonar litum fjaðranna ok full-gǫrt at vængjum blakandi, sem hann væri kvik ok lifandi. Karl. s. s. 471₁ ff. heisst es von an säulen angebrachten kinderfiguren, dass sie *blésu með þeim vindi á hverskonar lund, er fagrt var, en hvert þeira rétti fingr at ǫðru, hlæjandi beint, sem kvik væri.* Clar. s. s. 9⁴⁹ff.: *Fram fyrir þessu landtjaldi lét hann steypa einn stóran león með brendu gulli búinn, en sjálfan hann með skíru silfri, allr sem lifandi væri.* Þjál. s. 12₂ ff. wird von einem seidenen tuche berichtet: *í dúknum var meylíkneski, klætt guðvefjarpelli, svá fagrt ok lífligt, at hann meinti, líf mundi með vera, ef fylgt hefði hiti ok mál.*

1. *en kerit var gǫrt í Trója.* Das wird uns bloss in der saga und schw. v. 303 erzählt; nach engl. v. 178 hat es Aeneas in Troja in der schlacht gewonnen.

2. *kerit.* Hierauf ist *þaðan* einzutügen; vgl. schw. v. 304: *Eneas hafuer thz thædhan fört,* und frz. v. 489 f.: *Li rois Enéas l'emporta De Troies.*

Laurínu (wofür schw. v. 305 gar *Lanom* bietet, dän. v. 317: *konningen aff Lwmbardi*) ist wol aus *Laviníu* entstellt; vgl. frz. v. 492: *A Lavine.* Gemeint ist natürlich Lavinia, die tochter des Latinus und der Amata, die spätere gemahlin des Aeneas und mutter des Ascanius. Vgl. Valv. þ. c. 5 (Ridd. sögur s. 71⁶ ff.): *Sé, hversu sæmiliga þau sitja eða hversu fagrliga þau tala, ok guð gefi, at ni hefði hann púsat hana, ok ynni henni*

svá mikit, sem Eneas Latínu, wo der übersetzer, vielleicht gerade in erinnerung an die vorliegende stelle, den durch seine vorlage gebotenen vergleich (s. note 1) abgeändert hat. Ausführlich wird die geschichte von Aeneas und Lavinia erzählt in den Bretasǫgur c. 2 f. (Ann. 1848, s. 106 ff.), wo die prinzessin ebenfalls nicht *Lavinia* heisst, sondern *Latína.*

3. *sá þjófr.* Der name des diebes wird nirgends angeführt ausser in M: *er Galapín hét,* offenbar eine reminiscenz an die Elis saga, wo s. 63 ff. die hss. B C D einen dieb ebenfalls so nennen.

4. *er síðan — kaupmǫnnum.* Die lesart von M: *síðan keyptu þat kaupmenn* steht frz. v. 497: *A lui marcéant l'acateret* näher; schw. v. 310 stellt sich allerdings zu N. Auf ähnliche weise, wie hier die kaufleute zu dem becher, ist der Flovents saga zufolge Hermet zu einem kostbaren mantel gelangt; vgl. c. 16 (FSS s. 142²⁹ ff.): *Þá lagði Hermet yfir Flóvent mǫttul, er hann keypti at einum þjóf fyrir M. marka gulls; sá hafði stolit frá Salatres hǫfuð-konungi; ok ef eigi hefði stolinn verit, þá mundi keyptr hafa verit fyrir III. M. marka, ok væri þá vel keyptr.*

Es begegnet in den romantischen sagas öfters, dass die geschichte eines kostbaren gerätes, speciell einer waffe, ausführlich mitgeteilt wird. So heisst es von dem helme, welchen Rosamunda ihrem ritter Elis aufsetzt, als er gegen den könig Julien kämpfen will,

en því litu þeir af, at þeir vissu, at þeir mundu meira á vinna. **Flor. VII. 10.** En þeim gaf góðan byr, ok sigldu heim, ok fluttu hana til Babilóniam, ok hann gaf VII sinnum jafnþungt gull fyrir

---

Elis s s. 101⁵ ff.: *þessum hjálmi tapaði Páris, Trója konungr, er tók Elena, dróttning af Grikklandi, á þeim degi, er Menelaus konungr skaut honum or sǫðli ok hjó hǫfuð af honum sakar ennar friðu eiginkonu sinnar, er Páris tók með svikum; þá var Tróe ǫll niðr brotin ok at fullu ónýtt ok eydd.* So wird ferner in der Sigurðar s. þǫgla s. 37 von einem schwerte, welches der graf Lafranz seinem pflegesohn Sigurðr schenkt, erzählt: *Þetta sverð hǫfðu gǫrt IIII dvergar þeir er hagastir váru kallaðir í norðrhálfu heimsins, konunginum af Sikiley. En þessu sverði hafði stolit brott þaðan jǫtunn einn norðan or Safva, er Faunus hét. En þann jǫtun drap sá kappi, er Sigurðr hét ok var kallaðr mánaleggr. Hann var faðir Úlfs jarls af Skotlandi. Sá sami Úlfr var faðir Sigurðar ens frœkna, er barðiz við Blót-Harald af Grecia, sem segir í sǫgu Seciliu ennar vænu, dóttur Sveins konungs af Sikiley. En Guition, fǫðurfaðir Lafranz af Lixíon hafði fundit Sigurð mánalegg, þá er hann hafði bariz við jǫtuninn, ok var þá kominn at dauða af sárum, ok hafði nát sverðinu af jǫtninum. Guition tók Sigurð ok hafði heim í sinn kastala ok grœddi hann. Varð hann heill um síðir ok gaf sverðit at læknislaunum, ok hǫfðu þeir langfeðgar þat síðan. Ok nú gaf Lafranz þetta sverð fóstra sínum* usw.

1. *en því litu þeir af,* „aber darum sahen sie von demselben ab", d. h. gaben es weg.

2. *En — byr* stellt sich zu frz. v. 503: *Li marcéant ont boin oré.*

3. Nach *Bab.* ist aus M zu ergänzen: *fœrðu hana konungi;* vgl. frz. v. 506: *A l'amiral l'ont presentée.* Amiral ist also hier mit konungr übersetzt; andere nordische texte halten das wort für einen eigennamen; vgl. Karl. s. s. 77¹² f.: *Ammiral, konungr af Babilón hefir sez í Rómaborg;* s. auch das. s. 405⁶.

3 — s. 20, 1. *ok hann gaf VII sinnum jafnþungt gull fyrir hana, sem hon stóð,* „und er gab sieben mal ebenso schweres gold für sie, als sie wog". Für das falsche *seldu* in N habe ich *hann gaf* eingesetzt nach frz. v. 507 f.: *Et il l'a tant bien acatée Qu'a fin or l'a sept fois pesée.* Auf dieselbe weise wurde das wergeld im ma. festgesetzt; vgl. J. Grimm, RA s. 673 f. und W. Wackernagel, Wergeld Christi und psalmenzauber, Ztschr. f. d. a. VII, 134 ff. Einige belege aus der älteren englischen litteratur für diese fixierung der preise, zu denen menschen oder tiere feil sind, habe ich in der anm. zu Sir Beves A v. 1725 f. (London 1885—94, s. 294 f.) zusammengestellt. Vgl. auch Flóv. s. c 9 (FSS s. 186⁴⁸ ff.): *Korsablín konungr gekk þá fyrir hǫfuðkonung ok hneigði honum, ok bað hann gefa sér fé til at frelsa trú sína við Flóvent. En konungr játti því ok gaf honum jafnvægi sitt af mǫlnu gulli ok marga gripi aðra.* Das. c. 12 (FSS s. 191¹⁴ ff.): *Þá mælti konungsson: Fyrir Maumets sakir gef mér grið! En ek skal gefa þér vág mína af mǫlnu gulli;* Bev. s. c. 14 (FSS s. 227⁴⁸ ff.): *Engi hestr fannz því betri né skjótari; hann var keyptr fyrir fjǫgur jafnvægi hans gulls;* Karl. s. s. 335²¹ ff.: *En*

2*

Flor. VII. hana, sem hon stóð. **11.** En keisarinn af Babilón keypti hana því svá gjarna, þvíat honum sýndiz hon mjǫk væn, ok vænligt, at hon mundi komin vera af góðu fólki, ok lét hana fara í sterkar varðveizlur. **12.** En kaupmaðrinn, sá sem selt hafði, fór heim, 5 ok fekk konungi fé þat, er hann tók fyrir hana, ok svá kerit. **13.** Þá lét konungr gera steinþró, ok lét ríta þetta á: Hér liggr undir en fagra Blankiflúr, sú er Flóres unni vel.

14. En þá kom Flóres heim, ok steig af hesti sínum, ok gekk í hǫllina, ok heilsaði feðr sínum ok móður sinni, ok 10 mælti: „Hvar er Blankiflúr?“

15. En þá dvǫlðuz andsvǫrin, ok gekk hann í herbergi til móður hennar ok spurði hana: „Damma“, segir hann, „hvar er unnusta mín?“

Ulien sat á einum eplóttum hesti, hann fengi eigi keypt með jafnvægi hans af brendu gulli.
3. *af góðu fólki,* „von guter familie“.
3. 4. *ok lét hana fara í sterkar varðveizlur,* „und liess sie in festen gewahrsam eintreten“. Oder ist *fœra* für *fara* einzusetzen?
5. *ok svá kerit* = schw. v. 326: *thz kar,* stimmt zu engl. v. 208: *þe cupe of golde,* und D v. 850: *Den guldinen cop sie daer toe gaven.* In frz. v. 516 wird der becher hier nicht einzeln erwähnt (vgl. Engl. Stud. IX, s. 96); doch ist wol der ausfall eines verspaares anzunehmen.
6. *steinþró,* „steinerner sarg“; vgl. Orvar-Odds s. c. 46, 6: *Nú skulu þér fara ok hǫggva mér steinþró.* Dass der könig selbst das grabdenkmal machen lässt, entspricht genau der darstellung in frz. v. 539: *Faire lor fait* (nicht mit Du Méril in *font* zu ändern!) *un tel tomblel.* Dass die königin ihm diesen rat gegeben hat (frz. v. 529 ff.), wird in der saga einfach übersprungen (vgl. dag. Herzog a. a. o. s. 170 f.). Danach ist wol *ríkuliga* aus M einzusetzen; vgl.

frz. v. 542: *La tombe fu moult bien ovrée;* ebenso nach *á:* *með gullstǫfum;* vgl. frz. v. 649: *Les lettres de fin or estoient.* Mit der grabschrift: *Hér liggr* usw., vgl. die des Achilles, Alex. s. s. 14 [18] ff.; *Hér hvílir Achilles enn sterki, er drap Hectorem, son Priami konungs. Sjá enn sami var svikinn í trygð ok drepinn af Páride, bróður Hectoris, í sólarguðs hofi.* S. auch die des Darius, a. a. o. s. 117 [11] ff. und die des Pallas, Bret. s. c. 4 (Ann. 1848 s. 120 [5] ff.).
12. *hennar.* In N steht *sinnar,* was unbedingt falsch ist, denn nur um die mutter der Blankiflúr kann es sich handeln, da Flóres seine eigene mutter ja eben umsonst gefragt hat; vgl. schw. v. 336: *hœnna modher;* frz. v. 671: *La mere a la meschine trueve.*
damma, „dame“, in der anrede, bei Fritzner [2] I s. 236a nur aus unserer saga nachgewiesen (s. u. c. 11, 1); ausserdem citiert er aus Maríu s. s. 1039 [34]: *til Maríukirkju, er kallaz á þeira tungu Notra Damma.* Hier hat der übersetzer einfach *Dame* aus frz. v. 673 herübergenommen.

16. „Eigi veit ek", segir hon.

„Seg mér!" sagði hann.

„Ek veit eigi", segir hon.

17. „Þú gabbar mik", segir hann, „eðr dylr þú mik, hvar
hon er?" 5

„Nei, herra!" segir hon; en þá mátti hon eigi við
bindaz ok tók til at gráta hǫrmuliga, ok segir honum, at hon
var dauð.

18. „Er þat satt?" segir hann. „Nær?" segir hann.

„Fyrir VII nóttum", segir hon. 10

„Af hverri sótt dó hon?" segir hann.

„Af þinni ást ofmikilli!" segir hon. En um dauða hennar
laug hon því at honum, at hon hafði svarit konungi eið.

Flóres lässt sich zu dem grabmal Blankiflúr's führen, und will, nach einer
apostrophe an den tod, sich selbst das leben nehmen, wird aber von seiner
mutter daran verhindert.

VIII, 1. Sem hann heyrði, at hon var dauð, þá kunni
hann því svá illa, at hann fell í óvit. **2.** En en kristna kona 15
varð svá hrædd, at hon tók at œpa svá hátt, at konungr
heyrði ok rann þegar til, ok dróttning, ok létu hǫrmuliga um

1—3. Das zweimalige *Eigi veit
ek*, wenn auch in verschiedener wort-
stellung, ist hart; frz. entspricht nur
im zweiten falle v. 675 *Ne sai*; im
ersten v. 674: *El n'i est mie.*

4. 5. *eðr dylr þú mik, hvar hon
er?*, „oder verbirgst du mir, wo
sie ist?"

6. 7. *En þá mátti hon eigi við
bindaz*, „aber da konnte sie sich
nicht länger halten".

9. *hann* (l). Hierauf ist wol als ant-
wort der frau aus M zu suppliren:
Sannliga, sagði hon; vgl. frz. v. 682 f.:
*Oïl, voirs est, Que si est morte
Blanceflor.*

9—12. Zu *Nær? — ofmikilli, segir
hon* = schw. v. 345 ff.: *Han spordhe,
huru lund thz kom til. Fore atta
dagha, iak thz sighia vil, Tha var
grafuith thz salugha liik* stellt sich
nur engl. v. 241 f.: *Alas, whenne
deide mi swete wiзt? Sire, wiþinne
þis seveniзt Þe erþe hire was leid
above, And ded he is for þine love*
(vgl. Engl. stud. IX s. 96). Von der
bestattung ist auch in F v. 2164 f.
und D v. 1082 die rede. In frz. ist
v. 684: *Voire, fait ele, por vostre
amor*, der einzige rest von diesem
zuge.

Cap. VIII. 15. *fell.* Hierauf wird
im blick auf die vorlage etwa zu
ergänzen sein: *niðr á jǫrð;* vgl.
schw. v. 354: *At hon fiol nidher a
iordh ok la* = frz. v. 690: *Tout pas-
més chiet el pavement.*

Flor. VIII. son sinn. **3.** En hann fell III sinnum á lítilli stundu í óvit; en þá er hann vitkaðiz, þá mælti hann svá:

4. „Aufi, aufi, dauði!" segir hann, „hví gleymir þú mér nú ok leiðir mik eigi eptir unnustu minni? Leiðið mik til graftar
5 hennar!" segir hann. **5.** En þá leiddi konungr hann til grafarinnar, en Flóres fekk nauðuliga gengit. **6.** En þá er hann sá ritat á grǫfinni, at: hér liggr Blankiflúr, sú er mikla ást hafði á Flóres, þá fell hann II sinnum í óvit, áðr en hann gæti talat; en síðan settiz hann upp á grǫfina ok tók at harma
10 hana ok gráta, ok mælti svá:

7. „Aufi, aufi, Blankiflúr! Vit várum bæði fœdd á einum degi ok bæði getin á einni nótt, eptir sǫgu mœðra okkarra. Fœdd várum vit bæði samt: hví skyldum vit ok eigi bæði samt deyja, ef dauðinn væri réttvíss?"

15   **8.** En þá tók hann at lofa hana ok mælti svá: „Aufi, Blankiflúr! et skíra andlit! Slíka sá ek aldri jafnfríða eðr jafnvitra á þínum aldri, ok eigi mun verða getinn maðr svá

---

2. *en — vitkaðiz* ist typisch; vgl. u. a. Parc. s. c. 17 (Ridd. sögur s. 50¹⁶f.): *En hon fell þegar í óvit. En þegar hon vitkaðiz usw.*; s. auch Valv. þ. c. 1 (Ridd. sögur s. 59¹⁵ff.); Part. s. s. 285⁵f.

3. *Aufi*, „*O* weh!"

4. *ok — minni*, anders wie frz. v. 700: *Quant perdu ai ainsi m'amie?* *til graftar*, „zum grabe".

4. 5. *Leiðið — hennar*. Die lesart von M: *Móðir, sagði hann, leið mik til grafar Bl.!* stimmt genauer zu frz. v. 701: *Ahi, dame, car me menez usw.*, N wird *Móðir* gestrichen haben, weil dann trotzdem, frz. v. 703: *Li rois a la tombe l'en-maine* entsprechend, der könig die führung übernimmt. Umgekehrt hat M, um diesen widerspruch zu vermeiden, die übersetzung dieses letzteren verses gestrichen. Die gleiche differenz im frz. urtexte zu erklären, kann hier nicht meine aufgabe sein (vgl. Sundmacher a. a. o. s. 9 ff. und Herzog a. a o. s. 180 ff. und s. 209 ff.).

7. 8. *sú . er mikla ást hafði á Flóres*. Diese zweite fassung der grabschrift stimmt inhaltlich zur ersten, oben c. 7, 13, wenn wir dort *Flóres* als accus. auffassen; in frz. A stimmt dagegen die erste, v. 652: *A cui Floires ot grant amor*, nicht zur zweiten v. 706: *Qui envers Flore ot grant amor*. Ausserdem ist die erste hälfte der grabschrift hier nach v. 705 ausgefallen (vgl. Engl. stud. IX, s. 96).

8. *II sinnum* an dieser stelle nur in N; doch vgl. engl. v. 267: *Þre siþes Floris swouneþ nuþe* = F v. 2228 f.: *. . . daz im geswant Dri stunt von der angesiht* = D v. 1128: *Dat hi driewerf beswalt achter een*, gegenüber frz. v. 707: *Trois fois le list, lors s'a pasmé*. Die obigen texte müssen also sämtlich eine andere lesung vor sich gehabt haben (vgl. Engl. stud. IX, a. a. o.).

14. *réttvíss*, „gerecht".

17. *aldri*. Hierauf ist aus M zu

vitr, at þinn fríðleik fái rítat með penna, þvíat aldri fær Flor. VIII.
lyktir á gǫrt, svá er mikit efnit til. Þú vart lofs verð ok
kurteis, ok hverr ungr ok gamall, sem sá þik, elskaði þik
fyrir fríðleiks sakir."
9. „Aufi, dauði! þú ert ǫfundarfullr, elskar þann, er þik 5
elskar eigi. Þik má engi forðaz, en þó viltu þann eigi, er
þín leitar; en þá er hann vildi lifa, drepr þú hann; ok ef einn-
hverr fátœkr eða gamall megi eigi bera hǫfuð sitt sakir elli,
kallar hann á þik, ok viltu eigi heyra hann. **10.** Hverjum
manni gerir þú rangt, ok rangt gerir þú mér, er þú tókt 10
Blankiflúr frá mér, er gjarna vildi lifa; heyr mik, er kallar á
þik! En ef þú flýr mik, þá skal ek þó senniliga fylgja þér",
sagði hann. **11.** „Ef maðr vill deyja, þá fær þú ekki hindrat
hann; mun ek ok þessa eigi lengr biðja, þvíat áðr kveld
komi, skal ek mik sjálfr drepa, þvíat ek elska eigi þetta 15
líf, síðan þú tókt frá mér Blankiflúr. **12.** Nú skal ek fara
til Blómstrvallar, þvíat þar bíðr mín Blankiflúr, mín unnasta."

---

ergänzen: *ok aldri mun ek síðan
sjá* = schw. v. 385: *ok aldre skal
födhas ij vara dagha;* vgl. frz. v. 726:
Jamais n'en-iert plus bele feme; eben-
so s. 23¹ nach *ritat: né með munni
sagt;* vgl. frz. v. 728: *ne bonté dire.*

2—4. *Þú—sakir.* Dieser zum teil
in der hs. schwer lesbare passus
schliesst sich, freilich stark kürzend,
an frz. v. 735 ff. an. *ok hverr—sakir*
stimmt speziell zu frz. v. 739 f.: *Petit
et grant, tout vous amoient Por la
bonte qu'en vous véoient.*

5. *ǫfundarfullr,* „neidvoll". Von
hier ab bis s. 26⁷ *sagði hon* gebe ich
den text nach M, da in N dieses stück
verloren ist; vgl. die einleitung.

6. *Þik má engi forðaz,* „Vor dir
kann sich niemand retten", nur hier.

9. 10. *Hverjum manni gerir þú
rangt* stimmt zu frz. B v. 761: *Tu
fes grant mal a tote gent.*

Belege aus deutschen und fran-
zösischen quellen dafür, dass lebens-
müde unglückliche den tod herbei-

rufen, sein ausbleiben beklagend,
gibt J. Grimm, Myth.⁴ II,703. Vgl. Parc.
s. c. 11 (Ridd. sögur s. 31¹⁴ ff.), wo eine
frau folgendermassen über den tod
ihres gatten klagt: *Súrr ertu, dauði,
er þú tókt mitt líf ekki fyrr en bónda
míns, ok illt verði þér, hjarta, er þú
springr ekki af hans dauða, þvíat
ek vilda dauð vera með honum, svá
sem mitt líf var kœrt hans lífi.*

12. *senniliga,* „in wahrheit".

13. 14. *þá fær þú ekki hindrat hann*
„da vermagst du ihn nicht zu hindern";
vgl. frz. v. 770: *Ne li pues pas longes
guencir.*

16. 17. Zu *Nú skal—unnasta* vgl.
frz. v. 777 f.: *M'ame la m'amie sivra:
En camp-flori la trovera.* Die ent-
sprechenden ndl. stellen hat Grimm
a. a. o. II, 685, wo er von der „aue
der seligen" spricht, ausgeschrieben;
vgl. F v. 2326: *an der maten,* v. 2425:
diu wise; engl. fehlt nach v. 306
der entsprechende passus. Auch
sonst mangelt es nicht an belegen
dafür, dass unsre älteren dichter

Flor. VIII. Þat kǫlluðu heiðnir menn Paradís eða Blómstrarvǫll, er æ
stendr með blóma.

13. Ríss Flóres upp ok leitar sér at dauða; dró hann
fram einn kníf, er Blankiflúr hafði gefit honum, ok þá mælti
5 Flóres við knífinn:

14. „Þú knífr“, sagði hann, „átt at enda mitt líf! Gaf
þik mér til þess Blankiflúr, at gera minn vilja með þér: þú,
Blankiflúr“, segir hann, „vísa knífi þessum í brjóst mér!“

15. Ok er hann hafði skipat knífinum undir vinstri síðu
10 sér á geirvǫrtu, þá hleypr móðir hans at ok grípr knífinn, ok
ávítaði hann fast; en hann svarar svá:

16. „Móðir, heldr vil ek deyja nú, en þola lengr þenna
harm.“

17. „Son minn“, sagði hon, „bernsligt er slíkt, at girnaz
15 svá mjǫk dauða, þvíat engi er svá vesall, at hann flýi eigi
dauða sinn, ef hann má. **18.** Er þat ok en mesta skǫmm, at
drepa sik sjálfr; enda á sá aldri Blómstrarvǫll, er þat gerir,

---

sich den himmel als ein grünes ge-
filde dachten, vgl. Grimm a. a. o.

1. 2. *er æ stendr með blóma*, „wel-
ches immer voll von blumen steht“.
Þat—blóma, worin diese anschau-
ung als eine specifisch heidnische
markiert wird, sind eigentum des
sagaschreibers; schw. v. 393 ist nur
von dem paradiese die rede. Von
einem anderen *Blómstrvǫllr* hat die
Blómstrvalla saga ihren namen er-
halten; dort heisst es s. 11⁹ ff.: *En
þessi garðr var með ilmandi ald-
intrjám, ok þær fǫgru jungfrúr,
sem þar váru, báru á sik mirru ok
balsamum, svá at ilmaði af þeim
hvar sem þær gengu. Þenna fagra
vǫll kalla Latínumenn Flos mundi,
þat kǫllum vér Blómstrvǫll.*

3. *ok leitar sér at dauða*, „und
sucht sich den tod zu geben“.

3. 4. *dró—honum.* Vgl. frz. v. 787:
Un grafe a trait de son grafier. Vgl.
über diese divergenz Sommer zu
Fleck v. 1244.

4. Nach *honum* ist der zusatz weg-
gefallen: ‘als er sie zum letzten
male sah’; vgl. schw. B v. 396 c:
Snimarsta tima jak hona sa = frz.
v. 790: *Le darrain jor qu'a lui parla;*
freilich steht schw. der vers in an-
derer umgebung.

7. 8. *Þú, Bl.—mér*, anders wie
frz. v. 797 f.: *Des ore fai cou que tu
dois: A li m'envoie, car c'est drois.*

10. *á geirvǫrtu* stimmt zu F
v. 2388 f.: *Er kêrte gegen den brü-
sten Den griffel an der spitze*, ge-
genüber frz. v. 799: *En son cuer
bouter le voloit.*

10. 11. *ok ávítaði hann fast*, „und
tadelte ihn heftig“; anders frz. v. 802:
Si le castie doucement.

14. *bernsligt er slíkt*, „das ist
kindisch“.

15. 16. *þvíat—má*, vgl. hierzu Sig.
s. þǫgla s. 86¹² ff.: *en þó er þat eigi
rétt, at maðr skuli sik sjálfr deyða,
ef hann á kost at lifa.*

ok aldri finnr þú Blankiflúr, þvíat sá vǫllr tekr við þeim   Flor.
einum, er eigi verðr sjálfr sér at skaða: tekr helvíti við þeim,   VIII. IX.
ok svá mundi við þér, ef þú hefðir nú gǫrt þinn vilja.
19. Huggaztu nú, son minn, ok lifi, þvíat þú munt enn finna
Blankiflúr, annathvárt lifandi eða dauða; ok ek hygg, at ek 5
vita þar lækning til, þá sem nœgja mun, at hon mun lifna."

Flóres erfährt, dass Blankiflúr nicht tot, sondern durch kaufleute
weggeführt ist, und schickt sich an, sie zu suchen.

IX, 1. Gengr hon síðan grátandi til konungs ok mælti:
„Herra", sagði hon, „ek bið þik fyrir þess guðs sakir, er vit
trúum á, at þér lítið miskunnaraugum á son okkarn; hann
vildi nú rétt í stað hafa drepit sik með þessum knífi, en ek 10
kom at í því, ok tók ek af honum".
2. „Frú", sagði hann, „bíðum enn, þvíat hann mun skjótt
huggaz!"

---

2. *er eigi verðr sjálfr sér at skaða,*
„der sich nicht selbst schaden zu-
fügt", d. h. sich nicht selbst das
leben nimmt.

Eine allgemeine fassung des satzes,
dass selbstmörder nicht in das land
der seligen gelangen, wie sie sich
hier und schw. v. 405 f. findet, treffen
wir auch bei D v. 1254 ff. und in F
v. 2422 ff.; frz. v. 816: *Cil cans ne
recoit pechéor,* steht ferner. Vgl.
Erex s. s. 33⁶ ff., wo ein jarl Placidus
der Evida, welche, ihren gatten tot
glaubend, sich in sein schwert stürzen
will, klar macht, das sei *óráð, at
hon týndi bæði lífi ok sálu, ok missa
þar fyrir himnaríki;* frz. v. 4691 ff.
findet sich keine entsprechung für
diese worte (s. Germania XVI s. 403).

4. *Huggaztu nú, son minn,* „be-
ruhige dich jetzt, mein sohn"! ent-
sprechend frz. v. 829: *Biaus dous
chiers fius, or te conforte.*

5. *annath árt lifandi eða dauða,*
„entweder lebend oder tot", ist in

diesem zusammenhange natürlich
töricht und sicherlich nur einge-
drungen aus redensarten wie Karl.
s. s. 406¹³ f.: ... *ek skal fœra þik
Sibiliu dróttningu yfirkominn ann-
attveggja kvikan eðr dauðan;* oder
Sams. s. fagra c. 7 (NKD s. 11¹⁸ f.): *en
ek em í eptirleitan eptir Valintínu,
dóttur Garlants konungs, ef hon mœtti
finnaz, annathvárt lífs eðr dauð.* Der
übersetzer wird geschrieben haben:
heldr lifandi en dauða, entsprechend
frz. v. 830: *Car ains l'aras vive que
morte;* schw. v. 412: *Thu ma hona
finna, thy hon ær qwik,* steht ferner.

Cap. IX. 8. 9. *fyrir—trúum á,* ein
typischer ausdruck (vgl. meine anm.
zu Bev. s. s. 229¹⁴ f., Beitr. 19, 8b)
frz. v. 835 entsprechend: *por Diu le
grant.*

9. *at þér lítið miskunnaraugum
á son okkarn,* „dass ihr mit mit-
leidigen augen auf unseren sohn
sehet", d. h. dass ihr erbarmen mit
ihm habt.

Flor. IX.   „Ek óttumz", sagði hon, „ef vit bíðum, at hann drepi
sik, ok eru vit þá barnlaus".

3. „Frú", sagði hann, „viltu, at vit segjum honum?"

„Já", sagði hon, „þat er mitt ráð, þvíat annathvárt fám
5 vit þau bæði eða missum bæði."

Konungr segir: „Far þá skjótt ok seg honum!"

4. Ok hon gerði svá: „Son minn", sagði hon, „þetta váru
ráð fǫður þíns ok mín, at þessi þró var gǫr, en hon liggr eigi
hér í", ok segir honum allt, hversu hon var seld: „en þat var
10 fyrir því gǫrt, at vit vildum, at þú gleymdir Blankiflúr ok
fengir þér konungsdóttur jafnburðuliga þér. 5. En þetta varð oss
margfǫld ógleði, þvíat hon var kristin ok fátœk ok af lágu
kyni. Nú, son minn, þrá eigi eptir henni, fyrir því at þat
gerir ekki, svá er hon langt seld."

15 6. Þá segir hann: „Móðir, er þat satt?"

---

2. *ok eru vit þá barnlaus,* „und
dann sind wir kinderlos". Aus frz.
v. 845 ergibt sich, dass das königs-
paar zwölf kinder gehabt hatte, wel-
che bis auf diesen einen sohn sämt-
lich gestorben waren.

barnlaus. Hiernach ist ein satz
ausgefallen, welcher schw. v. 425 f.
so ausgedrückt ist: *Ok vardher thz
thunkt om land at höra, Vi mattom
thz hiælpa ok vilde ey göra,* = frz.
v. 847 f.: *Si dira on en cest païs,
Que nous de gre l'avons ocis.*

3. *viltu — honum?* Nur hier und
schw. v. 427 ist die zustimmung des
königs in die form einer frage ge-
kleidet; vgl. frz. v. 849 f.

4. 5. *þvíat — bæði.* Nach frz.
A v. 850¹ f. würden diese worte
zu der rede des königs gehören,
was unpassend erscheint; die mo-
tivierung ist vielmehr sache der
königin. M stimmt in bezug hierauf
ausser mit schw. v. 429 f., mit D
v. 1304 ff. und einigermassen auch
mit engl. v. 321 f. überein. *Offenbar
gehören diese beiden frz. verse vor*

v. 848, und vor ihnen sind mehrere
weggefallen, welche den worten:
Frú — ráð entsprachen.

11. *konungsdóttur jafnburðuliga
þér,* „eine dir ebenbürtige königs-
tochter". Das adj. *jafnburðuligr*
findet sich in keinem wörterbuche.
Zum sinne vgl. Gudrun str. 210, 1 f.:
*Dô rieten im die besten, er solte minne
phlegen, Diu im ze máze kœme,* und
Martins note z. d. st. Uebrigens hat
diesen beisatz nur die saga.

þér (2). Hierauf ist aus M zu er-
gänzen: *þvíat þat er bæði sœmiligt
þér ok oss* = frz. v. 860: *Qui hono-
rast et nous et toi.* Wahrscheinlich
ist auch danach noch ein satz ver-
loren, des sinnes: 'Wir fürchteten,
du möchtest dich in Bl. verlieben',
da sonst das folgende *þetta* bezie-
hungslos ist, vgl. frz. B v. 861 f.

13. 14. *fyrir því at þat gerir ekki,*
„weil das doch nichts nützt".

Nú — seld stellt einen letzten ver-
such dar, Flóres von der hoffnungs-
losigkeit seiner liebe zu überzeugen;
ebenso schw. C v. 448¹ ff.: *Min son,*

„Já“, segir hon, „þú mátt sjá nú!“ **Flor.**

7. Þá létu þau taka steininn af grǫfinni; en þá er hann **IX. X.**
fann hana ekki þar, ok hann vissi, at hon lifði, þá varð hann
mjǫk feginn ok kvez aldri skyldu létta fyrr en hann fengi
hana, hvar er hon væri, ok eigi fyrr aptr koma, en hon 5
fylgði honum. 8. En þat þarf eigi at undraz, at hann mælti
svá, fyrir því at ástarfullr maðr kemr því fram, er hann vill,
ef hann leggr mikinn hug á; ok þat vátta Kalídes ok Pláto.
9. Nú var Flóres kátr, er Blankiflúr lifði, ok mælti svá:
„Þarfleysu gerði konungr, er hann seldi Blankiflúr, fyrir því 10
at ek skal aldri aðra konu eiga.“

Flóres’ vater willigt in die reise seines sohnes und gibt ihm gefolge und
wertvolle besitztümer mit. Flóres verabschiedet sich von seinen eltern,
bricht auf und nimmt zunächst bei einem reichen manne in der nähe des
meeresufers herberge.

X, 1. Síðan gekk hann til konungs, en konungr varð
honum mjǫk feginn, er hann sá son sinn. En þá bað Flóres
fǫður sinn leyfis, at fara at leita at Blankiflúr. 2. En svá
sem konungr varð feginn fyrst, svá varð hann nú ófeginn ok 15
tók at lasta ráð dróttningar, ok M marka vildi hann til gefa,
at aldri hefði þau hana selda, ok allt þat er hann tók fyrir
hana; ok þá mælti hann við Flóres:
3. „Son minn“, segir hann, „heill svá! Ver kyrr, ok far
eigi frá feðr þínum!“ 20

---

*lat tik ey effter henne langa, Thy
at thu kant henne ey fanga; Hon
ær nu swa lankt komin bort, Thz
vi fa aldre til hænna sport;* frz.
v. 867 ff. stimmt dazu nur allenfalls
inhaltlich.

7. *ástarfullr,* „von liebe erfüllt“.

8. *Kalídes,* M: *Kallades* ist eine
entstellung aus *Caton* (vgl. frz. v. 893)
und unter dem *livre Caton* sind doch
wol die im ma. viel gelesenen *Di-
sticha Catonis* zu verstehen. *Pláto*
hat der sagaschreiber hinzugefügt.

10. *Þarfleysu gerði konungr,* „Et-
was überflüssiges tat der könig“.
Es existieren drei formationen dieses

wortstammes: *þarflausa, þarfleysi*
und *þarfleysa;* vgl. Boer zu Ǫrvar-
Odds s. c. 40, 5.

Cap. X. 13. 14. *En þá — leyfis* stellt
sich zu frz. B v. 904: *Qu’il li de-
manda le congiés;* A vac.

16. *dróttningar.* Hierauf ist aus
M zu ergänzen: *at hon var seld,* = frz.
v. 910: *Par qui il vendi la meschine.*

17. *at - selda* enthält einen anderen
gedanken wie frz. v. 915: *S’il la
trovoit;* M: *fyrir hana,* steht dem
letzteren sinne näher.

19. *heill svá,* „so wahr du willst,
dass es dir wol gehen möge“.

Flor. X.   **4.** Hann segir: „Faðir“, segir hann, „mæl eigi þér synd, þvíat svá miklu sem þú skyndar meir minni ferð, svá miklu komum vit fyrr heim hæði!“

5. Þá segir konungr: „Með því at þú leggr svá mikit þrá
5 á ferð þína, þá seg mér, hvert þú vilt fara! En ek vil gera allan þinn vilja, ok allt þat, er þú þarft, þá vil ek fá þér, bæði gott pell ok gull ok silfr ok góð klæði, fríða hesta ok fagrt lið.“

6. En sveinninn þakkaði konungi ok mælti: „Þǫkk er mér
10 á þínu boði, faðir, en ek vil nú segja þér mitt ráð: ek vil, at þú fáir mér VII fatahesta, ok hafi II klyfjar af gulli ok góðum silfrkerum ok silfrdiskum, enn þriði af mótuðum peningum, enn fjórði ok enn fimti af enum beztum klæðum, er þú finnr, en enn sétti ok enn sjaundi af safalaskinnum ok marðskinnum, ok
15 VII menn at fylgja þeim, ok aðra VII menn ríðandi, þá er varðveita hesta vára ok kaupi sér mat; ok herbergissvein þinn látir þú fylgja mér, þvíat hann kann vel góð ráð at gefa ok kaupa ok selja. En ek vil kallaz kaupmaðr ok með kaup-

---

2. *sem þú skyndar meir minni ferð,* „je mehr du meine reise beschleunigst“.

7. 8. *fríða — lið* stimmt zu frz. B v. 926: *Et biaus chevaus et bele gent;* A weicht ab.

9. 10. *Þǫkk er mér á þínu boði,* „Ich bin dir für dies anerbieten sehr verpflichtet“.

11. *fatahesta,* „packpferde“, = frz. v. 930: *somiers,* ein nur aus dieser stelle bekanntes wort. Ueber saumtiere vgl. A. Schultz, a. a. o. I² s. 516 f.

gulli. Hiernach ist aus M zu supplieren: *ok silfri* = frz. v. 931: *et d'argent.*

11. 12. *ok góðum silfrkerum ok silfrdiskum,* „und von guten silbernen bechern und schüsseln“; frz. v. 932 ist nur im allgemeinen von *vaissiaus* die rede. Auch in der Mǫttuls s. (Lund 1877) s. 5²⁴ werden *silfrdiskar með slátri* erwähnt, ohne entsprechung im frz. texte; vgl. ferner

Strengl. s. 45²⁸ f.: *(dvergrinn) lét piparinn í einn silfrdisk ok steikarnar í annan meira disk;* Sig. s. þǫgla s. 86₁ ff.: *sez hon nú upp ok sér standa silfrdisk stóran hjá sér með allra handa krásum, ok skaptker með vín.* Ueber den gebrauch kostbarer tischgeräte s. auch A. Schultz a. a. o. I² s. 372 f.

12. *af mótuðum peningum,* „von gemünztem gelde“.

13. *af.* Hiernach ist wol *dýrum ok* einzusetzen; vgl. frz. v. 935 f.: *de chiers dras, Des millors que tu troveras;* jetzt ist in jeder hs. nur eines der beiden epitheta erhalten.

14. *marðskinnum,* „marderfellen“.

15. *aðra VII menn* = schw. v. 498; frz. v. 940 spricht nur von *trois escuiers.*

16. *ok kaupi sér mat;* man würde *oss* für *sér* erwarten; vgl. frz. v. 941: *Qui nostre marcié porquerront.*

18 — s. 29, 1. *með kaupum fara,* „handel treiben“. Nach diesen worten

um fara." **7.** En konungr lét allt svá búa, sem hann beiddi. **Flor. X.**
En þá er Flóres var búinn, þá gekk hann at taka leyfi af
konungi. Þá lét konungr bera fram kerit, þat er tekit var
fyrir Blankiflúr, þá er hon var seld, ok mælti: „Son minn",
segir hann, „tak hér ker þat, er hon var keypt með!"　　　5
8. Þá svaraði Flóres: „Hver var sú?" segir hann.
„Blankiflúr, unnasta þín!"
9. Þá var honum söðlaðr gangari; en hann var annan
veg snjáhvítr, en annan veg blóðrauðr; en guðvefjarpell var
at þófanum. **10.** En söðullinn var af fílsbeini, ok virðuliga steindr　10
ok gyldr; en yfir söðlinum var ágætt pell vindverskt, ok allt
gullskotit. En ístig ok allar gjarðir ok gagntök váru af silki,

ist folgender satz aus M einzufügen:
*en ef ek mætta finna Blankiflúr, þá
mun óspart vera gull ok silfr, með-
an til er* = schw. v. 505 f.: *Ospart
skal vara æ huath iak a, At iak
hænne finna ma* = frz. v. 949 ff. B: *Et
se nous la poons r'avoir Por nul
marcié de nostre avoir, Nous en
donrons bien largement.*

5. *er hon var keypt með.* Man
sollte eher erwarten: *er hon var seld
fyrir;* der könig spricht hier vom
standpunkte der kanfleute aus.

Man vermisst am schlusse der rede
den gedanken: 'Vielleicht gelingt es
dir, sie damit zurückzugewinnen';
vgl. frz. v. 960 f.

8. *gangari,* „passgänger".

9. *snjáhvítr,* „schneeweiss".
blóðrauðr, „blutrot".
Wie die beschreibungen von pfer-
den in den mittelalterlichen epen
überhaupt viele typische elemente
aufzuweisen haben, so findet sich
öfters die angabe, dass bei ihnen
beide seiten verschieden gefärbt sind.
Bangert, Die tiere im altfrz. epos,
Marburg 1885, s. 53, und Kitze, Das
ross in den altfranzösischen Artus-
und abenteuer - romanen, Marburg
1888, s. 19 f. haben eine nicht geringe
anzahl von stellen gesammelt. Vgl.

Valv. þ. c. 1 (Ridd. sögur s. 58²²ff.), wo
ein pferd so beschrieben wird: *Hans
höfuð var annan veg svart, en annan
veg hvítt, en annars staðar var hann
blóðrauðr.*

9. 10. *en guðvefjarpell var at þóf-
anum,* „aber kostbarer seidenstoff
diente als satteldecke"; vgl. frz.
v. 967: *La soussele est d'un paile
chier.* S. auch Karl. s. s. 440¹⁶ f.:
*En undirgerð söðuls var af enu
bezta guðvefjarpelli,* sowie A. Schultz,
a. a. o. I² s. 495.

10. *af fílsbeini,* „von elfenbein".

11. *gyldr,* „vergoldet", von *gylla.*
Ueber elfenbeinerne, vergoldete und
mit malereien verzierte sättel vgl.
A. Schultz, a. a. o. I² s. 489 ff., Kitze
a. a. o. s. 22 ff. Nach frz. v. 970 ist
er vielmehr gemacht aus *la coste
d'un pisson.* Auch Erex s. s. 3²f.
ist von einem *söðull af fílsbeini* die
rede, wo frz. v. 101 ff. nichts ent-
sprechendes bietet. Wieder anders
Karl. s. s. 440¹⁵ f.: *Söðull hans var af
steini þeim er cristallus heitir ok
búinn allr með gull ok silfr.*

vindverskt, vgl. oben zu c. 7, 3; hier
entspricht frz. v. 976: *de Castele.*

12. *gullskotit,* „mit goldfäden durch-
schossen".

en ístig ok allar gjarðir ok gagn-

Flor. X. en ístigin sjálf váru af rauða gulli ok sylgjurnar. **11.** En
hǫfuðleðr beizlsins var af gulli ok sett dýrum steinum; en
sjálft beizlit var af spænzku gulli. **12.** En allt saman var þat
virt fyrir X kastala, ok helzt vildi konungr beizlit fyrir gerðar
5 sakir. **13.** Þá dró dróttning fingrgull af hendi sér ok á hǫnd
Flóres, ok mælti svá:

14. „Son minn", segir hon, „varðveit þetta vel, þvíat þú
þarft ekki at hræðaz, meðan þú hefir þetta gull, hvárki eld né
járn, ok eigi vǫtn; ok þat hefir þann mátt í steininum, at hvers

---

tǫk váru af silki, „aber die steig-
bügelgurten, die riemen und die
sattelgurten waren von seide"; das
war gewöhnlich der fall; vgl. Kitze
a. a. o. s. 9 f.

1. af rauða gulli, „von rotem
golde". Ich glaube nicht, dass wir
dieser stelle wegen mit Fritzner[2] III
s. 40 ein subst. rauðagull ansetzen
dürfen. — Das gold hatte im ma.
durchweg eine rötliche färbung.

2. hǫfuðleðr beizlsins, darunter ist
das kopfgestell des zaumes zu ver-
stehen, durch welches das gebiss im
maule des pferdes festgehalten wird.

3. af spænzku gulli, „aus spani-
schem golde" = frz. v. 993: de l'or
d'Espaigne. Es kann darunter doch
wol nur das spanische gold gemeint
sein, welches, wie schon Plinius be-
hauptet, aus dem sande des Tajo ge-
wonnen wurde, denn von einem ander-
weitigen goldreichtum Spaniens ist
nichts bekannt. Sonst werden auch
gebisse von silber genannt; vgl.
Flóv. s. c. 8 (FSS s. 132[40] f.): Þar tók
Flóvent hest hans með silfrbeizli.

3. 4. En — kastala entspricht frz.
v. 994: Assez mieus en valoit l'ouv-
raigne, nicht genauer; doch vgl. das.
v. 983: Li estrier valent un castel.
Aehnlich Flóv. s. c. 8 (FSS s. 183[18] ff.):
Ok sat hann á hesti þeim, er Aviment
het; hann var keyptr fyrir IIII kast-
ala; Karl. s. s. 426[21] f.: síðan seldu

þeir þenna hest fyrir 20 kastala ok
20 borgir með ǫllu því ríki, er til lá.
Hier bezieht sich indessen die wert-
bezeichnung nur auf den zügel; vgl.
Elis s. s. 62[13] f.: hest þenna skulu
vér hafa, er þú hefir hingat haft;
ek hefi at hugt mér, at beizlit er
vert XX punda silfrs.

4. 5. ok helzt vildi konungr beizlit
fyrir gerðar sakir, „und am besten
gefiel dem könig der zügel wegen
der kostbaren ausführung".

Zu diesen angaben über die aus-
rüstung des pferdes vgl. die schil-
derung von Evida's ross, Erex s.
s. 36[6] ff.: Ok hann gaf Evida góðan
gangara með gyldum sǫðli, ok víða
settan gimsteinum, en beizl ok ístǫð
með gulli gǫr með svá miklum hag-
leik, at á sǫðulboganum váru skrifuð
ǫll stórmerki Trójumanna, en sǫð-
ulklæðin af hvítum purpura, víða
gullsett, verglichen mit frz. v. 5330 ff.

9. vǫtn, „wasserfluten". Von dieser
gefahr ist auch in dem hier aus-
führlicheren texte frz. B nicht die
rede; dagegen vgl., ausser schw.
v. 546, engl. v. 395: Þat fir þe brenne,
ne adrenche se, D v. 1569: No van
watre no van viere, F v. 2893: Von
wazzer noch von fiure. Es dürfte
also frz. B v. 1006[2] statt Ne feu ar-
doir n e encombrer, n' e v e encombrer
zu lesen sein (vgl. Engl. stud. IX
s. 97). Ueber wunderkräftige ringe

sem þú leitar, þá muntu finna, hvárt sem þat er fyrr eðr Flor. X.
síðarr." síðarr."

15. Hann tók við ok þakkaði henni vel; en síðan tók
hann leyfi af konungi ok dróttningu; en þau kystu hann grát-
andi, ok tóku síðan at reyta hár sitt, ok borðu sik ok létu, 5
sem aldri mundu þau hann sjá síðan, ok um þat váru þau
sannspá; en þá bað Flóres þau vel lifa.

16. Nú reið Flóres braut ok kallaði til sín herbergissvein
þann, er faðir hans fekk honum, ok bað hann ætla dagleiðir
þeira til strandar, þar sem Blankiflúr var seld. 17. En þá er 10
þeir kómu þar, þá tóku þeir sér herbergi at eins ríkismanns

---

vgl. Winter a. a. o. s. 59 f. In der
Sigurðar s. þoglas. 49²²ff. heisst es von
einem ringe: *Sú er ok nattúra þessa
gulls, ef þú hefir þat á þinni hendi,
at þér má eigi eldr granda, eitr eða
vápn; engi maðr sér þik, hvar sem
þú vilt fara.* Ferner Flóv. s. c. 22 (FSS
s. 155¹⁴ ff.): *fingrgull þetta, þar er í
steinn sá, er mikillar elsku er verðr,
þviat sá maðr, er stein þenna hefir á
sér, honum má eigi granda eitr né
svikræði eða illzkukraptr;* Ív. s. c. 10
(Ridd. sögur s. 108⁴ ff.): *Tak nú fingr-
gull þetta á þinn fingr, er ek lé þér.
En steinn* (B) *hefir þá nattúru,
at ekki verðr þú hertekinn ok ekki
bíta þik vápn, ok ekki fær þú sár
né onnur misfelli, ef þú berr þenna
stein;* þjál. s. 15²⁶ ff.: *Hér er sá
hringr, sem ek veit flesta kosti hafa,
þviat þeim manni má eigi granda
eldr né snjár, votn eðr eitrkvikindi,
ef hann hefir á sér.* Konr. s. B s. 36¹⁶ ff.
wird als eigenschaft des steines *ja-
cinctus* angegeben: *ef maðr hefir
hann á sér, þóat verði sjódauðr, at
lík hans muni finnaz;* ferner von
dem *carbunculus, at eldr má eigi
granda þvi herbergi, er hann er í;
aldri verðr ok myrkt í þvi húsi, er
hann berr upp í.*
5. *reyta,* „ausraufen".

6. 7. *ok um þat váru þau sann-
spá,* „und mit dieser prophezeiung
hatten sie recht" = schw. v. 557 f.
In der tat wird uns später berichtet,
dass Flóres' eltern nicht mehr am
leben sind, als er mit Blankiflúr aus
Babylonien zurückkehrt. Das ist
übrigens nicht blos ein zusatz des
sagaschreibers, sondern der ent-
sprechende passus ist im frz. texte
nach v. 1016 ausgefallen; vgl. engl.
v. 405 f.: *For him ne wende hi nevre
mo Eft to sen, ne dide hi no* = D
v. 1596 ff.: *Emmer waren si in dien,
Dat sine nemmermeer waenden sien.
Hem gesciede alsiit ontsagen, Want
sine nemmermeer ne sagen* (vgl. Engl.
stud. IX s. 97).

7. *lifa.* Hierauf ist wol mit M
einzufügen: *en þau báðu hann vel
fara* = schw. v. 560; vgl. frz. v. 1018:
De tous fu a Diu commandés.

9. 10. *ætla dagleiðir þeira til
strandar,* „die ziele ihrer einzelnen
tagesreisen bis zum meeresstrand
festzusetzen".

11. *at eins rikismanns,* „bei einem
vornehmen manne"; über den sinn
dieses wortes vgl. Finnur Jónsson
zu Egils s. c. 3, 17.

Flor. X. ok góðs húsbónda, ok létu ríkuliga yfir sér; matbúa þeir, kǫll-
uðuz kaupmenn ok sǫgðuz vilja fara yfir hafit með varning
sinn. Flóres sǫgðu þeir at væri þeira lávarðr: „ok hann á
féit“, sǫgðu þeir. **18.** Þá fóru þeir til matar ok buðu bónda
5 ok húsfreyju ok ǫllum hans hjónum. Ríkuliga var þeim fengit
at mat ok drykk, ok var þeim skenkt allskyns góðr drykkr
bæði í silfrkerum ok gullkerum, ok drukku þau mikit ok váru
kát. **19.** Þá var Flóres óglaðr, fyrir því at þá kom honum í
hug Blankiflúr, ok andvarpaði iðuliga.
10   **20.** Húsfrúin var vǫr við ok mælti við bónda sinn: „Herra“,
segir hon, „hefir þú heyrt, hversu sveinninn lætr? Hann etr hvárki
né drekkr ok andvarpar svá hǫrmuliga, ok aldri er hann kaupmaðr,
en víst er hann góðra manna.“ **21.** Ok þá mælti hon við Flóres:
„Herra“, segir hon, „íhugafullr ertu mjǫk, er þú etr eigi né drekkr,
15 ok yfrit andvarpar þú; ok slíkt sá ek í sinn á meyjunni, er
Blankiflúr nefndiz, ok þér mjǫk lík í andliti, ok át aldri né

---

1. *ok létu ríkuliga yfir sér*, „und
zeigten sich als wolhabende leute“.
matbúa þeir, „sie bereiten sich
ihre mahlzeit zu“. Aus frz. v. 1026 ff.
geht hervor, dass die reisenden die
dazu nötigen waren durch leute aus
dem gefolge selbst einkaufen lassen,
ihnen also von dem wirte, einem
reichen bürger, welcher ausgebreitete
räumlichkeiten besitzt, um fremde
aufzunehmen, nur die gastzimmer
zur verfügung gestellt werden. Vgl.
A. Schultz a. a. o. I² s. 519 f.: „Für
eine grössere reisegesellschaft fand
man aber leicht selbst im wirtshause
oder bei den gastfreunden nicht ge-
nug vorräte; deshalb pflegte man
bisweilen boten vorauszusenden und
durch dieselben lebensmittel anzu-
kaufen, die man dann entweder von
den eigenen dienern oder in der
herberge zubereiten liess“.
3. 4. *ok hann á féit*, „und ihm
allein gehört das geld“, näml. von dem
die reise bestritten wird; vgl. frz.
v. 1040: *Siens est l'avoirs, n'est mie lor.*

4. 5. *ok buðu—hjónum*, inhaltlich
= schw. v. 571 ff.: *Alle the ij her-
bærghith æræ, The skulu a Flores
koste væra.* Nur in diesen zwei
texten wird direkt gesagt, dass Flóres
seine wirtsleute und ihr gesinde zu
dem abendbrot einladet. Es ist das
ein sehr verständiger zusatz des
sagaschreibers, den man in den an-
deren versionen vermisst; frz. B
v. 1045 ff. wird nur berichtet, dass der
wirt sich mit ihnen zum essen setzt.
7. *gullkerum*, „goldenen bechern“;
im frz. v. 1053 ist nur von silbernen
die rede.
12. *hǫrmuliga*, „kläglich“.
14. *íhugafullr*, „nachdenklich“.
15. *í sinn*, „neulich“.
16. *ok þér mjǫk lík í andliti*, „und
dir in den gesichtszügen sehr ähn-
lich war“. Es liegt eine art von
anakoluth vor.
16 — s. 33, 1. *ok át—drakk.* Das
wird in den romantischen erzählungen
öfters als kriterium der verliebtheit
bezeichnet; vgl. Part. s. 42², wo es

drakk, ok harmaði unnasta sinn, en Flóres nefndi hon hann, **Flor.**
ok fyrir hans sakir kvaz hon seld vera. En kaupmenn keyptu **X. XI.**
hana ok fluttu til Babilóniam ok seldu konunginum." **22.** En
þá er Flóres heyrði unnustu sína nefnda ok frá af henni sǫnn
tíðindi, þá glupnaði hann af ógleði ok laust niðr knífinum, ok 5
kom í kerit, er stóð fyrir honum, ok fór niðr vínit.

23. Þá mælti húsbóndinn: „Nú hefir þú misgǫrt ok hœfir
þér at bœta".

24. „Ja!" sǫgðu þeir allir ok hlógu at, „þess er vert!"
þvíat þeir vildu svá gleðja hann.   10

Flóres schifft sich nach Babylon ein.

XI, 1. Þá bað Flóres fylla ker eitt af gulli ok fekk hús-
freyjunni: „Damma", segir hann, „þetta ker gef ek þér fyrir
þá sǫgu, er þú sagðir mér af Blankiflúr, ok fyrir hennar sǫk
var ek hryggr, fyrir því at ek vissa eigi, hvert ek skylda leita
hennar. **2.** En nú fyrir því at ek veit, hvar hon er, þá skal 15
ek eigi létta fyrr en ek fæ hana".

3. Ok þá váru þau ǫll kát. En í því er þau váru sem

---

von der in Partalopis knappen ver-
liebten Uraekja heisst: *Hvárki mátti
hon eta né drekka.*

1. *unnasta sinn*, „ihren geliebten".

3. *ok seldu konunginum* entspricht
einigermassen der lesart von frz. B
v. 1095: *De l'amirail tant en aroient,*
wo freilich nicht von einer tatsache,
sondern nur von der absicht der
kaufleute die rede ist. Vgl. Sund-
macher a. a. o. s. 19.

4. 5. *ok — tiðindi.* Vgl. zum aus-
druck Karl. s. s. 494[21]: *ok máttu nú
vita sǫnn tíðindi af honum.*

5. *þá glupnaði hann af ógleði,*
„da wurde er ganz verwirrt vor
traurigkeit"; es wird indessen *gleði*
für *ógleði* zu lesen sein; vgl. schw.
v. 611: *Aff glœdhi han een værma
kœnde* = frz. v. 1099: *De la joie tout
s'esbahi.*

ok *laust niðr knífinum,* „und warf
das messer herunter". Ueber den
gebrauch des messers bei der tafel
vgl. A. Schulz a. a. o. I[2] s. 375 f. und
Weinhold, D. d. fr.[3], II s. 106 f., wo es
heisst: „... messer wurden nicht für
jeden tischgast hingelegt, sondern
die gesellschaft begnügte sich mit
einer geringeren zahl".

6. *ok fór niðr vínit,* „und der
wein floss aus, wurde verschüttet".

9. *þess er vert,* stimmt zu frz. B
v. 1105: *Cou est drois;* A anders.

10. *þvíat — hann,* anders wie frz.
v. 1106: *Car lie en sont por le de-
duit.*

Cap. XI. 12. schw. v. 616: *Ij drikkin
thz hær innan ær* = frz. B v. 1110[1]:
et du vin bevez; doch mag dies zu-
sammentreffen zufällig sein.

Flor. XI. kátust, þá rann á byrr, ok létu stýrimenn þá um búaz, ok allir
þeir, er um haf vildu fara, þá skyldi til reiðu vera, ok til
skips koma, er til Babilóniam vildu fara. **4.** Nú er Flóres
heyrði þetta, þá varð hann feginn ok bað sína menn búa ferð
5 hans; en þá tók Flóres leyfi af húsbónda sínum ok gaf honum
hundrað skillinga, ok hverju hjóna nǫkkut, ok bað þau vel
lifa. **5.** Þá fór hann til skips, ok þá bað hann stýrimann stefna
þann veg til hafnar, sem skemstr væri til Babilónar, fyrir því",
segir hann, „at á VIII mánaða fresti er mér sagt, at konungr
10 af Babilón skal eiga stefnu við sína undirkonunga ok alla ríkis-
menn á sínu landi. **6.** En ef ek mætta þá þar koma, þá mundi
minn varningr, þar rífr vera, þvíat gjarna vil ek mitt fé til gefa."
Stýrimaðr játar því.

1. *þá rann á byrr,* „da erhob
sich ein günstiger wind".

ok (2). Hiernach ist aus M einzu-
fügen: *œpa um staðinn at;* vgl.
schw. v. 622: *Öptis vtan fore thz
hws* und frz. B v. 1142³ f.: *Dont
font crier li notonnier Par la vile,
qu'aillent chargier* usw.

2. *þá skyldi til reiðu vera,* „sollten
sich bereit halten".

5. 6. *ok gaf — nǫkkut* = schw.
v. 630 ff.: *Hundradha skillinga ij
rödha gull Gaff han honum . . . Allom
hionum bödh han ok Hwario gifua
slikt ther var.* Eine bestimmte summe
wird nur in diesen beiden texten ge-
nannt und auch von dem trinkgeld
für die dienerschaft ist bloss hier die
rede; frz. v. 1146 entspricht nur: *A
son oste a du sien doné.*

Der saga zufolge gewinnt man die
anschauung, dass das schiff noch am
selben abend den hafen verlässt, und
auch aus dem entsprechenden passus
von frz. (vgl. bes. B v. 1135: *Li jors
est ja tout avesprés*) kann ich nichts
anderes herauslesen; merkwürdiger
weise stellt sich nun schw. v. 621:
Arla om morghin dagh var liws zu
engl. v. 459 ff., D v. 1740 ff., F v. 3226 ff.,
wo sogar berichtet wird, dass man

sich schlafen legt, und erst am näch-
sten tage abfährt. Ich weiss diesen
widerspruch nicht zu erklären.

9. *á VIII mánaða fresti* stimmt
zu schw. v. 645: *Tha aatta manadha
lidhne œrœ.* Zu frz. v. 1153: *en un
seul mois* stimmt dagegen nur M:
á mánaðar fresti; und von einer
kurzen zeit darf auch dem zusam-
menhange nach bloss die rede sein.

10. 11. *við sína undirkonunga ok
alla ríkismenn,* „mit den ihm unter-
geordneten königen (seinen vasallen)
und allen grossen".

11. 12. *þá mundi minn varningr
þar rífr vera,* „da dürfte ich guten
absatz für meine ware finden".

12. *gjarna vil ek mitt fé til gefa* nur
hier und schw. v. 651: *Iak vil thik
gifua goz ther til.* Vergleichen liesse
sich höchstens noch engl. v. 467: *Þe
mariner he gaf largeliche.* Indessen
muss doch auch frz. v. 1160 etwas
ähnliches gestanden haben, denn A
v. 1197: *Icil sa promesse demande*
weist direkt auf dieses versprechen
zurück.

til. Die hier beginnende lücke in
N wird durch M ausgefüllt.

13. *Stýrimaðr játar því* stimmt
ausser zu schw. v. 653 f. zu D v. 1784

Flóres langt in Beludátor an und muss dort für seine waren einen
hohen zoll bezahlen.

XII, 1. Síðan gerði enn bezta byr ok skírt veðr, ok sigldu Flor. XII.
ǫll skip or hǫfnum; var stýrimaðr ok allir hans menn á kosti
Flóres. **2.** VII dœgr váru þeir í hafi, svá at þeir sá ekki
land; en á átta dœgri kómu þeir til borgar einnar, er Beludátor
hét. **3.** Hon stendr á einu bergi, rétt við hafit, ok má sjá 5
þaðan í haf út C vikna at skíru veðri. **4.** En þat var eptir
bœn Flóres, þvíat þaðan mátti fara á IIII dǫgum með klyfj-
aða hesta til Babilón. **5.** Bað nú stýrimaðr Flóres efna heit
sín við sik; hann gaf honum X merkr skíra silfrs ok V merkr
gulls, ok þótti honum vel komit. **6.** Fluttu menn fǫng hans á 10
land upp ok þaðan til borgar; tóku sér hús at eins ríks manns,
er skip mikit átti í kaupferðum; gerði Flóres þá fagra veizlu
bónda ok ǫllum hans hjónum. **7.** En borg þá átti konungr af

---

Die stierman geloefde aldus Florise
und zu F v. 3286: Der schifman
sprach: 'Ich tuon ez gerne'.

Cap. XII. 2. 3. var — Flóres, „der
steuermann und alle seine leute
wurden von Flóres beköstigt"; frz.
v. 1169 f. ist nur davon die rede,
dass Flóres eine genügende menge
lebensmittel mit an bord genommen
hatte.
3. VII dœgr. Statt dessen liest
schw. v. 657 aatta dagha und statt
á átta dœgri v. 659: Then nionda,
und zwar bietet diese letztere zah-
lenangabe das richtige; vgl. frz.
v. 1171: Huit jors, und v. 1173: Au
nueme jor.
4. Beludátor. Statt dessen liest
schw. v. 660 Bondagh, Bandagha oder
Blandag; beides ist entstellt aus frz.
v. 1174 f.: Baudas = „Bagdad".
Freilich stimmt die lage des histo-
rischen Bagdad mit der hier vor-
liegenden ortsbeschreibung wenig
überein.

9. 10. X merkr skíra silfrs ok V
merkr gulls; dagegen spricht schw.
v. 672 f. von Tiwghu markir ... Gull
ok silff ij fullo vœkt, was zu frz.
v. 1189: Vint marc d'or fin et vint
d'argent stimmt.

10. ok þótti honum vel komit, „und
es däuchte ihm gut angewendet".
Nur in diesem texte.

12. kaupferðum. Hiernach ist die
notiz ausgefallen, dass in diesem
selben schiff die kaufleute hier ge-
landet waren, welche Blankiflúr mit
sich führten; vgl. schw. v. 679 f.: Thz
skip var hans, for gardhin la, Ther
Blanzaflor kom thiit op a = frz.
v. 1205 f.: Dedens icele nef passerent
Li marcéant qui acaterent Blance-
flor.

12. 13. gerði — hjónum. Auch hier
(vgl. o. zu c. 10, 18) wird nur in der
saga ausdrücklich gesagt, dass Flóres
seinen wirt und dessen gesinde zur
mahlzeit einladet.

3*

Flor.   Babilón, ok hafði svá mælt við gjaldkerann, at hann skyldi
XII. XIII. taka toll af hverjum manni, er þar fœri, ok eið með, at hann
fœri með engum svikum. 8. En er Flóres hafði þat greitt, þá
fóru þeir til matar; sátu þeir baðir saman, húsbóndi ok Flóres;
5 en allir menn váru kátir. Þá var Flóres hryggr, svá at hann
át eigi né drakk.

9. Þá mælti húsbóndi: „Herra“, segir hann, „mér sýniz, sem
þú sér óglaðr; væntir mik, at þat sé vegna tollsins, er þú galt
svá mikinn, þvíat þat er enn tíundi hverr peningr“.

Flóres setzt die reise nach Babylon fort.

10   **XIII, 1.** Þá svarar Flóres: „Ek hugsa um þann konung,
er slíkt hýðr.“

2. En húsbóndinn svaraði: „Slíkt sama sá ek fyrir skǫmmu
eina mey, þá er hér var, þvíat hon var á sǫmu leið hrygg“.

3. En hann nefndi hana Blankiflúr. Ok er Flóres heyrði

---

1. *við gjaldkerann,* „zu dem
rentmeister, steuereinnehmer“; frz.
v. 1225: *au prevost.* Ueber die
pflichten des *gjaldkeri* vgl. P. A.
Munch, Det norske folks historie II.
Christiania 1855, s. 990 f. und s. 1010.
Die etymologie des wortes ist un-
bekannt; Vigf. s. v. weiss nur zu
sagen, wir hätten es wol mit einem
fremdwort zu tun.

1—3. *ok hafði svá mælt — svikum.*
In sämtlichen texten, ausser frz.
v. 1223 ff. ist hier von der zahlung
eines zolles die rede; vgl. schw.
v. 681 ff., D v. 1655 ff., F v. 3352 ff.;
von einer dazu gehörigen eidesleis-
tung ausser den skand. versionen
auch in F v. 3386 ff. Der frz. passus ist
als verderbt oder wenigstens lücken-
haft anzusehen.

6. *drakk.* Hiernach ist etwa fol-
gender satz ausgefallen: *þvíat Blan-
kiflúr kom honum í hug;* vgl. schw.
v. 689: *Han innerlik hugh til Blan-*

zaflor fik = frz. v. 1234: *Por s'amie
dont il pensa.*

8. *væntir mik,* „ich vermute“.

9. *þvíat — peningr* nur hier und
schw. BC v. 692 d. Dass es sich um den
zehnten handelt, wird allerdings auch
F v. 3389 erwähnt. Ueber *peningr*
vgl. Finnur Jónsson zu Egils s.
c. 17, 15.

Cap. XIII. 10. 11. *Ek—býðr* stimmt
inhaltlich zu D v. 1876 ff.: *Here,
seithi, dat mægdi weten wel, Dat
daer omme es ende niewet el, Dat
ic dus pense ende droeve bem.* In
frz. v. 1240 steht allerdings das ge-
rade gegenteil: *Jou pens tout el,
cou dist l'enfant,* und dazu stellt
sich engl. v. 501 f.: *Nai, sir, on catel
þenke i noʒt, On oþer þing is al
mi þoʒt.* Die verschiedenen be-
arbeiter scheinen also verschiedene
lesungen im urtexte vor sich gehabt
zu haben; die negierende fassung ist
aber sicherlich vorzuziehen.

hennar getit, varð hann þá glaðr ok bað taka silkiskikkju ok **Flor. XIII.**
safal undir, ok gaf húsbónda ok mælti:

4. „Þigg þú þetta sakir Blankiflúr, þvíat hon er unnasta
mín ok var stolin frá mér: seg mér, hvert hon fór!"

5. „Til Babilónar", sagði húsbóndi, „ok láti guð þik henni 5
ná! En ek óttumz, at þat verði eigi."

6. En er þeir váru mettir, fóru þeir at sofa; svaf Flóres
lítit þá nótt, ok er dagr kom, vakði hann upp menn sína ok
bað þá búaz skyndiliga. **7.** En er þeir váru mettir, heilsuðu
þeir bónda ok fóru síðan leið sína; ok ena næstu nótt lágu 10
þeir í einum kastala, ok þar næst í turni nǫkkurum, ok frágu
enn til Blankiflúr.

---

1. *silkiskikkju*, „einen seidenen
mantel".

1. 2. *ok safal undir*, „mit zobel-
pelz gefüttert"; ganz ähnlich schw.
v. 702 f.: *Een examit mantil … Ther
fodhradher var mz safuilskin;* vgl.
engl. v. 514 (nach meiner herstellung,
Engl. stud. IX s. 98): *And a mantel
of scarlet wiþ menuuere*, D v. 1900 f.:
von scarlaken roet Enen mantel, F
v. 3463: *Einen mantel hermin;* frz.
v. 1257 nur: *un boin mantel*, so dass
nach dieser zeile der ausfall eines
verspaares anzunehmen ist, in wel-
chem der mantel ausführlicher be-
schrieben wurde. Weitere belege
für solche mäntel, „aus dem kost-
barsten seidenstoff gefertigt, mit
wertvollem pelzwerk (hermelin, grau-
werk usw.) gefüttert und am hals-
ausschnitt wie am rande rings herum
mit pelz (zobel) besetzt", gibt A.
Schultz a. a. o. I² s. 307. Vgl. Tristr.
s. s. 50⁵ ff.: *ok þegar klædduz þeir guð-
vefjum … ok undir hvít skinn með
safal ok beztu blior, með miklum
hagleik gǫr.* Das. s. 69¹⁰ f.: *þá gef
ek þér yfirklæði mitt með hvítum
skinnum.* S. auch o. zu c. 7, 3. —

Nach den anderen versionen schenkt
Flóres dem wirte ausserdem einen
schönen silbernen becher.

3. 4. *þvíat hon — mín* nur hier,
ebenso 6 *En — eigi.* Im übrigen
sind hier, schw. v. 701 ff. und engl.
v. 513 ff. die sätze so angeordnet,
als ob frz. v. 1253—56 hinter v. 1262
stünden, was gewiss auch in einzel-
nen hss. der fall war und nicht mit
Klockhoff a. a. o. s. 23 auf den
nordischen übersetzer zurückzufüh-
ren ist (vgl. Engl. stud. IX s. 98).

8. 9. *ok bað þá búaz skyndiliga*
stimmt zu F v. 3483 ff.: *Daz sie
derwacheten Und sich ûf macheten;
Sie hæten dâ ze vil gebiten.*

9. 10. *En er — bónda* nur hier.

11. *í turni nǫkkurum.* Ob dies
richtig überliefert ist, erscheint frag-
lich; frz. A v. 1282 liest dafür: *En un
castel* (B: *une vile*) *ou ot marcié.*

11. 12. *ok frágu enn til Blanki-
flúr*, „und hörten hier wieder von
Blankiflúr", nämlich, frz. v. 1284: *Par
illoec la vit on passer.*

Flóres kommt in Babylon an und nimmt quartier bei dem thorwächter,
an den er durch einen fährmann empfohlen ist.

Flor. XIV.   **XIV, 1.** Því næst kómu þeir at sundi einu; en ǫðru megin
sundsins var fjall eitt, er Felis hét. Í fjallinu stendr einn ríkr
kastali; en yfir sundit var engi brú, þvíat þat var djúpt
ok svá streymt. **2.** Á strǫndinni hekk horn eitt, ok skyldu
5 þeir, er yfir vildu, blása í hornit. Ok þeir gerðu svá, ok
fór farhirðir í móti þeim ok fœrði þá yfir. **3.** Sá hann mjǫk
á Flóres, þvíat hann sýndiz honum góðmannligr, ok mælti:
„Hvat manna ertu, eða hvert skaltu fara?"

4. „Kaupmaðr em ek"; segir hann, „vil ek fara til Bab-
10 ilónar; en ef þú átt hús í kastalanum, þá herberg mik!"

Cap. XIV. **1.** *sundi* ist eine wieder-
gabe von frz. v. 1266: *un bras de mer;*
den namen dieser meerenge hat M
weggelassen; vgl. schw. v. 720: *Til*
eet sund ther heter Fær, stimmend
zu frz. v. 1287: *L'enfer le noment*
el païs.

1. 2. *kómu — sundsins.* Fast die-
selben worte stehen in der pros.
einleitung der Hárbarþsljóþ: *Þórr* ...
kom at sundi einu; ǫðrum megum
sundsins var ferjukarlinn með skipit.

en ǫðru — hét, schw. v. 721 heisst
der berg *Felis*; nach frz. v. 1288 f.:
De l'autre part est Monfelis, Uns
chastiaus riches, ist vielmehr *Mon-*
felis der name des schlosses (vgl.
auch Klockhoff a. a. o. s. 24).

4. *ok svá streymt*, „und zugleich
reissend".

5. *Ok þeir gerðu svá.* Zu frz.
v. 1297: *Uns d'aus le corna* stimmt
genauer schw. v. 729: *Han lot thz*
blæsa een sin sween.

6. *farhirðir*, „ferge". Die hs. M
bietet dafür durchweg *fjárhirðir*
oder *féhirðir;* es ist aber unzweifel-
haft, dass es sich um einen fährmann
(schw. v. 730: *færia*, frz. v. 1296:
pontonier) handelt. Dieselbe ver-

wechselung begegnet Hárbarþsljóþ
str. 52 f.: *Ásaþóre hugþak aldrege*
mundo glepja féhirþe farar, wo
gleichfalls *farhirþe* zu lesen ist; vgl.
Svbj. Egilsson, Lex. poet. s. 161 b,
G Vigfusson, Dict. s. 144 a, S. Bugge,
Norrœn fornkvæði, Christ. 1867,
s. 103, wo in der note auf unsre
stelle verwiesen wird.

7. *góðmannligr* entspricht frz.
v. 1306: *Gentis hom.* Schwieriger
ist das seltene wort jedenfalls zu
deuten in Bisk. I s. 874[21] f.: *þetta er*
allgóðr draumr ok góðmannligr, wo
Fritzner[2] I s. 622a ratlos ist.

8. *Hvat manna ertu* = schw.
v. 734: *Huath man æst thu;* frz.
v. 1307 nichts. Das ist aber in der
regel die erste frage, die an einen
fremden gerichtet wird; vgl. u. a.
Bærings s. c. 18 (FSS s. 100[46] f.): *Hvert*
er nafn þitt eða hvaðan ertu?, oder in
umgekehrter anordnung, wie Part.
s. 31[23] f.: *hvaðan eru þér, eðr hvert*
er nafn þitt?

10. *þá herberg mik!* „da gewähre
mir herberge!" Nach *mik* wird *í*
nátt einzusetzen sein; vgl. schw.
v. 732: *ij nat* = frz. v. 1312: *Anuit.*
Es ist auffallend, dass der ferge

5. Farhirðir svarar: „Því spurða ek yðr slíks, at hér var Flor. XIV. mey ein fyrir skǫmmu; var hon þér mjǫk lík ok mjǫk sorgfull; syrgði hon sinn unnasta ok nefndi hann Flóres“.

6. Ok hann spurði: „Hvert fór hon?“

„Til Babilónar“, segir hann; „síðan keypti keisarinn 5 hana.“

7. Váru þeir þá nótt með farhirðinum. En um morgininn, er þeir fóru í brott, gaf hann farhirði C skillinga ok bað hann vísa sér til vinar síns nǫkkurs í Babilón, með sínum jartegnum. 10

8. Farhirðir svarar: „Herra, áðr en þér komið til Babilónar, finni þér vatn mikit ok á brú. En er þér komið yfir brúna, þá finni þér þann, er garðshlið gætir; hann er vinr minn mjǫk góðr, ok er ríkr maðr ok hefir et bezta hús í borginni, er kaupmanni samir. 9. Vit erum helmingar-félagar: á hann 15 hálft þat, er ek afla, en ek hálft þat, er hann aflar. Tak

---

weder hier noch schw. v. 734 auf diese bitte eine antwort giebt; vgl. frz. v. 1313 f.

2. 3. *sorgfull* = *sorgafull*, „bekümmert“.

3. *syrgði hon sinn unnasta*, „sie sorgte sich um ihren geliebten“.

syrgði—Flóres = schw. v. 737 f.; vgl. D v. 2000 f.: *Om enen jonchere, die in Spaengen bleef, Daer soe groet seer omme dreef;* frz. nach v. 1320 nichts. Ob schw. v. 739 f.: *Ok tror iak thy, om iak kan radha, Ij ærin ræt syzkend badhe*, zu frz. v. 1321: *Ne sai se li apartenez*, zu stellen ist, erscheint zweifelhaft.

8. *C skillinga*, „hundert schillinge“, entspricht frz. v. 1331: *cent sols*.

10. *jartegnum*. Man vermisst nach diesem worte eine entsprechung zu frz. v. 1334: *Qui de riens aidier li péust;* vgl. schw. v. 752 f.: *ther sælia kan ok fore thina skuld vil mik beuara, Swa at ængin ma mik dara.* Der wortlaut des in M verlorenen

nebensatzes lässt sich freilich danach nicht feststellen.

12. schw. v. 766: *Ther ouer staar eet torn swa stort*, entspricht frz. v. 1344: *Grant tor i a;* M nichts.

13. 14. *hann—góðr* = frz. B v. 1342: *Mes compains est, si m'a moult chier;* A anders.

14. 15. *er kaupmanni samir*, „wie es sich für einen kaufmann gehört“; nur hier.

15. *helmingar-félagar*, genossen, die sich in ihren beiderseitigen gewinn teilen. Freilich beruht das wort hier nur auf vermutung, während sonst bloss das abstractum *helmingar-félag* belegt ist. Ich kenne zu dieser art von abmachung keine parallelstelle; Egils s. c. 1, 4: *Þeir Ulfr áttu einn sjóð báðir*, d. h. sie lebten in gütergemeinschaft, lässt sich nicht vergleichen.

16—s. 40, 1. *Tak—fáið*. Man beachte das schwanken zwischen sing. und plur., wie es in nordischer prosa nicht selten begegnet.

Flor. XIV. fingrgull mitt, ok fáið honum þat til jartegna, at hann taki
við yðr vel!"

10. En Flóres fór þaðan ok bað þá vel lifa. En at miðjum
degi kómu þeir til borgar ok fundu þann, er portit geymdi.
5 En hann sat á einum marmarasteini skornum á stóls mynd,
klæddr góðum silkiklæðum. En hverr er yfir fór brúna,
lauk IIII peninga, en IIII fyrir hest sinn. 11. Gekk Flóres
þá at honum ok heilsaði honum, ok sýndi honum fingrgullit þat,
er honum var sent. Tók hann þá við ok þóttiz vita, at Flóres
10 var bæði ríkr ok kurteiss. 12. Sendi hann þá síðan til sinnar
frú, at hon tœki sœmiliga við honum. Ok er hon sá fingr-
gull bónda síns, fagnaði hon þeim vel, ok skorti þá engan hlut.
13. Nú var Flóres þar kominn, er unnasta hans var; þurfti
hann nú góðra ráða við. 14. Nú hugsar Flóres með sér: „Ek

---

1. *jartegna.* Vgl. Finnur Jónsson
zu Egils saga c. 35, 5; frz. v. 1347
bietet keinen entsprechenden aus-
druck; dag. vgl. D v. 2044 und F
v. 3618 (s. Sundmacher a. a. o. s. 15).
Nach *jartegna* ist zu supplieren: *ok
segið honum;* vgl. schw. v. 773: *ok
sigh honum swa* = frz. v. 1348: *Et
de moie part li direz.*

4. *ok—geymdi;* vgl. schw. v. 778 f.,
engl. v. 558, D v. 2053, F v. 2652;
ein verspaar entsprechenden inhaltes
muss im frz. nach v. 1382 ausge-
fallen sein.

5. *á einum marmarasteini skornum
á stóls mynd,* „auf einem marmor-
block, der zur form eines stuhles zu-
gehauen war".

6. *klæddr góðum silkiklædum,* „mit
guten seidenkleidern angetan" = D
v. 2059 f. = F v. 3656; ebenso schw.
v. 780: *Hwar han rikelik klædder
laa;* frz. vac.

9. Nach *sent* sind mehrere zeilen
im nordischen texte ausgefallen; vgl.
schw. v. 790 ff.: *Thu skalt mik wara
j hiærtat hull, Ok vær mik nw fore
all swik, Swa badh then, mik sœnde
til thik,* mit frz. v. 1365 ff.: *Ensegne*

de son compaignon, *Qu'il le herbert
en sa maison Et a son besoing le
consent, Si com il s'amor avoir veut.*
Ebenso 9 nach *við* das moment, dass
der thorwart den ring erkennt; vgl.
schw. v. 794 ff.: *Tha han thz sa, han
thz görla kænde, Ok fik honum an-
nur tu* = frz. v. 1369 ff.: *Cil a bien
l'anel connéu ... Le sien anel li a
baillié.* Hier hat der schreiber von
M sehr unüberlegt gekürzt, denn
die worte 11: *Ok er hon sá fingr-
gull bónda síns,* wird durch die so-
eben inhaltlich reconstruierte stelle
überhaupt erst verständlich. Da-
gegen sind die worte 9 f.: *ok þótt-
iz — kurteiss,* die M dafür allein
bietet, hier wenig passend.

12. *hlut.* Nach diesem worte ist
wol etwas ausgefallen. Schw. v. 801 f.:
*Slikt the thorffto fore thera hæsta Æ
mædhan ther var til thz bæsta* stimmt
inhaltlich zu frz. v. 1378: *Estables i
ot a talent.*

13. *er unnasta hans var.* Schw.
v. 804 BC: *Ther han haffuer længe
thrat at wara,* stimmt genauer zu
frz. v. 1380: *Que il avoit tant desiré.*

14 — s. 41, 1. *Ek em — heima;* frz.

em einn konungsson, ok var mér gott heima. Em ek farinn sem eitt fól. Hverjum skal ek segja mitt erindi? Ek kann hér engan mann, ok ef ek segi nǫkkurum, þá em ek fól. En ef konungr verðr varr við mína ætlan, þá mundi hann láta veita mér háðuligan dauða.“

Flor.
XIV. XV.

5

Flóres macht seinen wirt mit dem zweck seiner reise bekannt.

XV, 1. „Er mér ráð at snúaz heim ok fá mér eitt ráð.“

2. En jafnskjótt kom honum annat í hug, ok sagði svá: „Eigi skal svá vera, ok vilda ek sjá hana, þvíat ek em nú hér kominn. Þat var mér þá í hug, at ek vilda leggja mik með knífinum. **3.** Er þat ok satt, þóat ek ætta alla verǫldina, þá vilda ek heldr Blankiflúr; en ef hon vissi, at ek væra hér, þá mundi hon við leita mik at finna, ok svá skal ek gera, þó þat verði minn bani.“

4. En þá er Flóres hugsaði slíkt með sér ok sat

10

---

v. 1387 ff. bietet nichts genauer entsprechendes.

4. 5. *þá mundi hann láta veita mér háðuligan dauða*, „da würde er mich einem schmählichen tode preisgeben“.

Cap. XV. 6. *ok fá mér eitt ráð*, „und mich nach einer partie umzusehen“. Ueber *ráð* in diesem sinne vgl. Finnur Jónsson zu Egils s. c. 7, 15. Darauf ist der gedanke ausgefallen: dort wird mein vater mir eine ebenbürtige gemahlin geben; vgl. schw. v. 816 ff.: *Tha min fadher vardher thæs vara, Tha skipar han mik ena andra iomfru, Ena konungx dotter min lika til husfru* = frz. v. 1400 ff.: *Tes peres feme te donra Del mieus de tres-tout son barnage, Pucele de grant parentage.*

7. *En—hug* = schw. v. 820: *Tha togh hans hugh om kring at ga;* frz. v. 1403: *Amors respont,* also ganz anders.

10. *knífinum.* Hiernach ist einzu-

setzen: *fyrir hennar sakir;* vgl. schw. v. 824: *for hænna saka* = frz. v. 1409: *Por li.* Vielleicht ist auch vorher für *Þat var mér þá í hug,* zu lesen: *Þat kemr mér nú í hug;* vgl. schw. v. 823: *Iak minnis* = frz. v. 1407: *Dont ne te membre.* Weiter ist nach diesem satze der schw. v. 825 f. folgendermassen ausgedrückte gedanke ausgefallen: *Tho iak vare nu hema there, Tha skulde iak ater koma hære* = frz. v. 1411 f.: *Et se tu sans li i estoies, Voeilles ou non, ca revendroies.*

11. *þá—Blankiflúr* steht frz. v. 1416: *Ne te feroit sans li manoir,* ferner als schw. v. 822: *Vtan Blanzaflor ma iak ey lifua.*

12. 13. *ok svá — bani* = schw. v. 830 — 832 nur in den nord. texten.

14. *En þá.* Von hier ab wird der text wieder nach N gegeben. Vorher stehen (unmittelbar nach der grossen lücke) in der hs. noch die worte: *ást fyrir þeim manni, er hon fýsir til;* ich musste dieselben im

Flor. XV. hugsjúkr um sitt efni, þá kom húsbóndi heim ok sá hans
ógleði ok mælti svá:

5. „Lávarðr“, kvað hann, „mislíkar þér herbergit, eðr hví
ertu reiðr? En ef þér þykkir nǫkkut áfátt nú, þá skulum vér
5 yfirbœta eptir fremsta megni.“

6. Flóres svarar: „Vel gez mér at ǫllu hér, ok guð láti
mik lifa til þess, at ek mega þetta meir með góðu gjalda.
En ek em hugsjúkr um kaupeyri, ok óttumz, at eigi fá ek
varning þann, er ek vilda kaupa; eðr, þóat ek finna, þá óttaz
10 ek, at ek fá eigi keypt.“

7. Húsbóndi var vitr maðr ok mælti: „Lávarðr“, segir
hann, „fǫrum til ok etum fyrst, en síðan skal ek gera þér et
bezta ráð, er ek kann, um þat, er þú vill spyrja mik“.

8. Þá fóru þeir at eta, ok kallaði hann húsfrú sína ok
15 mælti við hana: „Sœm þenna sem þú mátt mest, þvíat hann
er ættingi góðra manna!“

9. Ok síðan settu þau hann milli sín. Húsbóndinn hét
Daires, en húsfrúin Lídernis; þau létu þjóna sér ríkuliga,
ok var þeim skenktr enn bezti drykkr; síðan var fram borit

---

texte streichen, da sie sich auch mit
hilfe von frz. v. 1423 f.: *Maint engien
a Amors trové Et avoié maint es-
garé*, nicht zu einem satze ergänzen
lassen.

1. *hugsjúkr*, „bekümmert“.

3. *mislíkar þér herbergit*, geht auf
die lesung von B v. 1434: *Dont
n'estes vous bien herbergiés?* zurück;
in A steht statt der negativen frage
eine positive.

5. *yfirbœta*, „besser gestalten“.

8. *um kaupeyri*, „um meine han-
delsware“.

14. *húsfrú sína*, „seine gattin“.

16. *ættingi*, „abkömmling“.

17. 18. *Húsbóndinn — Lídernis*.
Nur hier werden die namen des
wirtes und seiner gattin ausdrück-
lich zusammen genannt, frz. später
gelegentlich einzeln; vgl. v. 1470 und
1509. *Lídernis* entspricht frz. *Li-*

coris, das schw. BEC v. 880 richtig
gewahrt haben; *Tóris* in M ist noch
weiter entstellt.

19. *drykkr*. Hiernach ist aus M
einzusetzen: *af silfrkerum ok gull-
kerum*; vgl. frz. v. 1458: *En boins
vaissiaus d'or et d'argent*.

Dass die schilderung des menus
in beiden hss. der saga gekürzt ist,
ergiebt sich aus schw. v. 864 ff.: *Ther
var badhe fughla ok fiska, Öfrith
for hwariom manne a diskœ; Vilt
ok tampt man ther sa Ok alzkyns
thz man œta ma; Aff diwr slikt
huar hafua vil, Var for them rœt
öfrith til*, verglichen mit frz. v. 1461 ff.:
*De boin mangier ont a fuison, Et
vollilles et venison; Lardes de cerf
et de sengler Ont a mangier sans
refuser. Grues et gantes et hairons,
Pertris, bistardes et plongons, Tout
en orent a remanant.*

allskyns aldin ok krydd. **10.** Þá var fram borit ker þat, er **Flor. XV.**
goldit var fyrir Blankiflúr, et dýra. Þá sá Flóres á kerit,
hversu grafit var, svá sem Paris leiddi Elenam, unnustu sína;
en þá tók ást at reyna hugskot hans, ok hugsaði hann þetta,
at „Paris leiddi unnustu sína, en þú fær eigi þína. **11.** En 5
mættir þú sjá þann dag, at þú leiddir svá Blankiflúr? Hversu
má þat verða? En þú veizt enn eigi, vesall! hvar hon er.
Júr, Flóres", sagði hann, „vel má svá verða, þvíat húsbóndi
þinn gefr þér gott ráð, þegar vér erum mettir."

12. Máltíðin þótti honum yfrit lǫng, en húsfrúin þóttiz sjá, 10
at hann var mjǫk hugsjúkr, ok hversu hann þrætti við sik, ok
þótti henni aumligt vera, ok bendi bónda sínum; en hann lét
síðan skunda borðinu sem mest mátti.

13. En síðan borð váru uppi, þá mælti húsbóndi við Flóres:
„Seg mér, hverju sætir þín ógleði, ok leyn mik eigi, hvat um 15
þína ferð er! En ek vil gjarna gefa þér gott ráð. En ef
þú leynir mik, þá gabbar þú sjálfan þik. En eigi er þat um
varning þinn, nema heldr um nǫkkurn hlut annan."

14. Þá svarar húsfrúin: „Næsta sýniz mér, sem ek sjá
Blankiflúr hvert sinn, er ek sé þenna mann, ok ek hygg, at 20

---

1. *krydd,* „gewürzkraut".

3. *hversu grafit var,* „wie es ein-
gezeichnet war".

4. *en þá tók ást at reyna hugskot
hans,* „da begann liebe sein herz
heimzusuchen".

5. *en þú fær eigi þína,* nämlich
leidda, „aber du kommst nicht dazu,
die deine fort zu führen".

6. 7. *Hversu — er,* nur hier und
wol als zusatz des übersetzers an-
zusehen.

8. *Júr = jaur,* „ja", entspricht
hier frz. v. 1489: *Diva!*

10. *Máltíðin,* „die mahlzeit".

11. *ok hversu hann þrætti við sik,*
„und wie er mit sich selbst im
streite lag"; vgl. frz. v. 1493: *Set que
en li a grant estrif.* Der hierauf
schw. v. 886 f. folgende passus: *Han
huxadhe ther a swa sara, At hans*

ǫghon gafuo tara, stellt sich inhalt-
lich zu frz. v. 1495 f.: *Aval la face
clere et tendre Voit les larmes del
cuer descendre.* Etwas ähnliches muss
nach *sik* in der saga gestanden haben.

12. *aumligt,* „bemitleidenswert".

13. *skunda borðinu,* „den tisch
eilig wegschaffen". Ueber das auf-
heben und wegschaffen der tische
nach beendeter mahlzeit vgl. A.
Schultz a. a. o. I², s. 432: „Der tisch
wurde tatsächlich 'aufgehoben'". S.
u. a. auch Mág. s. B s. 173⁴: *Váru nú
borð upp tekin, en vistin brott borin;*
Tristr. s. s. 61⁵: *Sem konungr var
mettr ok borð upp tekin.*

16. 17. *En ef — þik* scheint auf
einem missverständnis von frz. v.1506:
Moult me samble que cou soit gas,
zu beruhen, den der übersetzer
versehentlich zum vorigen gezogen

Flor.   hann sé bróðir hennar, fyrir því at hann hefir slíkan lit ok
XV. XVI.   slík læti, sem hon hafði. Ok svá var hon hér hálfan mánuð,
ok hon grét bæði dag ok nótt, ok harmaði unnasta sinn, ok
nefndi hann Flóres."

5   **15.** En þá er Flóres heyrði þat, þá fell hann í óvit ok
mælti síðan: „Ek em eigi bróðir hennar, heldr unnasti. Nei,"
kvað hann, „ek mistalaða: hon er systir mín, en eigi unnusta.ʻʻ
Þá segir Daires: „Óttaz ekki, nema seg et sannasta
til! En ef þú leitar hennar, þá ferr þú sem fól.ʻʻ

10   **16.** Þá segir Flóres: „Lávarðr, miskunn! Ek em konungsson,
en Blankiflúr var unnusta mín, ok var stolin frá mér fyrir
ǫfundar sakir: en nú hefi ek spurt hana upp hér. Ek em
ríkr maðr at gulli ok silfri, ok vil ek gefa þér slíkt er þú vill,
til þess, at þú sér í ráðum með mér. En allt er þat satt,
15 at annathvárt skal ek hafa hana eðr deyja.ʻʻ

Daires unterrichtet seinen gast über Babylon und den jungfrauenturm.

XVI, 1. Nú svarar Daires: „Þat er mikill skaði, ef þú
skalt týnaz, þvílíkr maðr sem þú ert; en því er verr, at ek
kann varla hér til leggja. **2.** En þat bezta, er ek kann, skaltu
nú heyra, ef þú vill því fram fara, sem ek veit, at þú vill
20 eigi, fyrir því at líf þitt liggr við, fyrir því at engi maðr er

---

hat, während er vielmehr zum fol-
genden gehört.

5. *þá fell hann í óvit* = schw.
v. 911, für frz. v. 1524: *si s'esbahi.*

7. *ek mistalaða,* „ich versprach
mich", = frz. v. 1528: *jou mesdi.*
Das verbum ist bisher nur aus dieser
stelle belegt.

8. 9. *nema seg et sannasta til,*
„sondern sage die vollste wahrheit
in bezug hierauf".

9. *En ef þú leitar hennar, þá
ferr þú sem fól* geht auf frz. B
v. 1534: *Mes ce sachiez, com foux
errez* zurück. Allerdings antwortet
Flóres dann auf die im entsprechen-
den verse von A gestellte frage: *cui
fius serez* (?).

11. *var* (1). Statt dessen bietet M
er, was zu frz. v. 1537: *est* stimmt.

13. *silfri.* Hiernach dürfte aus M
einzufügen sein: *at pelli ok eximi;*
allerdings bietet frz. nach v. 1541
nichts entsprechendes; doch vgl.
schw. v. 930: *Dyra thing til alla
nadhe,* und F v. 4095: *Riche wât,
guot gesteine.*

15. *at — deyja,* zum wortlaute vgl.
Mág. s. B s. 156¹⁷f.: *ok þess strengi
ek heit: annathvárt skal ek hana eiga
eða láta lífit*

Cap. XVI. 17. *en því er verr,* „aber
das ist noch sçhlimmer".

19. *ef þú vill því fram fara,* „wenn
du das unternehmen willst".

svá ríkr, ef hann hefði þetta ráð gefit, ok yrði konungr varr **Flor. XVI.**
við, at hann kœmiz undau, hvárki með fé né með styrk.
3. En þar megu ok engar gerningar granda, ok þóat allt þat
fólk, er í heiminum hefir verit, ok þat, sem nú er, vildi taka
hana með styrk, þá fengi þó eigi", segir hann, „fyrir því at 5
konungr af Babilón hefir undir sér L konunga ok C; ok á
einum degi koma þeir allir til hans, er hann vill. **4.** En Bab-
ilón er X rasta lǫng, ok borgarveggrinn XV faðma hár ok
svá sterkr, at ekki bítr á; hann er VI faðma þjokkr, en VII
hlið ok XX eru þar á, ok sterkr kastali yfir hverju, ok mark- 10
aðr hvern dag hjá hverjum kastala. **5.** En innan í borginni

---

1. *ef hann hefði þetta ráð gefit.*
Es handelt sich aber hier nicht um
den, der den rat gegeben hat, son-
dern um den, der ihn ausführt; vgl.
frz. v. 1558: *Se autretel plait avoit
quis.* Man würde also eher erwarten:
þessum ráðum fylgt.
3. *mega — granda.* In der lesart
von M: *má hvárki granda vél ne
gerningar*, ist auch *vél* ursprüng-
lich; vgl. frz. v. 1561: *Ne engien, ne
enchantement.* Dasselbe wird Sig.
s. þǫgla, s. 7 ¹⁷ ff. von dem schlosse be-
hauptet, welches Sedentiana sich
bauen lässt: ... *ok segir þeim fyrir,
at hon vill gera láta einn kastala
svá traustan ok sterkan, at ekki megi
granda eldr né járn, galdrar ne
gerningar.*
5. 6. *fyrir því at — C.* Vgl. zum
inhalte Karl. s. s. 133³³ ff.: *Agulandus
konungr var stórliga ríkr, svá at
einum heiðnum konungi byrjaði eigi
meira ríki at eignaz, þvíat meir en
tuttugu kórónaðir konungar váru
undir hann skattgildir, ok réðu þó
sumir af þeim mǫrgum ríkjum.*
6. 7. *á einum degi* nur hier; vgl.
schw. v. 953: *Ij stakkotan tíma.*
8. *X rasta lǫng.* Trotzdem auch
M so liest, dürfte doch der über-
setzer *XX* geschrieben haben, ent-

sprechend frz. v. 1572: *vint liues;*
denn auch schw. C liest v. 954: *XX
milæ ær staden lang.*

XV faðma hár, „funfzehn ellen
hoch"; *faðma* entspricht frz. v. 1577:
toises.

8. 9. *ok borg. — á.* Die wort-
stellung in M: *ok hár borgarveggr
umhverfis, svá harðr, at ekki bítr á
... ok fimtan hár*, scheint hier das
ursprünglichere zu bieten; vgl. frz.
v. 1573 f.: *Li murs qui la clot n'est
pas bas; Tout entor est fais a com-
pas, Et tres-tous est fais d'un mor-
tier, Qui ne doute piquois d'acier;
Si a quinze toises de haut.*

9. *at ekki bítr á,* „dass nichts
scharfes hinein schneiden kann".

hann er VI faðma þjokkr; ähn-
lich schw. v. 957. Von der dicke
der mauern ist im frz. text nach
v. 1578 nicht die rede; doch vgl.
D v. 2363: *Die muer es dicke.*

10. 11. *markaðr*, „markt". Vgl. zum
inhalte Bev. s. c. 10 (FSS s. 223³⁵ ff.), wo
es von Damascus heisst: *Þar var enn
frægasti kaupstaðr, er í var verǫldu,
ok allt, þat er til beið, var þarf alt*, wäh-
rend im urtexte nichts davon gesagt
wird, dass Dam. eine handelsstadt ist;
s. meine note z. d. st., Beitr. 19, 83.

Flor. XVI. eru IIII hundruð kastala, ok í hverjum C riddara, ok enn
minnsti af þeim vinnr keisarann af Rómaborg með allt sitt lið,
ok á VII vetrum. **6.** En í miðri borginni er einn kastali, er
jǫtnar gerðu; hann er C faðma um at mæla ok C faðma hár
5 ok gǫrr af grœnum marmarasteini, ok allr hvelfðr; en knappr-
inn er af rauðu gulli, ok stendr upp af stǫng ein X alna há.

---

1. *IIII hundruð kastala. VII C,*
die entsprechende zahl in M, bietet
das ursprüngliche; vgl. schw. v. 964:
siu hundrath = frz. v. 1584: *plus
de sept cens.*

C riddara = schw. v. 967 f.; frz.
v. 1585: *Ou mainent li baron casé,*
wird keine zahl angegeben; doch
vgl. auch D v. 2377.

1. 2. *ok enn — Rómaborg.* Die
lesung von M: *einn af þeim ynni
eigi keisarinn af Róm,* wo also keis.
nom. ist, stimmt besser nicht nur zu
schw. BCEF v. 968 f.: *Swa at kesarin
af Rome matte længe thinga, Fǫr œn
han matte her een herra thwinga,*
sondern auch zu frz. v. 1589 f.: *Néis
l'empereres de Rome N'i feroit vail-
lant une pome.*

3. *ok á VII vetrum* ist eine dem
übersetzer angehörige, die ohnehin
schon übertriebene behauptung noch
steigernde zutat.

3. 4. *er jǫtnar gerðu,* „welches
riesen gebaut haben" = schw. v. 971:
Ther resa giordho mz sina hænder;
frz. v. 1596: *une tor d'antiquité.* Vgl.
Karl. s. s. 374 [30] f. B: *Kastala nǫkkurn
sé ek standa í hlíðinni upp frá oss;
þann hefir gǫrt risi nǫkkurr forðum;*
Tristr. s. s. 91 [28] ff.: *þá var berg eitt
kringlótt ok allt hválft innan, hǫggvit
ok skorit með enum mesta hagleik
. . . Einn jǫtunn kom or Affrica-
landi, at gera þetta hválf, ok bjó
þar lengi ok herjaði á þá, er í váru
Bretlandi.*

4. *C faðma hár* stimmt, was die

zahl betrifft, ausser zu schw. v. 973
zu engl. v. 931: *An hundred teise
hit is heie,* D v. 2387: *Hondert ge-
lachte hoge* (was Moltzer mit unrecht
in *Twehonderd* geändert hat), gegen-
über frz. v. 1597: *Deus cens toises
haute.* Diese übereinstimmung dreier
von einander unabhängiger texte kann
unmöglich zufällig sein, sondern
muss auf der lesung einzelner frz.
hss. beruhen (vgl. Engl. stud. IX
s. 98).

5. *hvelfðr,* „gewölbt"; danach wird
aus M zu ergänzen sein: *með enum
sama steini* = schw. v. 980: *All the
hualff ær aff een steen,* wozu inhalt-
lich frz. v. 1600: *Coverte a vause,
tout sans arbre* (d. h. „ganz ohne
holz"; eine genaue parallelstelle bie-
tet La Curne, Dict. II s. 120 s. v.
arbre) stimmt.

5. 6. *knapprinn,* „der knopf", ent-
sprechend frz. v. 1605: *torpin.*

6. *ok stendr upp af stǫng ein X
alna há.* Zunächst wird mit M *XXX*
für *X* zu lesen sein, wozu schw.
F v. 985 stimmt. Im übrigen aber
muss der sinn sein: „und es steht
aus demselben heraus, aufwärts ge-
richtet, eine stange von dreissig ellen
höhe". So hat auch schw. v. 984: *Gǫn-
om knappin gar een stang,* die stelle
aufgefasst. Ich kann mir als den
zweck dieser bloss hier begegnenden
stange nur den vorstellen, gelegent-
lich ein banner darauf anzubringen.
Vgl. F v. 4211 ff.: *Mit grǫzer zouber-
liste kraft Ein guldin rôr als ein*

7. En í knappinum er karbunculus, steinn sá, er skínn um nótt Flor. XVI.
sem sól um dag; ok X rastir má sjá um nóttina maðr, er til ferr
borgarinnar. 8. Þrenn gólf, hvert upp af ǫðru, eru af marm-

schaft *In den knopf gestecket ist.*
S. auch Sommer's note zu v. 4251.
Nach schw. v. 988: *Öfuœrst a hœnne
een karbunkil steen,* würde dieselbe
freilich vielmehr den edelstein tragen,
von dem gleich darauf die rede ist;
aber aus der nordischen überlieferung
lässt sich dieser sinn nicht gewinnen:
nach frz. v. 1607 ist der karfunkel
par enchantement auf dem knopfe
angebracht.

Clar. s. s. 10⁸ ff. heisst es von einem
zelte: *Allar taugir þessa tjalds váru
snúnar af gulli, en knappr á þeiri
stǫng, sem upp stóð af miðju tjaldinu,
var sem logandi eldr af þeim kar-
bunculo, er þar var í settr.*

2. *dag.* Hiernach ist aus M herüber-
zunehmen: *lýsir hann alla ... nœtr
um borgina;* vgl. frz. v. 1610 f.: *Par
nuit reluist comme soleil Tout envi-
ron par la cité.*

X rastir = schw. v. 991: *Tio milor;*
frz. v. 1621 bietet dafür *vint liues.*

um nóttina = frz. v. 1617: *par nuit.*

maðr habe ich mit M statt *mann,*
wie N liest, eingesetzt, denn es han-
delt sich darum, dass ein mann den
edelstein von weit her leuchten sieht.
vgl. Karl. s. s. 323¹⁸ ff.: *4 karbunculi
steinar váru í knǫppunum á land-
tjaldinu, ok lýstu ok birtu allan
dalinn umhverfis ... Engi þurfti
kerti at tendra, ok ef ránsmenn fara
et efra eða et ytra, at brjóta borgir
eða kastala eða at ǫðrum ránfǫng-
um, þá megu þeir engan veg undan
víkja, at eigi megi sjá, ef þeir við
snúaz at berjaz. Svá gáfu steinar
af sér ljós um nœtr sem enn ljós-
asta dag.*

3. *Þrenn* (so nach frz. B v. 1623:

trois; A: *deus) gólf, hvert upp af
ǫðru, eru;* danach ist aus M bei-
zufügen: *í kastalanum* (= schw.
v. 992: *ij tornith),* „drei fussböden
(hier soviel als stockwerke), einer
über dem anderen, sind in diesem
schloss"; vgl. frz. v. 1623: *En cele tor
a trois estages.*

3 ff. Im folgenden hat der nor-
dische übersetzer sich mehrfach von
seiner vorlage emancipiert. Wäh-
rend nach frz. v. 1626 ff. die beiden
oberen stockwerke von einem durch
sie hindurchgehenden pfeiler gehal-
ten werden, so heisst es hier aus-
drücklich, dass kein pfeiler sie stützte,
und niemand weiss, wie sie gehalten
werden. Trotzdem aber ist dann
von steinernen säulen die rede, die
vom fussboden des turmes bis an
die spitze desselben reichen; und
während dort der betreffende pfeiler
die wasserleitung nach den verschie-
denen etagen vermittelt, so findet
sich hier auf jeder etage ein silber-
nes ross, dessen maule kaltes wasser
entströmt. Die veranlassung zu die-
ser veränderung dürfte darin liegen,
dass der übersetzer frz. v. 1632 che-
ual für *canal* gelesen hat (vgl. Klock-
hoff a. a. o. s. 26). Der entsprechen-
de passus im schwedischen gedicht
v. 992 ff. stimmt in dieser beschreibung
aufs genaiiste zur saga. Ein wieder
anders gestaltetes kunstwerk wird F
v. 4256 ff. beschrieben. Ich wundere
mich darüber, dass A. Schultz da,
wo er von wasserleitungen spricht,
a. a o. I² s. 19, diese schilderungen
ganz übergangen hat; ähnliches hat
gewiss in orientalischen palästen fac-
tisch existiert.

Flor. XVI. arasteini, ok engi stólpi heldr þeim upp, ok engi veit, hvat
þeim heldr; steinstólpar standa umhverfis innan allt af enu
nezta gólfinu ok upp undir et efsta þak; en þeir eru af hvítum
marmara. **9.** En þá er hestr gǫrr af silfri á miðju gólfinu
5 hverju, ok rennr or munni honum et skírasta vatn kalt; ok
þar megu þegar meyjarnar á sund fara, er þær vilja. **10.** En
XL klefa eru í turninum, svá dýrlegir, at engi hús verða ǫnnur
slík; allir veggirnir eru með gulli smeltir ok allskyns dýrum
ok líkneskjum; ok kemr engi þar svá hagr penturr, ef hann
10 sér á, at eigi nemi af því enn meira, en fyrr kunni hann;
þar má engi eitrormr koma. **11.** En í hverjum klefa er ein

---

1. *stólpi*, „säule, pfeiler".

2. *steinstólpar*, „steinerne säulen".
standa. Hiernach wird *þó* aus M
einzufügen sein, da ein gegensatz
zum vorigen markiert werden muss.

4. *af silfri* stellt sich nur zu
F v. 4230: *Ein schœner silberin
nôch*.

5. *kalt* stimmt zu F v. 4234: *Und
kalt belibe über jâr;* frz. v. 1634
vac.

6. *á sund fara*, „zum schwimmen
ins wasser gehen"; hier natürlich in
dem freilich nicht ausdrücklich er-
wähnten bassin, welches das von
dem rosse (s. o.) ausgespieene wasser
auffängt (vgl. schw. v. 1001: *A thz
golff gör thz een brun*).

7. *XL klefa* = schw. v. 1004; in
M sind es *XV*, frz. v. 1644 sind es
27; dasselbe verhältnis zeigt sich
u. c. 16, 12, wo es sich um die zahl der
mädchen handelt. Auch in den
übrigen versionen der erzählung
gehen hier die zahlenangaben stark
auseinander; vgl. Sommer zu Fleck
v. 4185.

8. *með gulli smeltir*, „mit gold
eingelegt". Von diesem schmuck der
wände ist nur in der saga die rede;
weitere belege bietet A. Schultz
a. a. o. I² s. 61. Vgl. auch Ív. s.

c. 3 (Ridd. s. s. 88⁸f.): *Hallar veggirnir
váru steindir með dýrmætum steinum
hverskonar litum ok brendu gulli,* ent-
sprechend frz. v. 963 ff.

9. *penturr*, ein lehnwort aus frz.
peintre, „maler".

9. 10. *ok kemr—kunni hann* erinnert
einigermassen an die lesart von frz.
B v. 1657 f.: *Molt puet aprendre
d'escriture Qui velt entendre a la
painture.* Eine auffallende parallel-
stelle hierzu bietet Clarus s. s. 6²⁶ ff.:
*ok aldri kom enn svá mikill meist-
ari inn um þær dyr, at eigi mætti
nema enn meira, en hann kunni
áðr, af þeim meistaradóm, sem þar
mátti líta.* Da die lateinische vor-
lage der Clarus saga nicht erhalten
ist, so lässt es sich nicht ausmachen,
welcher übersetzer hier der ent-
lehnende teil gewesen ist.

11. *þar—koma.* Diese bemerkung
erinnert an Alex. s. s. 1⁶ff., wo es von
Darius heisst: *Sæti sitt hafði hann
lengstum í Babilón, er þá var hǫf-
uðborg alls ríkisins; en hon er
nú eydd af mǫnnum fyrir sakir
orma ok annarra eitrkvikvenda;* dazu
stimmt fast wörtlich Konr. s. B
s. 28²⁵ f. Vgl auch Archiv f. slaw.
phil. II s. 141 sowie FSS s. CXLIX.

frið mær, þvíat konungr lætr flytja þangat hverja, er hann Flor. XVI.
fregn fríðastar. **11.** Þær megu ganga at skemtan hver til
annarrar, ok svá til klefans þess, sem konungr er í, jafnan
sem hann sendir þeim orð um sér at þjóna. **12.** En í turninum
eru XL meyja, ok allar stórbornar, ok því heitir hann meyja 5
turn; en þær skulu jafnan þjóna honum, sem hann tekr til at
hverri jafnlengð; ok þá er hann ríss upp um morguninn, þá
skulu þær í koma til hans, ǫnnur með mundlaug, en ǫnnur með
handklæði. **13.** En þeir, er varðveita turninn, eru allir geld-
ingar, ok þeir eru í hverju gólfinu, ok einn er meistari þeira 10
allra, sá er þeim ræðr; þeir þjóna honum bæði síð ok snemma.
14. En hann er íllr í sér, ok hann gætir dyranna jafnan, en
þeir aðrir ganga æ með nǫkkvið sverð, at drepa allt þat, er
meistarinn býðr þeim. **15.** En hans herbergi er við dyrin, er
inn gengr, ok ef nǫkkurr maðr kemr at njósna um nǫkkut, þá 15
skal hann skjótt deyja. **16.** Mikill harmr liggr fyrir þér,

---

1 f. schw. v. 1008: *The trappor
æru skipadha swa* stellt sich zu frz.
v. 1666: *Par les degres qui fait i
sont.* Es müssen also auch in der
saga die treppen erwähnt gewesen
sein, auf welchen die mädchen zu
einander gelangen können.

5. *allar,* hiernach wird etwa *frið-
astar ok* einzusetzen sein, obwol
diese worte auch in M fehlen; vgl.
schw. v. 1013: *The vænasta ther til
ma vara* mit frz. v. 1674: *Qui moult
sont avenans et beles.*
stórbornar, „von edler abkunft".

6. *þær,* dafür ist wol mit M *tvær*
zu lesen; vgl. schw. v. 1017: *twa aff
thöm* und frz. v. 1678: *Doi a doi.*

6. 7. *at hverri jafnlengð,* „bei
jedem jahreswechsel".

7. *morguninn,* hierauf ist zu er-
gänzen: „und sich abends schlafen
legt"; vgl. schw. v. 1019: *ok sofua
vil fara* = frz. v. 1680: *et a son lit.*

7—9. *þá skulu — handklæði,* über
das waschen am morgen vgl. A.
Schultz a. a. o. I², s. 228 f. Belege

dafür, dass das zu diesem zweck
bestimmte wasser von weiblichem ge-
sinde gereicht wird, finden sich dort
nicht; dagegen vgl. Clar. s. s. 6¹⁶ ff.:
*Ok þegar sem hann kemr inn um
dyrin, eru þar fyrir þjónustumeyjar
með munnlaugum af brendu gulli
gǫrvum.*

9. 10. *geldingar,* „verschnittene,
eunuchen".

10. *meistari,* „der oberste".

11. *þeir — snemma,* nur in N.

12. *ok hann —jafnan,* diese worte
bezeugen, dass der *meistari þeira
allra,* von dem vorhin die rede war,
mit dem türhüter des turmes iden-
tisch gedacht wird, wie das ausser
schw. v. 1023 auch engl. v. 671 ff.,
D. v. 2480 ff. und F v. 4337 ff. der
fall ist.

13. 14. *at drepa — þeim,* nur in der
saga.

14. 15. *er inn gengr,* „wo man
hineingeht".

15. *at — nǫkkut,* „um irgend etwas
auszuspionieren".

Flor. XVI. þvíat konungr hefir gefit þeim vald, at drepa, ræna ok berja hvern sem þar kemr, ok hann vill. **17.** En IIII menn gæta turnsins, ok þó II um dag, en II um nótt, ok ef þeir sjá nǫkkurn mann um njósna, þá kalla þeir þá, er til þess eru settir, at
5 verja hann, ok hafa þeir æ vápn hjá sér nótt ok dag; en þeir eru M. **18.** En þat er siðr konungs, at hafa sína konu at hverri jafnlengð; ok þann sama jafnlengðardag, er hann tekr hana á XII mánaða fresti, þá lætr hann kalla alla sína undirkonunga ok ríkismenn saman, ok at augsjándum þeim ǫllum
10 lætr hann drepa hana, þvíat hann vill, at engi maðr hafi þá konu, síðan hann hefir haft; en hann tekr aðra síðan með þeim hætti, at hann lætr kalla allar til sín meyjarnar or turninum ok í eplagarð sinn, svá at allt ríkisfólk skal í hjá vera. **19.** En ganga þær allar í eplagarðinn mjǫk hryggar, þvíat
15 engi vildi því kaupa sœmðina, at vita sér vísan dauða. **20.** En eplagarðrinn er svá fagr ok mikill, at varla finnr þvílíkan; þykkir hann eins vegar II faðma, ok allr vígskarðaðr; sitr á hverju vígskarði fugl eða dýr, steypt af eiri ok gyllt; en er vindr er, þá lætr hvert sem lífs sé, ok syngr mjǫk fagrt.

---

3. *ok þó — nótt*, nur hier; schw. v 1032 ff. etwas anders; frz. v. 1704 liest statt dessen: *Qui veillent la nuit et le jor.* Auch 4-6. *at verja — M*, findet sich nur in der saga und teilweise schw. v. 1039 ff.

6. 7. *at hafa — jafnlengð*, „bei jeder rückkehr eines bestimmten jahrestages sich seine gemahlin zu wählen".

7. *þann sama jafnlengðardag*, „am selben tage des folgenden jahres".

8. 9. *þá lætr — saman*, stimmt zu der lesung von frz. B v. 1710: *Puis mande ses rois et ses dus.*

9. *at — ǫllum*, „unter ihrer aller augen"; vgl. Karl. s. s. 445[1]: *at augsjánda Rollant ok ǫllum herinum.*

13. *í eplagarð sinn*, „in seinen obstgarten".

allt ríkisfólk, „alle vornehmen leute":

14. *En*, hier bricht N ab; der text folgt M bis s. 54, 2 *leikr.*

17. *þykkir — faðma*, findet sich nur in M und ist offenbar verdorben; schw. v. 1064 ff.: *Ena værn han hafuer om sik, Badhe behændelik ok kostelik, Lagdher mz gull op a the tinna* stellt sich zu frz. v. 1725 f.: *De l'une part est clos de mur, Tout paint a or et a asur.*

vígskarðaðr, „mit zinnen versehen":

18. *fugl*, schw. v. 1074: *Alzskona foghla* stimmt genauer zu frz. v. 1728: *Divers de l'autre a un oisel.*

eða dýr = schw. v. 1069, nur in den skandinavischen versionen.

19. *sem lífs sé*, „als ob es lebendig sei"; nur hier; vgl. oben zu c. 7, 8.

fagrt, hierauf ist der inhalt von schw. v. 1073 ff. ausgefallen: *Tha hafuer huart thera liwdh om sik . . . The grymaste diwr, a jordhen gaa,* (nach BCEF), *Tha the then röstena höra fa, The lata thera grymhet falla Ok vordha genast blidhe allæ*

21. Þar sprettr upp vatn þat, er rennr or Paradísu, er Eufrates Flor. XVI.
heitir: vaxa þar í allskonar steinar: tíaphítar, jaspis, jacinctus,
kallcidónius, krísolítus, kristallus, smaragdus, ok margir aðrir
ágætir steinar. **22.** Stendr garðrinn með laufi vetr ok varmt sumar;
eru þar allskyns grǫs; ok ef maðr kennir grasa ilm ok heyrir sǫng 5
fuglanna, þá þykkiz hann vera í miðri Paradísu. **23.** Í miðjum

... *Ok œr thz faghirt the koma*
saman; Hua thz seer, honum brister
ey gaman, Vtan thz honum a mot
gar, At han hafuer ey sina hiœrta
kœr. Annan vœghin ..., denn diese
verse stimmen zu frz. B v. 1733 ff.:
Chaucuns oisiax a sa maniere : Il
ne fu onc beste tant fiere ... *Ne*
s'asoait quant ot les sons ... *Par*
le vergier grant joie font : Qui les
sons ot et l'estormie, Moult est dolaus
s'il n'a s'amie. De l'autre part ...

2. *heitir*, nach diesem worte ist
in M die notiz weggefallen, dass
niemand im stande ist, den fluss zu
überschreiten, falls er nicht fliegen
kann, da derselbe rings um den
garten herum geht; vgl. schw.
v. 1087 ff.: *Man ma ther ey in mz*
alla, Vtan han flyghande koma ma
Æller at portin in at ga = frz.
v. 1750 ff.: *De celui est avironés*
Issi que riens n'i puet passer, Se
par desus ne veut voler.

allskonar steinar, statt dessen
bietet schw. v. 1091: *dyra stena* =
frz. v. 1754: *precieuses pieres.*

tíaphítar, ein mir unbekannter
stein, möglicherweise eine ent-
stellung aus *safírar*, das allerdings
in den lexicis fehlt; vgl. frz. v. 1755
u. schw. v. 1092. Uebrigens sind auch
die anderen hier angeführten steine
in den wörterbüchern übergangen.
2 f. Schw. v. 1091 ff. hat mehrere
steine mit frz. v. 1755 gemeinsam,
die in M vermisst werden, so *robina*
= *rubis*, *sardinis* = *sardoines*, *to-*
pacius = *topasses.* Eine ähnliche

aufzählung von edelsteinen findet
sich Flóv. s. c. 16 (FSS s. 142⁹ ff.), wo
es sich um den besatz eines mantels
handelt: *Þat var sett XII hǫfuð-*
steinum; þar var cristallus, smarag-
dus, iaspis, anetistis ... *Þá var saphi-*
rus, carbunculus, sardius, crisolitus
... *Þá var topacius, crisopacius,*
berillus, iacingtus; s. auch s. 188⁴ ff.
Ferner Part. s. 7¹⁰ f.: *En þessir steinar*
váru í sœnginni: crisolitus, berillus,
sardirus, crisoprasus, amectistus,
turetus, garvatus.

4. *sumar*, der hierauf schwed.
BEF v. 1103a ff. folgende, von M
übergangene passus: *The œdelasta*
trœ œru plantat ther, Them som best
j werldine œr stimmt zu frz. v. 1763 ff.:
Il n'a sous ciel arbre tant chier ...
Dont il n'ait assez en cel ort.

5. *grǫs*, in M sind keine einzelnen
pflanzen angeführt; dagegen stellt
sich schw. v. 1106 ff.: *muskata ok*
thera bloma, Ingefer ok galiga mz
mykin soma, Kobeba badhe stora ok
sma (vgl. auch die varianten) zu frz.
v. 1769 f.: *Poivre, canele et garingal,*
Encens, girofle et citoval.

5. 6. *ok ef — Paradísu*, vgl. dazu
Karl. s. s. 540¹⁵ f.: *Þar var ilmr dýr-*
ligr, svá at hverr, er þar var, hugðiz
kominn í paradísum; das. s. 545³¹:
gengr svá mikill ilmr um musterit,
at allir nœrverandis menn hugðu sik
vera í paradíso; Blómst. s. 49¹² ff.:
svá at ilmaði um alla hǫllina, at þeir
mundu hyggja, sem hér eru fœddir
á þessu fátœka landi, at þeir mundu
í paradís komnir vera.

4*

Flor. XVI. garðinum er kelda, ok gǫrt um með brendu silfri; tré eitt er
vaxit í keldunni, ok stendr þat jafnan með blóma; en þegar
er sólin rennr upp, þá skínn hon þar allan daginn. 24. En er
konungr vil konum skipta, þá leiðir hann þær til bekks þess,
5 er fellr or keldunni, ok leiðir þær þar yfir, ok biðr menn
gǫrla at hyggja, þvíat þar má sjá mikit undr, þvíat ef mær
gengr yfir, þá er vatnit hreint; en ef hon er spillt, þá er vatnit
blóð; en sú, er at því verðr kunn, þá er hon þegar brend.
25. Hann lætr þar allar yfir leiða ok vill vita, hvat um hverja
10 þeira er títt; en þá sem fellr blómit af trénu, þá skal sú
dróttning vera þá XII mánaði, ok áðr hon stígr or stað, þá
er dróttning kǫlluð. 26. Hagar konungr svá til, at blómit
fellr á þá, er hann vill; síðan sœmir hann hana í ǫllu, meðan
hon lifir.

---

1. *gǫrt um með,* „umhegt mit".
2. Vgl. schwed. BCF v. 1113 d:
Thz vænistœ trœ ther werldin aa,
mit frz. v. 1766: *Plus bel ne virent
home né;* ebenso schw. BCF v. 1113 e f.:
*Blomster trœ thz kallat œr, Thy at
thz œœ mz blomster star,* mit frz.
v. 1787 f.: *Por cou que tous tans i a
flors, On l'apele l'arbre d'amors;* die
änderung mag dadurch veranlasst
sein, dass dem sagaschreiber resp.
dem schwedischen dichter die logik
der vorlage nicht recht verständlich
war; endlich schw. BCF v. 1113 g:
Thz œr som blod ath see oppa, mit
frz. v. 1791: *L'arbre, la flor, tout est
vermeus.* Alle diese notizen fehlen
in M nach *blóma* ebenso wie in der
von Klemming seiner ausgabe des
schwedischen gedichtes zu grunde
gelegten hs. nach v. 1113.
3. *þar,* nämlich auf den eben ge-
nannten baum; es soll durch *en þegar—
daginn* jedesfalls sein blütenreichtum
motiviert werden.
5. *keldunni,* der hierauf schw.
v. 1117 folgende, in M fehlende satz:
Hans ström mz smaragda ga schliesst
sich an an frz. v. 1805 f.: . . . *le*

canal, *Qui est d'argent et de
cristal.*

7. *spillt,* d. i. *meydómi,* „der jung-
frauschaft beraubt".

8. *er at—kunn,* „von der dies
bekannt wird".

þá er—brend stellt eine anako-
luthische konstruktion dar, wie sie
sich in der nordischen prosa oft
findet: dem nachsatze zufolge würde
man einen hypothetischen vordersatz
erwarten (*ef ein verðr kunn at því*).

9. *Hann—leiða,* schw. v. 1128:
Vnder eet trœ tha skulu the sta
steht frz. v. 1817 f.: *Apres les fait
toutes passer Desous l'arbre,* näher.

10. *sú,* nämlich die, auf welche
die blüte gefallen ist.

11. *stígr,* weil es sich um das
hinaustreten aus dem bache auf das
höhere land handelt.

þá, vor diesem worte fehlt die
notiz, dass die betr. jungfrau ge-
krönt wird; schw. v. 1132: *Tha
krona the hœnne alla* = frz. v. 1823:
En-es-le-pas iert coronée.

13. 14. *meðan hon lifir,* statt dessen
bietet schw. BF v. 1133 d: *Ther han*

Auf den rat des Daires macht Flóres den wächter des jungfrauenturmes
durch gewinnste im schachspiel sowie durch schenkung eines kostbaren
bechers zu seinem gefügen werkzeug.

XVII, 1. Nú er mánaðr til þess, at allar meyjar skulu
saman koma, ok gerir hann þá mikla veizlu. **2.** Segja menn,
at hann vili nú eiga Blankiflúr; en í þeim meyjum ǫllum er
engi jafnfríð, ok engrar þjónostu þiggr hann jafnvel, ok alla
sína elsku leggr hann til Blankiflúr, ok aldri hyggr hann, at 5
sá dagr muni koma, er hann skal hana taka, en hina drepa,
er nú hefir verit þessa XII mánaði. **3.** En Flóres svarar þá: „Miskunnar bið ek þik, þvíat þat
er minn dauði, ef svá verðr. Vilda ek gjarna, at hon vissi,
hvar ek em. **4.** Góðr húsbóndi,“ segir hann, „hvat skal ek 10
at hafaz, eða hvat varðar, þótt ek láta lífit, er ek skal hana
ekki finna? En síðan, er hon veit þat, elskar hon hann aldri,
ok fyrr drepr hon sik sjálf.“

5. Þá mælti Daries: „Sé ek, at þú hirðir lítt um líf þitt,
ef þú mættir hana finna. Mun ek segja nú mitt ráð: í morgin 15
muntu ganga til turnsins, ok lát sem þú sér hagr, ok mæl
með fótum, hversu langr er. **6.** En dyrvǫrðr er íllr í sér, ok
mun spyrja, hví þú gerir þetta. Seg, at þú vilt gera annan
eptir. Ok er hann heyrir þik svá ríkuliga um tala, þá mun

---

drœpa lather hana = frz. v. 1828:
Adont la viole et l'ocit.

Cap. XVII. 1. *allar meyjar*, dafür
ist wahrscheinlich *allir herrar* ein-
zusetzen; vgl. schw. v. 1135: *Allæ
herra koma thære* = frz. v. 1834:
Que ses barons assemblera.

4. *jafnfríð*, „ebenso schön", näml.
wie Blankiflúr.

jafnvel, „gleich gern".

5. 6. *ok — koma*, „und er kann den
tag gar nicht erwarten".

7. *er — verit*, näml. *dróttning*, was
vielleicht einzusetzen ist.

6. 7. *en hina — mánaði* = schw.
v. 1140: *Thz han ma sik vidh hina
skilia*; frz. nach v. 1844 nichts.

9. 10. *Vilda — em*, nur hier, ähnlich
schw. v. 1145 f.

12. *finna*, hiernach fehlt zur her-
stellung des zusammenhanges der
gedanke: ich weiss sehr wol, dass
er mich wird töten lassen; vgl. frz.
B v. 1852a: *Je sai tres bien qu'il
m'ocirra.*

13. *fyrr*, näml. ehe sie sich ihm
hingiebt.

16. *hagr*, subst., „künstler" = frz.
v. 1860: *engignéor.*

19. *eptir*, „nach dem muster von
diesem (turm)".

ríkuliga, „grossartig", wie ein
wolhabender mann; vgl. frz. B
v. 1870 und bes. v. 1947: *Il sot
parler tant richement.*

Flor. XVII. hann vilja eiga við þik fleira, ok bjóða þér at tefla við sik,
þvíat hann leikr þat mjǫk gjarna. En þú haf með þér
í pússi þínum C aura gulls ok legg við; en fyrir utan fé
leik þú eigi, fyrir því at með fénu máttu blekkja hann, ef
5 svá er, sem ek ætla. Ok ef þú fær taflit ok féit. þá gef honum
sitt aptr ok þar með C aura gulls þess er þú bart til, ok seg,
at þú átt yfrit fé. **7.** En hann mun undraz harðla mjǫk ok
þakka þér gjǫfina. En síðan mun hann biðja þik, at þú komir
aptr annan dag eptir at leika. En þú játa honum því, ok
10 þar með tak þú með þér hálfu meira fé. Ok ef þú vinnr, þá
gef honum bæði sitt ok þitt, fyrir því, kveð þú, at þér þykkir
slíkt lítils um vert. Ok mun hann þá taka at þakka þér ok
biðja þik koma aptr þangat; en þú seg, at þú vill gjarna,
fyrir því, kveð þú, 'at mér þykkir þú góðr maðr; en gull ok
15 silfr skortir mik eigi, ok yfrit skal ek þér þat gefa, fyrir því
at þú hefir við mik kurteisliga gǫrt ok mikla vingan birt.' **8.** En
þá um morgininn haf þú með þér C marka gulls til taflsins, ok
ker þitt et góða. Ok ef þú vinnr enn taflit, þá gef honum
bæði sitt gull ok svá þitt; en kerit haf þú! Ok mun hann
20 þá biðja þik leggja fram kerit, ok þú ger svá ok fá honum
eigi, ok kveð, at þér leiðiz, lengr at leika. **9.** Þá mun hann
bjóða þér til náttverðar með sér, en þú þigg, þvíat hann mun
vera mjǫk glaðr fyrir gullsins sakar, þess er hann fekk af þér,
ok mun hann sœma þik sem mest ok fagna þér, sem bezt má
25 hann. **10.** En til kersins mun hann mjǫk girnaz, ok mun

---

2. *leikr*, von hier ab folgt der text
dem fragment R (vgl. einleitung).
gjarna, „gern“.

3. 4. *en fyrir—eigi*, vgl. ausser
schw. v. 1180 engl. v. 766: *Wiþute
panes ne plei þu noȝt*, gegenüber
frz. v. 1877: *Mais sans avoir n'i
alez mie.*

4. *blekkja*, „betrügen, verblenden“.

5. *Ok—taflit*, „und wenn du das
spiel gewinnst“.

6. 7. *ok seg — fé* stimmt ausser zu
schw. v. 1186 zu engl. v. 770: *Hold
it of wel litil pris;* frz. nach v. 1882
nichts (vgl. Klockhoff a. a. o. s. 27).

7. 8. *ok—gjǫfina* stimmt zu frz. B
v. 1883[1]: *Et du don graces vos
renda.*

12. *mun hann—þakka þér*, vgl.
M: *Mun hann þá taka at elska þik;*
die vorlage von schw. v. 1194: *Han
thakkar thik ok hafuer kær* hat offen-
bar geboten: *at þakka þér ok elska
þik;* frz. bietet allerdings für das
zweite verbum nichts entsprechen-
des.

20. 21. *ok — eigi*, „und du handle
so und gieb es ihm nicht“, eine art
von umschreibung des einfachen
imperativs.

hann bjóða þér fyrir þat þúshundrað marka gulls. En þú seg, **Flor. XVII.**
at þu vilt eigi selja honum, nema heldr gefa. **11.** En þá
muntu verða honum svá ástfolginn, at hann mun falla til fóta
þér ok geraz þinn maðr. En þú tak gjarna viðr honum ok
lát hann handselja þér sína hollustu ok slíkan tryggleik, sem 5
maðr skal vinna sínum herra. **12.** En síðan máttu segja
honum þinn vanda; en hann mun hjálpa þér, ef hann má. Ok
ef hann má eigi vinna þér hjálp, þá kann ek þér aldrigi ráð
síðan."

13. En Flóres þakkaði þá mjǫk Daire, húsbónda sínum, 10
ǫll heilræði. En síðan drukku þau lengi ok váru kát, ok
fóru at sofa síðan. En fyrir íhuga sakir svaf Flóres lítit þá
nótt ok langaði mjǫk at finna durvǫrð kastalans.

14. Ok þegar er dagr var, þá stóð hann upp. En hús-
bóndi hans fylgði honum út ok vísaði honum til turnsins. En 15
þá er Flóres kom þar, þá gekk hann um ok sá á turninn,
mældi hann bæði á lengð ok svá á breiðleik, sem sá er hagr
er. **15.** En þegar er durvǫrðrinn sá þat, þá nefsti hann honum
fæliliga ok mælti svá:

---

3. *verða svá ástfolginn ehm*, „je-
mandem so lieb werden".

5. *handselja — hollustu*, „dir seine
werktätige treue zusagen".

tryggleik, „treue".

6. *vinna*, „leisten".

11. *þau*, ist auffällig, da bei der
beziehung auf personen nur dann
das neutrum des pron. (der 3. person)
zu stehen pflegt, wenn von männern
und frauen zugleich die rede ist,
während man hier doch zunächst
nur an Flores und Daires denken
würde. Nach des sagaschreibers
idee ist aber jedenfalls das ganze
hausgesinde des letzteren mit ein-
begriffen.

Dass nach dem gratias „der er-
heiterung wegen wieder und wieder
die becher präsentiert werden", ent-
spricht romanischer wie germanischer

sitte (vgl. A. Schultz, a. a. o. I[2],
s. 368 und Storm a. a. o. s. 34; Bevis s.
c. 8 (FSS s. 219, 39 f.) hat der nordische
übersetzer dies moment neu hinzu-
gefügt; vgl. meine anm. zu dieser
stelle, Beitr. 19, s. 79. Hier entspricht
frz. v. 1933: *Atant boivent.*

12. *fyrir — sakir*, „infolge seiner
grübelnden gedanken".

13. *durvǫrðr = duravǫrðr*, „thür-
wächter, pförtner".

ok — kastalans nur hier.

17. *á breiðleik*, „der breite nach".

mældi — breiðleik entspricht frz. B
v. 1938[1]f.: *Au pie mesure la largece,
Garde se prent de la hautece.*

18. *nefsti*, „machte vorwürfe".

19. *fæliliga*, „schrecklich", vgl.
norw. *fælelege* (contr. *fællege*), Aasen
s. 202a, Ross 220 a. Die hs. liest
fællaga.

16. „Hvárt ert þú heldr njósnarmaðr eðr svikari, eðr hví sér þú svá á turn várn?“

„Hvártki em ek þeira,“ kvað Flóres; „því mæli ek kastalann, at ek vil lata gera annan slíkan, þegar ek kem heim.“

5   · **17.** Ok er durvǫrðrinn heyrði hann svá ríkuliga um tala, ok hann sá hann svá góðfúsliga láta, sem son gǫfugs manns, þá mælti hann til hans:

18. „Viltu leika at skáktafli við mik?“

„Gjarna vilda ek, ef þú vilt mikit viðr leggja.“

10   „Hversu mikit viltu viðr leggja?“ sagði durvǫrðrinn.

„C aura gulls!“ kvað Flóres.

Þá sagði durvǫrðrinn: „Sá er vinnr, skal ráða viðrlǫgunni.“

19. En síðan reisti hann taflborðit ok vildi sjá, hvárr betr kunni. En þat var Flóres, er vann. En jafnskjótt gaf 15 hann durverðinum féit allt, þat er við lá taflit. En hann undraðiz harðla þetta ok þakkaði honum mjǫk gjǫfina, ok bað hann koma aptr til sín annan dag eptir. **20.** En Flóres játaði honum því gjarna ok skundar í brott. Kom hann aptr um morguninn ok bar með sér CC aura gulls, en durvǫrðrinn lagði 20 fram annat slíkt í móti, ok léku síðan. En Flóres vann enn, ok gaf honum fé þeira beggja síðan, hans ok sitt. En hinn varð geysiglaðr ok orðlauss; ok síðfremi fekk hann þakkat

---

6. *góðfúsliga*, „aufrichtig, ehrlich“.

12. *ráða viðrlǫgunni*, „den spieleinsatz behalten“.

13. *reisa taflborðit*, „die figuren des schachspiels aufstellen“.

14. *En þat — vann*, zu M: *ok lét dyrvǫrðr, ok var þá mjǫk reiðr. En Flóres gerði sem húsbóndi bauð, gaf honum aptr* usw., stellt sich erstens F v. 5104 f.: *Dô gestilte er sînen zorn, Alsô man mit gâbe tuot*. Nur in diesen beiden texten ist von dem zorn des thürwächters die rede; nach frz. v. 1952 sind jedesfalls mehrere verse ausgefallen, die auch den inhalt von 9—13 umfassten (vgl. D v. 2690 ff. und F v. 5068 ff.). Dagegen findet sich die nur in M erhaltene beziehung auf die weisung

des Daires auch in allen übrigen texten; s. frz. v. 1954: *Comme ses ostes li loa* = D v. 2704 = F v. 5107 (vgl. Germania XX, s. 227).

16. 17. *ok bað — eptir* schliesst sich an frz. B v. 1957 an; vgl. Sundmacher a. a. o. s. 17.

18—20. *ok kom — enn* entspricht frz. B v. 1959—62; A vac.

22. *orðlauss*, „stumm“.

síðfremi erklärt Fritzner² III, s. 227 für diese stelle als identisch mit *siðgœði*, „sittenreinheit“, vom mönchsleben gebraucht, eine bedeutung, die diesem zusammenhange ganz fremd ist; ich schreibe *siðfremi*, sehe das wort als adverb an und halte an der von mir schon Germ. XX, s. 228 fixierten bedeutung

honum ok kvað hann enn gjǫflasta. **21.** En er Flóres gekk **Flor. XVII.**
brott, þá bað durvǫrðrinn hann koma aptr til sín um morguninn.
En Flóres játaði því ok kom enn þriðja daginn, ok hafði með
sér hálft C marka gulls, ok kerit sitt et góða. Ok hann
lagði fram allt gullit, ok hinn annat slíkt í móti. **22.** En síðan 5
léku þeir af ǫllu kappi. En þá varð durvǫrðinum mát enn,
ok lét mikit fé, ok þótti honum svá illa, at hann vissi sín
varla. En Flóres huggaði hann of gaf honum allt saman, þat
sem viðr lá af beggja hálfu. En hann varð svá feginn, at
hann vissi eigi, hvat hann skyldi at hafaz, nema þakkaði á 10
allar leiðir. **23.** En síðan bað hann Flóres leggja viðr kerit. En
hann kvaz eigi vilja lengr leika. En síðan leiddi durvǫrðrinn
hann inn í grasgarð einn, at mataz með sér, ok fagnaði honum
sem hann mátti bezt. **24.** En hugr hans var æ á kerinu, ok bað
hann segja sér, ef hann vildi þat selja, ok kvaz vilja gefa 15
honum fimm C marka gulls fyrir, ef hann vildi selja. En þá
er Flóres sá fýst hans mikla til kersins, þá setti hann þat
fram á borðit fyrir sik ok sagði svá:
25. „Eigi vil ek selja kerit, en ek vil gefa þér til þess, at
þú sér vin minn hvargi sem þú kemr viðr þǫrf mína.“ 20
En síðan tók hann við kerinu ok þakkaði honum. En
síðan leiddi hann Flóres út í þann enn góða eplagarðinn ok
sýndi honum þá dýrð alla, sem þar var.

„spät erst“ fest, die freilich kein
wörterbuch bietet.

s. 56, 22 — 1. Von dem danke des
thürhüters ist ausser hier nur D
v. 2721 f. die rede.

1. *gjǫflasta*, superl. von *gjǫfull*,
„freigebig“.

1—4. Davon, dass Flóres auf die
bitte des thürwächters am dritten
tage wiederkommt und seinen becher
mitbringt, sagt keine frz. hs. etwas
(vgl. v. 1962); dagegen vgl. D
v. 2727 ff. und F v. 5149 ff.; s. auch
Sundmacher a. a. o.

6. *En þá — enn*, „aber da wurde
der pförtner wieder matt gesetzt“.

7. 8. *at — varla*, „dass er kaum

seiner sinne mächtig war“. Gewöhn-
licher ist *vissi til sín.*

11. 12. *En—leika*, vgl. D v. 2757 ff.
und F v. 5192 ff.

12-14. *En síðan — bezt*, nur diesem
texte zufolge wird das essen im
garten eingenommen; nach frz.
v. 1974 in der wohnung des pförtners;
doch entspricht auch das erstere
germanischer sitte, vgl. A. Schultz
a. a. o. I², s. 51: „Im garten hatte
man lauben … ja es wurden sogar
die mahlzeiten da im freien ein-
genommen.

20. *hvargi — mína*, „überall wo du
mir nützlich sein kannst“.

21. *honum*, danach ist aus M ein-
zusetzen: *ok … sór honum trú sína*

Flóres wird in einem blumenkorbe irrtümlich in das zimmer von
Blankiflúrs freundin Elóris gebracht.

XVIII, 1. Síðan fellr hann á kné fyrir Flóres ok bauz
at geraz hans maðr. Flóres tók við honum ok lét hann sverja
sér eiða.
2. En er þat var allt gǫrt, þá mælti Flóres: „Ek vil segja
5 þér mitt erendi. Hér er í þessum turni unnasta mín, Blanki-
flúr; fyrir hennar sakir hefi ek troðit margan ókunnan stig af
Spanía; þar var hon stolin frá mér. Þar skaltu mér dugnað
til veita, at ek mega hana finna."
3. Ok er dyrvǫrðr heyrði þetta, varð honum svá illt við,
10 at hann vissi varla, hvat hann skyldi at hafaz, ok mælti:
„Illa hefir þú mik blekkt með fé þínu, ok þín vizka hefir mik
sárliga dárat; en þat verðr minn bani, þinn ok hennar. **4.** Fæ
ek nu varla aptr kipt því sem játat er: gakk þú nú heim ok
kom á III nátta fresti; verð ek um at hugsa, hvat til ráða er."
15 **5.** Flóres segir: „Þat er oflangt."
Dyrvǫrðr svarar: „Mér þykkir ofskamt, sakir dauðans."
6. Fór Flóres heim, mjǫk hryggr. Þótti honum langt,
þvíat hann óttadiz eigi dauðann, ef hann fyndi Blankiflúr.
7. Lét dyrvǫrðr taka XII laupa stóra ok fylla með allskyns
20 blóm, ok láta færa meyjunum, ok var þetta til húit, þá er
Flóres kom. **8.** Lét hann Flóres fara í rauðan kyrtil, at hann
skyldi samlitr við blómit, ok sendi síðan sinn laup til hverrar

---

= frz. v. 1985 f.: *et puis li jure,*
Qu'en lui servir metra sa cure.
   Cap. XVIII. 1. *Síðan,* von hier bis
zum schlusse ist die hs. M dem texte
zu grunde gelegt.
   7. *þar* in zwei kurz aufeinander
folgenden sätzen ist hart; gewiss
hat an zweiter stelle ursprünglich
nú gestanden; vgl. frz. v. 2001: *or.*
   12. *sárliga dárat,* „kläglich zum
narren gemacht".
   13. *aptr kipt,* „redressiert".
   14. *verð — hugsa* entspricht der
lesung von frz. B v. 2019: *Jou por-*
penserai entretant; vgl. Sundmacher
a. a. o. s. 19.

   15. *oflangt,* „zu lange".
   16. *ofskamt,* „zu kurz". Zu dem
ganzen satze vgl. Ív. s. c. 5 (Ridd.
sögur s. 96 [11] ff.): *Nær má ek sjá*
hann? Á VII nátta fresti! kvað
mærin. Þat er oflangt! segir frúin;
ähnlich frz. v. 1820 f.
   16. *sakir dauðans,* näml. den wir
sicher zu erwarten haben; vgl. frz.
v. 2023 f. und schw. v. 1291. Die
sehr abrupte ausdrucksweise dürfte
auf eine ungeschickte kürzung sei-
tens des schreibers von M zurück-
zuführen sein.
   22. *samlitr við,* „von derselben
farbe wie".

meyjar.   Ok er lauprinn var búinn, kallar hann til sín II **Flor.**
sveina.   **XVIII.**

„Fœrið Blankiflúr ok skundið aptr!“ 9. En þeir báru í
brott, ok þótti mjǫk þungt; bǫlvuðu þeir þeim, er í fyldi.

„Látum or sumt!“   5

„Nei!“ sagði annarr; „ef vit gerum þat, þá geldr hryggr
okkarr.“

Gengu þeir upp ok hitta eigi rétt á klefana, þvíat þeir
viku til hœgri handar, en klefi Blankiflúr var til vinstri handar;
settu þar niðr laupinn, sneru í brott. 10. Elóris þakkaði þeim 10
ok las blómit. Hugði Flóres, at hann mundi kominn til Blanki-
flúr, hljóp upp or laupnum; en Elóris varð nú hrædd ok tók
at gráta, svá at meyjarnar heyrðu. Gengr Flóres nú skjótliga
aptr í laupinn ok bar á sik blómit, lá kyrr ok hugsaði, at nú
mundu svik í vera. 11. Kómu nú meyjarnar allar, er í váru 15
turninum, ok spurðu, hvat henni var. Kom henni þá í hug, at
þat mundi vera unnasti Blankiflúr, sá er hon harmaði opt, ok
mundi vera misborit, hugleiddi nú, hversu hon skyldi andsvara
þeim, ok mælti:

---

1. *lauprinn*, näml. in welchem
Flóres verborgen war“.

3. *Fœrið — aptr* ist gekürzt; schw.
v. 1310 f. setzt hinzu: *Iak veet thz
swa visselik, Therfore skall hon
thakka mik* = frz. v. 2054.

skundið, „eilt“.

5—7. *Látum — okkarr* = schw.
v. 1317 ff. ist ein nicht übler zusatz
des sagaschreibers; vgl. Klockhoff
a. a. o. s. 29.

6. 7. *þá — okkarr*, „dann wird unser
rücken dafür büssen“, d. h. dann
bekommen wir prügel.

9. *hœgri — vinstri handar*, im
nordischen texte ist rechts und links
vertauscht; frz. v. 2063 f. liegt Bl.’s
zimmer auf der rechten seite.

10. Die träger übergeben den korb
dem in dem falschen zimmer woh-
nenden mädchen; vgl. schw. v. 1322:
Ok fingo thet een andre iomfru rika
= frz. v. 2066: *Celi qu’il truevent,*

les presentent. Dieser zug ist nach
laupinn weggefallen.

10. *Elóris*, wie die freundin Blanki-
flúrs in diesem texte durchweg ge-
nannt wird, ist entstellt aus *Cloris*
oder *Claris*; vgl. schw. v. 1362: *Klares*,
frz. v. 2115: *Claris*, und Klockhoff
a. a. o. s. 30. Auffällig ist die un-
vermittelte anführung des namens,
von dem der leser vorher nichts
weiss; erst zu anfang von c. 19 wird
diese persönlichkeit näher bezeichnet.
Auch diese unebenheit fällt nur dem
abschreiber zur last; vgl. schw. v. 1323.

13. *gráta*, nur hier; man erwartet
etwa *œpa*; vgl. schw. v. 1331: *Hon
öpte*, und hier später § 12: *ek œpta*.

skjótliga, „schleunigst“.

16. *var*, hiernach sind einige worte
ausgefallen; vgl. schw. v. 1339: *Ok
for hwi hon öpte swa* = frz. v. 2086:
Por quel paor ensi crioit.

18. *misborit*, „an falsche stelle

Flor.   **12.** „Mér var fœrt blómit í laupi þessum, ok er ek vilda
XVIII.   skemta mér ok lesa blómit, flaug þar upp eitt fífrildi ok laust
XIX.   væng sínum á kinn mér; varð ek við þat mjǫk hrædd, at ek
œpta sem ek mátta hæst."

5   En jungfrúrnar tóku at hlæja ok gǫguðu hana mjǫk.

Flóres wird mit Blankiflúr vereinigt.

XIX, 1. Hon var dóttir jarls af Saxlandi; váru þær góðar
vinur Blankiflúr; hvár unni þar annarri, sem þær væri systr.
Þeira klefar stóðuz á, ok var nær ekki á millum nema veggrinn.
2. Gengu jungfrúrnar í sína klefa, en Elóris kallaði á Blankiflúr
10   ok sagði: „Vina mín, gakk hingat ok sjá blómit, er mér var
fœrt, þvíat þú munt vilja hafa, þvíat ek hefi eigi fyrr slíkt
blóm sét."
3. Blankiflúr mælti: „Illa gerir þú þat, vina mín, at þú
gabbar mik, þvíat mjǫk líðr nú at mínum dauða, þvíat mér
15   er sagt, at konungr vili nú hafa mik at konu; en ef guð vill,
þá skal mér aldri verða því brugðit, at ek skula vera ástar
svikari, svá sem Flóres gerði við mik: skal ek fyrir hans
sakir drepa mik sjálf."

---

getragen", fehlt bei Fritzner² und
Vigf. *ok — misborit* ist ein zusatz
des sagaschreibers.

s. 59, 18. *hugleiddi*, „überlegte sich":

2. *fífrildi*, „schmetterling", wie es
scheint ἅπ. λεγ.

5. *gǫguðu*, von *gaga*, ἅπ. λεγ.,
„sich lustig machen über".

Cap. XIX. 6. *Saxland* ist eine
übersetzung von frz. v. 2100 *Ale-
maigne*.

6. 7. *góðar vinur*, „gute freun-
dinnen".

7. *sem — systr* ist zusatz. Dagegen
ist nach diesen worten der passus
ausgefallen, dass die beiden mädchen
in diesem jahre den könig zu be-
dienen haben; vgl. schw. v. 1358 f.:
*The skullo ok badhe sænder thiæna,
Thz aar hafdho the aff konungin til*

læna = frz. v. 2102: *Ensamble a
l'amirail aloient.* Zum verständnis
des anfanges von c. 20 ist diese
notiz nicht zu entbehren.

8. *stóðuz á*, „grenzten aneinander".

12. Am schlusse von Elóris' rede
ist ein moment ausgefallen; vgl.
schw. v. 1367: *Ok vit om thu thz
kænna ma* = frz. v. 2123: *Venez i,
si la connistrez.*

13. *Illa — þat*, statt dessen hat die
saga ursprünglich gelesen: *Þá gerir
þu synd*; vgl. schw. v. 1373: *Thy
hafuer thu synd* = frz. v. 2127:
Pechié faites.

16. *þá — brugðit*, „da soll mir
niemals das zum vorwurf gemacht
werden".

16. 17. *ástar svikari*, „verräter an
der liebe".

17. *svá — mik*, zu der auffassung

Flor. XIX.

4. Ok er Elóris heyrði, þá þótti henni hǫrmuligt, ok mælti: „Fyrir þess sakir, er þú annt svá mikit, þá sjá blómit!"

5. En er Flóres heyrði þetta, þá hljóp hann upp or laupinum, ok þegar, sem þau sáz, þá mintuz þau við ok fǫðmuðuz langa hríð.

6. Elóris mælti: „Vina mín, kennir þú nú blómit þetta, er fyrir skǫmmu vildir þú eigi sjá? Víst væri sú góð vina þín, at þú gæfir hlutskipti af þessu blómi!"
„Vina," sagði Blankiflúr, „þetta er Flóres, unnasti minn!"

7. Báðu þau hana nú bæði, at hon skyldi leyna, „þvíat okkarr liggr bani við, ef konungr verðr víss."

„Eigi þurfi þit mik at óttaz!" sagði Elóris.

---

des nordischen textes sowie zu schw. v. 1380 stimmt engl. v. 908 ff.; nach frz. v. 2135 f.: *L'amirals faudra a m'amor, Com fait Floires a Blanceflor*, steht nichts davon, dass Bl. ihrem geliebten untreue vorwirft (vgl. Engl. stud. IX, s. 101).

s. 60, 18. Am ende von Bl.'s rede fehlt der gedanke, dass Bl. sich eher töten will, als einem anderen angehören; vgl. schw. v. 1383: *För æn iak nakan annan vil taka =* frz. v. 2139 f.: *Ami ne volrai ni mari, Quant jou au bel Floire ai failli.*

2. *blómit*, nach diesem worte ist ein für die erzählung notwendiger satz ausgefallen, der schw. v. 1388 f. so wiedergegeben ist: *Tha hon hörde hans nampn, tha war hon glad Ok gik til hænna thaghar ij stadh =* frz. v. 2145 f.: *Quant de s'amor conjurer s'ot, O li s'en-va com plus tost pot.* Ebenso 3 nach þetta der inhalt von schw. v. 1391: *At Blanzaflor hon komin ær =* frz. v. 2148: *que c'est s'amie.*

4. *fǫðmuðuz* von *faðmaz*, „sie umarmten sich".

5. *hríð*, nach diesem worte wird

die mitteilung vermisst, dass die wiedervereinigten vor freude weinen; vgl. schw. v. 1396: *The græto aff glædhi badhe =* frz. v. 2157 f.: *De grant pitié, de grant amor Pleure Floires et Blanceflor.*

7. *sjá*, nach diesem worte fehlt der in schw. v. 1400 f. ausgesprochene gedanke: *Mik thykker, thu hafuer thz swa kær For alt thz goz ij værldine ær =* frz. v. 2176: *Or n'avez nul si chier avoir.*

7. 8. *Víst — blómi =* schw. v. 1402 f. Anders gefasst frz. v. 2177 f.: *Moult esteroit vostre anemie, Qui vous en feroit departie;* wieder anders engl. v. 937 f. (vgl. Engl. stud. IX, s. 101).

10. *bæði*, hiernach ist *grátandi* ausgefallen; vgl. schw. v. 1406: *gratande =* frz. v. 2184: *en plorant.*

leyna, absolut gebraucht: „das geheimnis bewahren", falls nicht þeim ausgefallen ist.

10. 11. *þvíat — víss*, von der entdeckung durch den könig sagt frz. v. 2185 f. nichts; dagegen vgl. schw. v. 1409, engl. v. 943, D v. 3085 f. (vgl. Engl. stud. IX, s. 101).

12. *Eigi — óttaz*, statt dessen hat die ursprüngliche niederschrift der saga eine viel längere rede gehabt;

8. En þau þǫkkuðu henni orð sín. Leiddi Blankiflúr þá Flóres í hvílu sína, er nóg var búin með gullvef, ok sagði þá hvárt ǫðru sinn vilja.

„Sæll þykkjumz ek,“ sagði Flóres, „at ek hefi þik fundit, 5 þvíat aldri beið ek ró, síðan ek mista þín.“

„Hversu komtu hingat?“ sagði hon. En haun sagði henni.

---

vgl. schw. v. 1410 ff.: *Iak vil thz löna, Thz skulin ij for sannind röna; Thetta swa ombæra mz thik, Som iak vilde thu skulde göra mz mik* = frz. B v. 2188 ff.: *N'en aiez ja resgart: Bien en poëz estre asséur, . . . Garderai vous en boine foi Si comme jou feroie* (l. *vous feroiez*) *a moi, Se ensement m'ert avenu.*

1. 2. *Leiddi—sina*, ehe Bl. ihren geliebten zu ihrem bett führen kann, muss sie ihn in ihr zimmer geleiten; vgl. frz. v. 2195 f.: *Et Blanceflor adont l'en-maine En la soie chambre demaine* = D v. 3105 = F v. 5949 f.; schw. v. 1414 f.: *Blanzaflor ok Flores gingo til saman Ij eet annath hws.* Man würde also hier etwa erwarten: *Leiddi Bl. þá Flóres í* [*klefa sinn ok setti hann á*] *hvílu sína.* Denn um ein sitzen auf der bettstelle handelt es sich hier nur; vgl. A. Schultz a. a. o. I², s. 87: Bei tage sass oder lag man auf den betten — es gewährte natürlich auch platz zum sitzen für mehrere leute — in der nacht wurde auf denselben betten geschlafen; s. auch Weinhold, Die deutschen frauen in dem ma.² II, s. 109. Das geht aus frz. v. 2197 ff.: *En un arvol d'une cortine De soie, ou gisoit la meschine, Se sont assis privéement* = D v. 3106 ff. klar hervor.

2. *með gullvef*, das von Fritzner² I, s. 664 nur aus dieser stelle belegte und als „zeug mit eingewebtem golde“ erklärte wort *gullvefr* ist wol nur aus *guðvef* verschrieben, denn von goldgewebe ist in keinem der andern texte die rede. Die bettbezüge, um die es sich doch hier wol handelt, waren auch sonst von seidenstoffen; vgl. Schultz a. a. o. I², s. 89.

5. *þvíat*, nach diesem worte fehlt ein hinweis auf die vielen gefahren, welche Flóres für seine geliebte erduldet hat; vgl. schw. v. 1422 ff.: *Iak hafuer fore thik Opta farith vadhelik* = frz. v. 2205 f.: *Por vous ai esté de mort pres Et de travail soffert grant fes.* Ferner ist nach *ek* ausgefallen *gleði né*; vgl. frz. v. 2208: *Joie ne repos*; s. auch schw. v. 1424: *Ok veet thz gudh, iak var ey gladh.*

6. *Hversu komtu hingat?*, es muss nach dem ursprünglichen sagatexte in Blankiflúrs rede das moment enthalten gewesen sein, dass sie halb und halb an Flóres' identität zweifelt; vgl. schw. v. 1430 f.: *Aeller ær mik giordh aff gerning swik, Swa at thu æst annar Flores lik,* mit frz. v. 2221 f.: *je vous voi Et neporquant si vous mescroi.* Desgleichen ist nach *henni* der inhalt von schw. v. 1434 ff. verloren gegangen: *Ok kærir huar for annan sin vanda, Huath them ær sidhan komith til handa* = frz. B v. 2226 a ff.: *Apres a l'un l'autre conté, Com fetement il ont erré Des ice jour qu'il departirent Dusqu'a celui qu'il s'entrevirent.*

9. Váru þau hálfan mánað saman, átu ok drukku ok sváfu Flor. XIX.
bæði samt; en Elóris þjónaði þeim, svá at þau skorti ekki. XX.
En hamingja þeira, er sumir menn kalla gæfu, skipti brátt
um sœmð þeira eptir sinni venju ok gerði þau nóg sorgfull,
sem þau váru glǫð áðr, þvíat þat var hennar leikr, at hon hóf 5
þau upp um stund, ok niðraði síðan. Ok er engi svá óvitr,
ok fylgir honum gæfan, at hann er eigi kallaðr vitr; en er
gæfan minkar, þá heitir hann fól.   .

Flóres wird vom könige in den armen seiner geliebten überrascht.

XX, 1. Þat var einn morgin, at þau sváfu sœtliga, þá
stóð Elóris upp ok kallaði á Blankiflúr, ok sagði, at tími var 10

1. *hálfan mánað*, eine solche zeit-
angabe finde ich ausser hier und
schw. v. 1437: *Een halff manadh
var thz swa*, nur F v. 6138: *zwênzic
tage*; frz. vac. (vgl. Sommer zu dem
eben angeführten verse in F).

2. *þeim*, hierauf ist etwa zu er-
gänzen *dyggiliga*; vgl. schw. v. 1445:
Dygdhelika mz rætte tro = frz.
v. 2231: *en boine foi*.

3. *En — gæfu*, Fritzner[2] I, s. 668
führt s. v. *gæfa* zwei weitere stellen
an, wo *hamingja* und *gæfa* fast oder
ganz synonym gebraucht werden;
Fms. VI, s. 165 [19]: *ek treystumz minni
hamingju bezt ok svá gæfunni*;
Flat. II, s. 237 [14]: *Gæfumaðr ertu
mikill, S., ok er þat eigi undarligt,
at gæfa fylgi vizku; en hit er kyn-
ligt, sem stundum kann henda, at
sú gæfa fylgi óvitrum manni, at
óvitrlig ráð snúiz til hamingju*. Es
handelt sich hier um eine übertragung
des frz. wortes *Fortune* (v. 2240);
zu einer doppelten wiedergabe des-
selben aber bot das original keine
veranlassung. Eine ausführliche er-
wägung über die unbeständigkeit
des glückes findet sich Alex. s. s. 22 f.,
wo das glück Alexander infolge
seines bades im flusse Cignus den

rücken zu wenden droht, wie denn
auch sonst gerade in dieser saga,
meist der lat. vorlage entsprechend,
derartige erwägungen oft begegnen;
vgl. s. 15 [9] f., s. 36 [10] f., s. 45 [15] ff.,
s. 83 [1] ff., s. 92 [16] ff., s. 107 [11] ff., s. 130 [14] ff.,
s 133 [30] ff.

4. *sorgfull* = *sorgafull*, „kummer-
voll“.

6. *niðraði*, „erniedrigte“, wozu
þeim zu ergänzen ist; man würde
eher erwarten: *ok vildi nú niðra
þeim*; vgl. frz. B v. 2245 f.: *Or les
avoit assis desus, Et abatre les reveut
jus*.

óvitr, „unverständig, dumm“.

7. *ok — gæfan*, repräsentiert eine
freiere konstruktion statt *ef honum
gæfan fylgir*.

8. *minkar*, „sich veringert, ab-
nimmt“.

Der sagaschreiber hat diese all-
gemeine betrachtung über die wan-
delbarkeit des glückes etwas anders
gefasst als seine vorlage, wo es
v. 2257 ff. heisst: *Cou set on bien
qu'as fous provés Done roiames et
contés, Et les vesquiés done as truans,
Et les boins clers fait pain querans*.
In schw. v. 1456 ff. ist dieser passus
noch mehr gekürzt wie in der saga.

Flor. XX. at koma til konungs, sem þær væri vanar, at gera sína
þjónustu.

„Ek mun skjótt koma!" sagði hon, ok sofnaði þegar.

2. Elóris gekk til konungs ok hugði, at Blankiflúr mundi
5 koma eptir; ok er hon kom eigi, spurði konungr eptir henni.

3. „Herra," sagði Elóris, „miskunnar bið ek fyrir hana,
þvíat hon vakði í alla nótt ok sǫng á bók sína, ok bað fyrir
ykkr, at ykkarr saṃgangr skyldi til fagnaðar verða, þegar
þar kœmi. En í dagan sofnaði hon, ok þótti mér mikit fyrir,
10 at vekja hana."

Cap. XX. s. 63, 9. sœtliga, adv.,
„süss".

s. 63, 10. Nach frz. v. 2271: *Blance-
flor la bele apela*, scheint ein vers-
paar ausgefallen zu sein, in dem der
zweck des weckens bezeichnet war;
vgl. engl. v. 990: *To go wiþ hire
into þe tur* = F v. 6186 f.: *Wir
suln uns, sprach sî, machen Hin dâ
min herre lît*; am ausführlichsten
schw. v. 1455 f.: *Vi skulum nu for
konungin ga, Thy han vil nu klædha
sik* (vgl. Engl. stud. IX, s. 102).
Schon Klockhoff a. a. o. s. 31 hat
hier eine lücke im frz. texte ver-
mutet.

3. *hon*, hierauf scheint ein, unserem
„im halbschlafe" entsprechender aus-
druck ausgefallen zu sein; vgl. schw.
v. 1458: *i söfne* = frz. v. 2273: *En
dormillant*.

Blankiflúr fordert ihre freundin
auf, einstweilen allein zu gehen,
schw. v. 1459: *Ok hænne fore ganga
badh* = frz. v. 2272: *Alez*. Dies
moment ist in M vor oder nach
sagði hon verloren gegangen.

4. 5. *ok—eptir*, entspricht ausser
schw. v. 1461: *Ok thænker at Blanza-
flor fölgher henne nær*, engl. v. 992²:
*And wende þat Blauncheflour had
come*, s. auch D v. 3219 ff.; nach
frz. v. 2275 ist demnach eine lücke zu

konstatieren; vgl. Engl. stud. IX,
s. 102 und Klockhoff a. a. o. s. 31,
für dessen zweck also diese stelle
nichts beweist.

7. *i alla nótt*, „die ganze nacht
über"; vgl. *i dag*, „heute", *i ár*,
„heuer".

sǫng—sína, „sang aus ihrem
(psalter)buche". *syngja á* mit acc.
in diesem sinne verzeichnen die
wörterbücher nicht. In den übrigen
fassungen ist nur vom lesen der
horen die rede.

8. 9. *at—kœmi* = schw. v. 1472 f.:
*Thz ij saman komin swa, Ij mattin
ther badhin glædhi aff fa*; vgl.
Klockhoff a. a. o. Dass die gebete
Blankiflúrs sich auf eine glückliche
vermählung zwischen ihr und dem
admiral bezögen, sagt frz. v. 2280
nicht; höchstens wäre F v. 6226 ff.
zu vergleichen. Hervorgerufen ist
dieser gedanke jedenfalls durch die
dann nicht übertragenen verse in
der antwort des admirals, frz.
v. 2285 f.: *Bien doit estre cele
m'amie, Qui veut que j'aie longe vie*.

9. 10. *ok þótti—hana* = schw.
v. 1475 f.: *Thy thökte mik vara ön-
kelik, At væckja henne sva bradhelik*,
ist ein vom sagaschreiber hinzu-
gefügter gedanke, auf den sich dann
auch die worte des königs s. 65, 3
Vel—þetta beziehen, die an die

4. „Er þat satt?“ sagði konungr.

„Já, já!“ sagði hon.

„Vel gerðir þú þetta!“ sagði konungr ok anzaði ekki til meira at sinni.

5. Annan morgin stóð enn Elóris upp ok kallaði á Blanki- 5 flúr, ok sagði hana oflengi vilja sofa.

Hon svarar: „Gakk! ek kem skjótt, ok mun ek fyrr koma en þú.“

6. En er hon vildi upp standa, faðmaði Flóres hana, kysti ok hneigði hana í sængina aptr. Sofnuðu síðan svá, at 10 varir þeira lágu saman. En Elóris gekk til konungs, ok spurði konungr at Blankiflúr, en hon svarar engu, ok hugði hon, at Blankiflúr mundi gengin til konungs.

7. „Óttumz ek,“ sagði hann, „at nøkkut sé um hennar hag, þat er eigi skyldi.“ 15

Elóris sagði: „Hon mun skjótt koma, þvíat hon reis fyrr upp en ek,“ þvíat hon hugði, at svá mundi vera; ella mundi hon nøkkut annat hafa til andsvara fengit.

8. Gerði konungr sér nú mart í hug, kallaði til sín einn

---

stelle der längeren antwort im frz. v. 2284 ff. getreten sind.

4. *at sinni*, „für diesmal“.

7. Schw. v. 1488: *Iak ær til redho nu*, stimmt zu frz. v. 2293: *Jou me conroi*; etwas ähnliches, etwa *em búin ok*, muss also nach *ek* ausgefallen sein.

11. *Elóris*, nach diesem worte ist ein längerer passus von dem offenbar ermüdeten schreiber von M gestrichen worden, welcher berichtete, wie Elóris, nachdem sie wasser geholt hat, Bl. nochmals ruft, dann aber, als sie keine antwort erhält, zu der irrigen meinung gelangt, jene habe sich bereits zum könig begeben; vgl. schw. v. 1494 ff.: *Klares thaghar genast gar, Thiit vatn ok handklædhe redho var, Ok kalladhe at hænne annath sinne, Ok ma tha ængin anzswar finna; Thy thænker*

hon ther hon star, Thz hon fore gangin ær, Ok skyndar sik æ huath hon ma Til thz herbærghe konungin ij la = frz. v. 2301 ff.: *Claris fu el piler alée; El bacin a l'aigue versée: Quant ele· revint, si l'apele; Quatre fois li dist: „Damoisele!“ Quant ele rien ne respondoit, Dont quide bien qu'alée en soit. Ele vient au lit son signor.* Ein stück davon ist ja freilich in den worten *en hon —konungs* des folgenden satzes in der saga enthalten, aber ohne die unentbehrliche motivierung.

14. 15. *Óttumz — skyldi* weicht von frz. v. 2309 f. erheblich ab.

16—18. *þvíat—fengit* stimmt zu der lesart des frz. ms. B v. 2315 f.: *Se cuidast qu'endormie fust, Autre acheson trouvé eust.*

19. *Gerði — hug*, „dem könig gieng nun mancherlei durch den sinn“.

Flor. XX. herbergissvein ok mælti: „Gakk skjótt ok bið Blankiflúr koma
til mín!"

9. En ·er hann kom í hús hennar, þá sá hann, hvar þau
lágu, Flóres ok Blankiflúr, ok hugði hann, at Elóris mundi
5 vera, þvíat Flóres hafði eigi skegg; váru fár meyjar fríðari.
Gengr hann aptr til konungs ok sagði: „Ek sá varla jafn-
mikla ást, sem þær hafa, Blankiflúr ok Elóris; þær sofa svá
sœtliga, at munnar þeira lágu saman, ok eigi vilda ek vekja þær."
10. Skipti konungr nú litum, var hann stundum rauðr sem

1. 2. *Gakk — mín*, nach diesen
worten des königs wird der inhalt
von schw. v. 1514 ff. vermisst: *Swenin
giordhe som han badh, Gik sik thœd-
han thaghar ij stadh Ok gömpde ey
at, för œn han bort gar, Thz Klares
ther fore konungin star*; vgl. frz.
v. 2321 f.: *Cil ne s'est mie apercéus
De Claris; sus en-est venus.* Diese
notiz ist nicht überflüssig; denn wenn
der diener Elóris im zimmer des
königs gesehen hätte, so würde er
nicht später auf den gedanken kom-
men, sie teile Blankiflúrs lager. Das
ist also einer der fälle, wo strei-
chungen seitens des abschreibers
den sinn schädigen.

3. *hús* ist für frz. v. 2323 *chambre*
eingesetzt; der verfasser unserer
saga hat ebenso wie der der Bevis
saga c. 20 (FSS s. 240[1] C), den aus-
druck an specifisch isländische ver-
hältnisse angepasst, wo die gehöfte
aus einem komplexe von neben ein-
ander gestellten häuschen bestanden
und jedes zimmer ein haus für sich
war; vgl. meine Studien zur Bevis saga,
a. a. o. s. 97 f. und Valtýr Guðmunds-
son, Privatboligen på Island i saga-
tiden (Kbh. 1889) s. 69 ff. Die
änderung erscheint hier freilich um
so unglücklicher, als der saga-
schreiber selbst früher berichtet
hatte, die gemächer der mädchen be-
fänden sich sämtlich in einem turme.

6. *Gengr*, vor diesem worte ist
ein vordersatz weggefallen; vgl.
schw. v. 1524: *Tha han sa them
sofua swa sötelik* = frz. v. 2333 f.:
*Quant il les vit tant doucement Gesir
andeus.*

6. 7. *jafnmikla ást*, „so grosse
liebe".

7. 8. *þær sofa . . . lágu*, eigentümlich
ist der tempuswechsel; zur letzteren
form ist zu ergänzen: „als ich sie
eben sah"; frz. v. 2344 steht das
präs. (*S'entretienent*).

8. *ok eigi—þær*, schw. v. 1532 f. C:
*Ömkelikt war mik at wækkœ them
badhœ Eller göre them nokro onadhœ*
steht frz. v. 2345 f.: *De pitié n'es
voeil esvillir, Trop les cremoie a
travillier* näher als M.

Nach abschluss der rede des
dieners müsste nun zunächst von
Elóris die rede sein; vgl. schw.
v. 1534 f.: *Klares vardh badhe bleek
ok rödh, Hon ræddis tha fore thera
död* (wo freilich der farbenwechsel
vom könig auf sie übertragen ist),
was sich stellt zu frz. v. 2348: *Quant
Claris l'ot, de paor tramble.* Dieser
zug wird in M vermisst.

9. *Skipti—litum* geht auf frz. B
v. 2349: *A l'amiral la coulor mue*,
zurück; A anders.

9 — s. 67, 1. *var—bleikr* ist eine
vom sagaschreiber hinzugefügte aus-
führung der vorhergehenden worte.

blóð, en stundum bleikr. Hann tók sverð sitt ok vill nú sjá Flor. XX.
þetta: „Þvíat miskent hefir þú Elóris," sagði konungr, „þvíat
hon var nú ، rétt hér; mun þar kominn nǫkkurr karlmaðr;
munda ek þó hyggja, at engi mundi svá djarfr vera, at hana
skyldi þora at elska." 5

11. Gengr hann í þeirri reiði upp í turninn, ok sveinninn
með hánum; en sverð sitt hafði hann bert. Ok er hann kom
í herbergi Blankiflúr, bað hann sveininn láta glugg upp, at
sólin mætti inn skína. En þá mátti hann sjá ǫll þau tíðindi,
hversu þau lágu. Stendr hann yfir þeim með brugðnu sverði, 10
ok eru þau nauðuliga stǫdd, nema guð hjálpi þeim. 12. Vissi
konungr varla, hvárt mær lá hjá Blankiflúr eða karlmaðr,
sakir þess at hann hafði ekki skegg; enda var hann nóg

Da zu *rauðr* ein vergleich hinzu-
gefügt ist, so hat wol ursprünglich
auch bei *bleikr* ein solcher ge-
standen; etwa *sem bast* (vgl. Bærings
s. c. 15, FSS s. 97 ³⁸ f.): *setti hana
rauða sem blóð, en stundum bleika
sem bast*), oder *sem nár* (vgl. das.
c. 3, FSS s. 86 ³²), oder *sem aska*
(vgl. Þiðr. s. s. 320 ¹⁸).

1. 2. *Hann—þetta*, diese worte,
hier facta erzählend, haben ursprüng-
lich zur direkten rede des königs
gehört, die, wie in nordischen
texten oft, mitten im satze eintritt;
vgl. schw. v. 1538 f.: *Thag mit
swærdh; iak vil thiit ganga, Iak
skal thetta vita fanga* usw. = frz.
v. 2351 f.: *Aportez moi, fait il,
m'espée; S'irai véir cele assamblée.*

2. *Þvíat—Elóris*, „denn du hast
jemanden mit unrecht für Elóris ge-
halten".

3—5. *mun—elska*, diese sätze,
welche hier die direkte rede
schliessen, werden frz. v. 2354 ff.
nur als stille erwägung des königs
behandelt, jedenfalls psychologisch
richtiger: der könig wagt einen
solchen verdacht kaum auszudenken,
geschweige denn ihn laut zu äussern.

10. *Stendr—sverði* ist hier neu,
aber eine in den romantischen sagas
typische formel; vgl. meine anm.
zu Bevis s. s. 218 ⁵⁶, Beitr. 19, 79.

11. *ok—þeim*, „und sie sind in
eine sehr bedrängte lage gebracht,
wenn gott ihnen nicht hilft". Vgl.
frz. B v. 2367 ff.; A anders. Zum
inhalte und wortlaut dieses satzes
vgl. Flóv. s. c. 21 (FSS s. 151 ⁴⁹ ff.): *En
ef eigi dugir guð honum, þá er
Ótun illa staddr.* Karl. s. s. 183 ⁶ f.:
*má nú senniliga Oddgeirr sýnaz upp
gefinn, nema guð hjálpi honum.*

þeim, hierauf ist die bemerkung
ausgefallen, dass der könig zwar
Blankiflúr kannte, aber nicht die
person, die bei ihr lag; vgl. schw.
v. 1554 f.: *Ok kænde Blanzaflor ther
hon la, Then andra han ey kænna
ma* = frz. v. 2375 f.: *Blanceflor
connut bien, s'amie, Mais l'autre
connu n'avoit mie.*

13. *sakir—skegg*, vgl. oben § 9.
Diese wiederholung fällt nicht dem
sagaschreiber zur last; auch im frz.
gedicht wird der umstand, dass
Flóres bartlos war, v. 2329 f. und
v. 2379 f. fast mit denselben worten
berichtet.

Flor. XX. fagr; bauð hann sveininum, at taka klæði af þeim á brjóstinu,
XXI. svá at hann mætti sjá, hvárt væri.

Auf Flóres' bitte überlässt der könig das urteil über das liebespaar seinen
demnächst zu erwartenden vasallen.

XXI, 1. Nú sér hann, at þetta er karlmaðr, ok ofrar nú
sverðinu, ok vildi hǫggva þau í miðju í sundr. En sveinninn
5 mælti: „Mun hann ekki vera bróðir hennar? Herra, stǫðvið
reiði yðra ok fréttið eptir sǫnnu!"
2. Gerði konungr svá, ok mælti: „Þat mun eigi konung-
ligt, at drepa þau í svefni, þvíat aldri skulu þau undan komaz."
3. Ok í því vǫknuðu þau, ok sá konung standa yfir sér
10 með brugðnu sverði, ok óttuduz sinn dauða; tóku þau þá at
gráta, Flóres ok Blankiflúr, sem ván var. 4. Konungr spurði,
hvat manna hann væri: „er þú þorðir at ganga hingat í turn-
inn ok leggjaz með Blankiflúr? Ok þar fyrir skaltu deyja,
ok hon, sú en vánda púta, er hjá þér liggr!"

---

s. 67, 13. 1. *enda — fagr*, der ur-
sprüngliche nordische text hat sich
ausführlicher ausgedrückt; vgl. schw.
v. 1558 ff.: *Thy han var fæghre at
se op a Aen nakar the mö han förra
sa Aff the fyretighi ther var inne*;
ähnlich frz. v. 2381 f.: *Fors Blance-
flor n'avoit tant bele En la tor nule
damoisele.*
1. *klæði* ist hier identisch mit
rekkju-klæði zu nehmen: „die bett-
decken", nicht etwa als „nacht-
kleider"; denn man pflegte im ma.
sich nackt zu bette zu legen; vgl.
u. a. A. Schultz, a. a. o. I², s. 222; auch
aus dem wortlaut von frz. v. 2387 f.,
wo sich direkte rede findet: *Les
poitrines Me descoevrez des deus
meschines* (vgl. auch F v. 6396 f.,
G v. 3340 f.) scheint mir dieser sinn
ganz deutlich hervorzugehen. Die
wörterbücher kennen allerdings *klæði*
in dieser bedeutung nicht; doch vgl.
Karl. s. s. 473⁶: *í þeim hvílum váru

allskyns klæði, er góð váru*, wo
klæði = frz. v. 430: *covertors.*

Cap. XXI. 5. 6. *stǫðvið — yðra*,
„stillt euren zorn".

5. 6. *Mun — sǫnnu*, von diesem ein-
wande des kammerdieners und der
darauf basierenden beruhigung des
königs weiss ausser der saga an dieser
stelle nur schw. v. 1569 ff.; frz. v. 2395 f.
heisst es nur: *Puis se porpense qu'ains
sara Qui il est, puis si l'ocirra.*
Doch vgl. frz. A v. 2422 ¹ ff., wo dies
moment nachgeholt wird. Zugleich
aber lehrt der frz. text, dass der
nordische noch ein moment mehr
gehabt hat; vgl. schw. v. 1570 f.:
*Dræpin them ey swa rasklika hær,
För æn ij vitin hwa han ær.*

8. *þvíat — komaz*, „denn sie werden
ja doch keine gelegenheit haben zu
entkommen".

13. *Ok*, hierauf ist etwa zu sup-
plieren: *þat sver ek fyrir guðs sakir*,

5. Nú kom Flóres í hug, hvílíka sælu þau hǫfðu heima,
eðr hvat nú var fyrir augum, ok mælti Flóres til konungs:
„Herra," sagði hann, „kallið eigi Blankiflúr pútu, þvíat enga
fái þér slíka í yðvarri borg! Nú ger við mik ok mæl, sem
yðvarr er vili til, þvíat ek em hennar unnasti: var hon stolin 5
frá mér, ok hér fann ek hana. Bið ek, konungr, at þú gefir
okkr lífs frest til þess at undirkonungar þínir koma; ok dœmi
þeir þetta svá sem réttast er; munu þér ekki biðja þá rangt
dœma."

6. Um síðir játti hann því, at þau mætti þá enn grimmara 10
dóm hafa. Lét konungr læsa þau II lásum ok setti til XL
manna at geyma þeira.

Nach mancherlei hin- und herreden wird Flóres' anerbieten, für Blankiflúr
und den turmwächter einen zweikampf zu bestehen, angenommen.

XXII, 1. Þegar lét konungr gera orð undirkonungum
sínum, jǫrlum ok ǫðrum undirmǫnnum, ok sumir váru þá

at; vgl. schw. v. 1588 f.: *Iak swær
om gudh ok alt thz iak a* = frz.
v. 2409: *Par tous les dieus a cui
j'aor.* Ebenso nach *deyja: illum
dauða;* vgl. schw. v. 1589: *Ij skulin
ondan dödh hær fa* und frz. v. 2410:
Ancui morrez a deshonor.
s. 68, 14. *púta,* „hure".

1. 2. *Nú—augum,* diese worte
finden sich nur im isl. texte; die
worte *Nú ger—til* (4. 5) begegnen
nur isl. und schw. v. 1598 f. (vgl.
Klockhoff a. a. o. s. 32), sind aber
ganz passend eingefügt, um einen
gegensatz zu dem vorher gesagten
zu gewinnen.
2. *hvat—augum,* „was ihnen jetzt
bevorstand".
· 7. *undirkonungar,* „unterkönige,
vasallen", = schw. v. 1608: *konunga
ok herra;* frz. v. 2421 A steht dafür
voiant sa gent.
8. 9. *munu—dœma,* zu vergleichen
mit schw. v. 1610 f.: *Iak tröster a*

*idhra konunkælika æat, Ij vilin ey
döma vtan ræat.*

10. 11. *at — hafa,* „in der idee,
dass da noch ein schärferes urteil
über sie gefällt werden würde".
10. Schw. v. 1616: *Han badh them
klædhas thaghar ij stadh* stellt sich
zu engl. v. 1071 f.: *Up he bad hem
sitte boþe And don on here beyre
clope* = D v. 3388: *Maer si moesten
hem tersten cleden.* Ein inhaltlich
hierzu stimmender satz ist also wol
in M nach *hafa* ausgefallen, trotzdem
auch frz. nach v. 2423 sich nichts
entsprechendes findet.
11. *Lét — lásum* stellt sich zu frz.
B v. 2424: *Estroit lier et bien garder;*
A sagt vom fesseln nichts.
11. 12. *XL manna,* nur hier und
schw. v. 1617 ist die zahl der wächter
genannt.
Cap. XXII. 14. s. 70, 1. *ok sumir—
allir,* davon weiss frz. v. 2427 nichts;
dagegen vgl. Karl. s. s. 138 [10] ff : *Nú
sem margir stórhǫfðingjar Frankis-*

Flor. komnir, en eigi allir; lét konungr gera þeim orð; ok er þeir
XXII. kómu, tekr konungr til máls:

2. „Hér eru nú komnir allir mínir beztu vinir, þeir er
réttdœmastir eru." Segir þá, hversu hann keypti Blankiflúr,
5 eðr hversu hon hafði nú gǫrt við hann: talði hann nú allar
sœmðir, er hann hafði gǫrt Blankiflúr, ok at hann hafði ætlat,
at taka hana sér til dróttningar; segir hann þeim, hversu til
hafði farit, ok hversu hann tók þau bæði saman í sænginni,
ok hversu hann skók sverðit ok ætlaði at drepa þau: „ok af
10 því at ek gaf þeim lífs frest til yðvars dóms, þá dœmið þeim
dauða ok hefnið nú minnar svívirðingar með réttum dauða-
dómi, þvíat eigi vil ek þetta mál lengr láta ódœmt!"

3. Þá svarar Marsilías konungr, undirkonungr hans, ok
gerðiz hann þá formaðr þeira allra, er þar váru, þvíat hann
15 var vitr maðr ok gamall; hann mælti með berum orðum:

4. „Vér vitum nú þá skǫmm, er konungi várum er unnin; eru
vér til þess komnir, at reka hans harma; bið ek nú alla yðr
dœma rétt um þetta. Siti nú engi á sínum sannindum, þvíat
engum manni mun konungr gjǫf gefa, þóat með honum mæli,
20 ok engum sǫk, þóat í mót honum mæli með réttu. 5. En þat

---

manna eru saman komnir í nefndan
stað, en þó hvergi nær þeir allir,
sem kallaðir váru, ríss sjálfr keis-
arinn upp usw.

3. 4. *þeir — eru,* „diejenigen, welche
das unbestechlichste urteil besitzen".
Hier ist also nur der anfang der
rede in or. dir. gegeben, alles übrige
mit ausnahme des schlusses in or.
ind., im gegensatz zu schw. v. 1636 ff.
und frz. v. 2445 ff. Aber auch ab-
gesehen davon ist der text hier ver-
dorben; so fehlt der zug, dass der
könig diejenigen seiner vasallen mit
dem tode bedroht, welche kein un-
parteiisches urteil fällen würden;
vgl. schw. v. 1630 ff.: *Bidher iak
idher alla slæt, At ij hær om dömin
ræt; Hwilkin idhra ey gör swa,
Hans eghith liff thz kosta ma* = frz.
v. 2440 ff.: *Puis dites droit de cou
qu'orrez! Qui du droit dire deffaudra,*

C'est l'oquisons par quoi morra.
Ebenso ist der bericht des königs
über seine erfahrungen mit Blanki-
flúr in M gegenüber schw. v. 1637 ff.
= frz. v. 2445 ff. so gekürzt, dass
er direkt als ein auszug aus dem
ursprünglichen texte bezeichnet wer-
den muss.

7. 8. *hversu — farit,* „wie es zu-
gegangen war."

11. 12. *með — dauðadómi,* „mit
einem gerechten todesurteil".

12. *ódœmt,* von *ódœmðr,* „un-
erledigt".

18. *Siti — sannindum,* „halte nur
keiner seine überzeugung zurück".
Für *sitja á* in diesem sinne führt
Fritzner² III, s. 251 b nur die vor-
liegende stelle an.

19. *þóat — mæli,* „wenn er ihm
auch nach dem munde redet".

sýniz mér um þetta sem ǫnnur mál, er í dóm eru lǫgð, at vér **Flor.**
heyrum hvárstveggja mál, sœkjanda ok verjanda, ok heyrum **XXII.**
vernd hins, er ásakaðr er; skiptir mest um slík mál, er við
liggr sœmð ok líf; er ok ósagt frá, ef einn segir. Konungr,
látið þau hingat koma, ok heyrum, hvárt þau hafa þetta verk 5
gǫrt fyrir ǫfundar sakir eða háðungar: þá skulu þau hafa enn
háðuligsta danða, at annarr variz við at gera slíkt; en ef
honum fylgja nǫkkur sannindi eða skynsemð, þá verðum vér
gǫrr á at líta."

6. Nú stendr upp Práten jarl: „Skyldugir eru vér herra 10
várum, hans harma at reka með orðum ok verkum; en þessi
maðr hefir mikla dirfð unnit. Vitu vér eigi, til hvers at þetta
þarf, at þau komi, þvíat konungi er því meiri skǫmm í, er
hann sér þau optar: er engi nauðsýn, at bíða hans andsvara,
utan at velja honum háðuligan dauða."   15

7. Œptu þá margir: sumir báðu hengja, sumir halshǫggva

---

1. *er — lǫgð*, „welche zur gericht-
lichen entscheidung gestellt sind".
3. *vernd*, „verteidigung".
ásakaðr, „angeklagt".
4. *er — segir*, „es ist auch gerade
so gut, als wenn von dieser sache
garnichts gesagt wäre, wenn nur
eine partei sich ausspricht". Vgl.
die inschrift in der vorhalle des
Römers zu Frankfurt a. M.: „Eyns
mans redde ein halbe redde, man
sol sie billich verhören bede' (au-
diatur et altera pars).
6. 7. *enn háðuligsta dauða*, „den
schimpflichsten tod".
7. 8. *en ef — skynsemð*, „aber
wenn ihm irgend welche beweis-
kräftigen oder vernünftigen gründe
zur seite stehen".
Diese rede des Marsilías (= schw.
v. 1688 ff.) entspricht inhaltlich
einigermassen der kürzer gefassten
eines ungenannten königs in frz.
v. 2481 ff.; als übersetzung kann sie
nicht bezeichnet werden.
10. *Práten*, schw. v. 1716 C:

Bratten, B: *Bratan*. Diese figur heisst
frz. v. 2491 *Yliers* (B: *Gaiflers*), *rois
de Nubie*. Was den inhalt der rede
betrifft, so stimmt sie nur im all-
gemeinen mit der vorlage.
10. 11. *Skyldugir — várum*, „wir
sind es unserem herrn schuldig".
12. *dirfð*, „dreiste tat".
15. *velja*, „aussuchen für".
16 — s. 72, 4. Diese reiche auswahl
unter den todesarten, wie sie hier
geboten wird, findet sich sonst nur
schw. v. 1730 ff.; frz. v. 2504 ist blos
von dem feuertode die rede. Da-
gegen vgl. Karl. s. s. 59 [13] f., wo es
sich um die festsetzung der strafe
für eine zu unrecht angeklagte
königin handelt: *Ok sakir hrœzlu
við konunginn þorði engi annat
dœma né mæla, en hann vildi;
báðu nú sumir brenna hana á báli,
sumir halshǫggva, sumir báðu draga
hana kvika sundr; sitt lagði hverr
til, en fáir gott.* Namentlich die
todesart des lebendig schindens be-
gegnet auch sonst in diesen sagas

Flor. þau; en aðrir dœmðu, at þau skyldi vella í brennanda biki;
XXII. sumir, at þau skyldi grafa kvik í jǫrð, ok hǫfuðin stœði upp
or jǫrðu, ok steypa síðan vellanda oleo yfir hǫfuð þeim; sumir
dœmðu, at þau væri flegin kvik ok lifði síðan í sterkum
5 fjǫtrum til viðrsjónar ǫðrum, slíks at dirfaz. 8. Síðan stóð
upp Marsilías konungr ok mælti: „Undarligt þykki mér, at
þér vilið draga kapp, en eigi réttindi, móti þessum veslingum;
ok munu þér litla þǫkk af konungi fá, þvíat allir eigu vér
rétt at dœma." 9. Sýndiz nú ǫllum þat ráð, at þau kœmi
10 þangat. Ok er þau kómu, varð konungr mjǫk reiðr ok spurði
Flóres: „Hví dirfðiz þú at taka Blankiflúr, unnustu mína, er
ek hafða mér til dróttningar ætlat, eða hversu komt þú í
kastalann? Væntir mik, at þú sér gerningamaðr. Ókunnigt
var þér hér mjǫk, er þú hugðiz mundu leynaz hér."

15   10. Flóres svarar: „Herra, hvárki em ek galdramaðr né
gerninga. En ef þú vilt víst vita, hvat manna ek sé, þá segi
ek þér, at ek em son Felix konungs af borg þeiri, er Aples

öfters; vgl. meine anm. zu Bevis s.
s. 218⁴⁵ und s. 254¹¹ f. (Beitr. 19, 79
und 112); nur begreift man schwer,
wie es möglich sein soll, jemanden
nach einer solchen procedur noch
lebendig in fesseln zu legen; vgl. da-
gegen schw. v. 1734 f.: *Some badho
han siwdha ok fla Ok sidhan sudhit
a hænne sla.* Bemerkenswert ist auch,
dass, während der letzte redner nur
von der verurteilung des Flóres ge-
sprochen hatte, die übrigen für eine
hinrichtung beider stimmen; indessen
ist diese unebenheit dem frz. original
entnommen.

    3. *oleo*, dat. sing., leiten Cleasby-
Vigf. s. 466a und Fritzner² II, s. 889a
von *olea* ab; da aber auch an den
von diesen angeführten beiden stellen
nur der dativ *oleo* belegt ist, so
glaube ich eher, dass es sich um
die lat. dativform von *oleum* handelt;
vgl. oben zu *carbunculo*, c. 7, 8.

5. *til viðrsjónar ǫðrum*, „zum ab-
schreckenden beispiel für andere".

6. 7. *at þér — veslingum*, „dass ihr
mit übereifer, aber nicht mit ge-
rechtigkeit gegen diese unglücklichen
vorgehen wollt".

Nach schw. v. 1737 werden diese
worte von einem neuen redner, einem
jarl *Gripun* oder *Gripin* gesprochen;
frz. fehlen sie nach v. 2504 ganz.

13. *Væntir mik*, „ich vermute".

gerningamaðr, „zauberer". Wir
finden in den sagas öfters die ver-
mutung aufgestellt, jemand sei ein
zauberer, wenn er irgend etwas un-
erwartetes zu wege bringt; vgl.
Elis s. s. 32⁶ f.: *Þessi er gerninga-
maðr, er eigi geta svá hraustir
riddarar staðiz honum.*

13. 14. *Ókunnigt — mjǫk*, „du warst
sehr unbekannt mit den hiesigen
verhältnissen".

15. *galdramaðr*, „hexenmeister".

heitir. Eigi gerða ek þat sakir ǫfundar við þik, heldr sakir **Flor.**
réttinda, at ek tók Blankiflúr, unnustu mína, þvíat hon var **XXII.**
rangliga seld ok stolin frá mér, meðan ek var í skóla; ok **XXIII.**
síðan fór ek at leita hennar með þessum hætti," ok sagði þá,
hversu farit hafði, eða með hverjum hætti hann kom í kastal- 5
ann, ok hversu hann gaf farhirðinum fé til.

11. En síðan hafði hann lokit sinni rœðu, ok bað þá
dœma eptir sinni sǫgu: „Býð ek mik til einvígis fyrir mik ok
Blankiflúr ok dyrvǫrð, at ek hefi rétt at mæla."

12. Var þá sent eptir dyrverði ok leiddr fyrir konung. 10
Var hann þá at spurðr, ef þetta væri satt um þangatkvámu
Flóres, ok gekk hann þá við. **13.** Dœmðu þeir síðan, at
Flóres skyldi sanna mál sitt með einvígi, ok ef hann yrði
sigraðr, þá skyldi drepa hann, en Blankiflúr brenna ok dyr-
vǫrð; en ef Flóres sigraði, þá skyldi hann hafa Blankiflúr ok 15
þiggja líf dyrvarðar, ok á ofan jafnmikit fé af konungi, sem
hann kostaði hana, fyrir vanvirðing þá, er konungr hafði gǫrt
Flóres.

Flóres siegt im zweikampfe und kehrt nach Spanien zurück.
Schlussereignisse.

XXIII, 1. Nú lét konungr vápna þann enn bezta riddara,
ok svá gerði Flóres með þeim vápnum, er honum váru fengin, 20
ok varð glaðr, er hann mátti slíkum kosti ná. **2.** Sótti þangat
nú, sem þeir skyldu berjaz. Allt fólk, er var í staðnum,
horfði á leik þeira, ok váru þeir nú búnir, ok riðuz at. Í
fyrstu atreið þá brotnaði hvárstveggja burtstǫng. Drógu þeir
þá sverð sín ór slíðrum; hjó Flóres í skjǫld riddarans, ok klauf 25

---

1. *sakir—þik*, „aus bosheit gegen
dich".

3. *rangliga*, „ungerechter weise".

9. *at — mæla*, „zum beweis dafür,
dass ich das recht für mich in an-
spruch zu nehmen habe".

11.12. *ef—Flóres*, „ob sich das
mit dem eindringen des Flóres (in
den turm) wirklich so verhielte".

16. 17. *sem—hana*, „wie er für

sie ausgegeben hatte"; anders schw.
v. 1823: *Swa mykith gull hon var
for sald.*

17. *vanvirðing*, „schmach".

Cap. XXIII. 20. *svá gerði Fl.*, d. h.
er waffnete sich auch.

23. *ok riðuz at*, „und ritten auf
einander los".

24. *burtstǫng*, „lanze".

Flør. niðr í mundriða, ok sundr axlarbeinit et vinstra. En síðan
XXIII. hjó riddarinn skjǫld Flóres í sundr eptir endilǫngu, en eigi
kom hann sári á Flóres. **3.** Ríðaz at í annat sinn; hjó Flóres
af honum hǫndina vinstri ok ofan í sǫðulbogann, ok háls af
5 hesti hans. Nú hjó riddarinn með mikilli reiði, ok í sundr
helming, er eptir var, ok á fót hesti hans, svá at hann fell.
4. Eru þeir nú báðir á fœti; hjó þá riddarinn til Flóres, ok í
hǫfuð honum svá hart, at af tók fjórðung af hjálmi hans, ok
svá at blœddi. **5.** Ok hugðu menn, at þá mundi hann gefaz;
10 en honum barg sá steinn, er var í því gulli, er móðir hans
hafði gefit honum. Hjó hann þá með mikilli reiði til riddarans,
ok á ǫxl honum, svá at tók ena hœgri hǫndina með ǫllu.

6. Síðan fór Flóres af herklæðum, ok var þá í góðum
friði. Bauð konungr honum fé sitt, en Flóres neitaði. Bauð
15 konungr honum með sér at vera, ok eitt konungsríki; en
Flóres þakkaði honum ok sagðiz heimfúss vera. **7.** Váru þau
þar síðan XII mánaði. Skipaði Flóres svá við dyrvǫrð ok
Daríum, at konungr fyrirlét þeim báðum. Gefr konungr
Marsilío konungi sitt ríki, en jarldóm dyrverði. Darío gefr
20 hann þat vald, sem áðr hafði dyrvǫrðr. Farhirðinum gaf hann

---

2. 3. *en — Flóres*, „aber nicht ge-
lang es ihm, Flóres eine wunde bei-
zubringen".

4. 5. *ok ofan — hans*, vgl. hierzu
Karl. s. s. 309³ f.: *En sverðit flaug
ofan á sǫðulbogann ok tók af hǫfuðit
hestinum*; Blómst. s. 24²³ ff.: *Þá
reiðiz Trémann ok hǫggr til Gralants
á flata skjǫldinn, ok tók hann þveran
í sundr fyrir ofan mundriðann; en
sverðit hljóp á hestahǫfuðit ok
tók af.*

6. *er eptir var*, näml. *af skildi hans.*

8. *svá hart*, „so gewaltig".

at af — hans, unpersönliche kon-
struktion: „dass ein viertel von
seinem helme abgieng".

12. *ok á — ǫllu*, vgl. Elis s.
s. 30¹⁴ f.: *ok hǫndina ena hœgri, er
hann skyldi hlífa sér með, af við*

ǫxlina; daselbst s. 64¹: *svá at
hǫndin slitnaði af honum við ǫxlina*;
s. auch daselbst s. 113¹⁴ f.

15. *konungsríki*, „königreich".

16. *ok — vera*, „und sagte, er sehne
sich nach hause"; der ausdruck ist
typisch, vgl. u. a. Bærings s. c. 19 (FSS
s. 103⁹ f.): *En heimfúss gerumz ek
mjǫk*; Mirm. s. c. 5 (Ridd. sögur
s. 147²³ f.): *ok koma á fund Aðalráðs
konungs, ok fagnar hann þeim einkar
vel ok veitir þeim fagra veizlu; en
þeir sǫgðu konungi, at þeir váru
heimfúsir.*

18. *at — báðum*, „dass der könig
ihnen beiden verzieh".

18. 19. *Gefr — ríki*, nicht sein, des
oberkönigs reich, nämlich Babylon,
sondern das des Marsilias, den er
damit aus seiner vasallenschaft ent-
lässt.

þat hús, er Daríus átti, ok gerir þetta allt sakir Flóres. **8.** Býr **Flor.**
nú Flóres ferð sína; tók hann af konungi allt þat er hann **XXIII.**
þurfti til ferðarinnar at hafa, ok gaf konungr honum sína vin-
áttu ok hvat er hann þurfti. Gengr Flóres ok Blankiflúr til
konungs, ok taka orlof af konungi; lét hann fá þeim þat, er 5
þurftu at hafa, ok fekk þeim sína menn til fylgðar; bað kon-
ungr þau vel fara. **9.** Gengu þau nú á skip, ok gaf þeim
góðan byr, ok sigldu heim á XV dœgrum. Ok er þau kómu
heim, var faðir hans ok móðir ǫnduð, ok landit stjórnarlaust.
Varð fólkit honum stórliga fegit, ok tóku hann til konungs. 10
Lætr Flóres hlaða skip konungs af góðum gripum, er fágætir
váru í Babilón, ok sendi aptr til konungs ríkis alla þá menn,
er honum hǫfðu fylgt; þá klæddi hann með baldikinn eða
silki dýru. En síðan fóru þeir heim, ok fóru jafnan gjafir á
milli konunganna. **10.** Lét Flóres nú efna til brúðkaups ok 15
bauð til sín ǫllum enum beztum mǫnnum, er í hans ríki váru.
Síðan váru þau í kyrrsetu III vetr ok gátu III sonu. **11.** Bað
Blankiflúr þau þá þangat fara, er var ætt hennar. Játaði
Flóres því ok bjuggu ferð sína ríkuliga, ok hǫfðu skip yfir
hafit, ok III hesta á hverju skipi. **12.** En þá er þau kómu 20

---

9. *stjórnarlaust,* „ohne regierung,
ohne oberhaupt". Die ausdrucks-
weise ist typisch; vgl. Erex s. s. 41¹⁰ ff.:
*þvíat ek kann at segja yðr, at Ilax
konungr, faðir yðvarr, er andaðr,
ok stendr hans ríki geymslulaust
undir margskonar háska ok ófriði*
(vgl. Germania XVI, s. 409); Karl. s.
s. 137¹³ f.: *þvíat Karlamagnús keisari
er eigi nærri en heima í Franz,
en landit hǫfðingjalaust;* Bret. sögur
(Annaler 1849) s. 140²⁰ ff.: *En er XII
vetr váru liðnir frá andláti Kaðals,
þá tók konungr vanmátt mikinn, ok
gerðiz stjórnlaust landit.*
10. *stórliga,* „ausserordentlich".
11. 12. *er — í B.,* „welche in B.
schwer zu bekommen waren".
13. *baldikinn,* ein seidenstoff aus
Bagdad.
14. 15. *ok fóru — konunganna,* für

diese sitte, sich regelmässig gegen-
seitig geschenke zu senden, kenne
ich nur eine parallele, Æv. s. 166¹ ff.:
*Sagt var áðr af tveimr kaupmǫnnum;
var annarr á Egiptalandi, en annarr
í Balldach. Þeir hǫfðu hvárr fregit
til annars, ok senduz menn á millum
þeira meðr mǫrgum hlutum, er þeim
váru nytsamligir ok frægaztir váru
í hverju landi.*
17. 18. *Bað — fara,* „da bat Bl.,
dass sie (ihr gatte und sie) dahin
reisen möchten". Das ist der sinn;
man würde aber etwa erwarten: *Bað
Bl. Flóres, bónda sinn, at þau mætti
þangat fara.*
19. *ríkuliga,* „in vornehmer weise".
19. 20. *ok hǫfðu — hafit,* da sich
auf jedem schiffe drei pferde be-
finden, und die gesellschaft dann zu
lande mit 300 pferden reist, so muss

Flor. XXIII. til Rómaborgar, þá riðu þau upp til Frakklands með III C hesta; en fólk hans var sumt eptir at skipunum. Ok er þau kómu til Parísborgar, þar fundu þau jarla ok hertoga, hennar frændr, ok fǫgnuðu henni með mikilli gleði. **13.** Váru þau
5 þar III mánaði, ok hvern dag leiddi Blankiflúr hann at sjá fagrar kirkjur. En þar næst vildi Flóres aptr snúaz.

14. Þá mælti Blankiflúr: „Segja vil ek yðr heit mitt, er ek hét, þá er ek kom í Babilón, ok ek hugðumz þik aldri sjá mundu; en ef vit fyndumz, þá hét ek því, at innan V
10 vetra skylda ek skiljaz við þik ok fara til hreinlífis, nema þér takið við kristni. Nú kjósið annathvárt!"

Flóres mælti: „Nú á þessum degi vil ek við kristni taka."

15. Svá var gǫrt, at þau váru skírð, ok allt þat fólk, er með þeim var; hǫfðu með sér biskup ok marga presta; fara
15 nú heim á leið. **16.** Á fyrsta dag, er þau kómu, lét konungr þing stefna, ok kallar til sín allt landsfólk, ok bauð þeim við kristni at taka; en hverr er eigi vildi, þá lét konungr drepa þá alla. Síðan lét hann kirkjur gera; efldi Flóres munklífi, en Blankiflúr nunnusetr. **17.** En er þau váru LXX vetra
20 gǫmul, skiptu þau ríki í milli sona sinna, þvíat þeir váru þá

---

es sich um 100 schiffe handeln; dass wirklich diese zahl zwischen *hǫfðu* und *skip* ausgefallen ist, lehrt schw. v. 2026: *Hundradha skip tha loot han redha.* Die zahl von 3 pferden auf jedem schiffe erscheint allerdings sehr gering: nach schw. v. 2028 wären es 20, sodass eine gesamtzahl von 2000 sich ergibt (v. 2035).

1. *til Rómaborgar*, nach schw. v. 2031 wäre die reise vielmehr über Venedig gegangen.

10. *fara til hreinlífis*, „ein reines leben beginnen", d. h. ins kloster gehen.

16—18. *ok bauð—alla*, das ist auch sonst gewöhnlich die alternative, welche von christen besiegten heiden gegenüber gestellt wird; vgl. Bevis s. c. 34 (FSS s. 263[56] ff.): *Þenna stað vil ek gefa þér, faðir, þvíat hann hefi ek unnit mínu sverði ok alla þá drepit, er eigi vildu á guð trúa,* die anm. zu dieser stelle, a. a. o. s. 124, und Karl. s. s. 446[34] f.: *ok skal ek fella með sverði mínu hundruðum heiðingja, ok eru þeir allir dæmðir, ef eigi vilja skírn taka;* das. s. 486[19] f.: *ok var engi sá í borginni, at eigi væri drepinn eða kristinn gǫrr.*

17. 18. *en—alla*, ungenaue konstruktion für *en hvern, er eigi vildi, let k. drepa.*

19. *nunnusetr*, „nonnenkloster". Zum wortlaute vgl. Karl. s. s. 24[11]: *Karlamagnús konungr gerði munklífi ok nunnusetr.*

vaxnir. Síðan fór Flóres í munklífi, en Blankiflúr í nunnusetr, **Flor.**
ok endu sína lífdaga þar í guðs þjónustu.   **XXIII.**

18. Gefi Jesus Christus segjundum ok heyrundum, at vér
megum svá várt líf enda í guðs þjónustu, at sálir várar ǫðliz
eilífa hjálp ok himinríkis inngǫngu, at œstu tíð veraldar. 5
Amen.

---

3. 4. Dieser fromme wunsch für
erzähler und hörer ist natürlich nicht
als zur eigentlichen saga gehörig
anzusehen, sondern ist eine weit-
verbreitete schreiberformel; vgl.

Cederschiöld, Gütt. gel. anz. 1892,
s. 713, und Jiriczeks ausgabe der
Bósa saga s. XXI.

4. 5. *at sálir — hjálp*, „dass unsere
seelén die ewige gnade erlangen".

Anhang.

Die bei der herstellung des textes nicht verwerteten stücke von M.

I (entsprechend s. 1, 1—s. 23, 5).

1. Felix hefir konungr heitit í borg þeiri, er Aples heitir, nóg ríkr at fé ok liði; hann var heiðinn; hann bauð út leiðangri ok herskipum ok fór til Jakobs-lands, at brenna ok bæla ok herja á kristna menn. En hann var þar sex vikur með lið sitt, ok var engi sá dagr, at hann reið
5 eigi á land upp, brendi borgir, en rænti fé ok flutti til skipa. XXX rasta stóð hvárki borg né kastali; eigi gó þar hundr né hani gól, svá hǫfðu þeir eytt allt. En þá vildi konungr heim fara, ok bauð, at skipin skyldu ǫll, ok kallaði til sín einn jarl ok nǫkkura riddara, bað þá herklæðaz: „ok farið upp til vegsins ok sætið pílagrímum! En vér munum
10 láta hlaða skipin á meðan.“ Þeir gerðu svá, fóru á veginn upp, en sá vegr lá yfir fjall eitt, ok sá niðr fyrir fjallit á sléttuna, hvar pílagrímar fóru á þann sama veg; ok þegar þeir fundnz, réðu njósnarmenn á þá ok sigruðuz á þeim, þvíat sverð þeira bitu betr en píkstafir pílagrímanna. En í þeira ferð var einn rǫskr riddari, fríðr ok kurteiss; en hann hafði
15 heitit ferð sinni til ens heilaga Jacobs postola, ok hafði hann með sér dóttur sína ólétta, þvíat hon vildi efna heit bónda síns, því hann var andaðr. Hennar faðir vildi heldr deyja með sœmð, en gefaz í vald óvina sinna; en þeir drápu hann, ok tóku síðan konuna, ok leiddu hana nauðga til skipa. Ok er þeir kómu þar, þá gáfu þeir hana konunginum, ok hann sá fast á
20 hana, ok þóttiz hann þat með sér kenna, at hon mundi vera góðra manna, ok sagði, at hann skyldi gefa hana dróttningu, er hann kœmi heim: „þvíat hon bað mik gefa sér eina kristna konu, er ek kœma aptr“.

2. Síðan gengu þeir á skip ok drógu upp segl sín, ok sigldu með mikilli gleði, ok þá sá þeir eitt lítit land, ok sigldu þá enn eitt dœgr ok
25 náðu landi. Kómu þá skjótliga þessi tíðindi til Aplesborgar, er konungs sæti var optast í; fréttu menn nú, at konungr var heim kominn ok hafði unnit mikinn sigr; fǫgnuðu þeir honum sœmiliga, sem vert var. Ok er konungr var heim kominn, lét hann kalla til sín alla sína menn, ok skipti herfangi þeira í millum vel ok réttliga; en dróttningu gaf hann ena her-
30 teknu konu. Varð dróttning stórliga glǫð við þessa gjǫf ok bað hana vera sína fylgiskonu; lofaði dróttning henni at geyma at kristni sinni, ef henni líkaði, gerði dróttning vel við hana, fekk konur til at þjóna henni.

Var þessi kona bæði fríð ok kurteis, ok því var dróttning vel við hana,
ok sagði, at hon skyldi vel komin með sér at vera; nam hon at henni
valska tungu, en dróttning kendi henni aðra. Gerði þessi kona sér hvern
mann at vin; gjarna þjónaði hon dróttningu sem sinni frú.

3. Einn dag var hon hjá dróttningu í kastala, þá tók hon einn dúk 5
ok gyrði sik með leyniliga; en dróttning gat at sjá þetta, at hon andvarp-
aði ok grét sárliga; ok af þessu þóttiz dróttning vita, at hon var ólétt,
ok spurði hana: „Nær tóktu við höfn þinni?" En hon sagði henni réttan
dag; þá andvarpaði dróttning mœðiliga og sagði: „þann sama dag tók ek
ok við höfn", sagði dróttning — ok tölðu þær þá til, nær þær áttu at hvila, 10
en þat var pálmsunnudag. Nú kom at þeim degi, ok þá fóru
þær at hvíla; fœddi dróttning son, en en kristna kona dóttur, ok var
báðum börnunum gefit nafn af þeim degi, er þau váru fœdd á; en pálm-
sunnudagr heitir blómstr í útlöndum, þvíat þá bera menn blómstr í höndum;
en blómi heitir fíúr á völsku, ok váru þau af því kölluð blómar; hann var 15
kallaðr Flóres, en hon Blankiflúr, en þat þýðiz, at hann heiti blómi, en hon
hvítablóm; vildi konungr því svá son sinn kalla láta, at en kristna kona
hafði sagt honum, af hverju kristnir menn kalla þá hátíð. þvíat en kristna
kona var vitr, þá lét konungr fá henni son sinn til fóstrs, utan þat, at
ekki vildi hann, at barnit drykki kristinnar konu brjóst, ok fekk þar til 20
aðra konu, en annars fœddiz hann upp við kristindóm. Fœddi hon þessi
börn svá um III vetr, at jafnan átu þau ok drukku ok sváfu bæði
saman, en eigi vissi hon, hváru hon unni meira. En er þau váru fimm
vetra, þá sýnduz þau meiri vöxtum en þeira jafnaldrar, ok fríðari en
flest önnur. Ok er konungr sá son sinn svá vel vaxinn, ok á þeim 25
aldri, at hann mátti hann til bókar setja, þá lét hann fœra sveininn til
skóla ok til þess staðar, er Girilldon heitir; en meistarinn hét Geides, enn
vísasti maðr, er menn vissu þá vera. En sveininn grét ákafliga ok mælti:
„Lát Blankiflúr nema með mér, sakir þess at ek fæ ekki numit né nökk-
urri gleði haldit, ef hon er eigi hjá mér. þá svarar kónungr: „Vil ek, son 30
minn, at hon fari ok nemi fyrir þínar sakir, at þú leggir því meira hug á
næmi þitt." Ok bauð hann meistara um at kenna þeim. Váru þau næm;
þau váru ok stórliga lík ok elskuðuz mjök, ok ef annat fór nökkut, sagði
þat þegar því, sem heima var, þat sem frétti.

4. En þegar þau höfðu aldr til, þá tóku þau at elskaz með mikilli 35
ást; þau námu þá bók, er heitir Óvidíus; hon er gör af ást ok elskhuga;
þótti þeim mikil gleði ok skemtan at nema, þvíat þau fundu þar í
ást ok kærleik. Ok á fjórðu jafnlengð kunnu þau at tala Latínu
fyrir hverjum klerk, er við þau átti. þóttiz konungr nú vita vinsemð
þeira, ok óttaðiz hann þegar, at hann mundi vilja fá hennar sér til konu, 40
þvíat þau váru þá vaxin næsta. Gengr konungr nú til dróttningar, at taka
af henni ráð um þetta, og mælti: „Mjök em ek hugsjúkr ok reiðr", segir
hann, „þvíat mér sýniz, sem son okkarr unni ofmikit Blankiflúr, ok ef þú
setr eigi ráð til þessa, munu vit týna henni". „Með hverju?" sagði
hon. „Fyrir því", kvað hann, „at hann ann henni svá mikit, at mér segja 45
svá vinir mínir, at hann má aldri við hana skilja eða aðra konu vilja
eiga, ok ef svá er, þá er hann fyrirfarinn ok allt várt kyn; vil ek", segir

hann, „láta drepa hana, ok leita syni mínum þeirar konu, er konungborin sé í allar ættir, sem hann er, en forða hann þessu".

5. Þá hugði dróttning at enu beztu ráði, er hon sá konung reiðan vera, ok at hon mætti frjálsa Blankiflúr frá dauða, ok réð hon nú konungi 5 ráð, sem honum líkaði vel. „Herra", kvað hon, „vit skulum gæta, at son okkarr láti eigi æru sína fyrir ást þá, er hann hefir við Blankiflúr; en sýndiz mér, at bezt stœði, at hon væri skilin frá honum, ok eigi lífi hennar týnt". Þá sagði konungr: „Sjám þat ráð bæði!" „Sendum hana segir hon, „til náms; þar er Sibilja, systir mín, kona jarlsins, er þar 10 ræðr fyrir, þvíat hon mun verða henni fegin; en þegar ek geri henni orð, fyrir hverja sök hann er þangat sendr, þá mun hon gefa til nokkut ráð, at sundra ást þeira. Skal meistari segja sik sjúkan, ok megi fyrir þat eigi kenna honum; elligar mun Flóres gruna, ok varla vilja fara brott, nema Blankiflúr fylgi honum; en þat skal þó eigi vera, þvíat ek 15 skal ráð fyrir gera, at móðir hennar skal sjúk látaz, ok skal Blankiflúr vera hjá móður sinni; skulu vit því þó heita henni, at hon komi til hans á hálfsmánaðarfresti." Ok þegar var allt búit, þat er hann skyldi hafa. Kallar konungr son sinn ok bað hann fara, sem fyrr var sagt; en hann mælti: „Hversu má þat vera", sagði hann, „at ek skiljumz við Blankiflúr 20 ok meistara minn?" ok þó at konungr segði syni sínum, at Blankiflúr skyldi koma á hálfsmánaðarfresti, hvárt er móðir hennar væri lífs eða dauð. Kallaði konungr til sín einn sinn enn tryggvasta vin, at fara með honum, ok fékk þeim nóga menn til fylgðar. Fóru þeir síðan í brott, ok kómu til Mustorie; þar fundu þeir Ligoras, mann Sibilju; fognuðu þau 25 honum með sœmð ok gleði. Honum þótti lítil gleði þar at vera, er hann sá ekki Blankiflúr. Nú leiddi Sibilja hann í þat herbergi, sem flestar jungfrúr váru, at hann skyldi þá heldr gleyma Blankiflúr ok elska aðra, ok var honum því verra, er hann sá þær fleiri; œrit var honum kostr at nema. Þá eina huggan hafði hann, er honum kom í hug Blankiflúr, ok 30 þótti honum þat ilm sœtara; hann dreymði um nætr, at hann þóttiz kyssa hana, ok er hann vaknaði, misti hann hennar. Með slíkum harmi beið hann eindagans; ok er hann sá, at hon kom eigi, vissi hann, at svík váru, ok óttaðiz, at hon mundi drepin vera. Þrongði honum svá sorgin, at hann mátti hvárki eta né drekka, sofa né sitja; óttaðiz nú riddarinn, at hann 35 mundi springa af harmi, ok sendir nú konungi sonn orð um þetta; ok er hann frétti þetta, varð hann ákafliga reiðr, ok gaf honum leyfi heim at fara. En konungr gekk til dróttningar ok mælti: „Illa líka mér þessi tíðindi, þvíat þetta er eigi gerningalaust, at hon hefir slíka ást sonar míns; enda kallið hana hingat, þvíat ek vil láta hoggva hana, þvíat þá mun hann 40 þegar gleyma henni, ok hefði þat fyrr betr gort verit!" Þá mælti dróttning: „Herra", sagði hon, „takið heldr þat ráð, at flytja hana ofan til skipa; þar eru ríkir kaupmenn af Babilón, þeir er hana munu vilja kaupa, sakir friðleiks ok kunnáttu, ok munu gefa fyrir hana mikit fé, ok flytja brott í fjarlæg lond, svá at hann mun aldri til hennar frétta." Þessu játaði konungr, 45 ok lét gera þegar eptir kaupmanni mjok ríkum, ok kunni margar tungur at tala, bauð honum, at flytja hana með sér ok selja hana; en eigi gerði hann þetta til fjár, heldr sakir heiptar. Ok hann flutti hana til

skipa, fann þá þar nóga, er hana vildu kaupa, ok seldi hana fyrir XX marka
gulls ok XX marka silfrs ok XX pell ok X skingr af góðu eximi, ok safal
undir hverju, ok X kyrtla af guðvef, ok ker eitt af gulli, þat sem ekki var
annat jafngott; sá hét Ullius, er gerði; en um kerit var grafit af Tróju,
hversu Grikkir brutu borgarvegginn, ok hinir vǫrðuz, er inni váru, ok 5
hversu Paris leiddi Elenam, ok bóndi hennar fór eptir, ok fekk hana eigi.
Þar var ok á, hversu Grikkir reru yfir hafit, en Agamenon leiddi skarann
yfir hafit; ok mart annat var þar á grafit, er hér er eigi af skrifat. En á
lokinu var, hversu þær Venus og Pallas fundu gullepli, ok ritat á, at sú
skyldi hafa, er fríðari væri, ok hversu þær fœrðu Paridi, þá þær urðu eigi 10
ásáttar, ok hvat hvár þeira gaf honum til at heita fríðust. Júnó hét honum
nógt fé, en Pallas vizku ok fróðleik, en Venus þeiri konu, er gimsteinn
væri yfir ǫllum, þvíat til þess fýsti hann mest. Var þetta allt grafit þar
á; en knapprinn var af karbunculo, er meira ljós gefr í myrkri, en mǫrg
brennandi kerti. Á knappinum var fugl af gulli ok hafði grœnan gimstein 15
í sínum klóm, ok sýndiz fuglinn lifandi. En þetta ker var gǫrt í Tróju,
ok flutti Eneas þat þaðan, ok gaf unnustu sinni í Lungbarði; tók síðan
hverr eptir annan, til þess at sá þjófr stal því, er Galapín hét; síðan
keyptu þat kaupmenn, ok síðan var þat gefit fyrir Blankiflúr; en
þeir keyptu hana því svá dýrt, at þeir vissu, at þeir fengu enn meira fyrir 20
hana. Fóru nú leið sína, sigldu heim á lítilli stundu til Babilónar, fœrðu
hana konungi, þvíat hann hafði aldri sét jafnvæna jungfrú, ok þóttiz
hann vita, at hon mundi af góðri ætt; sendi hana þegar í sterkar geymslur.
En sá kaupmaðr, er selt hafði Blankiflúr, fór heim ok fekk konungi þat,
er hann tók fyrir hana, svá ok kerit. Lætr þá konungr steinþró gera 25
ríkuliga, ok grafa með gullstǫfum þar á: 'Hér hvilir líkamr ennar
fǫgru ok ennar kurteisu Blankiflúr, er Flóres unni mest'. Skǫmmu eptir
þetta kom Flóres heim, stígr af hesti sínum, gengr í hǫllina, heilsandi feðr
sínum, ok spurði: „Hvar er Blankiflúr?" En þá váru þau mjǫk sein til
andsvara. „Móðir", sagði hann, „hvar er unnasta mín?" „Eigi veit ek 30
þat", kvað hon. „Seg mér!" sagði hann. Mátti hon þá eigi lengr dylja
ok tók at gráta ok segir hana andaða vera. „Er þat?" sagði hann.
„Sannliga!" sagði hon. En hann spurði, nær þat var. „Fyrir átta
nóttum!" sagði hon. „Hvat sótt hafði hon?" sagði hann. „Hon dó af
þinni ást!" sagði hon. En dauða hennar ló hon, þvíat hon hafði áðr svarit 35
konungi þar at eið, at segja hana dauða.

6. Nú svá sem hann heyrði, at hon var ǫnduð, fellr hann í óvit; ok
er en kristna kóna sá þetta, grét hon hǫrmuliga ok segir: „Nú er óbœtt:
látit hefi ek son ok dóttur." Kemr þar nú konungr ok dróttning, ok létu
hǫrmuliga um son sinn; en hann fell III sinnum í óvit á lítilli stundu; ok 40
er hann vitkaðiz, þá mælti hann: „Aufi, dauði", sagði hann, „hví gleymir
þú mér? Leið mik eptir Blankiflúr! Móðir", sagði hann, „leið mik til
grafar Blankiflúr!" Nú er hann hafði lesit letrit á steininum, þá fell hann
í óvit; ok sem hann vitkaðiz, settiz hann niðr hjá steininum ok tók at
harma Blankiflúr, ok mælti svá: „Várum bæði senn getin ok á einum degi 45
fœdd bæði; hversu skyldu vit eigi bæði deyja senn, ef dauðinn væri
réttvíss?" Ok enn mælti hann: „Aufi, Blankiflúr! slíka sá ek aldri, jafn-

fríða, jafnvitra, jafnvel kunnandi, ok aldri mun ek síðan sjá; engi fær
með penna skrifat, né með munni sagt allt þitt lof. þú vart bæði í
senn, ung ok gǫmul; hverr maðr elskaði þik. Dauði", sagði hann, „þú
ert ǫfundsjúkr . . .

II (entsprechend s. 26, 7 — s. 34, 12).

5 . . . þetta váru ráð fǫður þíns ok mín, at þessi steinþró var gǫr; liggr
Blankiflúr þar eigi" — ok sagði, hversu hon var seld: „Var þat gǫrt fyrir
þat, at þú skyldir gleyma Blankiflúr ok fengir konungsdóttur þér jafnborna,
þvíat þat er bæði sœmiligt þér ok oss; en þrá eigi eptir þessu
lengr, fyrir því, at aldri fær þú hana, meðan þú lifir, þvíat svá er hon
10 langt í brott". „Móðir", sagði hann, „lifir hon?" „Já", sagði hon, „ok nú
máttu þat sjá". Lét hon taka lokit af steinþrónni, ok var þar ekki vætta
í; ok af því þóttiz hann vita, at hon mundi lifa. Varð hann nú mjǫk feginn
ok kvez aldri létta skyldu fyrr en hann fyndi hana, ok þar til hafði hann
fullan vilja; finnz þat ok skrifat, at sá, er sanna ást hefir ok sterka með
15 elskhuga, þá má hann vinna slíkt, er hann vill, eptir sem váttar Kallades
ok Plató. Var Flóres nú kátr, er Blankiflúr lifði, ok segir hann til fǫður
síns: „At þarfleysu gerðir þú þetta ráð, þvíat ek vil enga konu eiga nema
Blankiflúr." Þessu næst biðr Flóres konunginn leyfis, at leita eptir Blanki-
flúr. En hann tók at ógleðjaz, ok lastaði ráð dróttningar, at hon var
20 seld, ok þúshundruð marka vildi hann fyrir hana gefa ok allt þat, er
hann fyrir þá. Konungr mælti til Flóres: „Son minn", segir hann, „ver
glaðr ok kátr ok far eigi frá þínum feðr!" En hann sór, at hann skyldi
hennar leita: „Kem ek því fyrr aptr, sem þér skyndið meirr minni ferð".
Konungr segir: „Með því móti, at þú vill eigi aptra þessu ráði, þá seg þú
25 mér, hvat þú þykkiz þurfa til þessarar ferðar?" Þakkaði hann þá feðr sínum
ok mælti: „Ek segi yðr mitt ráð: ek bið, at þér fáið mér átta hesta, ok
hafi II klyfjar af gulli ok silfri ok góðum silfrkerum, enn þriði af mótuðum
peningum, fjórði ok fimti af dýrum klæðum, sétti ok sjaundi af góðum grá-
skinnum ok safal undir, enn átti með hreint brent silfr, ok mann með hverjum
30 hesti, ok einn svein með hverjum hinna, ok einn roskinn mann, at halda
á váru gózi, ok einn góðan tulk, er kunni margar tungur. Vil ek kallaz kaup-
maðr; en ef ek mætta finna Blankiflúr, þá mun óspart vera
gull ok silfr, meðan til er." Lét konungr nú búa ferð sonar síns,
ok er þat var gǫrt, lét konungr sǫðla hestana, ok sér sjálfum einn gangara,
35 ok gefr þann syni sínum; en hestrinn kostaði VI góða kastala. Þá dró
dróttning fingrgull af hendi sér ok á hǫnd Flóres ok mælti: „Son minn,
varðveit þetta fingrgull", sagði hon, „þvíat þú þarft ekki vætta at hræðaz,
meðan þú þat hefir, eigi járn eðr eld eðr vatn; ok sá steinn, er innarr er
í fingrgullinu, hefir mikinn krapt, ok hvers sem þú leitar, þá muntu finna,
40 hvárt sem er fyrr eða síðarr."

     8. Tók hann því næst orlof af feðr sínum ok móður, en þau báðu
hann vel fara, ok riðu þeir út af konungs garði. Kallaði Flóres til sín
einn riddara, ok bað hann segja dagleið þangat, sem Blankiflúr var seld.
Ok er þeir kómu þar, tóku þeir sér náttstað at eins ríks manns; þeir
45 kǫlluðuz kaupmenn, ok kváðuz vilja fara yfir hafit; Flóres nefndu þeir herra

sinn. Fóru því næst til matar ok buðu bónda ok húsfrú til sín; var skenktr allakyns drykkr bæði með silfrkerum ok gullkerum. Váru allir kátir nema Flóres, þvíat honum kom í hug Blankiflúr. Húsbóndi fór ok hitti húsfrú sína ok mælti: „Geym at, hversu sveinninn lætr! Hann etr hvárki né drekkr, utan andvarpar sárliga, ok aldri er hann kaupmaðr.“ Húsfrúin mælti: „Herra“, 5 sagði hon, „þungafullr ertu; slíkt sama sá ek á einni jungfrú, er Blankiflúr nefndiz, ok þér lík; hon harmaði mjǫk Flóres, sinn unnasta, kvez hon vera seld sakir hans; keyptu hana kaupmenn ok ·fluttu til Babilónar, seldu þeir hana keisaranum. Ok er Flóres heyrði þetta, þá steyptiz vín or kerinu fyrir honum niðr á dúkinn. Þá mælti bóndinn: „Herra, þér hafið misgǫrt 10 við frúna, ok verðr at bœta“. „Já,“ sǫgðu þeir allir ok hlógu, þvíat þeir vildu gleðja Flóres. Bað hann þá fylla mikit silfrker ok gefa húsfrúnni: „Þetta er þitt fyrir góð tíðindi, er þú sagðir mér; nú með því at ek veit, hvar hon er, þá mun ek eigi láta af at leita hennar“. Því næst létu stýrimenn œpa um staðinn, at þeir, er yfir vildu fara yfir hafit, skyldu til 15 skipa skunda, ok svá gerðu þeir. Tók Flóres leyfi af bónda ok húsfrú, ok gaf þeim LXXX skillinga ok hverr hjóna nǫkkut, ok bað þau vel lifa, ok fóru til skips. Bað hann stýrimenn flytja sik þar til hafna, sem næst er Babilón: „þvíat á mánaðarfresti skal keisarinn eiga stefnu við undirkonunga sína; vilda ek koma þar þá, þvíat þá mundi mér rífr verða 20 varningr minn; vil ek gjarna fé . . .

III (entsprechend s. 41, 13 — s. 50, 14).

Ok er Flóres sat mjǫk hryggr ok hugsaði slíkt, þá kom húsbóndi heim ok spyrr, hví hann var svá óglaðr: „Ef yðr mislíkar nǫkkurr hlutr hér, skulum vér gjarna at gera, um at bœta“. Flóres mælti: „Vel gez mér hér at ǫllu, ok þat vilda ek lifa, at þat yrði góðu launat. En ek em 25 hugsjúkr um kaupeyri minn: óttumz ek, at ek fá eigi þann varning, er ek vilda, ok þó at ek finna, óttumz ek, at ek fá eigi keypt“. Húsbóndi var vitr maðr ok undirstóð þat, er hann talaði, ok bað Flóres fara til matar: „Síðan vil ek gefa et bezta ráð um þat, er þú spyrr mik.“ Þá mælti húsbóndi til konu sinnar: „Sannliga er þessi maðr góðra manna, ok settu hann millum 30 okkar!“ Húsbóndi hét Daries, en húsfrú hét Tóris. Var þar sœmiliga þjónat, skenktr enn bezti drykkr af silfrkerum ok gullkerum; síðan var fram borit ker þat et ríka, er Flóres átti, ok var sett fyrir hann, ok horfði hann á, hugsandi þá til Blankiflúr, ok var þá mjǫk óglaðr. Ok er húsbóndi sér þetta ok hans húsfrú, báðu þau svipta borðum; ok er borð 35 váru uppi, mælti húsbóndi: „Leyn mik eigi, hví þú ert svá óglaðr! En ef þú leynir mik, þá gerir þú þér eigi gagn.“ Tóris mælti: „Mér sýniz, sem Blankiflúr muni elska þenna mann, ok líkt þœtti mér, at þessi maðr væri bróðir hennar, þvíat svá var hon hér hálfan mánað, at bæði grét hon nátt ok dag; harmaði hon unnasta sinn ok nefndi hann Flóres“. Ok 40 er hann heyrði þetta, þá jók stórum um hans harm ok andvarpaði, ok sagði húsbónda, at þessi Blankiflúr var hans unnasta. Þá svarar Daries: „Mikill fjǫlði manna geymir hana.“ Flóres mælti: „. . . kunna ráði mínu; ek em konungsson, en Blankiflúr er mín unnasta; var hon stolin frá mér

sakir ǫfundar; ek em ríkr maðr at pelli ok eximi, ok vil ek gera þík
nóg rikan, til þess at þú sér í ráðum með mér; ok satt at segja, at ek
skal hana missa eða deyja, eða fá hana ella." Þá svarar Daries: „Mikill
skaði er þat, ef þú týnir lífi þínu, en ek kann eigi ráð til at leggja; en
5 þat litla, er ek kann, vil ek gjarna til láta, ok veit ek þat, at þú vill þat
eigi, þvíat líf þitt liggr við, þvíat engi maðr er svá ríkr í verǫldinni, ef
konungr yrði víss, at eigi fengi skemmiligan dauða; en þar sem hon er,
má hvárki granda vél né gerningar, ok þó allt fólk í heiminum sœtti þar
at, mætti hana eigi fá at heldr, þvíat konungr hefir undir sér L konunga,
10 ok koma allir til hans á III nátta fresti, ef hann vill; en Babilón er X rasta
lǫng ok hár borgarveggr umhverfis, svá harðr, at ekki bítr á;
hann er svá þykkr, at hann er fimm faðma, ok fimtán hár; sjau hlið ok
XX eru þar á, ok sterkr kastali yfir hverju, ok markaðr hvern dag hjá
hverjum kastala; en í borginni eru VII C kastala, ok í hverjum C riddara;
15 einn af þeim ynni eigi keisarinn af Róm við allt sitt lið á VII
vetrum. Í miðri borginni er kastali einn, er jǫtnar gerðu forðum; hann er
C faðma hár ok C faðma um at mæla, ok gǫrr af grœnum steinum, ok er
sá steinn harðr, ok allr hvertðr með enum sama steini; en knapprinn
er af gulli af upp, ok stendr stǫng XXX álna lǫng af gulli, ok er hann
20 gǫrr vel, ok þar á einn karbunculus, er bjartari er um nætr en ljós um
daga; lýsir hann alla daga ok nætr um borgina, ok X rastir má sjá,
áðr maðr komi í borgina. Eru í kastalanum III gólf; er hvert upp af
ǫðru, ok ǫll með marmarasteini, en engi stolpi heldr þeim upp, ok eigi
fæ ek þat skilt, hvat þeim heldr upp; standa þó nǫkkurir smástolpar við
25 innan, allt af einum steini, undir þakit.

13. En hestr er gǫrr á miðju hallargólfi af brendu silfri; stendr or
munni honum skírt vatn, jǫkulkalt; þangat ganga jungfrúr at þvá sér. XV
klefar eru í þeim turni, harðla ríkuliga búnir; allir veggir eru með gull
gǫrvir, með allskyns líkneskjum. Kemr engi sá meistari till þess turns, at
30 eigi má meira nema einn dag þar, en þat allt, er áðr kunni hann. Eigi
má þar koma eitr. En í hverjum klefa er ein fríð jungfrú, þvíat konungr
lætr þangat fœra hverja, er fríðust er; má hver þeira ganga til annarrar, ok
svá mega þær allar ganga til konungs, þegar hann sendir þeim orð at
þjóna sér; alls eru þar XV tigir meyja, ok allar stórbornar, ok heitir þat
35 meyja kastali. Skulu II af þeim koma um morna til konungs, ǫnnur með
handklæði, en ǫnnur með munnlaug ok kamb. En þeir menn, er þann
turn varðveita, eru geldingar, ok eru III í hverju lopti, ok einn er þeira
meistari, er þeim ræðr; hann er illr í sér ok drápgjarn. Hann á at geyma
dyranna: ganga sveinar hans með nǫkt sverð, ok drepa allt þat, meistari
40 býðr. En hann á herbergi við dyrnar; kemr þar nǫkkurr at njósna, þá
heyrir hann þegar, ok slær þann til bana; hefir konungr lofat honum at
lemja þann eða drepa. Vakta þann turn II menn um daga, en aðrir II um
nætr; hafa þeir vápn nætr ok daga. Þat er siðr konungs, at hafa sína
konu at hverri jafnlengð; þann sama dag jafnlengðar, sem hann tók hana,
45 þá lét hann kalla til sín undirkonunga sína, því at eigi vill hann, at hon
elski annan síðan.

14. Síðan kallar hann þangat jungfrúr sínar, ok . . .

IV (entsprechend s. 54, 2 — s. 58, 1).

... eiga við þik fleira ok bjóða þér at tefla við sik, ok haf með þér C merkr brends silfrs ok legg við; en leik eigi utan fé, þvíat með fénu máttu blekkja hann, ef svá er, sem ek ætla; ok ef þú fær taflit, gef honum aptr, ok þat með, er þú hafðir, ok seg, at þér þykkir lítils um slíkt vert; en hann mun mjǫk þakka þér. Annan dag skaltu koma, ok haf með þér C merkr 5 gulls, ok ger sem fyrra dag, gef honum hvárttveggja; mun hann þá taka at elska þik, ok mun biðja þik enn koma: „sakir þess, at mér þykkir þú góðr maðr, en mik skortir hvárki gull né silfr, ok vil ek gefa þér, þvíat þú hefir við mik kurteisliga gǫrt".

16. Enn þriðja morgin haf með þér C merkr gulls til tafls, ok ker þitt; 10 ef þú vinnr enn, þá gef honum sem áðr; þá mun hann biðja þik, at þú leggir við kerit; en þú seg, at þér leiðiz at tefla. Mun hann bjóða þér til náttverðar, en þú þigg, þvíat hann mun vera glaðr við þik, sakir gullsins, er þú gaft honum, ok mun hann þér vel fagna. En til kersins mun hann mjǫk fýsaz, mun bjóða fyrir nær þúshundruð marka gulls, ok seg. at þú 15 vill eigi selja, ok gef honum með þeim skildaga, at hann gefi þér trú sína, at hann sé þér í bróður stað um þat, er þú þarft. En síðan máttu segja honum þitt mál; mun hann þá hjálpa þér; ef hann fær þat eigi gǫrt, þá kann ek eigi ráð at ráða þér". En Flóres þakkaði honum ok langaði mjǫk at finna dyrvǫrðinn. Ok er dagr kom, þá kómu þeir þangat húsbóndi hans; 20 ok er Flóres kom þar, þá sá hann turninn ok mældi lengð hans ok breidd, sem hann væri hagr.

17. Ok er dyrvǫrðr sá þetta, leit hann á Flóres mjǫk reiðuliga ok mælti: „Ertu njósnarmaðr ok svikari?" „Nei", sagði Flóres, „því mæli ek kastalann, at ek vil láta gera annan slíkan, er ek kem heim." Ok er dyr- 25 vǫrðr heyrði, at Flóres mundi vera ríkr maðr, bauð hann honum at tefla við sik. Flóres segir: „Hversu mikit viltu við leggja?" „Ráttu!" sagði hann. „C marka brent", sagði Flóres. Ok svá gerðu þeir, ok lét dyrvǫrðr, ok var þá mjǫk reiðr; en Flóres gerði, sem húsbóndi bauð, gaf honum aptr þat sem hann lét, ok sitt með; en dyrvǫrðr þakkaði honum 30 ok bað hann koma til sín á morgin. Ok Flóres hafði með sér hálfu meira fé en fyrr; þá léku þeir, ok fór þat sem fyrra dag, at Flóres gaf honum aptr ok sitt. Ok enn þriðja dag kom Flóres, ok hafði með C marka gulls ok ker sitt et góða; setti nú fram C marka gulls hvárr þeira, ok lætr dyrvǫrðr; gaf Flóres honum enn aptr ok sitt með; varð hann þá feginn, 35 svá at varla vissi hann. Þá bað dyrvǫrðr Flóres leggja við kerit; Flóres kvez eigi lengr vilja leika. Bauð dyrvǫrðr honum til matar með sér. Þeir fóru til borðs, ok var dyrvǫrðr mjǫk kátr; falaði hann opt kerit at Flóres, ok bauð honum fyrir C marka gulls ok C marka silfrs. Þá mælti Flóres: „Gefa vil ek þér kerit, en eigi selja, til þess, at þú gefir mér trú 40 þína, at þú skalt allt gera eptir mínum vilja, ok mik eigi svíkja í nǫkkuru. Ok svá gerðu þeir, at dyrvǫrðr sór honum trú sína.

Personenregister.

Agamemnon, c. 7, 5.

Blankiflúr, c. 2, 8; c. 3, 4; c. 4, 5; c. 5, 1. 2. 5. 7; c. 6, 1—6. 9; c. 7,
9. 13. 14; c. 8, 6— 8. 10—14. 18. 19; c. 9, 4. 9; c. 10, 1. 7. 8. 16. 21;
c. 11, 1; c. 13, 3. 4. 7; c. 15, 10. 11. 14. 16; c. 17, 2; c. 18, 2. 6.
8 — 11; c. 19, 1—3. 6. 8; c. 20, 1. 2. 5. 6. 8. 9. 11. 12; c. 21, 3. 5;
c. 22, 2. 9—11. 13; c. 23, 8. 11. 13. 14. 16. 17.

César, c. 7, 9.

Daires, Daries oder Daríus, c. 15, 9. 15; c. 16, 1; c. 17, 5. 13; c. 23, 7.

Elóris, c. 18, 10; c. 19, 2. 4. 6. 7. 9; c. 20, 1—3. 5—7. 9. 10.
Eneas, c. 7, 9.

Felix, c. 1, 1. 4; c. 22, 10.
Flóres, c. 2, 8; c. 5, 6; c. 6, 1; c. 7, 9. 10. 13. 14; c. 8, 5. 6. 13; c. 9, 9;
c. 10, 1. 2. 7. 8. 13. 15—17. 19. 21. 22; c. 11, 1. 4; c. 12, 1. 4—6. 8;
c. 13, 1. 3. 6; c. 14, 3. 5. 10. 11. 13. 14; c. 15, 3. 4. 6. 10. 11. 13—16;
c. 17, 3. 13. 14. 16. 18 — 25; c. 18, 1. 2. 5 — 8. 10; c. 19, 3. 5. 6. 8;
c. 20, 6. 9; c. 21, 3. 5; c. 22, 9. 10. 12. 13; c. 23, 1—4. 6—11. 13. 14.
16. 17.

Goneas, c. 6, 3.
Góridas, c. 3, 3.

Helena oder Elena, c. 7, 4; c. 15, 10.

Jacob, der heilige, c. 1, 6.

Jesus Christus, c. 23, 18.
Júnó, c. 7, 6. 7.

Kalídes, c. 9, 8.

Laurína, c. 7, 9.
Lídernis, c. 15, 9.

Malter, c. 7, 3.
Marsilías, c. 22, 3. 8; c. 23, 7.

Orts- und völkerregister.

Berichtigungen.

Seite 11, zeile 12 lies *Ok nú vil* statt *Vil*
» 13, » 19 » *utan* » *útan*
» 14, » 3 » *láta* » *lata*
» 14, » 8 » *Babilón* » *Babilon*
» 21, » 9 » *Hvenær* » *Nær*
» 28, » 2 » *skundar* » *skyndar*
» 33, » 3 » *i* » *til*

Druck von Ehrhardt Karras, Halle a. S.